BIOGRAFIAS ESPASA
perfiles de siempre

ROBERT PAGEARD

BÉCQUER
leyenda y realidad

presentación de **HANS JURETSCHKE**

revisión del texto e ilustración
por
María Dolores Cabra

ESPASA – CALPE
Madrid – 1990

Diseño de cubierta: José Fernández Olías
Fotografías de la cubierta: *G. A. Bécquer,* por Valeriano D. Bécquer; *Sevilla,* grabado de David Roberts; *Robert Pageard;* facilitadas por ediciones El Museo Universal.
Director de la colección: Ricardo López de Uralde.

PQ
6503
.B3
Z77
1990

Impreso en España
Printed in Spain

Depósito legal: M. 27.568-1990
ISBN 84-239-2230-8

Talleres gráficos de la Editorial Espasa-Calpe, S. A.
Carretera de Irún, km. 12,200. 28049 Madrid

A Denise

presentación

A pesar de abundantes y profundas investigaciones de toda índole sobre Gustavo Adolfo Bécquer que aclaran detalles muy concretos de su vida y obra, subsiste hasta hoy una enorme y casi increíble desproporción entre el cúmulo científico de estos saberes y el estado efectivo en el cual se ofrece su obra al lector culto. Aunque circula un buen acopio de su creación desde hace decenios con la pretensión de constituir sus Obras Completas, éste sigue siendo parcial en muchos aspectos o fragmentario en cuanto a los textos, cuyo origen y desarrollo paulatino conocemos en la actualidad gracias a la constante labor erudita en este campo. Por esta razón, precisamente, resulta aún más insatisfactorio el modo de presentarse cada uno de sus escritos con respecto a su forma variada y los datos cronológicos explicativos. Hecho nada sorprendente, sin embargo, si nos fijamos en las «obras completas» de otras personalidades que destacaron en la misma época. Basta hojear los artículos de Juan Valera o Donoso Cortés, para darnos cuenta de que se produce un fenómeno común y corriente en la recuperación filológica de este período, con no ser el peor estudiado. Porque las condiciones sociológicas de su génesis y publicación dificultan extraordinariamente el trabajo de establecer un elenco sólido y fiable del vivir y pensar literario o cultural de esta generación decimonónica. Es éste desde su inicio harto complejo, al resultar insegura la autoría de muchos textos, ya que solían salir con carácter anónimo en una prensa a menudo efímera y carente de recursos. También contribuyen a esta áspera labor las muchas correspondencias que se descubrieron durante los últimos decenios, rectificando la visión deficiente que se heredó de la generación del 98, la cual apenas se preocupó de la de sus padres o lo hizo con signo adverso.

En el panorama general, supone este estudio monográfico sobre Bécquer y su época que aquí se introduce un insólito factor, por aspirar a una síntesis total de la labor investigadora referente al autor. Sin duda, estará destinado a superar nuestro defectuoso conocimiento de la situación historiográfica, ya que resulta muy difícil valorar la abundancia de los estudios habidos. En un examen del conjunto de la bibliografía que afecta por partes iguales al autor y a su obra, Pageard prepara el camino para una edición crítica, completa y definitiva de la creación del gran artista y hombre profundo que fue Bécquer. Por lo demás, es ocioso advertir que este progreso aclaratorio va a servir para obtener una perspectiva más justa del individuo dentro de su sociedad, que contaba con gentes muy cultas y observadores no menos agudos.

Desde hace más de cuarenta años Robert Pageard conoce España. Y yo le conozco desde que estuvo por primera vez en Madrid, donde nos encontrábamos con frecuencia en la Sala de Investigadores de la Biblioteca Nacional. Licenciado en derecho y letras, diplomado de la Escuela de Altos Estudios Comerciales de su país, desde 1948 y 49, vino aquí con el fin de reunir datos para su tesis sobre *Goethe en España,* que apadrinaba Jean Marie Carré, autor de una espléndida monografía sobre el impacto de Goethe en Inglaterra. Pageard, que nació en 1927 en París, tenía en aquel tiempo unos veinte años bien cumplidos. Su estudio sobre Goethe, que ya pudo presentar en 1953 en la Sorbona, llamó la atención por el carácter minucioso y sistemático de su ejecución, en la cual se demuestra, además, una gran familiaridad con la prensa periódica de España. Conocimiento notable que todos debíamos también en parte a las investigaciones de José Simón, pero que Pageard extendió a nuevas dimensiones. Este texto, que por cierto ya incluye cuatro referencias a Bécquer, impresionó hasta tal extremo que el Consejo Superior de Investigaciones Científicas lo publicó en 1958.

En el curso de estos años Pageard volvió reiteradamente a España, en tanto se lo permitía su actividad profesional, puesto que entró en 1954 en el servicio de la judicatura colonial de su tierra. Carrera que asumió al principio por razones familiares para ayudar a los suyos, pero con la cual se encariñó a la larga, como lo abonan los numerosos estudios que dedicó más adelante a las culturas del África negra, aparecidos en el *Journal de la Société des Africanistes.*

Su interés por España no se interrumpió, sin embargo. De ello da fe una larga relación de trabajos, cuyo número pasa de cuarenta, a los cuales acompaña una cifra casi igual de reseñas sobre temas hispánicos. En su conjunto de índole muy varia, pero casi todos referidos a la historia del siglo XIX y en no poca parte a las relaciones entre España y Francia. Para apreciar esta gran fecundidad y su alto nivel, basta hojear los números de las

Lettres romanes del *Bulletin Hispanique* y de la *Revue de littérature comparée*, de los que sigue siendo un asiduo colaborador. Me satisface poder decir que también pude conseguir su cooperación en las *Spanische Forschungen der Goerres-Gesellschaft* porque desde joven le interesaba igualmente la cultura alemana, como confirma su tesis sobre Goethe.

No es éste el lugar más apropiado para hacer un examen de estos estudios, por mucho que lo merezcan sus temas. La dimensión limitada de esta introducción impide la mera enumeración de sus títulos. A su manera reflejan la historia del hispanismo francés, incluyendo como lo hacen, al lado de figuras secundarias como Coste d'Arnobat, Raymond de Toulouse-Lautrec y Achille Fouquier, investigadores señeros del estilo de Morel Fatio y J. J. A. Bertrand; especialmente este último, a quien nuestro autor debe muchas lecciones y sugerencias, como era de esperar. Por otra parte, huelga la cita individual de los ensayos, porque muchos de ellos aparecen en los índices bibliográficos de esta obra.

Así y todo, he de mencionar expresamente el hecho de que una larga docena de estos trabajos giran en torno a Bécquer o abordan aspectos específicos del poeta y escritor, como, por ejemplo, el artículo sobre *Le germanisme de Bécquer,* de 1954, y *La révolution de 1868 et la biographie de G. A. Bécquer,* de 1965, o las *Recherches sur la rime IV,* de 1968, donde Pageard reconoce su deuda con Rafael Balbín, a quien cita por supuesto en numerosas ocasiones con carácter preferente. Si sólo recuerdo estos tres, y un tanto arbitrariamente, ello se debe a mi deseo de subrayar el interés continuado de Pageard por Bécquer. De suyo todos se conocen en España, donde han recibido la debida atención, según nos demuestra la literatura especializada.

En esta visión de conjunto ocupan un puesto privilegiado los libros que se publicaron con ocasión del centenario de la muerte del gran poeta. Examinando la bibliografía de este año y de los que le preceden o siguen a corto intervalo, salta a la vista que hacia esta fecha abundan estudios monográficos de envergadura y de extraordinaria valía. Si bien puede parecer superfluo, ya que son de conocimiento común, los enumero aquí brevemente para caracterizar el giro del becquerianismo y porque entre ellos destaca la aportación de Robert Pageard de una manera que hace prever el origen del libro que aquí se presenta.

La acumulación de monografías extensas relativas a Bécquer es tal, que prácticamente alcanza una docena de títulos en el espacio de tiempo que va desde 1968 hasta 1972, y eso sin contar los numerosos artículos y nótulas, algunos sumamente estimables, como los de Rafael Montesinos, Casalduero y Díez de Taboada. Su variedad se aprecia en la bibliografía cuidada de Russell P. Sebold, también notable becquerista, en su monografía posterior de 1982. En esta suma de saberes destacan, por de pronto, los libros de homenaje locales, cuales son los de Simón González, Vidal Benito y varios aficionados de Soria, que tratan de las relaciones del autor con Toledo, Veruela y Soria.

En otro grupo se examina la *Poética becqueriana,* según la fórmula de R. de Balbín y López Estrada, para lo cual aporta la edición facsímil del *Libro de los gorriones,* en 1971, una base fundamental, al hacerlo accesible al gran público.

Más orientados hacia la vida y el pensamiento están los estudios valiosos de Heliodoro Carpintero y Rubén Benítez, ambos muy nuevos a su manera. Su comparación introduce al lector en la compleja estructura del escritor, sencillo y modesto por un lado, y por otro distinguido como portavoz de una corriente ideológica.

La aportación de Pageard consiste en una edición crítica anotada de las *Rimas,* que publicó el Consejo Superior de Investigaciones Científicas en 1972. Trátase en primer lugar de una presentación comparativa del verso sobre casi cuatrocientas páginas. Significa, por tanto, un minucioso trabajo de precisión filológica, hoy, por tanto, imprescindible para cualquier becquerista. Pero por su naturaleza abarca, a la vez, notas y apuntes de toda índole para un mutuo esclarecimiento de la prosa y del verso, rastreando de ambos sectores conceptos y palabras idénticos o paralelos, que reflejan el paulatino nacimiento en la mente del autor con una sensibilidad estética simultánea.

Quien siga los análisis y reflexiones de este libro, aplicados en un orden estrictamente cronológico, quedará asombrado de la cantidad de datos y detalles que todavía han de ser desvelados en la vida, obra y pensamiento de Bécquer. Y esto tanto más cuanto que las indagaciones concretas, acometidas durante medio siglo, han llenado infinitas lagunas, al descubrir nuevos artículos, asegurar la autoría de otros ya conocidos, y completar las distintas versiones de las *Rimas* y la *Historia de los templos de España.* Pageard aprovecha cuanto se ha precisado sobre la llegada del poeta adolescente a Madrid, su inmersión en la vida de la capital, la relación subsistente con Sevilla, el ascenso social bajo la protección de González Bravo, la colaboración en las diferentes fases de *El Contemporáneo* y los diarios y las revistas en las que está presente durante el último lustro de su vida. Es decir, en *Los Tiempos, El Museo Universal* y *La Ilustración de Madrid.* Cautelosamente mide el alcance de las nuevas informaciones, subraya primero su parte positiva, pero simultáneamente expone la fragilidad de apresuradas generalizaciones. El lector lo verá y le aplaudirá igual que yo en su prudente proceder, que no desprecia los detalles minuciosos y reduce las síntesis a los hechos descarnados, históricamente irrefutables. Entre la admisión y el rechazo de nuevas hipótesis prevalece frecuentemente la duda y la indicación del camino para resolverla.

Un historiador no puede describir a un personaje sin interpretar sus rasgos psicológicos. En este caso se ilumina la faceta individual de un talento polifacético, en el margen extenso que se concede al dibujo y a la pintura, ya que domina el ambiente de Gustavo Adolfo en su Sevilla natal. Nos encontramos con el detenido y minucioso recuerdo de una familia de pintores, formada por padre, tío y hermano, a quienes por su talento Bécquer no era ajeno. Nos informan ampliamente sobre el aprendizaje del dibujo, la íntima y constante colaboración del escritor con su hermano Valeriano y su práctica del dibujo, al preparar sus impresiones de los monumentos históricos en Toledo, cuya realidad efectiva reprodujo con los ojos de un pintor, lápiz en ristre, como dice. No es de extrañar, por consiguiente, que Pageard aclare también la participación que tuvo el escritor en la descripción de la gran Exposición de Bellas Artes de 1862, que constituye el contenido de otro libro suyo de próxima aparición. La comprensión de la pintura histórica y costumbrista por parte de Bécquer no fue sólo obra de un aficionado, sino manifestación evidente de un talento que pudiera haber optado por la misma carrera artística. Subrayo este aspecto, ya que le importa a Pageard demostrar la visión plástica y pictórica del escritor como algo que le distingue y le da una base fuertemente realista. Que con ello se nos acerca al mismo tiempo la obra del hermano, con facetas nuevas de la pintura española del siglo XIX, todavía insuficientemente estudiada, resulta ocioso advertirlo.

Cuadros de sucesos históricos, textos literarios que celebran hechos y monumentos realizados para conmemorar un pasado glorioso, relatos de costumbres que reflejan tradiciones y creencias antiguas, constituyen los testimonios más preclaros del romanticismo. Bécquer nació en esta atmósfera cargada de visiones retrospectivas, que reaparecen en incontables ocasiones en su pensamiento. Pageard lo describe una y otra vez, haciendo ver la influencia que en este sentido ejercieron sobre él Saavedra, Espronceda y Zorrilla. Pero, sin negar esta relación con el romanticismo histórico, apenas hace uso de este término técnico, consagrado por la historiografía. Es más, cabe decir que lo evita adrede por su ambivalencia y contenido contradictorio hacia 1855, cuando Milá lo suprime y Valera condena este movimiento como cosa pasada, por excesivo y falso. Atinadamente demuestra Pageard que Bécquer guarda todavía el entusiasmo medievalizante, al tiempo que rechaza el materialismo del siglo y el racionalismo renacentista, en aquel entonces ya aclamado por Michelet. De las muchas observaciones de Pageard sobre el particular sólo menciono su aceptación del juicio que Rodríguez Correa emitió sobre su viejo amigo, calificando su actitud artística frente a la interpretación del mundo como «realismo ideal». Pues en un párrafo del prólogo que éste redactó en 1871 para la edición de la obra del compañero difunto, se afirma a este respecto lo siguiente, citado por Pageard: «Es éste el único realismo posible en artes, si no ha de ser mera imitación de la naturaleza o anacronismo literario, y han de llevar el sello de algo creado por el artista.» Este realismo, debidamente remarcado por Pageard, no significa otra cosa que el ocaso del romanticismo y la lenta transición a la estética realista, la cual se concibe a menudo como naturalismo. El pintor y costumbrista del mundo vivido que fue Bécquer insinúa esta tendencia hacia lo nuevo. Equivocado estaría quien viera en él sólo al poeta del ensueño, viviendo en un estado irreal de mundos imaginarios. El análisis de Pageard nos enseña esta línea interpretativa, que hace compatible el reconocimiento de la dura realidad con la visión de una esfera superior, la creación ideal de un artista que aspira a un porvenir mejor, que deja de ser retrospectivo en su orientación.

Esta evolución artística nos plantea la cuestión de qué lugar tenía en ella el elemento religioso. La bibliografía aduce numerosos comentarios sobre su ideología política y su cristianismo, basándose en las afirmaciones propias del autor, pero, en general, sin tener en cuenta el desarrollo intelectual de un hombre joven al que una muerte prematura impidió una expresión definitiva y razonada. Pageard demuestra e insiste en que nuestro autor era un hombre tolerante, pero de ninguna manera ingenuo.

Ya se sabe que Bécquer no participaba en el catolicismo militante de un Donoso Cortés, ni en el practicante del carlismo. Calificarlo de tradicionalista, como se ha hecho por un hispanista argentino, convence tan poco como la clasificación de neo-católico que se le aplicó hacia 1860, empleándose en ambos casos dos términos de proveniencia francesa.

Pageard registra todas las manifestaciones suyas o en torno suyo en la materia. Sobre la dimensión política subraya la postura rectilínea de los moderados conservadores, acentuando su lealtad personal. En cuanto a su espiritualidad, se inclina a aceptar que aparecía aún intacta, a pesar de las dudas que habría y que él tuvo en este ambiente de incredulidad, debido al impacto de Hegel y Krause. Quizá por prudencia elemental, Pageard no tercia en la materia, ya que se carece de pruebas concluyentes. Lo que se comprende, porque antes de difundirse el marxismo, incluso los cristianamente incrédulos no negaban el factor religioso como componente decisivo de la sociedad, según ocurrió con Juan Valera y Sanz del Río, que se pronunciaron a este respecto. En todo caso cabe dudar de que el tradicionalismo histórico que respira la *Historia de los templos* perdurara en el redactor de *El Contemporáneo* o de *El Museo Universal*. Pero, hoy por hoy, la exposición de Pageard no nos permite la conclusión de que Bécquer llegara a una religiosidad aconfesional, como fue la de Jakob Burckhardt. Para aclararlo sería de desear que se le diera a Pageard la posibilidad de preparar una edición crítica de las obras verdaderamente completas del autor, digna del mayor poeta español en el siglo pasado y el más cercano a la espiritualidad de hoy.

HANS JURETSCHKE.

prólogo

EL presente trabajo tiene por objeto poner a la disposición del público un estado de los conocimientos actuales sobre la vida y la obra de Gustavo Adolfo Bécquer, estrechamente ligadas ambas con las de su hermano Valeriano, a la par que entregar a los investigadores el resultado de estudios y reflexiones personales que se extendieron, entre otras tareas y curiosidades, sobre unos treinta años.

Esta publicación representa un homenaje rendido a todos los eruditos poetas y aficionados que, tanto en España como en el extranjero, se han interesado, con pasión muchas veces, por la corta vida y el arte de Bécquer. Se hallará el nombre de muchos de ellos y la indicación de sus trabajos en la parte «Fuentes», en la bibliografía y en los índices colocados al final del libro.

Entre los difuntos, debe mucho la investigación becqueriana al hispanista alemán Franz Schneider, cuya tesis publicada en 1914 en Leipzig no se utilizó seriamente antes de 1945. Tengo el deber de mencionar además aquí los nombres de los difuntos cuyo recuerdo me es grato, el de don Rafael de Balbín Lucas, quien desarrolló y apoyó apasionadamente los estudios becquerianos en España, y el de Rica Brown (Gran Bretaña), cuyo *Bécquer* (1936), prologado por Vicente Aleixandre, queda como una de las biografías más completas y conmovedoras del poeta sevillano.

Entre los vivos que contribuyeron especialmente a que se conozca mejor la vida y la acción de Bécquer deben citarse don Dionisio Gamallo Fierros, don Rafael Montesinos, don Heliodoro Carpintero, don José Pedro Díaz (Uruguay), don Rubén Benítez (Argentina), don Vidal Benito Revuelta, don Juan María Díez Taboada, don Francisco López Estrada y, en los últimos tiempos, doña María Dolores Cabra Loredo y Marie-Linda Ortega cuya tesis sobre las obras en prosa de Bécquer queda por publicar. La familia de los becquerianistas se ha ampliado de modo particular en el campo de la investigación estética. Sólo he podido nombrar aquí un corto número de sus miembros.

Es un agradable deber para mí dejar aquí consignado el testimonio de mi gratitud para con don Hans Juretschke y doña María Dolores Cabra Loredo, dos amigos sin cuya confianza y ayuda se hubiera dificultado la buena publicación del presente libro, que hago extensible a don Luis Álvarez Piñer, por su interés y amabilidad.

Cada sociedad, cada generación, cada persona tienen que edificar su propia cultura y, con tal objeto, pensar primero nuevamente en las obras y las intenciones de algunas conciencias desaparecidas que, al condensar en muchos casos las interrogaciones y aspiraciones de los hombres de su época, dejaron un rastro. Así se dibujan las familias espirituales a través del tiempo. Este libro no es sino un eslabón.

ROBERT PAGEARD.

preliminar:
sangres de España

NACIDO en Castilla la Vieja a mediados del siglo XVIII, Julián Domínguez y Villalba contrae matrimonio con una Bécquer, sevillana, alrededor de 1775. Según nos informa Gestoso y Pérez (1886), la esposa se
llama Mencía; es hija de Martín Bécquer, «mayorazgo y Veinticuatro de
Sevilla», y de doña Úrsula Díez de Tejada.

En Málaga nace de esta unión Antonio Domínguez Bécquer hacia 1777.
El 3 de mayo de 1799, en la iglesia de San Esteban de Sevilla, se casa con
María Antonia Insausti Bausa, oriunda de Lucena, rica y venerable ciudad
situada en la carretera de Córdoba a Málaga. Es probable que los intere-
ses de Julián Domínguez, padre de Antonio, oscilasen entre Sevilla y
Málaga.

En la partida de matrimonio de Antonio se indica que su madre es doña
María Josefa Bécquer.

José Julián Insausti, padre de María Antonia, era originario de Bilbao. La madre se llamaba Manuela María Bausa Fernández Velasco; era
natural de la villa y corte de Madrid.

Del enlace Antonio Domínguez-María Antonia Insausti nace José María
en Sevilla el 22 de enero de 1805. El bautismo se celebra el 24 en la iglesia
de San Esteban. El niño tiene por madrina a la abuela materna, quien se
designa en la partida de bautismo como doña Mencía Bécquer.

José María Domínguez Insausti usará con preferencia del nombre José
y del apellido Bécquer. Según Santiago Montoto, tuvo José un hermano
llamado Manuel, quien ocupaba un oficio de escribano en Sevilla por los
años treinta y cuarenta.

el Parentesco Espiritual y obligaciones. *Y* de verdad lo firme

Antonio Lucena
Cura

En Jueves veinte y cinco de Febrero de mil ochocientos treinta y _____ D. Antonio Rodriguez Avenas. Pro. con licencia del Infrascripto _____ la Parroquial de Sr. S. Lorenzo de Sevilla: bautize solemnement.e á _____ Adolfo q.e nacio en diez y siete de dicho mes y año hijo de D. _____ guez Vequer y D. Joaquina Bastida y ni legitima muger. _____ drina D. Manuela Monahay vecina en la Collacion de _____ la q.e se advirtio el Parentezco Espt. y obligaciones. *Y* de verdad lo firme

Antonio Lucena
Cura

En domingo veinte y ocho de Febrero de mil ochocientos treinta y _____ Yo el Infrascripto Cura Teniente de la Parroquial de Sr. S. Lorenzo _____ lla: bautize con bautismo de Capa y organo solemnement.e á Geroni _____

Acta bautismal de Gustavo Adolfo Bécquer

Casa donde nació Bécquer en Sevilla. *Foto Archivo Espasa-Calpe*

Conocemos a un Francisco Domínguez Bécquer al que Gustavo Adolfo llamaba «tío» y quien fue el padrino del segundo hijo del poeta, Jorge Luis Isidoro, el 17 de septiembre, en Madrid. Se trata probablemente de otro hermano de José. Francisco Domínguez Bécquer fue también el padrino de dos hermanos de Gustavo Adolfo: Valeriano (1834) y José (1841). José María Domínguez Insausti se casó en la iglesia de San Lorenzo, de Sevilla, el 26 de febrero de 1827. Se indica en la partida de matrimonio que la esposa es Josefina Bastida, natural y vecina de Sevilla, hija de José y de María Josefa de Vargas. Redactada en la iglesia de San Vicente el 8 de noviembre de 1808 (nacimiento: 4 del mismo mes), la partida de bautismo de la esposa menciona como nombres de pila Joaquina María Josefa Petronila Carlota Ramona Lugarda; los nombres de los padres son «Josefa de la Bastia» y «María Josefa de Vargas»; la madrina es una abuela, doña Petronila Rayo.

Entre numerosos hijos, va a nacer de esta unión Gustavo Adolfo, el día 17 de febrero de 1836. Se lee en la partida de bautismo: «En jueves veinte y cinco de febrero de mil ochocientos treinta y seis años D. Antonio Rodríguez Arenas, Presbítero, con licencia del Infrascripto Cura de la Parroquia del Sr. S. Lorenzo de Sevilla: bautizó solemnemente a Gustavo Adolfo que nació en diez y siete de dicho mes y año, hijo de D. José Domínguez Vequer y D. Joaquina Bastida, su legítima muger. Fué madrina D. Manuela Monahay, vecina en la Collación de San Miguel, a la que se advirtió el parentesco espiritual y obligaciones. Y por verdad lo firmé, Antonio Lucena, cura.»

Se comprueba que, si bien los ascendientes de Gustavo Adolfo Domínguez Bastida Insausti de Vargas Bécquer Bausa fueron sevillanos en los dos primeros grados, ciertos orígenes más lejanos se localizan en ambas Castillas y en Vizcaya. Sevilla no representa sino uno o dos hilos en esta red compleja. Por la sangre, el genio becqueriano es extensivamente español.

A diferencia de los usos entonces practicados en las parroquias francesas, las partidas de bautismo o de matrimonio de Sevilla no precisan los oficios o estados de las personas mencionadas.

PRIMERA ÉPOCA

SEVILLA
(1836-1854)

1

la ilusión madrileña

1. Los Bécquer. Los orígenes neerlandeses y belgas. La tradición sevillana

NO cabe duda que, al adoptar el apellido distintivo de Bécquer, José Domínguez Insausti y sus hijos, así como su primo Joaquín, quisieron recoger y honrar un antiguo nombre sevillano llevado por una familia de la nobleza urbana que había tenido parte activa en la administración municipal.

El apellido Becker está muy difundido en Alemania. Probablemente tiene varias raíces: las palabras alemanas corrientes más próximas son de nuestros días *das Becker* (la cuenca, el ladrillo, la jofaina); *der Becher* (el cubilete en casi todas sus acepciones españolas), que ha dado el neerlandés *Becker; der Bäcker* (el panadero), que corresponde al neerlandés *Bakker*.

El examen del *Armorial general,* de Juan Bautista Rietstap, revela que numerosos Becker nobles han existido en los países germánicos, especialmente en Silesia, Sajonia, Prusia, en el Palatinado y en los Países Bajos.

Las familias nobles Becker o Bécquer de Holanda, Flandes y Sevilla tienen armas de idéntica estructura; difieren los blasones en algunos rasgos secundarios. Constituye la común estructura un cabrio o cheurón cargado con cinco estrellas, adornado el campo con dos vegetales en jefe y otro mueble de índole variable en punta.

Se encuentran los escudos siguientes:

— En Middelburgo, capital de la provincia de Zelandia; en las bocas del Escalda, y en Amsterdam: «De plata con cabrio de azul car-

gado de cinco estrellas de oro, y acompañado en jefe de dos trifolios de sinople (verde), en punta de una corona de rosas al natural. Ribetes de plata y azul. Cimera: una estrella de oro de ocho brazos.»
— En Flandes: «De azul con cabrio de oro cargado de cinco estrellas del campo (azul), acompañado en jefe de dos quintifolios del segundo (oro) y en punta de una perdiz al natural. Ribetes de oro y azul, cimera: cinco plumas de avestruz de oro y azul alternativamente, la de en medio cargada de una estrella de azul. Lambrequines: de oro y azul.»
— En Sevilla: «De azul con cabrio de oro cargado de cinco estrellas del campo (azul) y acompañado en jefe de dos trifolios de oro, en punta de una corona de florones del mismo. Soporte: dos leones al natural.»

Según Rietstap, que da todos estos informes, los Bécquer de Sevilla eran originarios de la provincia de Güeldres, cuya capital es Arnhem.

El certificado de nobleza establecido a favor de Guillermo Bécquer, hijo de Miguel, por el primer rey de armas Juan Hervart en Bruselas el 3 de agosto de 1628, describe armas casi idénticas a las que indica Rietstap para los Bécquer de Flandes, sólo que los quintifolios son sustituidos por trifolios. Este certificado refiere que los Bécquer de quienes desciende Guillermo son originarios del ducado de Brabante. Esta pieza se conserva en la biblioteca capitular de la catedral hispalense: Santiago Montoto la dio a conocer.

Las armas descritas por el susodicho certificado coronan la verja de la capilla sepulcral de los hermanos Miguel y Adam Bécquer, acabada en 1612. Esta capilla, consagrada en un principio a ambos Santiagos, Mayor y Menor, está colocada hoy bajo la advocación de las Santas Justa y Rufina, patronas de Sevilla. Se lee en la verja: «Esta capilla y entierro es de Miguel y Adam Becquer hermanos y de sus herederos y sucesores. Acabóse año 1622.» Aunque la e esté ligada con la u, la ortografía Bécquer queda clara.

Resulta de cuanto precede que el linaje al que pertenecen los Bécquer de Sevilla se manifestó en una extensa área desde el Zuydersee hasta el Brabante. Según un estudio publicado en La Habana, hasta puede encontrarse una antigua localización de los Bécquer en Mons, provincia de Henao (Valonia), y hubo descendencia de los Bécquer en América.

Figuraban, sin duda, los Bécquer del ducado de Brabante, entre esos mercaderes y financieros que se enriquecieron en las comarcas de las bocas del Escalda durante los dos primeros tercios del siglo XVI y que tenían permanentes relaciones con Sevilla, otra capital mercantil de Europa en aquella época por efecto del monopolio del tráfico con América de que disponía la ciudad, sede de la Casa de Contratación. Ya debilitada por disturbios sociales, religiosos y económicos, Amberes declina con rapidez después de la sublevación de las provincias del Norte (1572); la guerra va arruinando el comercio que se practicaba a orillas del Escalda.

Según toda probabilidad, Eduardo Becker o Bécquer, y luego sus hijos Miguel y Adam, pertenecieron a esta categoría de financieros que tuvieron la sagacidad de exportar y emplear en tiempo oportuno el producto de sus ganancias antes de salir definitivamente de Flandes. La fundación de una capilla con bóveda sepulcral en la catedral de Sevilla, la propiedad de varias casas en la ciudad y de un cortijo cerca de Utrera, entre otros bienes, demuestran la riqueza de los hermanos Miguel y Adam Bécquer (cuyo testamento es de 1623) así como la de su principal sucesor, Guillermo, nacido en Sevilla, quien dictó su testamento en 1650. Todavía llevan nombres flamencos o valones las esposas de Miguel Bécquer y de Adam Bécquer: estos nombres son respectivamente Catalina Wants (Bants, escribe Juan Hervart) y Margarita Ducers o Ducerf (Del Ciervo, traducirán los sevillanos). Guillermo, hijo de Miguel, se casa con Isabel, hija de Adam. Seis hijos y dos hijas son el fruto de esta unión; la completa españolización se verifica al nivel de esta generación.

Por la adquisición de una juraduría, entra Guillermo en el Concejo y recibe el título de veinticuatro. Funda un mayorazgo, siguiendo el ejemplo de su tío y padre político Adam, quien había fundado uno a favor de su hijo Miguel en 1622.

En su mayoría, los hijos de Guillermo fueron caballeros de una orden religiosa militar (la de Calatrava o la de Alcántara) y ocuparon cargos locales del Santo Oficio. Uno de ellos fue canónigo de la catedral hispalense.

Arráiganse, pues, los Bécquer con celo en esa Sevilla ardientemente católica, todavía fastuosa, de la primera mitad del siglo XVII,

— que dedica un culto ferviente a la Santísima Virgen;
— que, en el ámbito de la pintura, ve formarse a Velázquez (1599-1660), actuar a Zurbarán (1598-1664), triunfar a Murillo (1617-1682);
— que adorna sus iglesias con las esculturas de Martínez Montañés (1568-1649);
— que sigue viviendo bajo el encanto y las exigencias de la poesía de Fernando de Herrera, cuyos poemas son editados por Pacheco en 1619, escribiéndole Francisco de Rioja uno de los prólogos;
— cuyos poetas, que a menudo son también eruditos, unen a la apasionada búsqueda de las imágenes hermosas y de las perfectas armonías sonoras cierta melancolía estoica.

De esa época sevillana que vivieron algunos de sus antepasados, Gustavo Adolfo recibirá, mediante la educación familiar, escolar y artística:

1. Su fe en Cristo y su adhesión al culto marial, si bien esta tradición religiosa no pudo apartar siempre de su conciencia los sentimientos de muerte y de soledad, fuentes de tristeza:

Desde entonces cuando cierra
la flor sus hojas brillantes,
y el último canto ensayan,
al bosque huyendo, las aves;
de purpurinos claveles,
de blancas rosas fragantes,
de nacarados jazmines
y de violetas süaves,
entreteje una corona;
y cuando llevan los aires
y el eco de la campana
que a oración llamando tañe,
de la Reina de los Cielos
con ella adorna la imagen,
y le dice: Madre mía,
tomad la ofrenda que os hace
un corazón que os adora;
mas que expresarlo no sabe.

(La plegaria y la corona.
Sevilla, 17 de marzo de 1854.)

... me figuro las ramas inmóviles, el viento suspendido, y la tierra estremecida de gozo, con un temblor ligerísimo al sentirse hollada otra vez por la divina planta de la Madre de su Hacedor, absorta, atónita y muda, sostenerla por un instante sobre sus hombros. Me figuro, en fin, todos los esplendores del cielo y de la tierra reunidos en una sola armonía, y en mitad de aquel foco de luz y de sonidos, la celestial Señora, resplandeciendo como una llama más viva que las otras resplandece entre las llamas de una hoguera, como dentro de nuestro sol brillaría otro sol más brillante.

(Cartas desde mi celda, IX; 6 de octubre de 1864.)

2. El influjo del arte de Murillo, arte repartido entre el espíritu y la materia, el ideal y la realidad, pero siempre luminoso, afectuoso, aéreo, especialmente en los cuadros dedicados a la Virgen:

... yo he visto, y usted habrá visto también a la misteriosa luz de la gótica catedral de Sevilla, uno de esos colosales lienzos en que Murillo, el pintor de las santas visiones, ha intentado fijar, para pasmo de los hombres, un rayo de esa diáfana atmósfera en que nadan los ángeles como en un océano de luminoso vapor; pero allí es necesaria la intensidad de las sombras en un punto del cuadro para dar mayor realce a aquel en que se entreabren las nubes como una explosión de claridad; allí, pasada la primera impresión del momento, se ve el arte luchando con sus limitados recursos para dar idea de lo imposible.

(En la carta IX, anteriormente citada.)

3. El respeto para la elaboración formal esmerada que, junto con el apego a los poetas latinos e italianos, caracteriza a la escuela poética sevillana del Siglo de Oro:

Cuando yo tenía catorce o quince años y mi alma estaba henchida de deseos sin nombre, de pensamientos puros y de esa esperanza sin límites que es la más preciada joya de la juventud; cuando yo me juzgaba poeta, cuando mi imaginación estaba llena de esas risueñas fábulas del mundo clásico, y Rioja en sus silvas a las flores, Herrera en sus tiernas elegías, y todos mis cantores sevillanos, dioses penates de mi especial literatura, me hablaban de continuo del Betis majestuoso, el río de las ninfas, de las náyades y los poetas, que corre al Océano escapándose de un ánfora de cristal, coronado de espadañas y laureles...

(Cartas desde mi celda, III, 5 de junio de 1864.)

Poco seducido por los ambientes renacentistas o barrocos, Gustavo Adolfo Bécquer aplicó raras veces su imaginación a la edad de oro sevillana. Por ejemplo, no dice ni una palabra del esplendor mercantil de antaño en *La feria de Sevilla* (1869). Sin embargo se encuentra un cuadro de la época de Adam, Miguel y Guillermo Bécquer en las dos primeras partes de *Maese Pérez el organista, leyenda sevillana* (diciembre de 1861), cuyo escenario es la iglesia del convento Santa Inés, uno de los monumentos religiosos más atractivos de la capital andaluza. Los hechos legendarios ocurren entre 1588, fecha de la creación del título ducal de Alcalá, y 1640, fecha en que pierde su potencia el duque de Medina-Sidonia; Sevilla sigue viviendo en la prosperidad traída por el comercio con el Nuevo Mundo. Se nota alguna semejanza entre lo que conocemos de los Bécquer y lo que introduce Gustavo Adolfo en el discurso descriptivo, muy animado, de una anónima y locuaz parroquiana:

— Las cruces rojas y verdes de las órdenes religiosas militares se ven en la indumentaria de los nobles y notables, fundamentalmente en

el pecho de un armador, quien huye la ostentación y de quien se dice: «Toda Sevilla le conoce por su colosal fortuna. Él solo tiene más ducados de oro en sus arcas que soldados mantiene nuestro señor el rey don Felipe, y con sus galeones podría formar una escuadra suficiente a resistir a la del Gran Turco...»
— Se habla de un «flamencote», quien podría llamar la atención del Santo Oficio («los señores de la cruz verde») si no le valiera su fortuna la protección de los poderosos de Madrid. (Aquí se puede conjeturar que la atracción ejercida sobre los Bécquer por los cargos del Tribunal del Santo Oficio pudiera ser relacionada con el deseo de borrar definitivamente el hecho de que eran originarios de un país que el protestantismo había conquistado en parte.)
— Dos veces se hace mención de los «caballeros Veinticuatro» que se codean con la nobleza sevillana.

Figuraban probablemente los Bécquer entre los privilegiados ricos que, como repara Gustavo Adolfo, se inclinaban a poner distancia entre ellos y el pueblo:

> La iglesia estaba iluminada con una profusión asombrosa. El torrente de luz que se desprendía de los altares para llenar sus ámbitos chispeaba en los ricos joyeles de las damas que, arrodillándose sobre los cojines de terciopelo que tendían los pajes y tomando el libro de oraciones de manos de sus dueñas, vinieron a formar un brillante círculo alrededor de la verja del presbiterio.
>
> Junto a aquella verja, de pie, envueltos en sus capas de color galoneadas de oro, dejando entrever con estudiado descuido las encomiendas rojas y verdes, en la una mano el fieltro, cuyas plumas besaban los tapices, la otra sobre los bruñidos gavilanes del estoque o acariciando el pomo del cincelado puñal, los caballeros Veinticuatro, con gran parte de lo mejor de la nobleza sevillana, parecían formar un muro destinado a defender a sus hijas y (a) sus esposas del contacto con la plebe.

Dos veces pone Gustavo Adolfo en boca de la comadre que comenta los sucesos una reflexión crítica acerca de las riñas entre las clientelas de los grandes, así los duques de Alcalá y de Medina-Sidonia, que turbaban la paz de la ciudad; sin embargo, parece que semejantes peleas acontecieron principalmente en el siglo XV entre los partidos de las familias nobles de Arcos, de Cádiz y de Medina-Sidonia.

Maese Pérez el organista puede apreciarse como el fruto de una idea poética combinada con una investigación, rápida pero suficiente, sobre la vida sevillana del Siglo de Oro.

Siento que Gustavo Adolfo no nos haya dejado ninguna evocación de la animación del puerto en su magnificencia cuando los galeones de América retornaban con su cargamento y cuando la ciudad albergaba los candidatos a la gran aventura. Su talento de pintor de los concursos de gente, en alianza con su sentido de la luminosidad, hubiera hecho de él, literalmente, un Claudio Lorena del puerto que relacionaba España con las Indias Occidentales.

Herida por las crisis financieras que conoce el Estado, por terribles epidemias, por las dificultades crecientes de navegación sobre el Guadalquivir, Sevilla va declinando en la segunda mitad del siglo XVII.

Sin embargo no desaparece la familia Bécquer de la vida artística y literaria.

Cuatro láminas de la *Flora peruana y chilena* (1798-1802), de Hipólito Ruiz y Joseph Pavón, se deben al grabador Juan J. Bécquer, quien firma Joan Bécquer o Joann J. Bécquer. Se trata de las láminas LXVIII del tomo primero (1798), dedicada a tres valerianas; CXXV del tomo segundo (1799), que representa una hermosa planta con su flor *(lisianthus viscosus);* CLII del mismo tomo, que representa dos *rauwolfia;* CLXIII, que figuran dos *solanum,* siendo esta última de particular delicadeza. Los dibujantes se llaman J. Rubio (láminas LXVII y CLXIII), Isidoro Gálvez, Fr. Pulgar. Un tal Manuel Esquivel, quizá un compañero sevillano de Juan Bécquer, ha grabado la lámina CXXIV, *lisionchus corymtosus.* No aparece el nombre Bécquer en el tomo tercero (1802). Se supone que Juan Bécquer sea un tío materno de Antonio Domínguez Bécquer, ya que Gestoso y Pérez indica que doña Mencía Bécquer tenía un hermano llamado Juan.

También se conoce un don Eduardo Vacquer, presbítero, quien tuvo un papel muy activo entre los miembros de la Academia de Buenas Letras de Sevilla (1793-1800). Entre otros textos, leyó en sus asambleas: *Discurso sobre los pocos progresos de la elocuencia en España* (22 de mayo de 1796), *Discurso en que se examinan las causas de la corrupción del buen gusto* (4 de diciembre de 1799), *Discurso sobre el mérito de Platón* (26 de marzo de 1800). Prestó su ayuda para la publicación, patrocinada por la Academia, de una selección de poesías de José María Blanco, de Alberto Lista y de Félix Joseph Reinoso (1797); y más tarde, defendió a este último contra los ataques contenidos en un libelo del licenciado José Álvarez Caballero, *Carta familiar de D. Miyas Sobeo a D. Rosaura de Safo.* El nombre y la ortografía del apellido dejan poca duda sobre la identificación de Eduardo Vacquer como miembro del linaje Bécquer.

Conviene advertir aquí que el apellido Bécquer admitía las ortografías más diversas. En la partida de bautismo de Gustavo Adolfo, se halla la ortografía Vequer. José Domínguez Insausti firmaba Bequer, Becker y Beker. A la abuela materna le dan en los registros parroquianos los apellidos Bequer y Baquer.

Un José María Domínguez fue miembro activo de la Academia de Buenas Letras de Sevilla. Tal vez fuese pariente de Antonio Domínguez Bécquer. También es de notar que un don Antonio de Vargas, canónigo, fue rector de la Universidad de Sevilla a finales del siglo XVIII; es posible que fuese miembro de la familia de Vargas de la que procedía una de las abuelas maternas de Gustavo Adolfo.

Contribuyó la Academia a difundir una poesía liviana que való en la educación artística de Gustavo Adolfo: «Ayudó en gran parte a rectificar el buen gusto en la poesía la continua lección de nuestros más célebres líricos; de Garcilaso en el estilo de Teócrito, de León en el de Horacio y de Villegas en el de Anacreonte», pudo escribir Reinoso en su corta *Historia de la Academia de Letras Humanas de Sevilla, desde su establecimiento hasta 10 de mayo de 1799.*

2.   El ambiente de la infancia. El éxito de dos artistas

Un ambiente feliz caracteriza los cinco primeros años de la vida de Gustavo Adolfo. Este período finaliza con la muerte del padre, acaecida el día 26 de enero de 1841, según indica Manuel Ossorio y Bernard en su *Galería biográfica de artistas españoles del siglo XIX.*

Durante estos primeros años, tan importantes para la formación de una personalidad equilibrada, crece Gustavo Adolfo en un hogar que anima la presencia de numerosos hermanos, de compañeros, de amigos de la familia, de discípulos del padre, de visitantes aficionados al arte; dibujante y pintor, José Domínguez Bécquer manifiesta con éxito una intensa actividad. Primero está instalado el matrimonio en la calle Ancha de San Lorenzo, número 9 (hoy, 26 de la calle del Conde de Barajas); en 1838, se traslada al 27 de la calle del Potro; es de suponer que el taller sigue.

Gustavo Adolfo fue precedido por cuatro hermanos: Eduardo, nacido probablemente en 1828; Estanislao, nacido el 1 de enero de 1830; Jorge Félix, nacido en febrero de 1832, y Valeriano, nacido el 15 de diciembre de 1833. Otros tres hermanos seguirán: Ricardo, Alfredo y José, éste nacido después de la muerte del padre (27 de septiembre de 1841), de quien recibe el nombre en el bautismo. Una estrecha afección se manifiesta temprano entre Gustavo Adolfo y su hermano mayor más cercano, Valeriano, que le lleva un poco más de dos años. Estanislao, quien desempeñará funciones de ingeniería en el puerto de Sevilla, se hará cargo de Julia, la hija de Valeriano, después de la muerte de éste, y ayudará a las personas deseosas de reunir datos sobre la vida de sus hermanos. Existe noticia de que se calificaba a Ricardo, domiciliado en Sevilla, de «empleado», en el año 1875. No se ha consignado hasta la fecha ninguna otra información sobre los hermanos de Gustavo Adolfo y Valeriano.

Retratos de Gustavo y Valeriano pintados por su padre José Domínguez Bécquer
en Sevilla, en el año 1840

Imaginamos sin dificultad la animación de la casa entre 1836 y 1841. Dan idea de ello los dibujos de José D. Bécquer, realizados y conservados en un álbum que fue propiedad de don Antonio Rodríguez Moñino y que han reproducido parcialmente Rica Brown y Rafael Montesinos; aludo de modo particular al dibujo de una familia, reunión de mujeres y niños, dedicados a apacibles tareas caseras, alrededor de un brasero y de un candelabro (1838). José Bécquer bosquejó varias veces a su hijo Gustavo, a quien así vemos, lleno de salud, haciendo sus primeros pasos (1837).

Entre las personas que frecuentaban el hogar de los Bécquer destaca la madrina de Gustavo, Manuela Monnehay Moreno, hija de un quincallero y perfumista francés instalado en la plaza del Duque, Carlos María Monnehay. Según Rica Brown, había nacido Manuela Monnehay en 1813, y de las investigaciones de Santiago Montoto resulta que tomaba lecciones de dibujo y de pintura en el estudio de José Bécquer. Otra persona familiar de la casa era la madre de Narciso Campillo, nacida Antonia Correa, amiga de Joaquina Bastida; nacido el 29 de octubre de 1834, Narciso fue un temprano compañero de juegos de Gustavo Adolfo y de Valeriano. En una carta dirigida a Eduardo de la Barra hacia 1889, indicaba: «Hablemos de nuestro amigo Bécquer. Éste nació en Sevilla; su madre y la mía eran amigas y nos conocimos muy niños...»

Vive en el hogar una persona importante: el primo Joaquín Domínguez Bécquer, nacido el 25 de septiembre de 1817, al que los niños llaman siempre «tío». Joaquín está bajo la autoridad de José, que le lleva doce años y de quien sigue el ejemplo y los consejos en el arte de la pintura.

Se ve que Gustavo Adolfo pasa sus cinco primeros años rodeado de niños y de personas jóvenes que tienen entre veinticinco y treinta y cinco años.

El hogar vive en la prosperidad merced al trabajo y a las iniciativas de José Bécquer. Se alcanza un nivel de vida que permite tener caballo y coche (Montoto). Su actividad abarca el dibujo, las varias técnicas de la pintura al agua, la pintura al óleo. Trabaja por encargo o en consideración a las preferencias de la clientela potencial, presenta cuadros en las exposiciones locales, dibuja para colecciones de grabados. Además da clases. Parece que se equilibran los ingresos de la creación y de la enseñanza.

Formado en la Escuela de Bellas Artes de Sevilla, de la que era el discípulo más notable en 1830 según indica Ossorio y Bernard, José Bécquer alcanza a su vez la notoriedad de un maestro cuya dirección se solicita cada vez más y acaba por hacerse cara; entre 1838 y 1841, abonan los alumnos entre 60 y 80 reales al mes, cantidad elevada para la época. Algunos discípulos se admitían gratuitamente en el taller; tal fue el caso de Manuela Monnehay y de Eduardo Cano, quien se hizo célebre más tarde por sus vastas composiciones históricas y se benefició también de la enseñanza de Joaquín.

Siguiendo las huellas de José, Joaquín Domínguez Bécquer frecuentó las clases de la Academia de Nobles Artes de Sevilla (que comprendía sin duda la Escuela de Bellas Artes de que habla Ossorio); pero, según Fabié, su primo fue su verdadero maestro.

No es únicamente José Bécquer un artista de talento; también vale como atento hombre de negocios. Sus miras van hacia una rica clientela extranjera, especialmente la de los aficionados ingleses. Trata en Cádiz con un corredor exportador, José Mesas. Él mismo hace el papel de intermediario; se le ve encargando obras a Joaquín —sitios, edificios, personas— para revenderlas, a veces retocadas o completadas, a particulares, con un beneficio sustancial. Sus relaciones, algo agitadas, con el Colegio de Sevilla nos proporcionan otro indicio del interés con que José Bécquer vigilaba sus negocios. Encargado de la clase de dibujo y pintura a partir del 23 de mayo de 1839, dimitió en septiembre del mismo año por considerar que el colegio no había respetado las cláusulas del convenio; sin embargo, volvió a la dirección de la clase de dibujo el 16 de noviembre de 1840.

Fue José Bécquer uno de los fundadores del Liceo Sevillano. A partir de 1837 participó en la exposición anual organizada por esta sociedad y regaló varios lienzos para la rifa que, a finales de 1839 o principios de 1840, promovió el Liceo con objeto de aliviar la suerte del pintor Antonio María Esquivel, afligido por una enfermedad de la vista. Este artista era un amigo personal de José Bécquer; había sido testigo en su matrimonio; le hospedaban los Bécquer cuando, llegando de Madrid, venía a pasar una temporada en Sevilla; participaba también en las exposiciones del Liceo Sevillano.

Se conocen de José Bécquer por lo menos siete retratos ejecutados por encargo. Santiago Montoto enumera seis de ellos, entre los cuales aparece el de Vicente Casajús, importante colaborador si no empresario del *Álbum Sevillano* (1838-1840). Ossorio y Bernard menciona el del general González Villalobos. A estos retratos de salón hay que añadir varios retratos callejeros o de fantasía: *Dos mujeres a la entrada de un templo* (cuadro que se encontraba en Valencia hacia 1880), *La cigarrera,* un *Ciego vendiendo diarios* (al óleo, salón del Liceo Sevillano de 1838), otro ciego y un caballero escocés (a la aguada, en el mismo salón).

Pero José Bécquer es principalmente conocido como «pintor de género». La «pintura de género» es una designación vaga que se aplica a las escenas de costumbres, asuntos clasificados como menores durante largo tiempo. La obra maestra reconocida de José Bécquer en esta categoría es *La feria de Santiponce,* cuadro que se presentó en una exposición del Liceo Sevillano. Se hace también mención de *El columpio,* presentado en la exposición del Liceo Sevillano de 1839 y que se hallaba en 1866 en la colección del duque de Montpensier, para quien Joaquín D. Bécquer era un valioso consejero artístico; de *El bautizo* —también presentado en 1839—, y de un último cuadro de costumbres, expuesto en 1841, que la *Revista Andaluza* calificó entonces de «sobresaliente».

También se interesa José Bécquer por los paisajes, sitios y monumentos, pero tal vez en menor grado que Joaquín. En su álbum de bocetos, encontramos una delicada vista de una curva del Guadalquivir con el convento de San Jerónimo al fondo. Un cuadro que representaba este convento había sido encargado a Joaquín, pero el pedido no llegó a buen fin. José presentó en el Liceo unas *Vistas de la catedral;* se nota que también pintaba Joaquín tales vistas; José le compró a su primo por 250 reales una *Vista de la torre de la catedral y de parte del edificio desde la calle Placentines* que revendió a un inglés por 480 reales.

Colaboró José Bécquer a las colecciones ilustradas siguientes:

— En 1836, *Andalusian annual for MDCCCVII,* editado en Londres por M. B. Honan, publicación para la que hizo retratos y tipos vestidos al uso tradicional.

— En 1838, *La Lira Andaluza, colección de poesías contemporáneas,* con, en la primera entrega, una vista del Patio de los Naranjos en cuyo fondo aparece la Giralda, obra debida, como lo señalan las firmas, a la colaboración de José y J. D. Bécquer (lo que confirma el papel importante desempeñado por el último en las representaciones de monumentos), así como una vista de la Alameda de Hércules; en la segunda entrega, un cementerio que ilustra una poesía de R. de Castro.

— En 1840, *Álbum sevillano, colección de vistas y de trajes de costumbres andaluzas,* con tres dibujos: «Puerta de la Carne», «Un majo de Feria» y «¿No oye usted que no?», ilustrando el último un texto en verso del joven Gabriel García Tassara (nacido en 1817).

— *La España artística y monumental,* de que se hablará en el capítulo siguiente.

Consta que José Bécquer desarrolló enorme actividad entre 1837 y su muerte. Esta actividad emparejaba con las esperanzas que su talento iba suscitando. Le valieron elogios las numerosas obras que dio a conocer en el salón del Liceo Sevillano de 1838. En el mismo año, José Musso y Valiente, colaborador de la revista madrileña *El Liceo Artístico y Literario,* buen conocedor de Sevilla, llamó la atención en dicha revista sobre la estima de que gozaba José Bécquer en la capital de Andalucía, principalmente por sus «cuadritos de costumbres», y le incitó a que mandase a Madrid algunas muestras de su ingenio. Poco después de la muerte del artista, *La*

Revista Andaluza, al emitir un juicio sobre las dos obras presentadas en el salón del Liceo Sevillano de 1841, recordó que era inimitable en las escenas de costumbres, y estimuló al Liceo para que organizara un acto destinado a honrar la memoria del difunto.

Se refiere una vez José Amador de los Ríos al encanto de las escenas de costumbres y a la forma adquirida por el pintor cuando, en su *Sevilla pintoresca* (1844), hace mención de cuatro «cuadritos» conservados en la galería de Jorge Díez Martínez.

Gran número de obras de José Bécquer salieron para el extranjero, especialmente para Inglaterra. A esta dispersión debe atribuirse sin duda la falta, que persiste hoy, de un estudio de conjunto sobre este casi olvidado maestro fallecido a la edad de treinta y seis años.

3.   El arte de José Bécquer

De las obras de José Bécquer sólo he podido ver las láminas de *La España artística y monumental,* los dibujos del cuaderno de bocetos reproducidos por Rica Brown y por Rafael Montesinos, así como la reproducción del retrato de Joaquina Bastida incluida en los libros de estos dos investigadores, y cuyo original se conserva en el Museo Provincial de Sevilla.

Se nos aparece primero José Bécquer como un delicado dibujante, especialmente dotado para fijar la vida de los rostros y la de los cuerpos en movimiento. Su segunda característica es el interés que manifiesta para los juegos de luz y sombra, en particular para esa luz que anega los planos lejanos. Por fin, traduce con excelencia el ambiente de las multitudes, reuniones y ceremonias; naturalidad y viveza se manifiestan en todos los pormenores de tales obras; en esta materia no le igualará su hijo Valeriano.

Nadie habla de cualidades de colorista en José Bécquer. Su afición a las aguadas y acuarelas me inclina a pensar que era partidario de los colores ligeros, velozmente aplicados, lo que suele tener el efecto de conservar a la obra su movimiento.

Me parece ser Gustavo Adolfo Bécquer en literatura lo que fue su padre en pintura: en primer lugar, un artista del movimiento, de la luz, de la gracia, de la ligereza, del ademán breve y vivo. Su arte de dibujante se relaciona con el de José Bécquer por el predominio de la figura y del gesto, pero se diferencia por una acostumbrada huida al mundo de la fantasía personal.

El éxito de José Bécquer podía difícilmente igualarse en la evocación de esa popular vida andaluza cuya rápida alteración habrá de deplorar Gustavo Adolfo. De allí, sin duda, procede en gran parte la orientación de sus hijos hacia otros horizontes.

José Domínguez Bécquer por Antonio María Esquivel. Museo de Bellas Artes.
Sevilla. *Foto Oronoz*

4. La obra de José Bécquer en *La España artística y monumental* (1842)

La España artística y monumental constituye una de las mejores realizaciones del romanticismo schlegeliano o conservador en España. Las litografías, grandes y hermosísimas, nos restituyen numerosos monumentos que después desaparecieron, o nos muestran cómo eran hace ciento treinta años los que cruza hoy la multitud ávida de los turistas. El título completo se lee como sigue: «España artística y monumental, vistas y descripción de los sitios y monumentos artísticos más notables en España con la representación y noticia de los usos, costumbres, armas y trajes de las épocas que más pueden interesar a la historia del arte, por una sociedad de artistas, literatos y capitalistas españoles.» Esta última mención revela la conciencia que los mejores de España tenían en los años cuarenta del retraso técnico y económico del país con respecto a otras naciones europeas más o menos invasoras; lleva también testimonio de un ardiente patriotismo. Va presentado cada texto en castellano (columna de la izquierda) y en francés (columna de la derecha). La traducción francesa es fluida, fiel pero no literal; se respeta el genio de cada lengua. Estos textos bilingües ofrecen un indiscutible interés técnico, histórico y filológico.

Los directores de *La España artística y monumental* fueron el pintor Genaro Pérez de Villaamil, el Lope de la pintura española en el siglo XIX, para la parte gráfica, y Patricio de la Escosura para la parte explicativa.

Consta que Genaro Pérez de Villaamil trabajaba en *La España artística y monumental* en el año 1840. Es probable que se formara el proyecto en 1839 o antes. Fallecido en enero de 1841, José Bécquer pudo preparar y realizar dibujos para esta publicación. Los que, ilustrando escenas de costumbres andaluzas, se encuentran en el tomo I, pueden haber sido enviados por él o por su viuda a los directores. La orientación «costumbrista» de *La España artística y monumental* queda limitada a las cinco colaboraciones de José Bécquer.

Conforme al orden cronológico adoptado, figura el nombre de José Bécquer en segunda posición en la lista de los artistas que han participado en la ilustración. Esta lista, que no comprende más de diez nombres, menciona igualmente al pintor sevillano Antonio María Esquivel, el amigo de José Bécquer.

Dos de las obras de J. Bécquer ilustran los célebres artículos de costumbres de Serafín Estébanez Calderón *(El Solitario),* quien firma aquí con el pseudónimo seguido del paréntesis: («Don Serafín Calderón.») Se trata de una excepción, puesto que los comentarios de ilustraciones suelen ir sin firma en esta colección. Estas escenas de costumbres, que de nuevo se publicarán en el volumen *Escenas andaluzas* (1847) con ilustraciones muy

Joaquina Bastida retratada por J. Domínguez Bécquer. *Foto Mas*

inferiores, son: «La feria de Mairena» (en tomo I, lámina 4.ª de la 6.ª entrega, enfrente de la página 58) y «Un baile en Triana» (tomo I, lámina 4.ª de la 7.ª entrega, enfrente de la página 66). El litógrafo es Bayot, igual que para los otros dibujos de José Bécquer, cuyo apellido se ortografía Bequer. En cada litografía se indica, después del nombre del dibujante, que Genaro Pérez de Villaamil dirigió la obra. La ilustración de «Un baile en Triana», especialmente animada y airosa, lleva por título «Un baile de gitanos».

Los textos de Serafín Estébanez Calderón expresan viva afición a las singularidades andaluzas y al pasado español.

Otra escena pertenece al mismo género ligero que las dos anteriores. Se trata de «Escena de los ladrones en la venta» (tomo I, lámina 4.ª, 5.ª entrega, enfrente de la página 49). Más netamente todavía que las precedentes, corresponde a la espera de los extranjeros que formaban una parte importante de los suscriptores de *La España artística y monumental*. José Bécquer era perito en el arte de satisfacer estas aficiones con la delicadeza de su lápiz.

Otras dos litografías ilustran la piedad, más exactamente el fervor católico de los habitantes de la capital de Andalucía. Se trata de «El viático en Sevilla», con un comentario anónimo, y de «La misa», comentada por Antonio María Segovia (1804-1874, entonces refugiado en Francia por causa de sus ideas políticas, fuertemente tradicionalistas) que, de paso, acomete vigorosamente al protestantismo. «El viático en Sevilla» es la primera de las obras de la colección debida al lápiz de José Bécquer (tomo I, 4.ª entrega, lámina 4.ª, enfrente de la página 41, 1842), «La misa» la última (tomo I, 9.ª entrega, lámina 4.ª, enfrente de la página 82).

El texto y el grabado tratan de modo independiente el tema propuesto.

Gustavo Adolfo y Valeriano Bécquer recogerán la idea del cuadro de costumbres tratado simultáneamente por el texto y por el dibujo. En la mayoría de los casos, será el texto un comentario del dibujo de Valeriano *(Los dos compadres, La rondalla,* por ejemplo); en algunos otros, tiene uno la impresión de que el dibujante ha escogido más bien el asunto del dibujo después de leer el texto *(La Semana Santa en Toledo, La feria de Sevilla,* por ejemplo). Las más hermosas de esas realizaciones se verificarán en 1869 para *El Museo Universal* y en 1870 para *La Ilustración de Madrid*. Últimos cantos de los cisnes.

5. De la muerte del padre a la entrada en San Telmo (febrero de 1841-1 de marzo de 1846)

Faltan testimonios acerca de la vida de Joaquina Bastida de Vargas después de la muerte de su marido. Se trasladó al 12 de la calle del Espejo (hoy calle Pascual de Gayangos). Recibió probablemente una ayuda económica de parte de su familia y de Joaquín. Muy joven, a los veintiún años de edad según Antonio María Fabié, en 1838 pues, había sido nombrado Joaquín Domínguez Bécquer miembro de la Sociedad de Amigos del País de Sevilla. Poco después de la muerte de José sin duda, vio confiada a su gremio, el de la pintura y el dibujo, la dirección de las obras de restauración del Alcázar de Sevilla, donde pudo instalar su taller. Por conocer sólo de modo muy aproximativo el año de defunción de José Bécquer, escribe Fabié, hablando de Joaquín: «Muerto hacia el año de 1845 su primo y maestro, dejando nueve hijos, se hizo cargo de la educación de dos de ellos, Gustavo y Valeriano Bécquer, y esta circunstancia sería título bastante para la gloria de quien le sobrevivió, pudiendo consolarse de la honda pena causada por la muerte de sus dos ilustres sobrinos el buen nombre que alcanzaron y conservan en las letras y en las artes.»

Soltero, Joaquín podía difícilmente hacerse cargo de dos niños en el plano material. Fue la madre, y más tarde la familia materna, quien cuidó de ellos. Sólo algunos años después desempeñó Joaquín un papel importante en la educación de Valeriano y de Gustavo; pero presumo que prestó un auxilio financiero a la madre durante los difíciles años 1841-1846.

Nada cierto se sabe sobre la primera escuela de Gustavo Adolfo. Éste indica que Valeriano, de niño, fue alumno del colegio de San Diego donde, según precisión suya, enseñaba «el célebre don Alberto Lista». Campillo no dice nada de la primera escuela de su amigo de infancia. Rodríguez Correa afirma sin vacilar que Gustavo Adolfo se quedó en el colegio de San Antonio Abad hasta la edad de nueve años. Santiago Montoto asegura que el niño aprendió la lectura en el colegio de San Francisco de Paula, situado en la calle de las Palmas. Rafael Montesinos hace constar que no existe ninguna prueba documental sobre esta primera escolaridad.

Creciendo cerca de su madre, rodeado de algunos de sus hermanos, Gustavo pudo pasar esos cinco años en condiciones afectivas normales. Veía a Valeriano, a este hermano mayor admirado por él, seguir el camino del padre; él mismo empezaba a dibujar. «Es una puerilidad —habrá de escribir en una nota destinada a Rodríguez Correa en septiembre de 1870— pero yo recuerdo que siendo muy chicos nos quitaban la luz después de acostados, y Valeriano, las noches de luna, abría el balcón y dibujada a aquella claridad dudosa. Ya desde chico pintaba todo lo que nos sucedía y retrataba en papeles y libros a las gentes que íbamos conociendo.»

6. Colegial en San Telmo

Como ya había conseguido para Estanislao en el año 1843, logró Joaquina Bastida, a finales de 1845, ingresar a Gustavo Adolfo en el colegio de San Telmo, cuya denominación exacta era «Colegio Seminario de la Universidad de mareantes».

Una vista del Guadalquivir. Dibujo de José Domínguez Bécquer, en 1840

Acogía este establecimiento a los huérfanos de padre pertenecientes a buenas familias, de ocho a catorce años de edad. Eran gratuitos el sustento y los estudios. El colegio preparaba para las carreras de la navegación; la enseñanza profesional, basada en las matemáticas, se iniciaba cuando el colegial había sido recibido al examen llamado «de primeras letras», hacia los diez u once años.

Gustavo Adolfo fue admitido en San Telmo por orden real del 11 de febrero de 1846. Según esta orden tenía la familia que pagar la indumentaria, en la que figuraba un uniforme. La supresión del establecimiento entraba ya en las previsiones y se disponía que, en tal caso, no tendría derecho el alumno a ninguna indemnización. Gustavo Adolfo ingresó en San Telmo como interno el 1 de marzo siguiente.

Poco después fue admitido en el mismo colegio Narciso Campillo, huérfano de padre también. La vida de internos estrechó sus lazos con Gustavo Adolfo. Ha evocado con fuerza y concisión el marco de esta vida: «... y nuestra amistad de la primera infancia se fortaleció entonces con la vida común, vistiendo igual uniforme, comiendo a una mesa y durmiendo en el mismo inmenso salón, cuyos arcos, columnas y melancólicas lámparas colgadas de trecho en trecho, me parece estar viendo todavía.»

No desaparecía totalmente la atmósfera artística de la casa familiar, pues figuraban entre las materias enseñadas el dibujo, la pintura y la música.

Terminado bajo el reinado de Felipe V, no carecía de elegancia el edificio pero hubieron de parecerle a Gustavo Adolfo muy adustos sus salones. Y ya no estaba Valeriano al lado de su hermano con sus lápices.

La colaboración literaria entre Gustavo Adolfo y Narciso Campillo empieza en San Telmo bajo los signos combinados de aventura y de humor. Hace mención Campillo de dos textos redactados conjuntamente durante este año de estudios: un drama «espantable y disparatado» cuyo probable título era *Los conjurados* y algunos capítulos de una novela jocosa, cuyo título no aparece en el artículo escrito para *La Ilustración de Madrid* (15 de enero de 1871), sino en una de las cartas dirigidas en 1889-1890 a Eduardo de la Barra; este título es *El Bujarrón en el desierto*. Campillo, en cuyo carácter se hermanaba cierta rigidez con la alacridad andaluza, guardó mucho tiempo este último texto.

Gustavo Adolfo perdió a su madre el 27 de febrero de 1847. Dieciséis días más tarde (15 de marzo), era el primero de los cuatro alumnos admitidos en el examen de primeras letras con la calificación de «sobresaliente»; Narciso Campillo ocupaba el cuarto y último rango con la misma apreciación; por supuesto, se admitían estos cuatro alumnos en la clase superior, que era la primera clase de matemáticas. El jurado se componía del director (oficial de la Armada), de un representante de la Armada (oficial también), del primer catedrático de matemáticas (oficial), del segundo profesor de matemáticas, del profesor de primeras letras, Francisco de Paula Pineda, y del contador vocal, secretario. Puede decirse de este examen que Gustavo Adolfo destacaba por sus felices dotes tanto en matemáticas como en castellano. Sin duda comenzó a aprender el francés y el inglés en San Telmo. La religión ocupaba un lugar importante en los textos de lectura castellana; los conocimientos de doctrina cristiana habían sido comprobados previamente al examen de primeras letras.

Gustavo Adolfo se benefició poco de las enseñanzas de la primera clase de matemáticas porque el 7 de julio de 1847, se publicó la real orden que suprimió el colegio. Pasaron sin duda pocas semanas antes de que, según la expresión de Campillo, se encontrara en la calle, y sin hogar.

Si Gustavo Adolfo recibió la enseñanza literaria del canónigo Francisco Rodríguez Zapata en San Telmo, ello fue con seguridad por poco tiempo, ya que este profesor no logró el título de catedrático de retórica y poética antes del 12 de febrero de 1847; su nombramiento a la cátedra de retórica de San Telmo, averiguado, hubo de ser posterior.

7. Un niño en libertad (verano de 1847-1848)

Parece que los documentos de empadronamiento conservados en Sevilla patentizan que, después de la muerte de Joaquina Bastida, los huérfanos estuvieron domiciliados en la Alameda de Hércules, 37, en casa de sus tías maternas, María y Amparo Bastida. Después del fallecimiento de su marido se había instalado Joaquina Bastida en una casa cercana al domicilio de sus hermanas.

Campillo, seguido por Rodríguez Correa, no debió de equivocarse mucho al escribir: «Un tío, anciano y sin descendencia, Juan de Vargas, se encargó de los huérfanos, haciendo para con ellos el oficio del más cariñoso padre, hasta que, ya crecidos, pudieron ir buscando honrada subsistencia en distintas profesiones.» Efectivamente, un Vargas vivía en el 37 de la Alameda de Hércules. Y aun cuando este Vargas no fuera el tío Juan de Vargas, era muy natural que este último ayudase a sus sobrinas María y Amparo Bastida, tías maternas de sus sobrinos de segunda generación Domínguez Bastida Insausti de Vargas Bécquer.

Acerca de las consecuencias de la supresión del colegio de San Telmo, apunta además Campillo: «Gustavo fue recogido por la señora Monnehay, su madrina de bautismo, persona de claro talento, que poseía bastantes libros y ¡cosa rara en mujer!, que los había leído todos.» Teniendo en cuenta lo que sabemos hoy, es preciso interpretar este texto en el sentido de que Gustavo Adolfo frecuentó la casa de su madrina después de cerrarse San Telmo y vivió de vez en cuando en su casa.

Según Campillo, Gustavo Adolfo no frecuentó, en un principio, ninguna escuela: «Él era más pobre que yo, y no pudo seguir carrera; pero venía a mi casa, y yo le enseñaba lo que me enseñaban; le hacía un favor y me servía de repaso. Le enseñé a nadar, a manejar una espada, etc.»

De esta época puede fecharse el recuerdo siguiente de Campillo, que da cabal idea de lo que podía ser en ciertos momentos el desprendimiento de Gustavo Adolfo frente a la vida: «Su impasibilidad la pinta este rasgo: nadábamos juntos en el Guadalquivir; iba muy fatigado y le vi hundirse; el sitio era peligroso y muy profundo; cuando apareció me dijo *Si no me salvas me ahogo,* con el mismo tono que si dijera *"buenos días".* Pude llevarle a sitio seguro, y cuando nos vestíamos, dijo: *debe ser muy mala muerte la del ahogado.* Y no hablamos más del asunto.» Esta actitud traduce una melancolía silenciosa. Rasgo temperamental agravado por la situación familiar, se manifiesta espontáneamente esta melancolía en el comportamiento del niño. El estoicismo de Gustavo Adolfo, su relativo desapego para con el mundo, será en él un fenómeno natural, no el producto de su reflexión; de ahí su valor poético. Tal actitud se alejaba mucho de las tendencias de Campillo, personalidad activa; le extrañaba y le irritaba, pero respetaba la independencia de espíritu que la acompañaba. Así debe entenderse ese reparo que se lee en una carta a Eduardo de la Barra (1889): «(Bécquer) fue desgraciado, en lo que influyó no poco su carácter melancólico, altivo y descuidadísimo hasta en el arreglo de su persona.»

Campillo da testimonio de la gran actividad que, en la lectura y en los ejercicios de creación literaria, desplegó Gustavo Adolfo en aquella época. Lee cuanto halla en la biblioteca de Manuela Monnehay; sin duda se enriquecen sus conocimientos de francés con el contacto de una madrina francesa y con el manejo de libros franceses. Campillo admira su ahínco en la tarea de reconstituir el principio o el final de libros incompletos. Se aficiona el niño a las *Odas* de Horacio en la traducción del padre jesuita Urbano Campos (se trata del *Horacio español,* reeditado en 1873) y a las poesías de Zorrilla. Las imita oscilando entre el clasicismo de las primeras y la fluidez sin mucho estudio de las segundas, lo que condena indirectamente Campillo cuando nota, al tratar de la influencia de Zorrilla en su artículo necrológico del 15 de enero de 1871: «... y otras (veces) adoptaba con admirable facilidad el estilo pintoresco, libre, incorrecto y desigual del poeta vallisoletano.» Sólo encuentro una referencia explícita a Zorrilla en la obra de Gustavo Adolfo; se menciona a «Nuestro eminente poeta lírico don José Zorrilla» en el capítulo de *Historia de los templos de España* (1857-1858) dedicado a Santa Leocadia de Toledo, cuando el autor relata la leyenda que constituye la fuente popular de «A buen juez, mejor testi-

La Alameda de Hércules (en el número 37 vivió Bécquer con sus dos tías maternas, a la muerte de su madre). Grabado de la obra *Glorias de Sevilla,* 1849. *Foto Archivo Espasa-Calpe*

go». El homenaje es frío y oficial. Es verdad que, siendo entonces Zorrilla el más grande de los poetas españoles vivos, tenía el joven director de *Historia de los templos de España* que expresar su respeto en términos convencionales. Pero no cabe duda que el papel que desempeñó la obra de Zorrilla en la autoiniciación literaria de Bécquer fue importante.

Igualmente significativo es el hecho, apuntado por Campillo, de que, una tarde, Gustavo Adolfo y él quemaran millares de versos en su domicilio. Campillo no lo deplora. Aquí vemos un rasgo fundamental de la escuela sevillana, especialmente en poesía: eliminar cuanto parezca alejarse de lo que los sentidos y la razón indican como siendo la perfección. Gustavo Adolfo respetará este deber de acendramiento y de selección en el dominio lírico no venal. En 1871 se acordaba Campillo del título de una de las odas quemadas, imitada de Zorrilla, «Al viento», y del principio de un poema de que había sido destinatario:

> Muy más sabroso que la miel hiblea,
> más gratos que el murmullo de la fuente,
> me son, Narciso, tus hermosos versos.

Como lo ha señalado Russel P. Sebold, es posible que la rima III («Sacudimiento extraño»), cuya no publicación durante la vida de Bécquer puede extrañar, sea la expresión personal de una reflexión iniciada temprano sobre la unión de la naturaleza («inspiración») y del arte («razón») preconizada por Horacio en su *Arte poética*. Esta doble sucesión, diestramente conducida, de conceptos y movimientos iluminados de imágenes, pertenecía, por el designio, a la vena horaciana de la tradición sevillana. El texto incentivo fue, no obstante, el poema de José María Larrea, «El espíritu y la materia», publicado el 8 de mayo de 1853 en *El Semanario Pintoresco Español*.

No es dudoso que se enfrentaron con dificultades los parientes que se hicieron cargo de los numerosos hijos de José Bécquer (desde el pequeño José, seis años, hasta Estanislao, diecisiete años). Sin embargo, no basta la pobreza que señala Campillo para explicar el que Gustavo Adolfo quedase sin dirección de estudios durante unos dieciocho meses y fuera luego orientado hacia la pintura a pesar de que sus conocidas aptitudes permitían dirigirle hacia las humanidades. Creo que Joaquín Domínguez Bécquer se preocupó por el futuro de Valeriano y de Gustavo Adolfo; a los treinta años de edad era ya excelente su situación; se le conocía como «el pintor del Alcázar», cuyo trabajo de restauración estaba dirigiendo en su ramo artístico, como veremos más adelante; disfrutaba ya de gran aprecio como retratista. A partir de noviembre de 1847, dirigió la Academia de Bellas Artes de Sevilla y en mayo de 1848 se verificó su instalación en calidad de miembro honorario de la de Buenas Letras. Me parece que si Gustavo Adolfo hubiera manifestado entonces el deseo de hacer una carrera clásica, su «tío» —pues así nombraba él a Joaquín— le hubiera proporcionado los medios necesarios, si bien al nivel más modesto.

Lo más probable es que el niño, muy sensible, pasara entonces por un período de desasosiego psicológico causado por la pérdida de la madre y la desaparición del colegio, al que se había acostumbrado. Además debieron de empezar a manifesarse sus preferencias por la independencia y la creación libre. Compartió de nuevo la vida de Valeriano y decidió seguirle en la carrera de las artes pictóricas. En la espera de que su vocación se hiciese más clara y que un estudio de pintor pudiese recibirle, le dejó la familia satisfacer libremente sus aficiones literarias, apreciadas de los que le rodeaban. La presencia de Valeriano en el campo del dibujo y la de Campillo en el campo de las letras le fueron desde luego precioso auxilio.

8. Las relaciones de Joaquín Domínguez Bécquer con la Real Academia de Buenas Letras de Sevilla. Gustavo Adolfo y la muerte de Alberto Lista

Durante esos meses de libertad del joven Gustavo Adolfo, Joaquín D. Bécquer establece relaciones oficiales y duraderas con el medio literario sevillano, cuyo representante más prestigioso es entonces Alberto Lista y Aragón, de setenta y dos años de edad. Poeta y ensayista, Lista debe sobre todo el respeto que le rodea a sus conocimientos enciclopédicos y a su amplitud de visión, fruto de la experiencia adquirida en el curso de una vida bastante agitada, y fruto también de sus dotes de educador. Consta hoy que numerosos poetas, artistas, pensadores, políticos que destacaron entre 1840 y 1870 han sido discípulos suyos, tanto en Madrid como en Cádiz o en Sevilla.

Lista había nacido en el barrio de Triana de Sevilla en 1775. Pertenecía a una familia modesta. Había regresado a su natal Andalucía en 1838; se le había atribuido una canonjía en la catedral de Sevilla y, en 1845, se le había nombrado decano de la Facultad de Filosofía de la Universidad.

En 1847, ejerce interinamente Lista las funciones de rector de la Universidad. Se ocupa con diligencia de los asuntos de la Real Academia de Buenas Letras, de la que había sido elegido director en 1841. En el plano nacional es miembro de las Academias de la Lengua y de la Historia.

En el curso del verano de 1847, cae de un coche y tiene que permanecer en cama. No llegará a reponerse de las consecuencias del accidente. El 11 de febrero de 1848, la Academia sevillana, que teme perder a su director, decide mandar que se pinte su retrato para colocarlo al lado de los de Félix José Reinoso y de Manuel María de Mármol. Lista comunica su acuerdo y expresa su agradecimiento por conducto de uno de sus más calurosos discípulos, Francisco Rodríguez Zapata.

En un primer tiempo, la Academia encarga el cuadro al pintor Escribano, pero Joaquín D. Bécquer da a conocer, por intermedio del académico Fernández Espino, que se ofrece para realizar el retrato gratuitamente. La Academia da su aceptación. En esta época, Joaquín D. Bécquer preside ya la Academia de Bellas Artes de Sevilla.

Se pinta en su mayor parte el cuadro fuera de la presencia del enfermo, que no deja la cama sino dos horas cada día. El 7 de abril anuncia Alberto Lista que Joaquín Bécquer puede venir a su casa cualquier día, desde las doce hasta las dos para acabar el retrato. Los retratos de Reinoso (pintado por Escribano), de Lista, de Mármol y de José María Blanco (los dos últimos regalados por un sobrino de Blanco, muerto en Liverpool el año 1841) quedan instalados en sesión pública el 24 de abril de 1848; en su discurso, analiza Luis Segundo Huidobro los caracteres y méritos de la escuela literaria de Sevilla de los años 1795-1810, de la que Lista es el único representante en vida; Rodríguez Zapata lee una oda en honor de Mármol, Reinoso y Lista.

El 28 de abril se nombra a Joaquín D. Bécquer académico honorario sobre propuesta de Rodríguez Zapata; ocupa su asiento el 12 de mayo. Se le otorgará el título de académico de número en febrero de 1857. No tomará parte en los trabajos literarios, pero asistirá a las manifestaciones públicas. En 1863 donará a la Academia un ejemplar de las *Novelas ejemplares y amorosas* de María de Zayas y Sotomayor y un ejemplar de las *Noticias americanas* de Antonio Ulloa; después de 1871, regalará a la Academia un retrato de Tomás González Carvajal que le habían encargado al mismo tiempo que el de Donoso Cortés; no se sabe si pintó este último cuadro.

Estas relaciones de Joaquín Domínguez Bécquer con la Academia de Buenas Letras de Sevilla atestiguan la estima que tenía para el tipo de poesía, fundado en la corrección y musicalidad de la lengua, que en ella se cultivaba. No pudieron dejar de halagar esta afición suya las aspiraciones literarias de su «sobrino», y ya desde 1847 estuvo en situación de favorecer los contactos de éste con los maestros sevillanos en materia poética.

Alberto Lista muere el 5 de octubre de 1848 y la capilla de la Universidad recibe sus restos mortales. La *Corona poética* fúnebre que se publica en su honor en 1849 contiene numerosas participaciones; entre las de los poetas andaluces figuran textos de Rodríguez Zapata y de Ángel María Dacarrete. Escribe el prólogo José Fernández Espino (1810-1875), uno de los «padres graves» de la escuela sevillana de poesía, amigo de Joaquín D. Bécquer.

A los doce años y medio de edad, Gustavo Adolfo se arriesga también a componer una *Oda a la muerte de don Alberto Lista,* cuyo texto o bo-

Retrato de Alberto Lista. La *Corona Poética* se publicó al año siguiente de su muerte en 1849. Entre los textos figura la *Oda a la muerte de don Alberto Lista,* de Gustavo Adolfo Bécquer. *Foto Archivo Espasa-Calpe*

rrador se encuentra en el libro de cuentas de su padre, que se examinará más adelante. Las siete estrofas sáficas (seis de esquema métrico 11-11-11-5, una 11-11-11-11-5) reproducidas por Santiago Montoto no son más, en mi opinión, que un principio o una obra truncada; tres estrofas no pueden formar todo el discurso de Melpomene y la oda no puede concluirse por una banal pregunta. En este ensayo todo queda convencionalmente grecolatino con la presencia de las Musas, de Apolon, de las Parcas y del «Cisne de la bética» cruzando sobre las claras ondas. Sin embargo aparece en este esbozo el sentido de la representación y del movimiento dramáticos; de modo significativo es la Musa de la tragedia quien toma la palabra. La rima consonante es practicada aquí sin regularidad. El niño usa ya hábilmente de la abrupta caída del verso final. La imagen del viento agitando la cabellera femenina aparece dos veces y da el asunto de algunos de los mejores versos:

> La vil ceniza del cabello cubra
> los sueltos rizos que volando al aire
> digan al par con vuestros ayes tristes:
>   «murió el poeta»
> Llorad, musas, llorad, y descompuestas
> las trenzas del cabello dad al viento;

La intervención de Melpomene y los versos que empiezan por «Murió...» recuerdan la traducción de la oda XXIV, «A Virgilio», que se lee en la página 68 de *Horacio español,* del padre Urbano Campos (edición de 1783, Antonio de Sancha, Madrid, excelente instrumento pedagógico que contiene el *Arte poética* traducido por el padre Luis Mínguez, un índice geográfico y un índice de las materias tratadas en las notas).

9. La aparición del nombre en literatura. Gustavo Adolfo Bécquer, Francisco Rodríguez Zapata y la escuela poética sevillana del siglo XIX

Después de la muerte de Lista, los principales depositarios de la tradición poética sevillana son Rodríguez Zapata, Juan José Bueno, José Fernández Espino y José Amador de los Ríos, que pertenecen todos a la Academia de Buenas Letras y son discípulos del difunto maestro.

Particularmente cercano a Lista y clérigo como él, Francisco Rodríguez Zapata será su principal sucesor en materia de enseñanza poética. Dirigiéndose a Rodríguez Zapata, Amador de los Ríos pudo escribir en la muy oficial *Corona poética* de 1849:

cual tierno padre que tranquilo expira,
dando a sus hijos sin igual tesoro,
puso en tus manos la envidiada lira.

¡Sagrada herencia!... Ni de Ofir el oro,
ni la ambición, ni el vano poderío
conquistarla podrán, en su desdoro.

(«Oda a la muerte de A. Lista.»)

Es preciso señalar que, nacido en Alanis en 1813 de padres pobres, ordenado en 1837, doctor y catedrático de retórica y poética desde 1847, Rodríguez Zapata había sido poderosamente sostenido por Lista después de haberlo sido por Manuel María de Mármol, su primer maestro.

Al cerrarse San Telmo, vino a ocupar la cátedra de retórica y poética del instituto de Sevilla. Narciso Campillo y Carlos Peñaranda contaron entre sus alumnos más afectuosos y fieles. También fue uno de los maestros de los hermanos Escudero y Perosso, de Antonio María Fabié, de José María Asensio, de Adelardo López de Ayala, de Luis Montoto. Donoso Cortés y García Tassara fueron para él muy queridos y admirados amigos.

Hasta 1862 Rodríguez Zapata participó activamente en los trabajos de la Real Academia de Buenas Letras; en el archivo de esta institución es donde Manuel Ruiz Lagos ha descubierto buen número de sus poemas inéditos, en particular sonetos. No se sabe a ciencia cierta por qué rompió con la Academia en 1862. Manuel Ruiz Lagos escribe: «La incomprensión de la nueva generación le aparta de la Academia.» Su caso es semejante al de Juan José Bueno. Ambos académicos, que habían dimitido, se reintegran en 1875. Muere Francisco Rodríguez Zapata el 14 de agosto de 1889. Eloy García Valero, quien pronuncia el discurso necrológico acostumbrado, no oculta que la poesía de Rodríguez Zapata refleja a sus ojos gustos de una época pasada, hoy abandonados, en los que ve «vacuidad y pueriles y ficticios empeños».

Rodríguez Zapata transmite a sus alumnos

— la afición a los poetas latinos y a los poetas españoles del Siglo de Oro, especialmente a Luis de León, Herrera y Rioja;
— el ritmo cabal;
— la búsqueda de la palabra pertinente y musical, en el registro noble;
— la emoción ante la noche, la muerte, el reconocimiento de la fragilidad humana al considerar la inmensidad del espacio y del tiempo (emoción expresada antes por Pascual, Young, Gray, Chateaubriand), y apego al misticismo español del Siglo de Oro.

Sus dictámenes en materia poética están dominados por dos valores: la fe y el encanto de la forma. El sentido de la innovación, con el riesgo de extravío que encierra, no aparece en lo que se conoce de su obra. Su mirada no recorre más que lo pasado y lo eterno. A Luis Montoto, que le preguntaba al finalizar su vida si había leído *El drama universal, Las humoradas* y *Los pequeños poemas* de Campoamor, contestó: «No, señor; no las he leído. ¡Dios me libre de caer en la tentación de leerlas! ¿Pequeños poemas? ¡Un galicismo como una casa! En castellano se dice *poemitas*. Es un autor que huele a azufre... Se burla de lo temporal y de lo eterno.»

En ninguna parte alude Gustavo Adolfo Bécquer a Rodríguez Zapata pero en repetidas ocasiones van asociados los nombres de ambos poetas, especialmente entre 1847 y 1853.

Rodríguez Zapata es el profesor de Gustavo Adolfo en San Telmo durante algunos meses. Luego entra Narciso Campillo en el instituto de Sevilla y vuelve a ser el alumno del canónigo. Transmite a su compañero la formación recibida. Es de suponer que Joaquín Domínguez Bécquer se comunicase con sus amigos de la Academia de Buenas Letras de Sevilla, entre quienes Rodríguez Zapata se hallaba en primer rango, de la situación de su joven primo; los académicos conocían a éste y está averiguado que uno de ellos, Juan José Bueno, entregó una carta de recomendación al joven cuando se lanzó a la aventura madrileña.

El nombre de Gustavo A. Domínguez Bécquer figura al final de la lista de los colaboradores de *El Regalo de Andalucía,* «periódico semanal de Ciencias, Literatura, Artes, Modas y Revistas de Teatros, dedicado a la juventud estudiosa», que sale regularmente cada jueves, entre el 1 de febrero y el 5 de julio de 1849. El nombre de Rodríguez Zapata se encuentra en el medio de la lista. Fuera de la breve descripción que proporciona el libro *Historia y bibliografía de la prensa sevillana,* de Manuel Chaves (1896), existen pocas informaciones sobre esta efímera publicación educativa. Habiendo consultado la obra de José Cascales y Muñoz *Sevilla intelectual* (1896), Rafael Montesinos indica que Campillo publicó también versos en *El Regalo de Andalucía,* cuyo director era Carlos Jiménez Placer. Subsiste probablemente alguna colección o algunos números de *El Regalo de Andalucía* en el sur de España, especialmente en las bibliotecas de los antiguos establecimientos de enseñanza; se puede esperar que sepamos algún día lo que Gustavo Adolfo aportó a la revista.

En 1853, *El Trono y la Nobleza,* periódico madrileño cuyo título evidencia la orientación tradicionalista, publica dos poemas firmados «Gustavo Adolfo Bécquer». Rodríguez Zapata fue quien recomendó la publicación de los poemas de Gustavo Adolfo; éstos están conforme a los principios de su enseñanza, sea en la forma, sea en el espíritu.

Gustavo Adolfo sitúa en 1850-1851 el ensueño poético y funerario de ambiente sevillano que forma la segunda parte de la tercera de las *Cartas desde mi celda.* Por el asunto, por la presencia de la mitología y de los grandes modelos sevillanos (Rioja, Herrera), por el sentido de la naturaleza, por el sentimiento de paz, por la alusión a la resurrección, corresponde perfectamente la evocación becqueriana al ambiente que Rodríguez Zapata apreciaba y presentaba con ciencia seductora a sus discípulos. Un poema cual la rima VIII («Cuando miro el azul horizonte») refleja en sus dos primeras estrofas el aspecto místico de la tradición de que Rodríguez Zapata era el depositario. El vocabulario de las rimas VI («Como la sangre que la brisa orea»), IX («Besa el aura que gime blandamente»), XV («Cendal flotante de leve bruma») tiene la elevación requerida por este maestro. El influjo del catedrático de retórica se trasluce también en el empleo de ciertos giros; en este plano ha podido Manuel Ruiz Lagos mostrar el parentesco del poema de Rodríguez Zapata, «Las nubes», con la rima LII («Olas gigantes que os rompéis bramando»); la fuente lejana me parece ser el *René* de Chateaubriand, lo que también ocurre con la rima VIII.

A partir de 1857, Gustavo Adolfo se va fraguando un estilo poético propio. La desnudez de la lengua, el aligeramiento del verso, la síntesis efectuada entre varias corrientes poéticas (inclusive la popular) serán sin duda elementos poco comprendidos por Rodríguez Zapata y por parte de los miembros de la Academia sevillana. Es notable que, en 1876, cuando las *Rimas* se recitan en toda España y algunos empiezan a imitarlas, no incluya Rodríguez Zapata ningún texto de Bécquer en los *Trozos en prosa y composiciones poéticas* que publica en Sevilla. Sin embargo están representados en la obra poetas contemporáneos como García Tassara, Juan José Bueno y Narciso Campillo. El mismo ostracismo alcanza a Zorrilla, juzgado sin duda de estilo demasiado relajado.

En este mismo año 1876, Francisco de Paula Canalejas no cita el nombre de Bécquer al compendiar la historia de la escuela poética sevillana en su discurso *Del estado actual de la poesía lírica en España,* pronunciado en el Ateneo de Madrid el 16 de octubre. Hace constar primero que esta escuela es el blanco de ataques determinados y abiertos: «No se perdió en la revuelta de los tiempos este gusto y esta escuela clásica, tan duramente motejada hoy y tenida en menos por los novísimos poetas, que entienden cuidaban sólo de la forma, del metro y del epíteto y que, aseando y acicalando lenguajes y rimas, cayó en vana garrulería.» Canalejas nombra luego a los representantes vivientes más notables, según su parecer, de la escuela sevillana: «Tras Quintana, Gallego, Frías, Lista y sus discípulos (Bueno, Rodríguez Zapata, Fernández Espino, Amador de los Ríos), aún figuran los nombres de Ventura de la Vega, Rafael María Baralt, Emilio Olloquí y Cervino, cuyas odas muy conocidas de cuantos me escuchan: a la *Agitación,* a *Colón,* a *España,* a la *Batalla de Bailén,* a la *Música,* a la *Fe cristiana,* quedan y quedarán, desafiando esas injusticias (siempre pasajeras) del gusto de nuestros días; y no he de olvidar que Narciso Campillo mantiene con gloria en Madrid la tradición, en tanto que los esposos Lamarque y F. de Gabriel y Apodaca la recuerdan con aplauso en Sevilla.»

10.   Talleres de dibujo y pintura.
Paseos poéticos y artísticos

Con precisión indica Campillo que Gustavo Adolfo entró en 1849 en el estudio de Antonio Cabral Bejarano, donde permaneció dos años para aprender el dibujo, pasando luego al de Joaquín Domínguez Bécquer. No tenía catorce años cuando empezó a seguir la enseñanza de Cabral Bejarano; para Campillo, Gustavo Adolfo había nacido en 1835.

Se sabe por José Gestoso y Pérez que también Valeriano se había formado en el estudio de Antonio Cabral Bejarano. Puntualiza Campillo que éste tenía su estudio en el Museo Provincial de pintura. La documentación de que disponemos permite averiguar que, en efecto, el pintor había sido nombrado conservador del museo cuando se creó éste en 1836. En 1841, se habían instalado los cuadros en el convento de la Merced; en este edificio trabajaba, pues, Cabral Bejarano quien, entre varios deberes, tenía el cargo de restaurar los lienzos estropeados. Según Campillo, el estudio estaba muy concurrido; el memorialista ha conservado del maestro el recuerdo de «una persona inolvidable por su talento y tal vez más por su gracia, delicia de cuantos le trataban».

Los Cabral formaban una antigua familia de pintores sevillanos. Hacia 1825, Antonio era asistente en la escuela de Bellas Artes y enseñaba la perspectiva en la clase de arquitectura; por aquel tiempo se formaba José Bécquer en el establecimiento. En 1836, Antonio Cabral Bejarano (1799-1861) había ingresado en la academia de San Fernando al mismo tiempo que se le nombraba conservador del Museo Provincial. Fue director de la Escuela de Bellas Artes de Sevilla. Destacó sobre todo como retratista («Retrato de Isabel II») y pintor de escenas animadas. Se citan de él un «Rinconete y Cortadillo», ilustración de la novela ejemplar picaresca de Cervantes, una escena de duendes, y amplias obras decorativas en el convento de la Rábida, así como en los teatros San Fernando y Principal; pintó escenas de la vida de Colón para la galería de San Telmo por encargo del duque de Montpensier. Tres de sus hijos, Francisco, Manuel y Rafael, se dedicaron también a la pintura. Manuel Cabral y Aguado (1837-1891) fue el más sobresaliente artista de la familia; su inspiración es costumbrista, con importantes cuadros sobre la vida cotidiana y escenas de costumbres andaluzas; el Estado compró en 1858 su «Procesión del Corpus en Sevilla». Manuel Cabral y Aguado pintó también muchos retratos, entre los cuales se nota el de José Luis Albareda, fundador de *El Contemporáneo* y de la *Revista de España,* amigo de Valera y de Rodríguez Correa.

Estos dos años pasados en el estudio de Cabral Bejarano enseñaron a Gustavo Adolfo:

— El agrado de un aprendizaje de arte en un convento-museo, en medio de la más hermosa colección de Murillos del mundo, de las más típicas obras de Zurbarán y de gran número de lienzos de Valdés Leal, es decir en medio de la ternura del primero, del misticismo y de la perfección pictórica del segundo y de la ardiente poesía religiosa del tercero.

— La destreza en los bocetos de personajes, en la composición de los grupos animados, en la perspectiva.

— La presencia de un maestro humanista que desarrollaba las dotes de sus discípulos tanto en el campo de la fantasía como en el de la realidad.

Logrado suficiente dominio del dibujo, fue a juntarse Gustavo Adolfo en 1851 con su hermano Valeriano, que estudiaba en el taller de Joaquín Domínguez Bécquer. Según información de don Rafael Montesinos vivían los dos hermanos en el número 17 de la calle de Mendoza Ríos durante el año 1852. El ambiente de ambos estudios era diferente aunque disfrutasen de igual aprecio.

Desde entonces trabaja Gustavo Adolfo en un ancho salón situado en el piso alto del Alcázar, junto al patio de Banderas. El marco es oriental, pero la arquitectura y el ornamento de estilo mudéjar han sido desfigurados a partir del reinado de Carlos V; lo lamentan todos los artistas sevillanos de mediados del siglo XIX. Joaquín Domínguez Bécquer sigue dirigiendo los trabajos de pintura incluidos en el programa de restauración. Se le debe especialmente el diseño de una cornisa árabe en la parte exterior del edificio que protege la sala de Embajadores. La vida en el Alcázar fue importante para Gustavo Adolfo; el arte árabe ejerció sobre él una constante seducción. La lista de proyectos que redactó antes de julio de 1862 abarca la obra siguiente: «*El Alcázar de Sevilla.* Obra de gran lujo, láminas grandes al cromo con oro y colores. Texto en francés, español e inglés. De 25 a 30 láminas. Cara.»

Un recuerdo de aquel período de mocedad aparece en el artículo «El calor», publicado el 16 de agosto de 1864 en *El Contemporáneo:* «Me acuerdo del Alcázar árabe de Sevilla, de sus pabellones bañados en dulce oscuridad, casi ocultos entre la espesa sombra de los acopados naranjos, con el suelo y los muros vestidos de azulejos de colores y la fuente morisca al haz del suelo, con su salteador de agua que se esparce en átomos cristalinos que convidan a dormir, y a la que sólo falta el acompañamiento de la guzla...»

Bajo la dirección de don Joaquín se perfecciona Gustavo Adolfo en el arte del dibujo, particularmente en materia de monumentos, sepulcros, paisajes. Al mismo tiempo se va iniciando en la pintura. Algunas de las aficiones de don Joaquín coincidían con las suyas; por ejemplo, ambos gustaban del arte gótico y de la poesía de los sepulcros. Don Joaquín era sensible a la poesía lírica. Desde el punto de vista técnico, era perfeccionista y conservador. Estrechamente ligado a Sevilla por el sentimiento, tenía poca inclinación a las aventuras, lo que se explica en parte por una salud delicada. Todo esto influyó en las relaciones con sus jóvenes «sobrinos» como se verá más adelante.

La formación de dibujante y de pintor fue importante para el porvenir de Gustavo Adolfo bajo tres aspectos. Ésta fortaleció y enriqueció la creación literaria del poeta y cuentista; en varias circunstancias le permitió completar los aleatorios ingresos que le proporcionaba su pluma; e hizo de él un sagaz crítico de arte, como lo demuestran sus análisis de los cuadros presentados en la Exposición Nacional de Bellas Artes de 1862 *(El Contemporáneo,* octubre-noviembre de 1862) y su participación en los jurados madrileños de pintura.

Mientras frecuentaba los estudios de pintura, Gustavo Adolfo seguía leyendo, explorando la biblioteca de su madrina, aprovechando cuanto le transmitía Campillo y componiendo poemas. Bécquer y Campillo hubieron de enriquecer mutuamente su cultura por contacto de experiencias, éstas con predominio gráfico y pictórico para el primero, literario para el segundo. Veinte años más tarde escribirá Campillo en su necrología de Bécquer la encantadora página siguiente: «... ¡Con qué placer (Gustavo, en Madrid, a finales de 1854) me recordaba nuestros paseos en lancha por el Guadalquivir, donde bogábamos los dos entre márgenes cubiertas de álamos, sauces, palmeras, cipreses y naranjos, llenos de penetrantes perfumes de azahar y alumbrados por un sol de fuego, o por la redonda y ancha luna que hacía brillar el río como si fuese plata fundida! ¡Cómo gozaba también al recordar nuestros solitarios paseos a las ruinas de Itálica: las cien y cien leyendas que formábamos en voz baja, ya vagando por las gigantescas naves de la desierta catedral, ya inmóviles y contemplando entre la sombra de algún ángulo apartado el sepulcro de un sabio, de un santo, de un guerrero, o las innumerables estatuas de ángeles, vírgenes, profetas, salmistas, reyes y apóstoles que, desde los huecos de sus hornacinas o desde los pintados vidrios, parecían mirarnos tristemente a nosotros, tan jóvenes y tan entusiastas!»

La célebre carta III de la serie *Desde mi celda* se refleja probablemente en este lirismo. De este texto guardemos los paseos artísticos-literarios sobre el río, las ruinas romanas y dentro de la catedral llena de recuerdos del gótico terminal y del Renacimiento; con ellos tenemos la representación de las dos primeras etapas de la inspiración becqueriana. En el espíritu de lo que don Manuel Ruiz Lago llama felizmente «la ilustración romántica», Campillo apunta, lleno de satisfacción retrospectiva: «Entretanto Gustavo crecía y reunido constantemente conmigo ensanchaba sus horizontes poéticos por la meditación de los grandes modelos, y sobre todo por la contemplación de la naturaleza.»

11. La unión del dibujo y de la creación literaria. Revista de los dibujos conocidos

Gustavo Adolfo dibujó siempre en abundancia. Se encuentran dibujos en muchos manuscritos suyos, en álbumes de salón, en hojas volantes. A lo largo de su vida, se repartió su tiempo cotidiano entre las tareas para mantener el sustento y la construcción imaginativa que se traducía, según la época, en dibujo o literatura.

Su producción gráfica se extiende desde el bosquejito maquinal hasta el dibujo esmerado, pasando por el apunte y el estudio. Es posible que, en colaboración con Valeriano, participara en 1865 en la realización de las bandas caricaturescas publicadas en *Gil Blas* bajo el pseudónimo de Sem.

Su destreza para dibujar los personajes era innata; la enseñanza recibida en los estudios sevillanos desarrollaría esta facultad, orientándola hacia el cuadro de historia y de costumbres. Además sus maestros le hicieron alcanzar un buen nivel en los campos del dibujo de arquitectura, de parque y de paisaje.

Los amigos y colegas de Gustavo Adolfo admiraban esta dote y recogían cuidadosamente los dibujos. En la biografía de 1871, apunta Campillo que su compañero de la infancia tenía «extraordinarias dotes» en esta esfera como en todas las artes. Emite el siguiente juicio personal en una carta a Eduardo de la Barra: «... en música y en pintura hubieran sido más que en poesía. Dibujaba muy bien...»

Se menciona también el dibujo en el prólogo de Rodríguez Correa para la primera edición de las *Obras* (1871); aquí se lee «había aprendido a dibujar al mismo tiempo que a escribir»; el prologuista relata cómo, siendo Gustavo Adolfo escribiente en la Dirección de Bienes Nacionales, le sorprendió el director en el acto de explicar a sus colegas agrupados en torno suyo dibujos inspirados en *Hamlet*. Rodríguez Correa añade una precisión que vale para toda la carrera de Bécquer: «Como sus dibujos eran admirables, ya se habían hecho casos de atención para todos, que se disputaban el poseerlos, aguardando a que los concluyera, mientras seguían con la vista aquella mano segura y firme, que sabía con cuatro rasgos de pluma hacer figuras tan bien acabadas.» Más adelante señala Correa que muchos textos han sido precedidos de dibujos que figuraban en los originales; enumera cabalmente los temas de las ilustraciones más frecuentes: «Todas las obras que contienen estos dos tomos han sido escritas, como ya he dicho, sin tomarse más tiempo para idearlas que aquel que tardaba en dibujar con la pluma lo que había de describir o ser objeto de su inspiración: y eran de ver los primores de sus cuartillas, festoneadas de torreones ruinosos, mujeres ideales, guerreros, tumbas, paisajes, esqueletos, arcos, guirnaldas y flores.» Conocemos hoy muy pocas cartas de Gustavo Adolfo, pero fueron bastantes; según Correa, que recibió algunas de ellas, llevaban adornos del mismo género que los de los manuscritos: «Rara era la carta que salía de su mano sin ir llena de copias de lo que veía o caricaturas admirables sobre lo que narraba.»

Otro compañero de periodismo de Bécquer ha dejado un testimonio semejante, aunque con menos detalles. Se trata de Antonio María Fabié, quien fue mucho tiempo redactor jefe de *El Contemporáneo*. Escribe en su artículo de la *Revista de España* sobre Joaquín Domínguez Bécquer: «Quien esto escribe asistió a la producción de la mayor parte de las obras de Gustavo Bécquer, pero no le ciega el espíritu de paisanaje y de compañerismo, y conserva como imperecedero recuerdo de los días de la juventud, los dibujos que hacía a pluma como para reposar en medio de la *fiebre literaria* que le aquejaba durante la creación de sus fantásticas leyendas, y que son testimonio de que Gustavo hubiera sido tan pintor como poeta, si se hubiese dedicado al ejercicio de aquella arte.»

El dibujo sobre papel y también el de los frescos con que le gustaba hermosear las habitaciones austeras en las que le tocó varias veces vivir, le procuraron un apoyo moral, al par que material en algunas circunstancias, como señala Julio Nombela para los difíciles años de aprendizaje de la vida madrileña: «En su mísero albergue (se trata de una casa de huéspedes pobre) llenaba su fantasía las cuatro paredes mal encaladas en las que bullían damas y galanes de otros tiempos, señores feudales, trovadores, ermitaños, todo lo que después trazó su pluma y se eternizará en sus leyendas. No se daba cuenta del tiempo ni del medio ambiente en que vivía; dispuesto siempre a trabajar, no buscaba trabajo, no sabía buscarlo, ayudaba a su hermano con el lápiz, ya que su pluma estaba ociosa, porque gozaba más viendo en su espíritu todo lo que más tarde había de vivir en sus *Rimas,* en sus *Cartas,* en sus *Poemas leyendarios...*»

Estoy convencido de que los dibujos y los manuscritos ilustrados de Gustavo Adolfo Bécquer que descansan en los archivos familiares y en las colecciones particulares de España son numerosos. Poco a poco irán saliendo a la luz pública. En la actualidad sólo conocemos una treintena de estos documentos entre dibujos, esbozos y manuscritos con ilustraciones rápidas; unos veinte de ellos han sido reproducidos en el hermoso libro de don Rafael Montesinos *Bécquer. Biografía e imagen.* Consta que dos álbumes que pertenecieron a Julia Espín y que obran en poder de ciertos descendientes suyos contienen numerosos dibujos de Gustavo Adolfo; de todos ellos se ha publicado sólo uno que Benigno Quiroga Ballesteros, esposo de Julia Espín, regaló al doctor Marañón; este bosquejo humorístico representa a un fumador confortablemente instalado en un sillón y que sopla una nube de humo en la que aparece un grupo de mujeres volantes; son nueve, tal vez angélicas musas modernas; estamos aquí en el campo de las diversiones de salón.

Pueden clasificarse los dibujos conocidos bajo tres grandes rúbricas: la inspiración mortuoria, los paisajes y jardines, los personajes.

En el estado actual de nuestros conocimientos, la obra maestra de Gustavo Adolfo es un dibujo académico, público, con monograma G.A.B.: el sepulcro del cardenal don Juan de Tavera empezado por Berruguete, que figura en el tomo primero y único de *Historia de los templos de España* (1857-1858). Este dibujo representa el flanco derecho del sepulcro (lado de la Epístola) con Santiago peregrino y Santiago protector de España en las batallas; por su minuciosidad, por el tratamiento de la luz y de las sombras, constituye una verdadera imagen en platería que hubo de satisfacer a los antiguos maestros del autor. El monumento combinaba la representación de la muerte (el yacente y la calavera) y la de numerosos personajes o animales en movimiento; el conjunto se adecuaba a los gustos y aptitudes de Gustavo Adolfo.

Las demás representaciones de sepulcros son las que adornan el manuscrito de la rima LXXVI, conservado en el Museo de Arte Decorativo de Buenos Aires (gótico terminal), y el dibujo poseído por Nombela y publicado en *La Actualidad* en julio de 1913, que representa a una mujer en oración delante del sepulcro de Osir y que se destinaba a las ilustraciones del poema de Nombela *Osir y Elvira,* el cual no llegó a editarse. La decoración de este último sepulcro es vagamente oriental; en el fondo se divisa un edificio que se parece a la Torre del Oro a orillas del Guadalquivir. Esta escena de *Osir* no está desprovista de refinamiento paisajista con sus sauces llorones y los diversos vegetales que rodean el sepulcro. En el libro de cuentas de José Bécquer, un dibujo de Gustavo Adolfo representa a un hombre arrodillado ante una piedra sepulcral; se titula «La tumba» y lleva la explicación «Hamlet en el sepulcro de su padre»; tenemos sin embargo la impresión de hallarnos en presencia de una escena de la vida campesina.

La representación de los esqueletos en movimiento, nada fácil, era una de las especialidades de Gustavo Adolfo. Este talento de sociedad, apreciado según parece, era un rasgo de humorismo negro. Un solo dibujo de este tipo ha sido publicado. Se encuentra en *Bécquer y Soria* (1970). Este dibujo, puesto en un marco, propiedad de la familia del psiquíatra don José María Esquerdo, representa un espada en el acto de dar la estocada al toro. Se sabe por el investigador norteamericano E. W. Olmsted, quien vio ambos álbumes de Julia Espín en 1907, que éstos contenían dibujos del mismo tipo: uno de los álbumes lleva el título francés *Les morts pour rire*.

No conocemos ningún verdadero «paisaje» de Gustavo Adolfo, es decir ninguna vista panorámica. Los cuatro documentos publicados son vistas parciales de jardín o parque. El más realista de dichos dibujos es el que pegó el poeta en el registro titulado «Libro de los gorriones» para encabezar sus *Rimas;* representa el jardín de la casa que ocupaban los hermanos Bécquer en la calle San Ildefonso, de Toledo, durante el año 1869. Según averiguaciones de don Vidal Revuelta, el sitio ha cambiado poco un siglo más tarde. Sólo están esbozados la vegetación y el primer plano, pero el conjunto resulta muy armónico, siendo excelentes la perspectiva y las proporciones; la finura del trazo y del propósito se hermana con el ambiente general de las *Rimas*. Los otros tres dibujos paisajistas han sido publicados por primera vez en el libro *Bécquer. Biografía e imagen* de don Rafael Montesinos; están en poder de los descendientes de Valeriano. Uno es un somero boceto que tiende al resalte de una estatua en el marco de un parque: lo más notable aquí es el movimiento dado al cuerpo del personaje mitológico colocado en la columna-zócalo. El segundo dibujo es de suma delicadeza, con felices contrastes entre sombra y luz; representa una columna truncada, extraviada en medio de la vegetación de una isleta. El tercer dibujo, un bosquejo más bien, parece un tanto basto comparado con el precedente pero se nota en él la misma búsqueda, más acentuada aún, de contraposición entre las zonas de luz y de sombra; figura un rincón de parque con pila, matorral, escalera y una serie de macetas expuestas al sol; este bosquejo parece tomado del natural. Todos estos dibujos tienen dos grandes características: la concentración del trabajo artístico sobre un asunto limitado y escogido, y el lugar predominante dado a los efectos de luz. Estos rasgos se reconocen en muchas páginas descriptivas de Bécquer.

Sobresale sin embargo Gustavo Adolfo en los asuntos con personajes; este tipo de dibujo es el más abundante, trátese de meros rostros, de bustos, de siluetas, de retratos en cuerpo más acabados o de grupos. Aquí dos tendencias pueden distinguirse: la realista y la fantástica. En ambas categorías se repite un tipo de cara femenina caracterizada por un óvalo alargado, un tanto al margen de la perfección clásica, por ojos negros y vivos, por una cabellera muy larga y brillante. Veo en este tipo la expresión de un ensueño de adolescencia sacado de la realidad sevillana, de la idealización pictural (Murillo y Valdés Leal en particular), de lo hondo de la personalidad propia.

Los dibujos de tendencia realista demuestran que Gustavo pudiera ocupar un lugar honorable en la pintura de costumbres cultivada por su padre así como en el género del retrato popular donde destacó Valeriano. Prueba de ello son los dibujos siguientes: «La mendiga» y «El militar de marcha» en el libro de cuentas del padre; la «Familia pobre» en el álbum de Josefina Espín (pág. 180 de *Bécquer. Biografía e imagen)*. Pertenece a la tendencia realista la ilustración caricatural de la vida contemporánea en *Gil Blas* (1865); Valeriano también era un excelente dibujante humorístico, que tenía a veces la causticidad de Daumier. Los minúsculos retratos masculinos que dejó Gustavo Adolfo en muchas hojas presentan con frecuencia rasgos enérgicos e individualizados.

La inspiración imaginativa de Gustavo Adolfo se ejerce en varias direcciones. La imagen más clara de la mujer ideal se ve en el dibujo del álbum de Josefina Espín, que representa una doncella-nube que planea sobre el campo (pág. 80 de *Bécquer. Biografía e imagen)*, derivado profano de las numerosas Inmaculadas de la escuela sevillana de pintura. El ensueño de amor, el ensueño guerrero, el ensueño tauromáquico se expresan en muchos apuntes; aparece el movimiento en cuanto no se trata ya de un simple perfil de rostro o de busto. La misma observación vale para los dibujos humorísticos explicativos, por ejemplo los que acompañaban las cartas, cual «El poeta y el niño llorón» *(Bécquer. Biografía e imagen,* pág. 258). El arte conseguido en la composición de los grupos se manifiesta principalmente en «Álbum de la Revolución de julio de 1854 por un patriota», obra humorística que dio a conocer don Rafael Montesinos (págs. 136-137 de su *Bécquer. Biografía e imagen)* y que es propiedad de una pariente de la familia Bécquer. El dibujo que lleva la indicación «Carlos V» evoca algún esbozo de cuadro de historia; todas las páginas de este álbum caracterizan la manera propia de Gustavo Adolfo por el movimiento y la observación aguda de las posturas.

Nótanse tres particularidades en la temática de esta creación imaginativa. Dos de ellas mezclan lo inquietante con lo humorístico: se trata de lo macabro-esqueletado, ya mencionado, y de lo diabólico que se manifiesta en las figuraciones de demonios traviesos o de brujos, como las que vemos en los dibujos de la colección de don Pedro Martínez Garcimartín publicados en 1972 en el volumen de *Estudios sobre Gustavo Adolfo Bécquer.* Uno de estos dibujos se refiere a los fantasmas amorosos del sueño, el otro muestra el despegue del periodista hacia el aquelarre; este último lleva por fondo un perfil pequeño y fino de la parte central de Madrid. La tercera particularidad atañe a la representación del traje monacal o de penitencia; trátese de un monje que cruza solitariamente los corredores de un convento *(Bécquer. Biografía e imagen,* pág. 223) o de un grupo de personajes encapuchados (manuscrito de «Lejos y entre los árboles»), dejan estos dibujos un resabio de angustia.

Sus dotes de pintor de personajes proporcionaron en algunas circunstancias un complemento de ingresos a Gustavo Adolfo. Así es como apunta
Rodríguez Correa que su amigo ganó algún dinero durante los difíciles años
1856-1860 pintando en el palacio de los marqueses de Remisa los personajes
de los frescos por cuenta de otro artista. Para agradar a la familia de su
mujer, Gustavo Adolfo pintó también unos frescos en la casa donde veraneó en Pozalmuro (provincia de Soria), entre los años 1861 y 1868.

Toda la complejidad de la personalidad de Gustavo Adolfo Bécquer
se trasluce ya a través del pequeño número de dibujos suyos que conocemos.

12. La transformación de un libro de cuentas en un cuaderno de arte y de poesía (1848-1852)

Gustavo sentiría el recuerdo de su juventud cuando en 1868 le obse-
quió un amigo, medio serio, medio en broma, con un registro de contabilidad destinado a recibir las nuevas obras que se esperaban de él. En otro
libro de cuentas, el que había utilizado su padre entre 1837 y 1841, había
ejercitado, en efecto, Bécquer su pluma durante la adolescencia.

Joaquín y Serafín Álvarez Quintero son los primeros poseedores iden-
tificados de ese libro de cuentas. No precisan ni la época de la compra ni
quién fue exactamente el vendedor:

> Cierta mañana se presentó en nuestra casa una viejecita con un
> libro de autógrafos de Bécquer. Lo llevaba para vendérnoslo. Le dimos
> por él lo que nos pidió, que no fue, desde luego, lo que valía, ya que
> para nosotros era un tesoro inapreciable. Lo que no conseguimos fue
> que nos dijera la procedencia del tesoro. Se trataba —y se trata, porque
> existe en nuestro poder— de un cuaderno de papel de barba, amari-
> llento ya por la acción del tiempo, empastado en tela y con un rótulo
> dorado que reza así: *Bécquer. Autógrafos.* Era un libro de cuentas
> del padre del poeta. En él apuntaba cuidadosamente los encargos que
> realizaba, en particular a los ingleses, siempre tan aficionados a las
> escenas del pueblo andaluz. Muerto don José, cayó el libro en manos
> de Gustavo Adolfo. ¡Qué gran transformación le estaba reservada!
> Allí, con la libre espontaneidad de su fantasía, explayó su espíritu in-
> fantil, en un mariposeo desordenado, a la par inocente y gracioso.
> Fragmentos de poesía, de artículos, y aun bosquejos de dibujos a lápiz
> y a pluma, salpican arbitrariamente las hojas que antes estaban des-
> tinadas a contener apuntaciones de orden económico. Ya nos encon-
> tramos el principio de una leyenda, semilla quizá de las *Tres fechas*
> o del *Rayo de luna;* ya de unos clásicos versos horacianos; ya de una
> audaz estudio crítico sobre *Hamlet,* ya de un madrigal, ya un epigra-
> ma...; aquí y allá, por dondequiera, como un raro florecer de las hojas,

Dibujo que representa a Valeriano Bécquer, por su hermano Gustavo, en el libro de cuentas de su padre

ensayos de su firma y rúbrica, nombres de mujer, apuntes de soldados, monjes y guerreros de otros tiempos, tipos populares contemporáneos suyos: autorretratos, ojivas, capiteles... (texto fechado «Madrid, julio de 1937»).

Santiago Montoto dio a conocer en parte el contenido del documento
en *Blanco y Negro,* reproduciendo la *Oda a la muerte de Alberto Lista.*
Después de la muerte de Serafín Álvarez Quintero, su hermano Joaquín
dio permiso a Luis de Armiñán de examinar de nuevo el cuaderno y de
publicar en *Domingo* (Madrid, 12 de noviembre de 1939) un artículo titulado «Papeles viejos. El cuaderno casero del padre de Gustavo Adolfo»,
en el que van reproducidos fragmentos versificados que se han reunido
bajo el título de «Trozos poéticos de la adolescencia».

Poseía el cuaderno don Dámaso Alonso y los microfilmes entregados
por él a don Rafael Montesinos han permitido a éste reproducir en su *Bécquer. Biografía e imagen* dos páginas de dibujos así como el breve diario
(23-26 de febrero de 1852) de que Montoto había dado noticia en 1929 y
que el propio Dámaso Alonso había estudiado en el artículo de *ABC* del
19 de agosto de 1961 «Un diario adolescente de Bécquer».

La presencia de la *Oda a la muerte de Alberto Lista* y del diario permiten plantear que el cuaderno fue utilizado por Gustavo Adolfo de 1848
a 1852 al menos, es decir desde finales del duodécimo año hasta la edad
de dieciséis años.

Hablaré más adelante de los «Trozos de la adolescencia» y del diario
sentimental, limitándome a consignar aquí que el vivo interés que siempre
manifestó Gustavo Adolfo por Hamlet, patente en los dibujos y textos del
libro de cuentas, tiene su origen en el estudio de los maestros sevillanos
que le transmitieron la curiosidad de Lista por las grandes obras literarias
del extranjero.

Los *Ensayos literarios y críticos* de Lista, editados en Sevilla en 1844,
son una colección de artículos publicados en Cádiz durante los años 1839-
1840 y de lecciones sobre el teatro del Siglo de Oro; contienen un artículo
titulado «De la forma del teatro inglés y del español» que atestiguan la
mucha estima que tenía el crítico por Shakespeare; el personaje de Hamlet
le era familiar y simpático. Según Santiago Montoto, las menciones del
libro de cuentas prueban que Gustavo Adolfo estudiaba en los *Ensayos.*

La melancolía, la ternura y la demencia poética que se expresan en Hamlet son componentes de la «ilustración romántica» en la que se educó Gustavo Adolfo.

Es notable por la calidad de los esbozos tauromáquicos la página de
pequeños dibujos reproducida en *Bécquer. Biografía e imagen* (lámina 12)
y que ya figuraba en los *Estudios sobre Gustavo Adolfo Bécquer* de 1972

Gustavo Adolfo Bécquer en el libro de cuentas citado

(pág. 202). Trátese del picador, del banderillero, del espada o del toro, se manifiesta aquí plenamente el sentido del movimiento y de las actitudes. El nombre «Gustavo» está inscrito encima de un croquis que representa al matador en el acto de dar la estocada. Como todos los jóvenes sevillanos, experimenta Gustavo Adolfo el espejismo de la gloria del ruedo. Quedan pocas huellas de esta seducción de la mocedad en las obras ulteriores; la más notable se encuentra en el comentario del dibujo de Valeriano «La corrida de toros en Aragón » (1868). *¡Es raro!* (1861) expresa una viva compasión para con los caballos de corrida.

Se descubren en el libro de cuentos los esbozos del armónico monograma G.A.B. con que está firmado el diseño del sepulcro del cardenal Tavera.

13. Algunos versos escritos en el libro de cuentas paterno

Los «trozos poéticos» transcritos por Luis de Armiñán en 1939 comprenden tres partes:

— Los fragmentos de una composición elegiaca en endecasílabos asonantados *a-a* que expresa la desesperación amorosa en modo personal.
— Un poema descriptivo completo, compuesto con estrofas de seis versos rimados *a-b-a-b-c-c* que se componen, con una excepción, de cuatro endecasílabos (1, 2, 4, 6) y dos heptasílabos (3, 5), y que pudiera titularse «Danza de la ninfa».
— Siete endecasílabos rimados (con una excepción) y un heptasílabo con rima también, ensayo dedicado a la descripción objetiva de un collado selvático bajo cielo nublado que deja filtrar la claridad de la luna.

La tradición clásica se suma, pues, con la expresión del sentimiento personal procedente de Rousseau, Chateaubriand, Lamartine y sus émulos españoles.

La variedad de los experimentos literarios a los que se entregaba Gustavo Adolfo es ya evidente: lo personal o subjetivo se cultiva al par que lo objetivo; rima asonante y rima consonante coexisten, el movimiento rápido y el ardor amoroso se hallan entre trozos donde dominan la melancolía y el ritmo lento. De un lenguaje sencillo, casi coloquial, se pasa a la lengua culta de los líricos impregnados de arte grecolatino. Estos ensayos precoces ponen de manifiesto la predominancia del arte sobre lo vivido y las relaciones sociales; invitan a desconfiar de las interpretaciones autobiográficas que se han dado con frecuencia acerca de los poemas ulteriores. Es posible que la diversidad de la creación artística de Gustavo Adolfo fuera en parte la consecuencia de cierta inestabilidad afectiva, de una vitalidad fluctuante, a las que tuvo que conformarse la voluntad poética.

Dibujos hechos por Gustavo en el libro de cuentas de su padre

Algunos de los endecasílabos de la primera serie de fragmentos anuncian la rima LXX («¡Cuántas veces al pie de las musgosas / paredes que la guardan...!») tanto por el ritmo que crea la repetición «Cuántas veces...», «Cuántas noches...» como por una imagen y una tonalidad como las siguientes:

¡Oh! Cuántas noches, en sereno vuelo
el espacio cruzar la plateada
luna veía, y de mis tristes penas,
en mi ilusión, la causa le contaba...

En las silvas, la ninfa que baila, esbelta, ligera, cuyo pie apenas toca el suelo, es ya la mujer ideal, inaprensible, en que se funden el ardor amoroso y el elemento etéreo, evocada por las rimas XI y XV:

1

¿Quién es la ninfa de inmortal belleza
que al dulce son de la agradable lira,
con célica esbelteza,
danzar el alma arrebatada mira
y entrega al vagoroso
viento la trenza del cabello undoso?

3

¿Quién es la que ceñida el blanco velo
en torno muestra la nevada frente?
¿La que en rápido vuelo
cruza y esbelta entrégale al ambiente,
con grata donosura,
la cándida, flotante vestidura?

6

El fuego del amor arde en sus ojos,
el carmín de la rosa en sus mejillas
se muestra, y en los rojos
labios divinos de su boca brilla
sonrisa encantadora
que roba el corazón y lo enamora.

Dibujos del libro de cuentas del padre de Bécquer

En este ensayo, sin duda un esbozo, queda el idioma demasiado repetitivo y convencional, pero la musicalidad resulta excelente. Notemos de paso la inclinación del joven Gustavo Adolfo por la forma interrogativa en poesía. Esta forma había sido ya adoptada al redactar el proyecto de la *Oda a la muerte de Alberto Lista.* Las *Rimas* contienen huellas de esta tendencia: dos de los más hermosos poemas tienen este movimiento interrogativo, este toque huidizo, que se aplica en Bécquer a las situaciones más diversas: se trata de las rimas LXI («Al ver mis horas de fiebre», publicada en 1861) y LXXV («¿Será verdad que, cuando toca el sueño...?»).

El último trozo reproducido por Luis de Armiñán es casi prosa musical descriptiva. La suavidad de esta música acompaña idealmente el surgimiento del cuadro imaginario: «... en silenciosa oscuridad el valle / yacía perdido, sólo interrumpía / la profunda quietud que allí reinaba, / el viento, que formaba, / en el vecino bosque dilatado, / un ruido manso, lento, compasado...»

En todos estos escritos es la de la poesía culta la métrica. Octosílabos y coplas no aparecen.

14. Dos páginas de un diario sentimental (23-26 de febrero de 1852)

Este texto figura en las páginas 51 y 52 del libro de cuentas dejado por José Bécquer. He podido leerlo en la reproducción facsímil que ocupa las láminas 20 y 21 del libro *Bécquer. Biografía e imagen,* de don Rafael Montesinos.

Se lee este escrito como el cautivante principio de una novela rosa de que se siente no conocer la continuación. He aquí su contenido:

Primer día (lunes 23)

El redactor, que se expresa en primera persona, relata que, encontrándose en medio de la concurrencia que asistía a las festividades reales para la inauguración del nuevo puente (23 de febrero de 1852, puente Isabel II), ha visto, acompañada por sus padres y su hermanita, a una joven de la calle de Santa Clara quien había llamado su atención antes. No pudo reconocerla sino tardíamente y no consiguió mirarla al cruzarse con ella por lo fuerte y polvoriento que estaba el viento. Siente que su turbación no le haya permitido seguir ese grupo familiar para cercionarse de que ya se trataba de la misma joven. Observa que este encuentro ha resucitado el amor olvidado cual un ligero soplo que despierta, dándole más fuerza, un fuego que va extinguiéndose. Esta metáfora es la única del relato.

Dibujos hechos por Gustavo en el libro de cuentas de su padre: el aburrido, la mendiga, el militar y la tumba

Segundo día (martes 24)

El redactor narra lo ocurrido hoy. El amor reanimado se intensifica. Le ha mantenido despierto la noche pasada y ha agitado su imaginación mientras estaba estudiando. Ha decidido volver a la casa de la muchacha (calle de Santa Clara, según parece) para verla una segunda vez y hablarla. Llegada la noche, fue allí. Las puertas, los balcones y las ventanas estaban cerradas. Sólo la presencia de cortinas señalaba que estaba ocupada la casa. No se veía ningún criado y no se percibía ninguna señal de vida. Queda perplejo el narrador y decide volver el día siguiente. «Volveremos mañana.»

Tercer día (miércoles 25)

El redactor observa que sus ideas y sus pensamientos se fijan en la desconocida con más y más fuerza. Esperó la noche con impaciencia. Aquí se desliza un breve tópico literario, «Los días son siglos, las horas años», cuyo contrario, que ya no es lugar común, se encontrará en la rima LXXVI («El ansia de esa vida de la muerte / para la que un instante son los siglos»). El narrador apunta que ha «pasado por» la casa de la joven después de caída la noche. Si bien la puerta de la calle estaba cerrada, los balcones y las ventanas estaban entreabiertos. Se percibían ligeros ruidos así como el movimiento de un criado dentro de la casa aunque, al parecer, nadie estuviese detrás de las cortinas que detenían la mirada.

El narrador se hace preguntas. ¿No le gustan a esa chica la animación, el amor, los balcones y todo lo propio de la juventud? ¿Qué casa es ésa en que se ve a algún criado de vez en cuando pero nunca a los amos? Queda el enigma. «Volveremos mañana.»

Cuarto día (jueves 26)

Algunos pormenores alimentan las esperanzas del narrador.

Ha «pasado». La puerta estaba abierta. La cortina de la ventana de la derecha estaba levantada, como si alguien mirara, pero la obscuridad no permitió al observador identificar a ninguna persona. Ha mirado hacia la ventana desde la esquina. Ha caído la cortina como si alguien se retirase; luego, ha ido levantándose poco a poco como si alguien quisiera mirar al joven, pero pronto ha caído de nuevo y se ha oído un ruido.

Aquí cesa el diario.

La lengua es muy sencilla y asoma apenas la elaboración literaria. Es probable que en este texto el arte se combine con la realidad. La progresiva y diestra disipación del misterio, la repetición de «Volveremos mañana», la casi total eliminación de lo ordinario de la vida (limitado al am-

Diferentes dibujos realizados por Gustavo en el libro de cuentas de su padre

biente de inauguración del puente y a los libros que se estudian) hacen pensar en una «composición». No estamos lejos de las ilusiones de Manrique ante la morada del montero mayor en *El rayo de luna*. La primera parte de *Tres fechas,* la de «la fecha de la ventana», está también en germen en el esbozo sevillano.

Este texto seductor no pasa de ser un monólogo. Toda la tensión nace aquí del ejercicio solitario de la imaginación, palabra que se lee tres veces en la primera página. La autoexaltación transforma en ardientes enigmas las emociones fugaces de lo cotidiano. Dos veces, el verbo «agolparse» traduce la violencia de la conmoción afectiva.

Refleja el diario las costumbres sevillanas de la época: en sus visitas después de la caída de la noche se comporta el narrador en conformidad con las costumbres: las casas no cerradas y la publicidad de la vida privada extrañaban mucho a los visitantes franceses. El diario relata además un tipo de vivencia común a muchos adolescentes de la Europa occidental y que es un importante elemento de la poesía de la ciudad, de la poesía del anónimo en este mundo moderno donde se cruzan tantos seres misteriosos.

¿Se trata del principio de un diario verdaderamente íntimo, redactado al día para calmar la agitación interna, conservar la huella de una personalidad evolutiva? Confieso no poder contestar con seguridad a esta pregunta. El texto puede haber sido escrito en bloque: la caligrafía es uniforme y sin correcciones; las separaciones entre los relatos diarios, de trazo elegante, son idénticas. Pero ¿podemos pensar que esa expresión casi hablada, esa puntuación caprichosa, esos deslices ortográficos son compatibles con la creación novelística? Existe aquí mucho arte en lo espontáneo o mucha espontaneidad en el arte. La confusión de la imaginación con la vida caracteriza ya estas dos páginas en prosa, las primeras de Gustavo Adolfo que conocemos.

15. *Oda a la señorita Lenona, en su partida*
(17 de septiembre de 1852)

Si bien Gustavo Adolfo y Narciso Campillo destruyeron la mayor parte de los poemas de su juventud, los que remitieron a algunas personas destinatarias han escapado al sacrificio. Tal parece ser el caso de esta oda de 132 versos, firmada y fechada «Sevilla, 17 de septiembre de 1852». Se lee en las *Páginas abandonadas* de don Dionisio Gamallo Fierros. En 1947, el manuscrito era propiedad de don Claudio Rodríguez Porrero; figuró el 6 de febrero del mismo año en una exposición del Museo Romántico de Madrid. La autenticidad no parece dudosa cuando se consideran las precisiones expuestas por Gamallo Fierros.

Estamos lejos de la espontaneidad del «diario» de febrero. Compuesta por veintidós estrofas de seis versos cuya métrica más frecuente es 11-11-7-11-7-11 con rimas consonantes *ababcc,* esta oda es una producción culta semejante a la «Danza de la ninfa» que hemos encontrado ya en el libro de cuentas paterno.

El poema va dirigido a una joven que está a punto de salir de Sevilla para irse a las provincias vascongadas. Después de dos estrofas interrogativas que expresan el asombro y dan un vivo arranque al poema («¿Y te vas? ¿Y del Betis placentero abandonas las márgenes floridas?»), el poeta exhorta a la interesada a quedarse en la capital andaluza (once estrofas); pinta los encantos de la región que opone a los rigores del clima nórdico; siguen la expresión de una penosa resignación ante lo inevitable (tres estrofas), un adiós en que se cantan la pureza y la hermosura de la amada (dos estrofas), y una invitación a guardar el recuerdo del joven poeta (cuatro estrofas):

> Te pido ....
> Me mires en la orilla matizada
> de claveles y cándidos jazmines,
> con cítara dorada,
> haciendo que sus mágicos jardines
> repitan en tu honor y tu alabanza
> los dulces ayes que mi lira lanza.

La preservación del manuscrito da prueba de que el ruego fue atendido.

Las imágenes y el vocabulario resultan convencionales. El poeta se ha limitado a buscar la musicalidad y lo ha logrado. Comparada con otros poemas de la misma escuela, la expresión resulta sencilla y fluida.

Un movimiento de este poema reaparece en la rima I («Yo sé un himno gigante y extraño»):

> ¡Ah, detente... detente...! pero en vano,
> en vano es todo ya, porque la hora
> sonó...
> Pero en vano es luchar; que no hay
> cifra capaz de encerrarlo...

El adjetivo «raudo» tiene el favor del joven poeta:

> — ... mientras calla el raudo viento (v. 18)
>
> — sobre tu frente de marfil nevado
>   las raudas alas batirá el viento (vv. 99-100)
>
> — las transparentes linfas
>   del Betis raudo y sus hermosas ninfas. (vv. 119-120)

«Raudal» y «raudo» se encuentran de nuevo en las *Rimas:*

> Raudal en cuyas ondas
> su sed la fiebre apaga (rima III)
>
> Yo sigo en raudo vértigo
> los mundos que voltean (rima V)

y en «A todos los santos» (1868):

> Al que es raudal de ciencia inextinguible.

La extensión y soltura de una oda como ésta permiten admitir sin reticencia el testimonio de Campillo según el cual, en un acceso de severidad, millares de versos se quemaron cierta tarde en su casa. Debemos a tales sacrificios la intensidad de las *Rimas.*

16. El soneto «Céfiro dulce, que vagando alado»

Se reproduce sucesivamente este poema en la *Revista Sevillana* en 1876, en *El Liberal* de Sevilla el 10 de abril de 1913, en un apéndice de la tesis de Franz Schneider en 1914, en el volumen de *Páginas abandonadas* dadas a luz por don Dionisio Gamallo Fierros en 1948. Don Emilio Bormas poseía el manuscrito en 1876. Manuel Chaves fue quien recordó su existencia en 1913. No parece llevar fecha el manuscrito y no se conoce su historia.

Por su forma sencilla y armoniosa, por la importancia que tienen en él las flores, se inserta este soneto convencional, queja y alabanza amorosa a la vez, en la línea jalonada por la «Danza de la ninfa» (libro de cuentas de José Bécquer) y la oda «a Lenona». Revela un excelente dominio de la inspiración clásica.

El poeta ruega al céfiro que lleve su solicitación a la amada; luego se retracta por celos, temiendo que el viento no llegue a confundir los labios de la destinataria con los claveles de que le gusta saborear el aroma.

La suavidad del primer cuarteto puede compararse con la de la rima IX («Besa el aura que gime blandamente»):

> Céfiro dulce, que vagando alado
> entre las frescas, purpurinas flores,
> con blando beso robas sus olores,
> para extenderlos por el verde prado.

17. Formación de una nueva atmósfera poética (1846-1852)

Mientras Gustavo Adolfo se educa en el medio sevillano de las artes y letras al par que vaguea libremente por los libros, nuevas tendencias poéticas penetran o cristalizan en España. Acá y acullá aparecen acentos de las futuras *Rimas*.

Rimas varias se titula precisamente la colección que Tomás Aguiló publica en Palma de Mallorca en 1846 (tomo I) y en 1849 (tomo II). La poesía de la depresión, de la melancolía y del tedio se expresan con fuerza en ella; esa lengua dejará huellas en el ánimo de Gustavo Adolfo, cuyos momentos de indiferencia al mundo le hacen sensible a tales mensajes:

> (El corazón) igual en mi seno palpita,
> cual reloj que su curso no altera,
> nunca un fuerte latido acelera
> su monótono y lento compás.
>
> Esas olas que apenas abultan
> y que tanto entre sí se asemejan,
> leve rostro de espuma no dejan
> silenciosas muriendo a mis pies.
>
> Uniformes así suceden
> y en mis días no encuentro mudanzas,
> que ninguno me trae esperanzas
> ni recuerdos me deja después.

(Extracto de «A orillas del mar», 1849.)

> ¿Podré yo no envidiar las heridas
> del que lucha con rudos zarzales,
> y rompiendo sus nudos fatales
> se abre paso a risueño jardín?
> ¡Oh! quitadme de encima este peso,
> estas brumas que cubren mi cielo,
> que no dejan resquicio en su velo
> ni anunciando borrascas están.

(Del mismo poema.)

En julio y septiembre de 1848, Gerardo de Nerval da a conocer la poesía de Heine en la *Revue des Deux Mondes,* la revista francesa más leída en España. En ella traduce buena parte del *Buch der Lieder (El Libro de los Cantares),* todo el *Intermezzo, La esfinge* y *El ensueño.* Presenta a Heine como el poeta de una totalidad compleja, hecha de contradicciones. Su poesía del amor es la que ha podido vivir cualquier lector: «... el análisis paciente y enfermizo de un amor ordinario, sin contrastes y sin obstáculos, y que saca de su propia sustancia lo que le hace doloroso o fatal, he aquí lo que pertenece a una naturaleza donde la sensibilidad nerviosa predomina, como la de Enrique Heine» (pág. 915 del tomo de julio-septiembre). Es una poesía viva, que engendra obras breves de forma perfecta donde se juntan «pasión, tristeza, ironía, vivo sentimiento de la naturaleza y de la belleza plástica».

La traducción de Nerval es fiel, sencilla, conmovedora. Los elementos oníricos y fúnebres son numerosos en la selección efectuada.

A partir de 1848, el influjo de Alfredo de Musset empieza a hacerse perceptible en España. Canalejas, que pertenece a la generación de Bécquer, puede escribir, en su discurso de 1876 sobre *El estado actual de la poesía lírica en España* que, entre 1848 y 1856, la influencia de Musset sucedió a las de Lamartine y de Hugo. Representa una corriente en la que el desamparo afectivo se asocia a la perfección musical, a la ligereza y a la variedad del espíritu creador. En su artículo del 24 de septiembre de 1861, Luis Mariano de Larra, el hijo de «Fígaro», colocará a Musset en el segundo puesto de la poesía francesa, entre Lamartine y Hugo.

Se desarrolla en paralelo una poesía de lo vago e inexpresable. Las exigencias de forma retroceden. Con los murcianos José Selgas y Carrasco (nacido en 1824), de quien se publica *La Primavera* en 1850, y Antonio Arnao (nacido en 1828), cuyo libro *Himnos y quejas* sale en 1851, se desenvuelve una poesía de candor y sencillez.

La poesía de lo incierto e indecible, a veces lindante con el misticismo, se hace admitir en colecciones del tipo de las *Poesías* de Carolina Coronado (nacida en 1823). En el prólogo de la segunda edición, aumentada, en 1852, Ángel Fernández de los Ríos (que dirigió mucho tiempo *El Semanario Pintoresco Español)* elogia una poesía donde domina una intimidad inquieta que se abre sobre el universo y se expresa musicalmente; la riqueza de la rima y la disposición métrica de las palabras pasan al segundo plano.

Las poesías, hoy bastante olvidadas, del chileno Guillermo Blest Gana (nacido en 1829), hermano del célebre novelista, reflejan esta evolución. Escritas entre 1848 y 1853, publicadas en varias revistas antes de serlo en volumen (Santiago de Chile, 1854; Madrid, 1863), estas poesías han sido leídas temprano por Gustavo Adolfo, como lo muestran las huellas que han dejado en dos de las rimas becquerianas más antiguas.

El poema «Horizonte» (1848) ha marcado la tónica para la rima LXVII («¡Qué hermoso es ver el día...!») aunque ésta deja entre bastidores los sentimientos de amor, de muerte y de soledad que expresa Blest Gana. He aquí, como ejemplo, la primera estrofa de «Horizonte»:

> ¡Oh! ¡qué bello es el sol al sepultarse
> Del mar entre las ondas
> Echando al mundo una mirada triste,
> Como el hombre a su historia!

La inspiración final de «Horizonte» se acerca a la de la rima VIII («Cuando miro el azul horizonte»):

> Y allá lejos, al fin del horizonte
> Entre las blancas nubes,
> De la naturaleza con el alma
> Nuestra alma se confunde!

«A la Serena» (25 de noviembre de 1848) presenta un comienzo que suena como el de la rima XV:

> En manto envuelto de flotante bruma
> Con vagas franjas de nevada espuma,
> De nácar y arrebol,
> La Serena diviso allá a lo lejos
> Dorada por los últimos reflejos
> Del moribundo sol.

«En la tumba de...» se refiere a la visita a la tumba olvidada («ignorada losa») de una joven. Si el marco es distinto, el espíritu es el mismo que el de la rima LXXIII («Cerraron sus ojos»).

Ha imitado Guillermo Blest Gana la *Noche de mayo* de Musset. La serie de poemas titulada «Noches de luna» confirma la influencia que el escritor francés ejerció sobre él.

Las citas que preceden demuestran que Guillermo Blest Gana ha practicado de modo variado la combinación, grata a Bécquer, de los endecasílabos con los heptasílabos. La rima consonante domina en sus composiciones, pero la asonancia se usa también en ellas; por ejemplo, cada una de las numerosas estrofas de «Horizonte» tiene su asonancia propia.

Blest Gana peca de dilución, de falta de fuerza. Por ejemplo, «A la Serena» comprende veintitrés estrofas que acaban por menguar la atención. Sólo en las traducciones de Heine por Eulogio Florentino Sanz habrá de encontrar Gustavo Adolfo, ya instalado en Madrid, la legitimación y liberación de la poesía densa, abierta y vibrante que lleva en su alma.

18. Resumen de la vida y de las actividades de Gustavo Adolfo en Sevilla entre 1853 y 1854. La evolución de la familia Bécquer. Examen de las causas de la partida

Al alcanzar la edad de diecisiete años, Gustavo Adolfo puede esperar un establecimiento honorable en Sevilla. Tiene un precoz renombre poético y goza de relaciones literarias que le permiten publicar poemas en una revista madrileña, *El Trono y la Nobleza.* Por conducto de Joaquín Domínguez Bécquer, muy presente en los medios académicos y que cuida de la educación literaria de su sobrino, está en contacto con los mejores representantes de la cultura sevillana. Sigue frecuentando los talleres. En los teatros de la ciudad se familiariza con las óperas italianas, que le encantan. Razonablemente se le puede imaginar haciendo una brillante carrera sevillana que desembocaría en notoriedad nacional; en esta carrera se aunaría la lírica razonada de la escuela de Lista, la crítica de literatura y de artes, la investigación arqueológica e histórica, el dibujo y el grabado, el relato legendario en que se expresarían el sentido del misterio, la fantasía y la afición a la música. Cuanto Julio Nombela, llegado a Sevilla en junio de 1853, narra de la vida del joven en esta época es compatible con un proyecto vital de esta índole. El diario, la revista y el libro hubieran sido los soportes de estas actividades.

La situación social de Joaquín Domínguez Bécquer resulta excelente. Desde el 13 de febrero de 1850 lleva el título honorífico de pintor de cámara. El 21 de diciembre de 1853, contrae matrimonio con doña Francisca de Paula Rull, quien pertenece a una ilustre familia burguesa de la ciudad cuyos miembros sirven o servirán en la Iglesia, la Magistratura o el Ejército.

Valeriano alcanza un excelente nivel en dibujo; ya realiza buenos cuadros. Como dibujante sigue primero las huellas de su padre en el género de escenas y tipos populares; el Museo de Barcelona conserva de él cuatro dibujos de ese tipo; tres de ellos llevan la fecha de 1854; se trata de las obras «Contrabandista malagueño», «Castañera de Triana», «Vendedor de fruta en Triana»; el cuarto dibujo, sin fecha, se titula «Serenata de majos». Gracias a don Rafael Montesinos, conocemos aún, del verano de 1854, un esbozo de Valeriano titulado «La muerte de Trinidad», que atestigua la emoción dejada por la muerte de una joven, primera fuente probable de la rima LXXIII («Cerraron sus ojos»).

En «Sevilla y Cádiz» (tomo 23 de *España. Sus monumentos...,* 1853), Pedro de Madrazo habla extensamente de la obra de Joaquín D. Bécquer y menciona ya a Valeriano con alabanza (Rubén Benítez).

Queda claro que Gustavo Adolfo puede contar con un auxilio familiar más y más eficaz en Sevilla.

Joaquín Domínguez Bécquer pintado por él mismo en Sevilla el año 1855

Lazos afectivos se anudan entre una familia estimable de la ciudad, la de don Antonio Cabrera Cortes (8 de la calle de Triperas, hoy de Velázquez), y varios hermanos Bécquer. Estanislao Bécquer se casa con Adelaida Cabrera Rodríguez. Una hermana de Adelaida, Julia, es la novia de Gustavo Adolfo. Otra hermana, Nicolasa, pudiera haber sido la de Valeriano. Parece que la familia Cabrera fuese de espíritu tradicional bastante estricto. Se deduce esto por lo menos de ese pasaje de las memorias de Julia Bécquer citado por don Rafael Montesinos: «En el pensionado del Sacré Coeur, donde me educaba, a los catorce años (1874), ignoraba sus obras (se trata de las de Gustavo Adolfo), pues a mi tía doña Adelaida, señora muy culta y artista, pero educada a la antigua, no le había parecido conveniente dármelas a conocer. En cambio, condiscípulas mías, de más y menos años que yo, me hablaban callandito en el estudio de sus rimas y leyendas con entusiasmo.»

No se conoce ninguna carta de Gustavo Adolfo a Julia Cabrera, que murió soltera en 1913.

Gustavo Adolfo y Valeriano quedan, en 1854, próximos a la Sevilla conservadora. Avivan su espíritu satírico los movimientos populares y los entusiasmos revolucionarios, como se ve en un cuadrito llamado «Los contrastes, o Álbum de la Revolución de Julio de 1854, por un Patriota», conservado en Sevilla por doña Dolores Cabrera de Otero, descendiente de un hermano de Adelaida y de Julia Cabrera Rodríguez; don Rafael Montesinos dio a conocer este importante documento. El cuaderno de apuntes abarca unos ciento veinte dibujos que sólo en parte tratan de la revolución de 1854; entre estos últimos hay algunos que se deben únicamente a la pluma de Gustavo Adolfo; también es el autor de dibujos que Montesinos califica como escatológicos y provocantes; parece que algunos de estos dibujos se arrancaron del álbum ya que faltan diez hojas. Varios dibujos llevan la firma de ambos hermanos. Otros dos llevan la de Fernando Díaz.

«Los contrastes» es la primera manifestación fechada del espíritu cómico, satírico, un poco rabelaisiano por ciertos lados, de Gustavo Adolfo. Este aspecto de su personalidad ha sido desatendido con frecuencia por sus biógrafos.

Este humor satírico, esta libertad de espíritu deben sin duda algo a la frecuentación de los talleres, a lo que se llama en Francia el espíritu *rapin*. En los dos retratos que tenemos de Gustavo Adolfo para esta época se nota la corbata de artista, la chalina, que se llamará poco después en Francia *lavalliêre*.

La libertad e independencia que buscaban Valeriano y Gustavo Adolfo explican principalmente, creo, el hecho de que vivieran entre 1852 y 1854 en la casa colectiva, más bien miserable, situada en el 17 de la calle Mendoza Ríos, que don Rafael Laffon ha descrito en una carta dirigida a don Rafael Montesinos; es verdad que Laffon, siendo niño, no ha visto más

Julia Cabrera. Óleo de J. Cala. Sevilla, 1854. *Fotografía de Rafael Montesinos*

que una casa en estado de abandono; pero el pobre patizuelo con suelo de tierra negra y charcos de agua de lavadero era el que conocieran los hermanos Bécquer.

Un retrato, probablemente dibujado con pluma, fechado el 6 de diciembre de 1853, nos muestra cómo se veía el propio Gustavo Adolfo. La presencia de este retrato entre las manos de Julio Nombela, que le hizo reproducir en julio de 1913 en *La Actualidad*, suplemento literario de la parisina *La Revista de América,* permite pensar que se hizo para este nuevo amigo o le fue remitido cuando salió para Madrid (junio de 1854). Se ignora el actual paradero del documento.

El aspecto general es el de un joven de gustos clásicos, con facciones de una delicadeza casi femenina, que lleva rastros de bigote y una cabellera levemente ondulada, peinada con esmero. El traje presenta el mismo clasicismo a pesar de la existencia de la artística corbata de pajarita. Con la finura ya señalada, lo más notable en el rostro es la rectitud y voluntad que caracterizan la mirada. Laureles forman el óvalo del marco. Refleja este retrato la serenidad y la resolución.

No es así como Valeriano ve a su hermano cuando pinta su retrato algunos meses más tarde, antes de la salida de Gustavo Adolfo para Madrid. El cuadro (óleo) lleva la fecha «1854» y la firma de Valeriano. Francisco de Laiglesia lo compró hacia 1920 y publicó una buena reproducción en colores de la obra en un elegante fascículo titulado *Bécquer (sus retratos)* en 1922. Debemos agradecerle tanto más esta iniciativa cuanto que la obra de Valeriano desapareció en Madrid durante el año 1936.

En este cuadro, de forma oval también, volvemos a encontrar el aspecto general del rostro, del cabello y de los vestidos del autorretrato; pero el rostro es un poco más alargado, el cabello un poco menos ordenado. La actitud del sujeto es muy diferente; a la coquetería un tanto fría del autorretrato se opone la transparencia psicológica o naturalidad que caracteriza la obra de Valeriano. Éste ha querido guardar un recuerdo familiar e íntimo de su hermano. El rostro se inclina un poco hacia adelante y la derecha del cuerpo. Las cejas y la nariz son armoniosas, la boca bien dibujada y algo sensual; el bigote y la barba, de color castaño, crecen. Lo esencial del retrato reside en la mirada, muy clara y como extraña a la realidad del momento. Aquí despliega Gustavo Adolfo su fuerte y viril energía en otro mundo. Su meditación se parece a la de un soñador amenazado por el agotamiento. Origina cierto malestar en cualquier observador no prevenido.

Ausencia. Ensueño. Ya vive Gustavo Adolfo ante las múltiples escenas que edifica su personalidad profunda y que su imaginación va poblando de actores. Ya embarga también su espíritu el sueño de la gloria madrileña, nacional, que ha de determinarle a dejar Sevilla. Este sueño de gloria se había concretado con la llegada de Julio Nombela a la capital andalu-

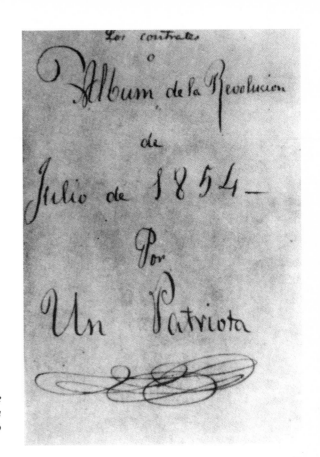

Portada de *Los contrastes* o *Álbum de la revolución de julio de 1854 por un patriota.* Dibujos de Gustavo Adolfo Bécquer

Vivan los hombres libres. Dibujo del *Álbum de los contrastes*

za. La asociación poética realizada por Campillo, Bécquer y Nombela había permitido darle luego base y consistencia.

Además sentía Gustavo Adolfo que el ambiente cultural sevillano no era favorable al desenvolvimiento de las diversas tendencias de su personalidad, ricas y a veces contradictorias. El difícil cumplimiento de este ser total no podía verificarse sino en un clima de relativamente alta libertad artística y moral. Nunca Gustavo Adolfo dio explicación de su salida, pero lo que dice de las dificultades de Valeriano en una nota remitida a Rodríguez Correa en septiembre de 1870 me parece extensible a su caso personal: «Pero, al par que los estudios un poco rutinarios de la Academia de Sevilla, seguía él libremente pintando y dibujando por su cuenta, apuntando ligeramente del natural cuanto veía, trazando al capricho lo que pensaba. La facilidad que para componer y dibujar demostró, desde luego llamó la atención de Sevilla, donde hizo multitud de retratos, cuadros y bocetos originales, siempre ligeramente, pues la necesidad de vivir casi desde niño del producto de su trabajo no le permitió nunca hacer estudios serios.» Creo que el alejamiento progresivo de la enseñanza académica así como la afición al trabajo rápido, fugitivo, favorecido por la inspiración o emoción del momento, fueron comunes a los dos hermanos; por cierto, han de tomarse en consideración las dificultades materiales de la vida; pero los rasgos de temperamento me parecen más importantes para dar cuenta de esta manera de trabajar. El medio sevillano era poco propicio al desarrollo de un arte que se fundaba en la captación veloz de las impresiones, de un arte ligero de evocación y de sugestión, de un arte de lo inacabado.

Descartado de la vía real de la pintura clásica y sintiendo confusamente las resistencias que oponía Sevilla a la diversificación de los caminos poéticos que estaba operándose, Gustavo Adolfo se dejó llevar a la vez por el espejismo de Madrid —aquel Madrid donde había enseñado Lista (y donde en 1853 se editan sus *Lecciones de Literatura española explicadas en el Ateneo Científico, Literario y Artístico* en la librería de don José Cuesta), donde se habían hecho famosos el duque de Rivas, Zorrilla y Espronceda y donde aún vivía el venerado Quintana— y por un sentimiento de impaciencia que le hizo desatender los apoyos con los que podía contar para iniciar una carrera en su provincia.

En materia artística como en materia literaria, eran grandes las exigencias de Joaquín D. Bécquer y de los académicos sevillanos. Estimó Gustavo Adolfo que había alcanzado un dominio suficiente en el campo poético y, más bien que seguir el *cursus honorum* sevillano, de vía estrecha, prefirió arrojarse a la conquista de la notoriedad madrileña. Sobre este último punto era víctima de dos ilusiones. La primera consistía en creer que hubiese entonces en la capital y en la nación una importante demanda cultural. La segunda era sobreestimar la sensibilidad de sus contemporá-

Manuela Monnehay pintada en 1858 por Valeriano Bécquer

neos para la poesía expresada según la versificación tradicional, sea la de la vía clásica tan apreciada por la escuela sevillana o la de las sendas más variadas y más subjetivas que se habían abierto después de 1835.

Puede suponerse que, sentimentalmente ligado a Sevilla como lo era, Joaquín D. Bécquer lamentó el alejamiento de su joven «sobrino» pero, como se verá después, no es fácil analizar las relaciones entre Joaquín y Gustavo Adolfo.

Desaprobó la salida Manuela Monnehay, la madrina de quien Gustavo Adolfo seguía leyendo los libros en 1853 según testimonio de Nombela. Éste menciona una ruptura que tuvo por consecuencia la falta de toda ayuda de parte de la madrina cuando el joven se marchó.

La ilusión madrileña y el sueño poético acabaron por prevalecer sobre las comodidades que ofrecía Sevilla, «mi ciudad querida», como no cesará de llamarla Gustavo Adolfo.

Sin embargo, no se lanzaba en una aventura solitaria al irse a Madrid. Nombela le había precedido allí. Campillo debía de juntarse con él un poco más tarde. Los tres amigos se habían provisto de cartas de recomendación y la solidaridad andaluza en la capital era una realidad de que se benefició Gustavo Adolfo.

Esta salida fue un acto valeroso sin el cual G. A. Bécquer no hubiera conocido varias experiencias penosas pero fecundas y sin el cual la cultura española de hoy no sería totalmente lo que es. La observación siguiente de Campillo cubre todo lo expuesto: «En el otoño de 1854 vino Gustavo a Madrid, resuelto a conquistarse con su talento un nombre ilustre, una posición independiente. El velo de flores y oro que la poca edad y el entusiasmo tejen y desarrollan ante la vista, ocultó a la de Gustavo el desamparo, la pobreza, los sinsabores de todo género que sufrió antes y aun después de ser ventajosamente conocido, de poder subvenir a las necesidades más imprescindibles de la vida.»

Los últimos años de esta vida sevillana se caracterizan por una buena formación literaria unida a la enseñanza artística y al despertar musical, desarrollándose todo esto en un ambiente de independencia excepcional para la época; parece que esta independencia se debe a la presencia de Valeriano, quien gozaba de la confianza de Joaquín.

19. Apuntes sobre la personalidad, la carrera y las obras de Joaquín Domínguez Bécquer. Sus relaciones con Gustavo Adolfo a partir de 1853

Conocemos aún poco acerca de la notable correspondencia que tuvo Joaquín Domínguez Bécquer con numerosas personas, tanto españolas como extranjeras. Su situación en el Alcázar, en la Academia de Bellas Artes y en el Museo Provincial de Sevilla le puso en contacto con muchas personalidades y muchos visitantes. Escribir una carta no era para él un disgusto. Es posible que aparezcan algún día cartas suyas con informaciones sobre Valeriano y Gustavo Adolfo. En su artículo necrológico, Antonio María Fabié señala «la honda pena causada por la muerte de sus dos ilustres sobrinos». Valeriano honró temprano a su primo y maestro con sus trabajos sevillanos y Joaquín fue padrino en su boda; tales lazos permiten pensar que hubo correo entre ellos después de la salida de Valeriano para Madrid (1863).

Hasta ahora se ha mencionado poco el nombre de Joaquín en la literatura becqueriana. Gustavo Adolfo habla con respeto de su «tío» en sus apuntes sobre Valeriano (septiembre de 1870): «Después de salir del colegio comenzó decididamente a dibujar bajo la dirección de mi tío Joaquín.» A finales de 1870, Campillo indica que Joaquín contribuyó a orientar a Gustavo Adolfo hacia las letras: «Pasó después al estudio de su tío, quien, juzgándole aún con más disposiciones para la literatura, en vista de la facilidad y mérito de su poesía, le aconsejó seguir con tesón este camino y le costeó algunos estudios de latinidad.» Parece que Nombela alude a Joaquín al indicar que Gustavo Adolfo pudo hacer el viaje a Madrid e instalarse en una pobre pensión valiéndose de los treinta duros que le había remitido su tío. Rodríguez Correa no pronuncia el nombre de Joaquín D. Bécquer en la introducción de las *Obras* de 1871.

Juan López Núñez relata en su *Biografía anecdótica de Bécquer* (página 18) que Joaquín dijo cierto día al joven Gustavo Adolfo: «Nunca serás buen pintor, sino mal literato.» Si se pronunció esta frase, lo que queda dudoso, eso no pudo ocurrir más que en un momento de exasperación prontamente deplorada por el maestro, pues Gustavo Adolfo tenía, como Joaquín, viva afición al dibujo, y consta que el pintor, amigo de las bellas letras, era sensible al encanto de la poesía clásica de su «sobrino». Sin embargo, es posible que Gustavo Adolfo no haya manifestado sino aptitudes limitadas para el manejo de los colores; no conocemos de él ningún óleo, ni siquiera alguna acuarela; en sus descripciones, está presente el color pero no es objeto de atención privilegiada. También es posible que Gustavo Adolfo haya sufrido con alguna dificultad el rigor con que Joaquín D. Bécquer ejercía su arte. El maestro tenía total conciencia de la severidad de sus exigencias de perfección y orden, como lo demuestra ese pasaje de una carta mandada de Sevilla el 15 de noviembre de 1864 a Antoine de Latour: «Mi cuadro de África quedó *definitivamente* bosquejado y creo he mejorado. Usted juzgará por sí, *y deseo conocer su juicio* cuando tenga el gusto de que Vd. lo examine. ¿Tardará esto? En este cuadro es forzoso trabajar más que en otro cualquiera, no por el asunto y sí por sus circunstancias o exigencias, lo que motiba (sic) grandes tropiesos (sic). Amo tanto, amigo mío, la perfección en todas las cosas que por alcanzarla o aproximarse siquiera, hallo arto (sic) compensado todo trabajo, diligencias y sacrificios cualesquiera que sean. Esto es instintivo en mí de tal manera que entro en cualquier casa y al pasar por salas o antesalas, veo tuerto un cuadro o un mueble mal puesto y vuelvo atrás sin detenerme y enderezo lo uno o arreglo lo otro.»

Este texto trata de un gran cuadro, encargado por el municipio de Sevilla, cuyo asunto es la conclusión de la paz después de la guerra de Marruecos (1860-1861). La elaboración había sido minuciosa. El 10 de junio de 1865, el pintor da la noticia a Antoine de Latour de que, si su salud queda buena, piensa terminar la obra durante el verano. En 1879 se hallaba el cuadro en la parte alta de la escalera del nuevo Ayuntamiento de Sevilla.

Como se ve, Joaquín D. Bécquer trabajaba con sumo esmero; esto se observa también en el hermoso autorretrato de 1855 que fue premiado con una medalla de oro en la Exposición de Bellas Artes de Sevilla de 1856. El tema de la caza, con los perros y la selva, hace de este cuadro una suerte de homenaje a Velázquez, maestro de la exactitud. La elegancia, la gravedad, un deje de tristeza y cansancio caracterizan el personaje retratado. Sin duda han de cotejarse estos rasgos con los escrúpulos y la flojedad de salud del artista; tal conjunto vuelve a encontrarse en los hermanos Valeriano y G. A. Bécquer, frágiles también y que experimentaban la impresión de que las necesidades de la vida les impedían crear con la sutileza y paciencia indispensable para realizar obras plenamente satisfactorias.

Joaquín D. Bécquer ganó la celebridad en el campo del retrato histórico fundado en la erudición (Alfonso el Sabio, Pedro de Castilla, doña María Fernández Coronel, el pintor Francisco Pacheco, el poeta Luis de Alcázar, entre otros) y del retrato contemporáneo (el ministro de la Vega y Armijo, el presidente de la Academia don Miguel de Carvajal y Mendieta). En el género que había hecho la fortuna de José Bécquer, su propio maestro, consiguió un éxito con «La feria de Sevilla» (1855), obra en la que Frutos Gómez de las Cortinas ha podido ver un precedente del excelso trabajo de Valeriano y Gustavo Adolfo sobre el mismo asunto *(El Museo Universal,* 1869). Sin embargo, las inclinaciones de Joaquín D. Bécquer por el dibujo de arquitectura y de lo antiguo son las que dan la mejor prueba de cierta comunidad de gusto entre él y Gustavo Adolfo. A los ojos de Fabié se sitúa en este campo la principal aportación de Joaquín a la escuela sevillana; el maestro, que fue nombrado profesor de natural y de antiguo en la Academia de Bellas Artes de 1862, reunió una admirable colección de dibujos para ilustración de su enseñanza. Joaquín D. Bécquer era también muy sensible a la hermosura de los monumentos españoles antiguos, en especial a la de los sepulcros medievales, como se ve en una carta

Gustavo Adolfo Bécquer pintado por Valeriano. Sevilla, 1854. Retrato reproducido
por su amigo Francisco de Laiglesia

de 28 de julio de 1866 dirigida desde Guadalajara a Antoine de Latour. La rima LXXVI («En la imponente nave») da forma a sentimientos semejantes a los que experimentaría. He aquí el principio de esa sugestiva carta:

> Mi apreciado amigo: Concluí en ésta mi feliz viage, y a poco me atacó una fuerte irritación de la cual aún no estoy repuesto. Entretanto he divertido mis ocios visitando los hermosos sepulcros de D. Diego Hurtado de Mendoza y su Muger, y los de los Condes de Tendilla. ¿Los conoce Vd.? Se hallan colocados en la parroquia de Santo Domingo de Tendilla, pueblo distante de aquí cuatro leguas cuyo nombre da título al condado referido. Los primeros pertenecen al género del Renacimiento; ricos, no del mejor gusto si bien las Estatuas que están de rodillas son muy buenas, con especialidad la del buen D. Diego, cuya dignidad de actitud y grandeza de forma revela al personaje que representa. Los de los Condes de Tendilla corresponden al gusto Gótico de la decadencia. Sus Estatuas, yacentes, me gustan mucho particularmente una doncella que se halla colocada a los pies de la Condesa.

Joaquín D. Bécquer vino varias veces a Madrid después de 1860, primero para estudiar los retratos que debían figurar en el cuadro de Marruecos, luego con motivo del viaje de 1866 en que se escribió la carta del 28 de julio. Este último viaje puede estar ligado con su elección a la academia de San Fernando (28 de marzo de 1866). En esta época dirigía Gustavo Adolfo *El Museo Universal.* Sería extraño que no hubiese encontrado a su pariente.

Enteramente sevillana, la carrera de Joaquín se centró en el Alcázar por una parte; en el palacio de San Telmo, residencia de los duques de Montpensier, por otra. En el estudio del Alcázar, situado a Maravillas, el pintor recibía a muchas visitas. En San Telmo tenía sus libres entradas en su calidad de pintor de los duques, quienes le compraron buen número de sus principales obras, y también como profesor de los infantes. Antoine de Latour, sin duda el mejor hispanista francés del segundo Imperio (que transmitió su fondo hispánico a Alfredo Morel Fatio), era el secretario del duque de Montpensier; por este motivo, la correspondencia recibida por Antoine de Latour, conservada en la Biblioteca Municipal de Versalles, da muchas indicaciones acerca de la vida literaria sevillana entre 1850 y 1880. La figura literaria central de este medio era la de Fernán Caballero (Cecilia Böhl de Faber, 1796-1877) quien vivió en el Alcázar de 1856 a 1868. Por este lado no aparece ninguna información sobre los hermanos Valeriano y Gustavo Adolfo Bécquer.

El 8 de noviembre de 1866, Joaquín fue nombrado conservador del Museo Provincial de Sevilla.

Fue no sólo el profesor de dibujo y de pintura de los hijos de los duques de Montpensier sino también el de las hermanas del futuro don Alfonso XII. Se le otorgó la cruz de la Orden de Carlos III en 1877. Su devoción a la familia del duque de Montpensier fue constante. La conclusión del artículo necrológico que Antonio María Fabié publicó en la *Revista de España* en 1880 revela cuán profundo fue su afecto para con la familia de los infantes: «... su estado valetudinario se fue agravando con los años, y exaltada su sensibilidad por sus padecimientos, no pudo menos de causarle honda impresión la enfermedad y muerte de su discípula la Infanta Doña Cristina, hija de los Sres. Duques de Montpensier, acudió al palacio de San Telmo en aquella catástrofe y fue designado para trasladar el cadáver desde la cámara, donde había espirado, a la capilla: el cumplimiento de este piadoso encargo exacerbó sus padecimientos, que a poco le causaron la muerte el 24 de Julio del pasado año, dejando a su familia y amigos tierna memoria de sus virtudes, y a la escuela de Bellas Artes de Sevilla el recuerdo de lo que trabajó para su restauración y engrandecimiento.»

A pesar de la excelente situación de que disfrutaba su tío y maestro en Sevilla, Valeriano y Gustavo Adolfo no solicitaron su ayuda durante el muy penoso año que siguió a la revolución de septiembre de 1868. Asimismo no se pronuncia nunca el nombre de Joaquín Domínguez Bécquer cuando se evocan los sucesivos fallecimientos de Valeriano y de Gustavo Adolfo. Se había producido, pues, una separación, tal vez agravada por la hostilidad que existía entre el protector de los hermanos Bécquer en Madrid, Luis González Bravo, y el protector de Joaquín en Sevilla, el duque de Montpensier, futuro candidato al trono de España. Las tendencias que resume la expresión «romanticismo conservador» era común a los tres hombres; pero Valeriano y Gustavo Adolfo querían asumir hasta el fin la responsabilidad que habían tomado al decidir alejarse de los medios culturales sevillanos.

20. El fortalecimiento de la cultura literaria. Publicaciones sevillanas y madrileñas (1853-1854)

Parece que ya desde el invierno de 1852 se haya acentuado la orientación literaria de las actividades de Gustavo Adolfo, lo que corresponde a la intervención más directa de Joaquín Domínguez Bécquer en su formación. El joven de antes (febrero de 1852) estudia a diario en libros. En sus recuerdos relata Nombela que, cuando conoció a Gustavo Adolfo, entre junio y agosto de 1853, éste se dedicaba enteramente al estudio del latín, de la literatura clásica, de obras didácticas sobre arte e historia; la última le apasionaba especialmente. Este interés se tradujo en particular por la puesta en telar, en 1853, de un poema histórico, *La conquista de Sevilla,* cuyos tres primeros cantos compusieron Campillo y Bécquer; Campillo es quien da esta información; no dice si se conservó el manuscrito.

En el verano de 1853 pertenecía Gustavo Adolfo a un grupo de jóvenes que se expresaba en la revista sevillana *La Aurora,* dirigida por José María Nogués. Nombela conoció a Gustavo y a Campillo al entablar relaciones con este grupo. También publicaría Bécquer en aquella época poemas en *El Porvenir*, lo que pudiera comprobarse si se examinara la colección conservada en la biblioteca del Ayuntamiento de Sevilla; Nombela fue uno de los colaboradores de *El Porvenir,* pero quizá más tarde. No ha llegado a mi conocimiento que se haya descubierto y examinado alguna colección de *La Aurora.*

En cambio se ha encontrado una colección de la revista madrileña *El Trono y la Nobleza* que encierra dos poemas de Gustavo Adolfo. El primero es el soneto «Homero cante a quien su lira Clio / le dio, y con ella inspiración divina...» publicado en diciembre de 1853. El segundo es «La plegaria y la corona», romance que lleva la fecha «Sevilla, 17 de marzo de 1854» y se publicó en mayo.

El Trono y la Nobleza era una revista conservadora, protegida por los reyes, de tamaño grande y de hermosa presentación. Su título exacto era «El Trono y la Nobleza / Revista monárquica / de historia, ciencias y literatura / protegida por SS.MM. la Reina y el Rey / y dedicada a / la Familia Real y la Nobleza Española.» En diciembre de 1853 alcanzaba su octavo año de existencia. Hemos visto ya que su director había sido admitido en la Academia de Bellas Letras de Sevilla sobre propuesta de Rodríguez Zapata en 1852. Acogería poemas de Campillo y de Bécquer con una recomendación del canónigo. Como lo notó Rafael de Balbín, a quien se debe la moderna publicación comentada de ambos poemas de Bécquer (1966), la admisión de sus obras en una elegante y firme publicación madrileña debió de animar a Bécquer y a Campillo en su propósito de trasladarse a la villa y corte.

El soneto contrapone la poesía épica (los dos cuartetos) y la égloga (los dos tercetos). Esta estructura es tanto más feliz cuanto que el estilo de cada una de las dos partes se diferencia y se adapta al tono de cada una de dichas poesías. La rigidez y majestad del estilo de los cuartetos se oponen a la dulzura y fluidez del de los tercetos; de este modo se da todo su valor al encanto de Andalucía y a la casi-cita de Garcilaso (égloga I, verso 1) que sirve de ingenioso remate al poema:

> Que yo del Betis en la orilla, cuando
> luce la aurora, y las gallardas flores
> se desplegan el aura embalsamando,

> cantaré de las selvas los amores,
> los suspiros del céfiro imitando
> y *el dulce lamentar de los pastores.*

Bajo la aparente banalidad de la inspiración se descubren aquí ingenio y arte consumado en la composición. Además, al analizar este poema, ha podido Rafael de Balbín señalar «un total dominio de los paradigmas rítmicos del soneto».

El romance (74 versos) pone en escena a María, hija del conde don Jaime, pura y hermosa adolescente quien, respetando el deseo expresado por su madre al morir, corona cada anochecer la estatua de la Virgen, su protectora de bautismo, «de purpurinos claveles, de blancas rosas fragantes, de nacarados jazmines y de violetas suaves», expresando así un amor que escapa al poder de la palabra.

El romance consta de tres partes separadas por dos líneas de puntos; semejantes líneas se encuentran en algunas rimas (LXXI, LXXIII, LXXVI entre otras); además de su valor de separación cronológica sugieren silencio e invitan a la reflexión. La primera parte presenta la situación de la huérfana y relata las palabras de la madre; la segunda describe la coronación cotidiana de la estatua de la Virgen («... Madre mía, / tomad la ofrenda que os hace / un corazón que os adora: / mas que expresarlo no sabe»); la tercera parte contiene una variante de la metáfora del ángel empleada en la introducción donde se combina con las de la azucena y de la aurora. Termina el poema con el voto expresado por el poeta de que María no falte a su palabra y guarde su inocencia al enfrentarse con la vida («... cuando al mar de la vida / con sus virtudes se lance»).

Prescindiendo del romance de «La mano muerta» en la leyenda *La promesa,* éste es el único ejemplo de romance tradicional, en octosílabos, que nos haya dejado Gustavo Adolfo. Es un romance noble que los dos versos

> crece la hermosa María
> hija del conde don Jaime

permiten apenas llamar histórico.

Es muy posible que se trate de un poema concebido adrede para *El Trono y la Nobleza,* como «A todos los santos» lo fue en época ulterior para una colección de oraciones destinada a la infancia. El poema se publica en el mes de mayo, que el culto popular dedicaba a la Virgen como lo subraya Rafael de Balbín. La suavidad, la omnipresencia de las flores y de los perfumes, el precoz sentimiento de lo inexpresable dan carácter personal a la obra.

La asonancia *a-e* sólo vuelve a encontrarse en la rima LXVII («¡Qué hermoso es ver el día...»). Las palabras *tarde* y *cae* se hallan en ambos poemas. Fuerte es el contraste entre el apacible idealismo del romance sevillano y la misteriosa turbación que refleja la rima en la cual la poesía de la naturaleza queda satíricamente reducida a los goces más prosaicos.

Gustavo no pudo totalmente eludir la repetición de las palabras que dan la asonancia; se notan las repeticiones de *tarde* y *cae* (las dos palabras que precisamente se emplean de nuevo en la rima LXVII), así como *madre*. La presencia de la palabra *imagen* en final de verso en cada una de las tres partes hace resaltar la importancia de la representación de Cristo y de la Virgen en el tema tratado.

Estas colaboraciones de Gustavo Adolfo en *El Trono y la Nobleza* se armonizan con el autorretrato elegante y resuelto del 6 de diciembre de 1853. Sabemos sin embargo que este conjunto no representa más que un aspecto de la personalidad del joven Bécquer.

Cabe indicar aquí el influjo que ejerció sobre su mente la lectura del poema de José María de Larrea (1828-1863) «El espíritu y la materia», publicado el 8 de mayo de 1853 en *El Semanario Pintoresco Español,* cuyos ecos precisos se reconocen en las rimas V («Espíritu sin nombre»), III («Sacudimiento extraño»), IV («No digáis que agotado su tesoro») y XI («Yo soy ardiente, yo soy morena»). José María de Larrea imagina un diálogo entre la Materia y el Espíritu en el alma del poeta. La siguiente promesa del Espíritu pudiera servir de epígrafe al autorretrato de 1853:

> Doy el amor purísimo del alma,
> la amistad, el valor, la continencia,
> y la feliz y sosegada calma
> que nace de la paz de la conciencia.

Tal serenidad ha huido de Selgas, quien publica en Madrid, en este mismo año de 1853, su segunda colección poética, *El estío.* Poeta musical de la naturaleza y sobre todo de las flores, como Bécquer, parece precederle en el camino del desencanto:

> ¿Dónde están los perfumes y las flores,
> que ante mis ojos desplegar solía
> la risueña estación de los amores?
> ¿Donde el brillante sol, el claro día,
> la blanda noche y la modesta luna?;
> ¿y dónde están mi amor y mi alegría?»

Gustavo Adolfo se acordará de estos acentos, si no de este arte más ingenuo que nuevo.

21. La asociación literaria entre Narciso Campillo, Gustavo Adolfo Bécquer y Julio Nombela (verano de 1853-final de 1854)

Ignoraríamos probablemente todo de las relaciones entre Bécquer y Julio Nombela si éste no hubiese prolija pero tardíamente tratado de ellas en sus memorias publicadas bajo el título *Impresiones y recuerdos* entre 1909 y 1912. Ni Campillo ni Rodríguez Correa pronuncian su nombre en 1871. Todavía lo ignora Francisco Laiglesia, seis años después de su muerte, cuando publica el álbum *Bécquer (sus retratos)*.

Con todo, Nombela y Campillo habían conservado relaciones amistosas, como lo muestra una carta de 1898 enviada por el primero al segundo, archivada en la Biblioteca Nacional de Madrid, que menciona expresamente las actividades poéticas de los años 1853 y 1854, en las que participaba Gustavo Adolfo:

> T/e Feb(rero) 1898. = Mi querido Narciso: te doy las más expresivas gracias por el recuerdo contenido en tu carta. Faltaba a mi hijo el certificado de buena conducta que ya estaba en nuestro poder, y apenas recibí tu carta se lo envié al Sr. Vicenti que es vecino mío y preside el tribunal. = También te he agradecido la poesía que incluyes en tu carta y que he leído recordando aquellos versos tuyos que Bécquer y yo oíamos y celebrábamos por la pureza de dicción, robustez y brillantes ideas, allá por los años 53 y 54. En la composición que me envía palpita, bajo la sonoras y majestuosas bellezas de la poesía clásica, el progreso moderno. Pero ya sé que no te digo nada nuevo ni se lo diría a los doctos que te conocen y estiman. Tus cuatro páginas valen más que las trescientas y pico que te envío yo en uno de los últimos libros que he publicado y las ciento y tantas de otro librejo que publiqué hace años; pero serán bien recibidas por ti, por ser labor de un viejo amigo. = Julio Nombela.
>
> 17 febrero 1898.

Nombela tenía ocho meses menos que Gustavo Adolfo. Campillo era dos años mayor que él. Los dos jóvenes sevillanos se hicieron en cierto modo sus protectores y guías cuando, en el verano de 1853, llegó a la capital de Andalucía, procedente de Almería en compañía de su padre entonces viudo.

Relata Nombela que, durante el año que duró su estancia en Sevilla, vio a Gustavo Adolfo casi diariamente, sea que viniera éste a su casa, sea que salieran juntos para visitar la ciudad y los alrededores. Se puede conjeturar que, dada la época en que escribe, Nombela embellece el recuerdo:

tiene setenta y tres años cuando emprende la publicación de sus memorias. No señala la presencia de Gustavo Adolfo en los estudios de pintura,
pero se extiende en cambio sobre su inclinación por las óperas italianas:
«En Sevilla, había asistido a las representaciones de las óperas italianas,
que por entonces disfrutaban de gran boga y que hoy son tan injustamente desdeñadas. Donizetti y Bellini eran sus ídolos. Porque como él eran
esencialmente artistas y, como él también, llevaban desde que nacieron el
germen de la enfermedad que debía privar de la razón al primero y acabar
con el segundo en el período más hermoso de su juventud. Ocasión tendré
de rendir tributo a los dos compositores que también fueron, han sido y
siguen siendo los que con el recuerdo de sus melodías, que quedaron grabadas en mi alma desde que las oí por vez primera, me han ofrecido dulcí-
simos momentos de tregua en los períodos en que más he sufrido. Ahora
sólo deseo consignar que Bécquer, que sabía de memoria, con la memoria
del corazón, las óperas *Lucía, Poliutto, Linda de Chamounix,* la *Favori-
ta, Norma,* los *Puritanos* y *Sonnámbula,* en sus soledades tarareaba, más
con el pensamiento que con la voz, aquellas melodías todo amor o dolor,
que en la primera mitad del siglo XIX hicieron palpitar a tantos corazones
y llenaron tantos ojos de lágrimas, de esas lágrimas que hacen bien y con-
suelan.»

Nombela cuenta como, cierta tarde, después de un largo paseo, Campillo, Bécquer y él decidieron ir a vivir a Madrid, y con este objeto, resolvieron preparar juntos un volumen de poesías. Las reuniones para seleccionar las obras se verificaron en casa de Campillo y éste también fue
quien guardó, en una arquilla, los textos elegidos. Según Nombela, era
Campillo el juez más riguroso. Según toda probabilidad, y no lo dice el
memorialista, Campillo era también el presidente del grupo, como lo hacen
suponer los fragmentos de un poema titulado «Elvira», publicado en 1917,
que llevan las menciones. «Esta poesía basta para acreditar de poeta a su
autor» y «Archivada. El Presidente, Narciso Campillo». Lleva este poema
el número 256, por lo que vaciló don Dionisio Gamallo Fierros en ver en
él una de las composiciones escogidas por el trío, ya que Nombela habla
de sólo un centenar de textos: «Ya había en el arca guardadora de nuestros tesoros un centenar de poesías, cuando nos sorprendió la Primavera
de 1854.» Nombela habla, no obstante, de un intenso trabajo; cincuenta
años más tarde pudo subestimar el número de los texto conservados.

Siendo suficiente la colección, fue Bécquer, según dice Nombela, quien
propuso examinar las condiciones de la próxima salida. Ésta no planteaba
problema particular a Nombela, que había de seguir a su familia a Madrid.
Campillo sentía mucha pena ante la idea de separarse de su madre quien,
siendo viuda, le había criado sola. Nombela no menciona ninguna reticencia de parte de Bécquer; más adelanta indica que su amigo rompió con

Narciso Campillo

Manuela Monnehay, opuesta al viaje madrileño; no habla ni de Valeriano ni de Julia Cabrera. Por sugerencia de Gustavo Adolfo, admitió el trío que cada uno de los autores pudiera recibir como precio de la obra 90.000 reales, o sea globalmente 270.000 reales. Gustavo Adolfo repartió entonces del modo siguiente los gastos previstos durante la estancia en Madrid:

Casa:	30.000 reales
Vestir:	60.000 »
Viajes:	20.000 »
Comidas:	40.000 »
Criados y carruajes:	40.000 »
Amores:	20.000 »

Dejaba esta cuenta un saldo positivo de 60.000 reales que, después de alguna vacilación y sobre propuesta de Bécquer, se resolvió destinar a obras de caridad. El texto, cuya primera línea lleva la mención añadida «60.000 reales-obras de caridad», fue conservado por Nombela; se reprodujo fotográficamente en *La Actualidad* de julio de 1913. No parece discutible que la letra sea la de Bécquer.

Esta anécdota sorprende en extremo. ¿Ignoraba Gustavo Adolfo el precio que se pagaba por un cuadro o un dibujo de su hermano? ¿No tenía idea alguna de la manera de remunerar la labor poética en la misma Sevilla? Reparemos en que el alto funcionario, con buen sueldo, que llegará a ser al obtener el empleo de censor de novelas a finales de 1864 y otra vez en el otoño de 1866, cobrará 24.000 reales al año. Según nos informa Nombela, Gustavo Adolfo calculó, al llegar a Madrid, que tenía la posibilidad de vivir dos meses, con 360 reales, en la casa de huéspedes para estudiantes pobres donde había parado.

Pocas literaturas conservan la huella de tan poderosa y generosa ilusión, aun admitiendo cierto jugueteo de parte del joven Bécquer.

Los tres amigos llegaron efectivamente a Madrid: Nombela en junio de 1854, Bécquer en octubre, Campillo a finales de año, pero el último, como se verá más adelante, fue víctima de una enfermedad grave, regresó a Sevilla y reanudó en ella sus estudios.

Nombela informa como sigue sobre la suerte de los poemas de la arquilla: «... Para nada nos sirvieron las poesías que guardó la arquilla más de medio año. Bécquer, que empleó algunos ratos de su forzado ocio en dar un vistazo a sus composiciones, fue destruyéndolas poco a poco y ni una sola de ellas aparece en sus obras, porque todas perecieron a sus manos. Sólo por casualidad conservo inédita la que él calificó de juguete romántico titulada *Las dos,* y como está escrita de su puño y letra, con otros autógrafos y papeles de algún interés, dispondré que a mi muerte sean remitidos a la sección de Manuscritos de la Biblioteca Nacional.» No parece

Madrid 11 de Octubre de 1860.

Sr. Dn. Narciso Campillo.

Muy estimado Señor mío.
Días há q.e recibí la carta de Vd.
con la adjunta p.a Laverde. Si
antes no he contestado y.o, ha
sido por pereza y descuido y no
por falta de buena voluntad.

Esta mañana me trajo Laverde sus Poesías de Vd.s q.e he leido
con mucho gusto, aunque no
lo bastante para apreciarlas
como debo. Hará solo tres ó
cuatro horas q.e las tengo en mi
poder.

Mis versos se los envio
hoy á Vd por el correo. Le
suplico q.e me avise haberla

Carta de Julio Nombela a Campillo (11 de octubre de 1860). Biblioteca Nacional. Madrid

que después de 1916, año de la muerte de Nombela, haya entrado en la Biblioteca Nacional un archivo procedente de su herencia; don Dionisio Gamallo Fierros indica que buscó en vano la huella de tal legado en la sección de Manuscritos.

El silencio de Campillo sobre todo esto tendrá dos causas: el mal recuerdo que guardaba de su aventura madrileña y las vías diferentes seguidas por Nombela y por él a partir de 1868, especialmente en el campo político, Campillo evolucionando hacia el liberalismo, Nombela hacia el tradicionalismo. Las *Impresiones y recuerdos* de Nombela traducen una antipatía moderada con respecto a Campillo, tachado de ligereza.

La personalidad de Campillo era en realidad compleja y, como toda personalidad, no quedó inmóvil; con respecto a Gustavo Adolfo, las observaciones de Campillo carecen a veces de matices y de amenidad, pues ambos hombres diferían mucho en el estilo de vida; pero siempre las marcaron la hondura de los afectos de la niñez y la admiración ante un temperamento artístico excepcional.

Nombela señala que uno de los poetas más apreciados por el trío era el duque de Rivas. Él mismo imitó los romances históricos del duque con objeto de componer un volumen de *Ensayos literarios:* uno de esos romances se titulaba «Osir y Elvira». Gustavo Adolfo hizo, para este poema, una ilustración que figura sobre la portada de *La Actualidad* de julio de 1913. Se ve en ella una mujer enlutada en oración delante del sepulcro de Osir.

Los tres jóvenes escritores se fueron a Madrid con cartas de recomendación que prueban que algunos sevillanos entendían sus ambiciones y las consideraban con benevolencia; Nombela fue recibido por el duque de Rivas, Campillo llevaba una carta para Quintana.

Trabajo literario intenso, estima en los medios poéticos sevillanos, publicaciones en las revistas sevillanas y por lo menos en una revista madrileña *(El Trono y la Nobleza),* empresa colectiva de un pequeño grupo de entusiastas: la salida de Gustavo Adolfo para Madrid no fue, ni mucho menos, una improvisación.

Durante el verano de 1854, después de la salida de Nombela, encontró Gustavo Adolfo a un nuevo amigo en la persona de Luis García Luna, que proyectaba también irse pronto a Madrid. La amistad de Luis García Luna, con quien realizó varios trabajos, le ayudó mucho hasta su entrada en el equipo de redactores de *El Contemporáneo* (diciembre de 1860).

22. Fragmentos del poema *Elvira*

Este poema llena un cuaderno de seis hojas que se hallaba en julio de 1917 en poder del general Viné; no se conoce su actual localización. Tres fragmentos que totalizan 41 versos fueron publicados por Cristóbal de Castro en *La Esfera* el 21 de julio de 1917; 29 versos figuran en facsímil en este artículo (fragmentos 1 y 3); de modo que la autenticidad resulta poco dudosa. Las menciones de selección de que hablé ya refuerzan esta presunción y permiten conjeturar que la obra formara parte de la colección elaborada por Campillo, Bécquer y Nombela entre el verano de 1853 y el de 1854.

Es lástima que no se conozca el poema en su integridad. Según indica Cristóbal de Castro, quien ve en esta obra una imitación sin interés de la manera de Espronceda combinada con la del Rivas de *Don Álvaro*, el tema consiste en la seducción del poeta por Elvira, especie de ninfa moderna que se mira en las aguas del río. Los Hados condenan este amor; Elvira pasa a América y muere allá mientras el desesperado poeta vaga por las orillas del Guadalquivir, acabando por abandonar su lira entre las manos del arcángel del dolor.

Compuesto de silvas, este poema significa, según lo que conocemos de él, la alianza de la égloga garcilasesca con los acentos lastimeros y sonoros del subjetivismo moderno.

El primer fragmento (diecisiete versos) sugiere un ambiente nocturno y patético. Los primeros versos pudieran servir de lema a un grabado de marina lleno de reflejos lunares:

> El ancho mar undoso
> en calma está, la moribunda luna
> hiere y argenta las rizadas olas.

El arcángel del dolor tiene la cabellera flotante y lleva el velo ligero del ideal femenino becqueriano:

> al aura vagorosa
> suelta en rizos la blonda cabellera,
> la túnica ligera
> que tus formas encubre...

El segundo fragmento escogido por Cristóbal de Castro pinta un efecto de sol poniente o naciente. Se encuentra en él la unión de la luz intensa y de la niebla que forma una de las características de la delicadeza becqueriana en materia de paisaje:

> Del claro sol la frente
> tras de las cumbres del cercano monte
> se ocultaba, los aires encendiendo;

azul y refulgente
brillaba entre la niebla el horizonte;
entre la parda niebla que, envolviendo
trigos y montes, valles y praderas,
los objetos, fantástica, perdía.

El último fragmento (doce versos) parece constituir la conclusión del poema. Los estereotipos abundan en esta lamentación final («fúnebre acento»; «lágrima ardiente», «abrasada frente», «mármol frío», «acerbo llanto») pero una estimable destreza se manifiesta en el movimiento verbal.

El conjunto de lo que se conoce de *Elvira* deja vislumbrar que este poema encierra la materia de la rima XV, particularmente en su primera estrofa:

Cendal flotante de leve bruma,
rizada cinta de blanca espuma,
rumor sonoro de arpa de oro,
beso del aura, onda de luz
eso eres tú.

(Texto de 1860.)

23. *Las dos (juguete romántico).* El romanticismo de Bécquer

Este poema consta de veinte cuartetos de versos octosílabos con rima consonante en los versos 2 y 3 de cada estrofa. Las cuartetas se suceden por pares; caracteriza cada par una de las cinco asonancias agudas, aplicada al verso final. El poema se divide, pues, en dos grupos de diez cuartetas cada uno. Si en el primer grupo se usan las cinco asonancias en *ú-ó-é-á-í,* otra invención estructura la forma del segundo: en éste se elimina la asonancia *ú* pero la asonancia *á* encuadra las asonancias *ó-í-é,* es decir la asonancia *á* se emplea simétricamente (por referenia a las dos cuartetas asonantadas *í)* en el último verso de las cuartetas 1, 2, 9 y 10. Se comprueba que, ya desde aquella época, se comporta Gustavo Adolfo como experimentador apasionado de las posibilidades matemáticas de la versificación española.

El interés del texto no estriba sólo en su ironía, sino también y sobre todo en su índole de ejercicio técnico.

Nombela apreció esta virtuosidad; a ello sin duda se debe la salvación del poema que, según dice, fue uno de los que se guardaron en la arquilla de la asociación Campillo-Bécquer-Nombela. *La Revista de América* lo publicó en julio de 1913 (págs. 181-184), presentándolo del modo siguiente: «Tenemos la fortuna de publicar —raro presente lírico para nuestros lectores— estos versos inéditos de Bécquer, en quien reconocen los modernistas americanos a un musical precursor. A la incomparable gentileza del Sr. Nombela debemos este privilegio.» La última estrofa seguida de la firma «Gustavo Adolfo D. Bécquer» adornada con una bonita rúbrica alargada en forma de mariposa fue reproducida fotográficamente en *La Actualidad,* suplemento ilustrado de *La Revista de América* de julio de 1913.

La idea en que se resume el poema queda formulada en las dos últimas estrofas: el tiempo emocional coexiste con el tiempo matemático y no puede borrar a éste de la memoria. La imaginación no puede modificar la realidad:

> Hora extraña que parece
> de más tarda vibración,
> de más fantástico son
> y otro diverso compás.
>
> Mas que a pesar de los sueños
> con que la adorna la mente,
> es completa, exactamente,
> lo mismo que las demás.

Tenemos aquí un tono y una preocupación que no recuerdan nada de lo que hemos podido leeer anteriormente. Otro Gustavo Adolfo, frío y lúcido, surge al lado del soñador, del músico, del ornamentalista. Ese otro yo se forma temprano. Se crea un dualismo, fuente de humanismo y de distancia con respecto a la obra de arte.

El elemento sentimental que ilustran estas veinte cuartetas es el temor nocturno. Éste contrasta con el sosegado cuadro que componen las dos primeras estrofas. Esta visión poética de la noche es la tercera que encontramos (después de los «Fragmentos» y de *Elvira)* en los pocos poemas de juventud conservados:

> Silenciosa está la noche,
> apenas suspira el viento,
> sólo algún perdido acento
> turba su calma y quietud.
>
> Serena por el espacio,
> callada la luna sube,
> platea la blanca nube
> su tibio rayo de luz.

Tal cuadro es un elegante y consciente estereotipo, aún de moda en 1853-1854.

En la lejanía se oye sonar las dos en el campanario de la iglesia. Se inicia entonces la sucesión de quince cuadros nocturnos en que se mezclan el amor, la muerte y lo sobrenatural (vida de ultratumba, magia, brujería). La angustia dibuja la tela de fondo de todas estas evocaciones. Van apareciendo sucesivamente en el poema espectros que salen del sepulcro (cuarteta 5), los relatos supersticiosos e inquietantes (6), los ruidos animales en la noche, incluso los de las rapaces (7 y 8); el amor trágico a lo *Romeo y Julieta* (9), el reo de muerte (10), el asesino (11 y 12), el amor venal (13), el agonizante (14), las hechiceras que vuelan hacia el aquelarre (15 y 16), el temor que se apodera del alma valiente (17).

El cuarteto 18 va dedicado a las «Wilis»:

> En que las Wilis misteriosas
> que a los mortales encantan,
> de la tierra se levantan
> por un oculto poder.

Las Wilis yacen hoy en el olvido pero las enciclopedias Larousse de los años 1920 las conocen todavía y nos recuerdan que, según una leyenda de Bohemia, se trata de jóvenes condenadas a salir cada noche de su sepulcro y a bailar hasta el alba; son entonces peligrosas para los humanos con quienes topan. Las *Poesías* de Teodoro de Banville, editadas en 1842 y 1854, demuestran que las Wilis eran bien conocidas de los poetas y de los coreógrafos al final de la época romántica. Se dice de un provinciano que asiste a una función en la ópera de París:

> *Ni les pâles Willis avec leurs maillots roses*
> *ne semblent à ses yeux de merveilleuses choses.*

> [Tampoco las pálidas Willis, con sus túnicas color de rosa parecen a sus ojos cosas maravillosas.]

Creo que el ballet de Adolfo Adam, *Giselle* (1841), con libreto de Th. Gautier, fue el que hizo célebres a las Wilis, y que Banville se refiere implícitamente a este espectáculo.

En *Songe d'Hiver* («Sueño de invierno»), *la Muerte,* que representa también la mujer-idea tendida en el sepulcro («... soy aquella / cuyos brazos se abren para siempre»), dice:

> *De légères Willis aux tuniques flottantes*
> *Feront en se jouant notre lit tous les soirs.*

> [Ligeras Wilis con túnica flotante dispondrán jugando nuestra cama todas las noches.]

Las Wilis están todavía de moda en la España de 1857. El 22 de junio de este año, Cayetano Vidal y Valenciano publica en *La Ilustración* su macabra novela corta «La danza de las Wilis».

El inventario de imágenes y rasgos espantosos de *Las dos* se verifica en un desorden que aumenta la angustia y da más libertad al poeta para el ejercicio de versificación al que se dedica, tan importante desde su punto de vista como el tema tratado.

En esta obra, Gustavo Adolfo se coloca en situación de observador externo de la imaginería romántica que va cultivando. Se mantendrá en esta actitud. Raras veces se encuentran en sus escritos las palabras «romanticismo» y «romántico»; en particular están ausentes de los textos teóricos capitales que son la crítica de *La Soledad,* las *Cartas literarias a una mujer* y las *Cartas desde mi celda.* Aparecen en algunos textos no firmados; entonces el contexto expresa:

— Lúcida adhesión a ciertos aspectos amenos de la sensibilidad moderna: «No hay poeta romántico, no hay niña novelesca que no haya soñado alguna vez este cuadro del mar, la cancioncita, el barquito y la luna; cuadro magnífico, situación llena de poesía, de la que se ha abusado tal vez, pero que indudablemente es hermosa» *(Entre sueños,* 30 de abril 1863»).

— Humorismo: «*¡Soñaba yo que en silenciosa noche!...* ¡Ah! esto es el principio de *El Trovador,* de García Gutiérrez. Yo soñaba una cosa menos romántica, soñaba... Sí, ya me acuerdo, soñaba una cosa absurda: que dentro de un vagón, y con una celeridad como imaginada recorría una línea férrea tan inmensa, que después de salir de un punto llegaba al fin de mi viaje, bajando en la misma estación de donde había partido, después de dar la vuelta al Globo» *(Caso de ablativo,* 21 de agosto 1864).

— Humor y desaprobación de los excesos de la imaginación: «Pero pasó aquella época (la Francia del Regente y de Luis XV), y con el romanticismo vino una reacción horrible. La poesía huyó de las cabañas para llamar a la puerta de hierro del castillo feudal. Media docena de escépticos desnudaron de sus galas, sus flores y sus afeites a los árcades, y las graciosas y cortesanas figuras de Watteau y de Meléndez quedaron convertidas en rústicos patanes y desgreñadas palurdas. Hoy que nos encontramos tan lejos de ambas exageraciones, huyendo de las ideas de plantilla, no vamos a buscar la fuente de la inspiración en los libros, sino en la Naturaleza» *(La pastora,* 29 de octubre de 1865).

Tal llamamiento a las enseñanzas de la naturaleza recuerda la posición del Goethe de *Werther:* «Eso me confirma en la resolución de atenerme en adelante a la naturaleza únicamente; ella sola tiene una riqueza inagotable; ella sola hace a los grandes artistas.» (Carta del 26 de mayo de 1771 en la novela.)

Las palabras «romanticismo» y «romántico» se aplican a artistas y corrientes demasiado distintos para que puedan emplearse hoy sin calificación complementaria o sin que se precise el contenido del concepto. Estas palabras quedaban casi ajenas a los pensamientos de Bécquer. En su mente designaban ora una experiencia estimada por los nuevos campos estéticos que había revelado, ora pasiones deformadoras que los excesos y el lenguaje repetitivo habían hecho ridículas. Esta actitud frente a la imagen de época del romanticismo es semejante a la de Musset. Gustavo Adolfo pertenecía sólo —así parece— a la familia de los seres quienes viven por y para su exquisita sensibilidad, fuente de las heridas y de las exaltaciones más agudas en comparación con las cuales las ideas, las programaciones y las maneras prescritas tienen la palidez de lo que se muere.

SEGUNDA ÉPOCA

MADRID
(1854-1870)

2

el pan y el laurel

DURANTE toda su vida madrileña, Gustavo Adolfo tendrá que enfrentarse con los problemas que han conocido la mayor parte de los escritores españoles de los siglos XIX y XX hasta una época reciente. (El escritor por excelencia, *Azorín,* apunta en 1935, en un texto que se insertará en *Clásicos futuros:* «El oficio —el de escritor— es penoso. Dice Ricardo León que su Félix Lázaro ha conseguido tras una vida de trabajo, "su pan y su laurel". Pan quiere decir una posición que, aunque modesta, precava contra la enfermedad y la vejez. Hay escritores que tienen laurel y tienen pan. Los hay que tienen pan y no tienen laurel. No faltan, querido Ricardo, quienes tienen laurel y no tienen pan.») Subsistir, conseguir renombre, por cierto; pero también vivir en lo posible con libertad e independencia: Gustavo Adolfo experimentó estas necesidades muchas veces contrarias cuya respectiva importancia varió en el curso de su breve existencia.

Hasta 1860, el pan quedó como accesorio a sus ojos. Libre en sus movimientos, dejando vagar su fantasía, multiplicó las tentativas para crearse una situación literaria y artística independiente al par que preservar la originalidad de sus percepciones. Tuvo que aprender con amargura cuán difícil era obrar en el campo literario fuera de los empleos que ofrecían las carreras del derecho y de las letras o sin afiliación política.

La entrada en el equipo de un diario que estaba fundándose, *El Contemporáneo,* en diciembre de 1860, y luego el casamiento, en mayo de 1861, dieron nuevos marcos a su vida hasta el final de 1865. El pan se hizo una importante preocupación y quedó tal hasta el último día. Había niños, y

Gustavo Adolfo tenía alma de padre. Inquietantes alteraciones de salud surgieron a finales de 1863 e hicieron necesaria la estancia en Veruela, cortada con algunos viajes a Madrid. La fantasía permanecía activa. No era total la libertad de expresión, pero eso dañaba poco a la obra. Instalado en Madrid desde 1863, Valeriano sostenía con su presencia el equilibrio conseguido.

El cargo de censor de novelas, que Gustavo Adolfo desempeñó un total de treinta meses, entre el 1 de enero de 1865 y el 10 de octubre de 1868, le permitió preservar su salud y preparar la primera colección de las *Rimas*. Durante la cesantía, que duró desde el 21 de junio de 1865 hasta el 21 de septiembre de 1866, Gustavo Adolfo pudo familiarizarse con nuevas actividades, especialmente al dirigir la más notable revista ilustrada de la época, *El Museo Universal.*

Separado de su mujer poco antes de que estallara la revolución de septiembre de 1868, prefirió alejarse un tanto de Madrid a consecuencia de los disturbios y eligió Toledo, patria de artes, como refugio; allí vivió en condiciones difíciles, a veces angustiosas, pero suavizadas por la presencia de los niños, los suyos y los de Valeriano. Se presentó la situación de relativa independencia con que soñaban ambos hermanos al ponerles Eduardo Gasset y Artime en condiciones de fundar una de las más hermosas revistas ilustradas del siglo, ardientemente española, *La Ilustración de Madrid,* pero la muerte les alcanzó en pleno impulso creador. El 12 de enero de 1870 salía el primer número de *La Ilustración de Madrid* con el doble manifiesto cultural, dibujo y texto, que significa *El pordiosero;* el 23 de septiembre del mismo año sucumbía Valeriano de consecuencias de una enfermedad; a su vez, Gustavo Adolfo era arrebatado el 22 de diciembre.

Al morir éste, sólo conocían sus textos sus amigos y colegas en literatura así como los lectores de los periódicos y revistas en las que, de modo anónimo con bastante frecuencia, había colaborado. Sólo llevaban su firma los poemas y textos más pulidos. La revolución de 1868 había impedido la publicación de las *Rimas,* que hubiesen constituido el primer libro publicado.

Los laureles nacionales que habían determinado a Gustavo Adolfo a irse a Madrid fueron, pues, póstumos y las *Obras* publicadas por sus amigos en el verano de 1870 sirvieron para perpetuar su memoria y ayudar a los huérfanos. La personalidad de Gustavo Adolfo, las atmósferas y las rarezas nacidas de su imaginación empezaron entonces a ocupar los espíritus, colocándolos a veces en un verdadero estado de posesión. Poco a poco fueron saliendo de la sombra y del anonimato los escritos dejados de lado.

El examen de la vida y obra de Gustavo Adolfo admite, pues, después de la llegada a Madrid, una distribución cronológica natural:

El Madrid de la época fotografiado por Laurent: La Puerta del Sol

— El tiempo de los ensayos: 1854-1860.
— El tiempo de *El Contemporáneo:* 1861-1864.
— La primera época del empleo de censor de novelas: primer semestre de 1865.
— La vuelta al periodismo: verano de 1865-verano de 1866.
— La segunda época del empleo de censor de novelas: verano de 1866-octubre de 1868.
— El tiempo de la retirada: octubre de 1868-finales de 1869.
— El tiempo de *La Ilustración de Madrid:* 1870.

3

los ensayos

DURANTE seis años, Gustavo Adolfo tiene poco éxito en sus empresas. La más importante de todas resulta la publicación de *Historia de los templos de España,* cuyo tomo primero, que permanecerá único, le ocupa desde 1856 a 1858. Las publicaciones periódicas en cuya fundación participa, mueren al nacer o no tienen más que corta vida. En el verano de 1859 hace una entrada en el bien asentado diario *La Época,* que publica de él dos hermosos artículos sobre espectáculos; pero esta colaboración, quizá interina, se queda sin mañana.

No obstante hay que vivir. Los ingresos son de orígenes y niveles muy diversos: trabajos de redacción a destajo, traducciones al francés, tareas de escribiente ocasional en una administración, dibujos y obras pintadas anónimas. Se conocen algunos textos o poemas publicados en revistas; creo probable que los curiosos que investiguen sobre la historia literaria de ese momento descubran otros. Los libretos de zarzuela son, según parece, una de las fuentes de ingresos más apreciadas por Gustavo Adolfo y sus coetáneos; estos trabajos proporcionaban una notable cantidad, pagada a la entrega del manuscrito; la compra de los derechos con vistas de publicación era otra fuente, más modesta, de provecho; todo esto procuraba la oportunidad de pagar sus deudas y de vivir algunos días en un ambiente de fiesta. Estos trabajos presentaban también el encanto de introducir a los autores en los medios del teatro, de la música y del canto. Gustavo Adolfo apreció todas estas ventajas.

Aquella época es la de la vida en las casas de huéspedes. Adivinamos que más de una vez fue necesario solicitar paciencia de la dueña, a veces maternal pero siempre atenta al producto de sus habitaciones y cuidados, para el pago de la pensión, en la espera de la remuneración de algún trabajo.

La vida que el joven Bécquer lleva en Madrid y el clima de la capital no son muy favorables a su salud; ya en 1858 una grave enfermedad le inhabilita para toda actividad durante algunos meses. Las miserias de la vida urbana, la venalidad de los placeres, el descubrimiento del poder del dinero, las heridas de amor propio le afectan, creo, más que a otros. Esta sensibilidad explica, más que una verdadera soledad, el acento de algunas rimas, de esos poemas cuyo lenguaje y tono se asemejan a los de la misma vida, como lo permite la nueva poesía que brota entonces, tan distante del clasicismo sevillano. Gustavo Adolfo sigue rodeado de amistades activas. Si pierde la presencia de Campillo, se beneficia hasta el principio de 1860 de la de Nombela quien, a decir verdad, no entiende bien la inconstancia de la actividad de su amigo. Luis García Luna parece también cercano a él durante este período. A partir de 1856, Ramón Rodríguez Correa viene a ser para él un apoyo tanto más valioso cuanto que admirativo. José Marco y Juan de la Puerta Vizcaíno también anudan con él lazos de amistad que han de perdurar hasta la muerte. Por fin, en el verano de 1860, Gustavo Adolfo conoce, por iniciativa de Nombela, a Augusto Ferrán, con quien va a sentir hondas afinidades. Mientras tanto persigue Valeriano su formación y su carrera sevillanas; pero viaja a Madrid cuando el estado de salud de su hermano suscita serias inquietudes; sirve de lazo con Joaquín Domínguez Bécquer. Gustavo Adolfo sabe que puede contar con la ayuda de Valeriano, cuya actividad pictórica se va apreciando cada vez más, aunque éste, por vivir con una joven, tenga algunas nuevas cargas.

Estos años son probablemente los más fecundos desde el punto de vista de la creación. Cuando Rodríguez Correa explora los cartapacios y cajones de su amigo enfermo, en la primavera de 1858, descubre en ellos una primorosa y sorprendente leyenda, *El caudillo de las manos rojas;* dudo de que tal creación haya quedado aislada. Este texto, así como los artículos publicados en 1859 en *La Época,* contienen imágenes y giros que se encuentran en numerosas rimas. La personalidad de Gustavo Adolfo evoluciona: la formación artística recibida en Sevilla, con su idealismo, su arte de la composición y del cincelado, va adaptándose a la realidad madrileña, a la penetración de la ideología del progreso que hace más frágil al individuo y a la sociedad. Una filosofía y una poesía de la intimidad se desarrollan en torno al joven soñador. La música brinda a Gustavo Adolfo vivísimos consuelos. A los momentos de depresión suceden los de más alta exaltación. A pesar del desorden de la colección incompleta que reconstituyó el autor después de septiembre de 1868, las *Rimas* traducen claramente esos cambios y altibajos.

Esta época, que corre entre los dieciocho y veinticuatro años, es, por fin, la del ardor pasional. Conoció Gustavo Adolfo el amor venal, estuvo sensible al atractivo de todo vigor femenino, soñó con la mujer ideal sin por eso desconocer la psicología de la mujer real, abrigó sin duda algunas ilusiones matrimoniales antes de unirse con una joven cuya personalidad había de revelarse todavía muy impregnada del áspero espíritu de la meseta campesina.

**24.   Primeros contactos y primeras experiencias en Madrid.
«La vida del pájaro, que nace para cantar y Dios
le procura de comer» (otoño de 1854-final de 1855)**

No se conoce la fecha exacta de la llegada de Gustavo Adolfo a Madrid. Si damos fe al contenido de una carta dirigida por el joven poeta a Juan José Bueno, publicada por el gran erudito sevillano y apasionado becquerista José Gestoso y Pérez en el diario de Sevilla *Fígaro,* el 10 de abril de 1913, transcrita por don Rafael Santos Torroella en su libro *Valeriano Bécquer,* Gustavo Adolfo estaba ya en Madrid desde algún tiempo antes del 18 de octubre de 1854. El fragmento hoy conocido de dicha carta dice: «Recibí por mi hermano la carta que tuvo Usted la bondad de enviarme para el señor don Juan Bautista Alonso, la que le entregué hará unos días; me recibió con mucha amabilidad encargándome le diera de su parte las más afectuosas expresiones cuando escribiera a Sevilla; y tocante a mis asuntos dijo que él tenía muy buena voluntad pero que de poco podría servirme...»

Esta carta nos informa que Gustavo Adolfo disfrutaba del apoyo de uno de los académicos de Sevilla más estimados. Sin duda había dado rápidamente a Valeriano noticia de las dificultades aparecidas en Madrid; Valeriano se apresuraría a comunicarlas a Joaquín y se pediría socorro a los medios académicos locales. «Padre grave» de la escuela sevillana, bibliotecario de la Universidad (que conserva dos tomos manuscritos de poesías inéditas suyas), Juan José Bueno (1820-1881) había publicado en Sevilla ya desde 1839, con su amigo José Amador de los Ríos, una *Colección de poesías escogidas* cuyo prólogo, claramente inspirado por Lista, encierra la frase siguiente: «En una palabra, para nosotros han perdido su significación las voces *clásico* y *romántico,* y nos hemos acogido a un completo *eclecticismo,* que, adoptado ya por nuestros más distinguidos literatos, reproducirá con el tiempo la escuela *original española,* que no debe nada a los griegos ni a los franceses.» En el apoyo que dispensó a sus colegas y a los amantes de la poesía estriba principalmente el gran recuerdo que dejó Juan José Bueno en la capital de Andalucía. Por los años 1860 era célebre la tertulia literaria que tenía lugar en su casa, cada miércoles, creo;

hizo publicar en 1861 *Tertulia literaria. Colección de poesías selectas leí-das en las reuniones literarias celebradas en casa de don Juan José Bueno.* El fondo Morel-Fatio de la Biblioteca Municipal de Versalles (legajo núme-ro 180), contiene 37 cartas dirigidas por J. J. Bueno a Antonio de Latour entre 1860 y 1876. El ambiente de las «tertulias» está descrito como sigue en una carta del 6 de febrero de 1861: «He sentido mucho que por su ausen-cia no honrase la última *tertulia* de esta temporada. La reunión fue nume-rosa y selecta, leyéronse excelentes versos, presentáronse objetos artísti-cos notables, y se ejecutaron piezas y juguetes de música y canto, que contribuyeron a amenizar el rato.» El nombre de Bécquer no aparece en esta correspondencia. Gustavo Adolfo pertenecía a la redacción de *El Con-temporáneo* cuando, el 16 de septiembre de 1862, el periódico dio, de pluma de Valera, una reseña del volumen *Tertulia literaria*. La reseña suscitó el enojo de J. J. Bueno, quien escribió en una carta a Antonio de Latour del 15 de noviembre (1862): «*El Contemporáneo* no me apartará de mi propósito de estimular a los artistas y poetas sevillanos, reuniéndolos se-manalmente en mi humilde casa; pero desconsuelo que un tagarote juzgue así de materias literarias. ¡Eso es la imprenta periódica! ¡Justiniano, uno de nuestros más briosos, fáciles e inspirados poetas, no ha merecido al ar-ticulista que lo cite siquiera!»

En realidad, el artículo de Valera era muy cortés pero presentaba la escuela sevillana como nutriéndose exclusivamente del pasado y cultivan-do un esteticismo situado fuera del tiempo. Viene a la mente lo que eran todavía las disposiciones de espíritu de Gustavo Adolfo en el curso de los años 1854 y 1855 cuando se lee: «Se podría presumir que muchos de estos poetas viven en una región serena, o en una tranquila y aislada Arcadia, o bien en una esfera plácida y elevadísima, adonde no llegan las tempesta-des de este mundo sublunar, y donde la España del siglo XVI y la del si-glo XIX se confunden y vienen a ser una sola.» Había previsto Valera la reacción hostil del medio sevillano al que pertenecía Juan José Bueno; indi-caba en carta del 18 de septiembre de 1862 a Narciso Campillo, favorable-mente tratado en el artículo: «Dos días ha, publiqué en *El Contemporá-neo* un artículo sobre la tertulia literaria de Bueno. Sentiré que se ofendan conmigo los censurados. El articulillo está escrito de primera, como cuando hay falta de original, pero, en lo general, creo que soy justo. Dígame usted lo que le parece.» Notemos de paso la no colaboración de Bécquer al libro de Bueno; su alejamiento de Sevilla no la justificaba totalmente pues se podrían leer en la tertulia algunos poemas enviados desde Madrid. Repa-remos también en la ausencia del nombre de Bécquer en la reseña de Vale-ra, a pesar de que los dos hombres se veían casi diariamente en los locales de la redacción de *El Contemporáneo*: Gustavo Adolfo era ya el autor del comentario de *La Soledad* y de las *Cartas literarias a una mujer;* parece sin embargo inexistente como poeta a los ojos de Valera. De estos hechos deben sacarse dos deducciones: 1. Gustavo Adolfo se había apartado de sus primeros maestros y no le agradaba escribir sobre ese medio literario a pesar del buen conocimiento que tenía de él; 2. o bien Valera ignoraba la producción poética de su colega, o si la conocía, sabía que estaba alejada del espíritu del grupo de Bueno. Resulta improbable que Valera no haya conversado con Gustavo Adolfo, sevillano y amigo de Campillo, acerca del libro *Tertulia literaria*.

Una nota sobre el padre Juan Arolas (Valencia, 1805-1843) mandada por J. J. Bueno a Antoine de Latour (documento 30 del número 180 de los manuscritos del fondo Morel-Fatio) revela que las obras de este poeta, especialmente las *Orientales*, habían tenido buena acogida en Sevilla. Se lee en la nota: «Sus versos cortos son excelentes y muy superiores a los de arte mayor.» Resulta, pues, probable que Arolas estuviese presente en la formación de Bécquer.

Juan Bautista Alonso (nacido en 1821 en la provincia de Pontevedra), a quien Bueno había recomendado al joven Gustavo Adolfo, era un antiguo colaborador del *Guirigay* de González Bravo. Parece que se especializara en las informaciones mercantiles e industriales, ya que colaboró en periódicos como *El Eco del Comercio* y *La Abeja*. Es lícito pensar que figuró entre las personas que dieron al joven artista mejor conciencia de las realidades madrileñas. El tono de la carta de Gustavo Adolfo a Juan José es el del desencanto resignado.

* * *

La casi totalidad de lo que sabemos de la vida madrileña de Gustavo Adolfo en 1854 y 1855 procede de las memorias tardías de Nombela (1910-1911 para esta parte). Los solos datos objetivos residen en las publicaciones sacadas del olvido.

El joven llega solo a Madrid y se hospeda en una pobre casa de huéspedes situada en la calle de Hortaleza. Manda avisar a Nombela que le visita a temprana hora en la mañana siguiente. Le quedan dieciocho duros en el bolsillo, lo que ha de permitirle subsistir dos meses. Nombela le explica que no se puede esperar ningún provecho material de una colección de poemas. Ningún editor se interesará por ella. En cuanto a publicaciones periódicas, no remuneran las obras poéticas. Del texto de Nombela parece deducirse que éste había visitado al duque de Rivas, a Bretón de los Herreros, a Hartzenbusch, a Narciso Serra, a Antonio de Trueba y a Carlos Pravia. Nombela explica además a Gustavo Adolfo que los recientes desórdenes políticos han acarreado cierta debilidad del interés por las artes y las letras.

Nombela guía a su amigo por las calles del pobre Madrid de entonces, capital de una España que la primera revolución industrial alcanza muy poco. Con su sol, su alegría, sus monumentos, Sevilla lleva ventaja a Madrid. «El vistazo a Madrid desanimó a Bécquer —concluye Nombela— pero si faltaban monumentos artísticos, si en la comparación con la capital de Andalucía salía perdiendo a los ojos del artista, en cambio la vida intelectual de la nación en Madrid estaba; y en Madrid había que buscar la gloria y el dinero para vivir y disfrutar de la vida.» No habla Nombela ni de anchura de miras ni de libertad, pero pienso que el joven recién llegado fue sensible a estas consecuencias de los encuentros y mezclas que hacía posible la vida madrileña.

Al final de 1854, Gustavo Adolfo se junta con Luis García Luna en la casa de huéspedes dirigida por una compatriota, doña Soledad, donde se había alojado su amigo. El trío Nombela-García Luna-Bécquer gana algún dinero redactando biografías de diputados al cuarto la línea por cuenta de Juan Gabriel Hugelmann (1822-1888), literato y periodista político cuya vida agitada se repartió entre Francia y España.

Lamartiniano, versificador abundante y ameno, Hugelmann era de los que podían comprender a Gustavo Adolfo y a sus camaradas. Publica en Madrid, a principios de 1856, una colección de poesías francesas titulada *Premières espagnoles (Primeras españolas);* uno de estos poemas, «A Monsieur Tenant, au directeur de l'école mutuelle de Tours» («Al Sr. Tenant, al director de la escuela mutualista de Tours»), compensa todo cuanto los otros pueden tener de vano o declamatorio; en él se ve a un Hugelmann huérfano a los cinco años, criado por abuelos modestos y abnegados, quien luego se educa en un pobre establecimiento de provincia, acabando por buscar fortuna en París en las más entristecedoras circunstancias.

En este final de 1854 llega Campillo, a su vez, a Madrid con una carta de recomendación para Quintana. Atacado de viruelas, supera la enfermedad, contraída antes de su salida, pero prefiere volver a Sevilla para la convalecencia, y allí se queda. Esta infeliz aventura madrileña no le desanima ya que, en el curso del año 1855, le vemos crear en Sevilla, con Ramón Rodríguez Correa y Arístides Pongilioni, una publicación titulada *El Mediodía;* en el mismo tiempo, Nombela y Bécquer intentan así mismo participar en la creación de publicaciones periódicas en Madrid. Campillo inicia en Sevilla estudios universitarios de letras, tal vez de derecho también. Su carrera va a ser la del profesorado de lengua y literatura españolas.

Campillo dice muy poco sobre su primera estancia madrileña en sus cartas a Eduardo de la Barra: «El año 54 vinimos a Madrid: él (Bécquer) se quedó y yo volví a Sevilla.»

Como Campillo mismo indica que no volvió a ver antes de 1869 a su amigo de la niñez, que era entonces un padre de familia un tanto bohemio

Madrid hacia 1855 fotografiada por Clifford

pero respetable, hay que admitir que las líneas siguientes se aplican a la transición de los años 1854 y 1855 a pesar de la brevedad de la estancia de Campillo en Madrid: «Le he conocido sin camisa, ni calcetines: tomaba dinero y lo gastaba... en varias cajas de guantes finísimos, una alfombra de 200 duros (que luego vendió en 25), en convidar amigos y... A los pocos días estaba casi descalzo, y yo no le podía comprar botas, porque me faltaba dinero: le di unas mías, y como soy mucho más alto y con el pie mayor, andaba Gustavito por las calles de Madrid embarcado en ellas y haciendo un ruido espantoso. Él se reía y yo también cuando me contaba sus tropezones.» L. Eliz, editor en 1923 de las cartas de Narciso Campillo a Eduardo de la Barra, indica que ha suprimido una frase bastante cruda después de «en convidar amigos y...».

Todo esto traduce cierta indiferencia para con el dinero, el orden y la respetabilidad española del tiempo. Esta distancia tomada con respecto a los incidentes y pasiones de la vida corriente perdurará; y creo certera la observación de Eusebio Blasco: «Había algo de trapense en aquel hombre.» Tal despego no correspondía ni al carácter de Campillo ni al de Nombela, que prefieren adornar esta indiferencia ante la realidad material con el término noble de «estoicismo». Escribiendo hacia 1910 para el público, Nombela guarda silencio sobre los aspectos más antiburgueses de la manera de vivir de Gustavo Adolfo por el año 1855. Sin embargo no puede dejar de señalar una pasividad muy contraria a su propio temperamento: «Así es que en la más absoluta pobreza, debiendo al afecto caritativo de una señora, si no completamente pobre por lo menos de escasos recursos, lo necesario para no morir de inanición, pasaba el tiempo en un estoicismo que a Luna y a mí nos admiraba y a la vez nos desesperaba.» Más adelante, Nombela apunta, acerca de una época que puede colocarse a finales de 1855 o principios de 1856: «... Yo envidiaba aquella conformidad, aquella casi nirvana; pero sentía en mi ser energías para luchar y no me conformaba con aquella grandiosa, admirable y estoy por llamar santa pasividad.» Bécquer es entonces un joven artista pasivo pero su expresión y entusiasmo encantan, por lo vivo y espontáneo, a cuantos se le acercan. Así es que varios grupos van a asociarle a sus empresas: *La España Musical y Literaria, El Mundo, El Porvenir.* Algunos miembros de estos equipos van a introducirle en una publicación mejor asentada, *El Álbum de Señoritas y Correo de la Moda.* En el verano de 1855, cuando las dificultades materiales se hacen más agudas, un camarada de San Telmo, Federico Alcega (tal vez pariente de don Domingo de Alcega, administrador del Patrimonio Real en Sevilla y relacionado, pues, con Joaquín D. Bécquer) le hospeda en su domicilio, calle Atocha.

El amor a la música, particularmente a las óperas de Bellini según los recuerdos de Nombela, contribuyó a mantener el equilibrio de Gustavo

Gustavo Adolfo retratado por Castellano en 1855

Adolfo. Escribe. Verdad es que se trata a menudo de fragmentos, cual ese principio de novela cuyo título nos comunica Nombela, *Mal, muy mal, peor,* título y novela que pueden ser mero invento humorístico de parte de Gustavo tanto como reflejo de las dificultades del momento.

La alegría, unida a la excentricidad, está presente en la vida de Bécquer en 1855 y 1856. Los recuerdos de Campillo no nos lo presentan como un ser ensimismado. En cuanto a Nombela, nos muestra a un Gustavo Adolfo quien, por un hermoso día de abril de 1855, finge tocar el primer acto de *La Sonámbula* (Bellini) con un violín simulado por dos trozos de rama seca en el camino entre Madrid y Carabanchel, asombrando a la humilde gente popular que va cruzando (Gustavo Adolfo y García Luna habían acompañado a Carabanchel a su amigo Nombela quien proyectaba ocupar un empleo de guardia sobre las tierras de la condesa de Montijo).

Si la despreocupación y el ensueño son estados permanentes, los períodos de paz melancólica alternan con los momentos de exaltación. En los recuerdos de Nombela, una melancolía tranquila domina la vida de Bécquer durante los años 1855-1856: «La vida que hacía Bécquer, que seguramente es lo que más deseará saber el lector, era monótona y triste; pero como la tristeza era su elemento, ni se afligía, ni se quejaba. En vez de vivir en el mundo, vivía en su cerebro y en su corazón. Las miserias y pequeñeces de que está llena la existencia, no alteraban su ritmo habitual, que eran la calma, la serenidad, la resignación. Jamás sintió el aburrimiento: la soledad, que le agradaba en extremo, estaba para él llena de seres, de ideas, de sentimientos que formaban un mundo en el que hallaba sus más puras y hermosas satisfacciones.»

En esta época, Gustavo Adolfo queda, desde el punto de vista del arte literario, en la línea elegante del eclecticismo sevillano. Su primer texto en prosa publicado, *Mi conciencia y yo,* tiene sin embargo la forma de una confesión en que una sensibilidad dolorosa se expresa a veces.

Gracias a don Santiago Montoto y a don Rafael Montesinos, se conoce un retrato realizado por el pintor Manuel Castellano que lleva la dedicatoria siguiente: «A Gustavo A. Becker. Madrid. 1855.» Este retrato difiere mucho de los que Valeriano hizo de su hermano en los años cincuenta: el bigote y la barba desaparecen, la raya está a la izquierda, el cabello está cuidadosamente peinado, los labios son delgados y más bien apretados. El sujeto lleva un gabán. Únicos rasgos comunes con el retrato del año pasado: los grandes ojos soñadores y la corbata de artista. Este retrato es el de un joven de tendencia clasicista, de una especie de Víctor Hugo joven; corresponde a la imagen que se podía concebir del autor de «La corona de oro» *(Corona poética a Quintana)* y de «Anacreóntica». El rostro queda bastante enigmático; la placidez y la clarividencia se mezclan en él con la fragilidad y la ironía.

La existencia de este retrato confirma que Gustavo Adolfo estaba bien

Los jardines del Buen Retiro. Dibujo de Federico Ruiz

introducido en los medios literarios y artísticos madrileños. Este mismo año de 1855, recibió Manuel Castellano (nacido y muerto en Madrid, 1823-1880) una mención honorífica en la Exposición Nacional de Bellas Artes. El hecho de que poseyó uno de los manuscritos de *Tal para cual* (1860) me hace pensar que su amistad con Gustavo Adolfo y García Luna fue duradera.

En el otoño de 1855, el cólera azota España. La muerte que se extiende no puede menos de herir la sensibilidad de Gustavo Adolfo. *Tres fechas* lleva huella del acontecimiento por lo que atañe a Toledo. Doña Manuela Monnehay, la madrina de Gustavo Adolfo, fallece en Sevilla el 25 de octubre; a pesar del disentimiento que había surgido acerca del porvenir del joven, debió de afectarle esta pérdida. Como ha demostrado Rica Brown, el fallecimiento de su madrina no tuvo ninguna repercusión sobre la situación económica de Gustavo Adolfo; en particular, indica la biógrafa inglesa que su nombre no figuraba en el testamento establecido por los esposos Henrriche-Monnehay en noviembre de 1851.

Esta época es la de llegada de Valeriano a Madrid, trayendo fondos, para pasar en la capital su primera temporada. En seguida toma a Gustavo Adolfo bajo su protección y se va a vivir con él en una pensión situada en la plaza de Santo Domingo. Pinta y vende sus obras. Nombela precisa que Gustavo Adolfo ayudó a su hermano dibujando. Tal vez date de esta época (noviembre-diciembre de 1855) el retrato de Castellano: el gabán es indicio de un tiempo otoñal o invernal.

Entramos aquí en un largo período de silencio literario; es probable que Gustavo Adolfo escribiera sin publicar. Va acabándose esa vida puramente poética de que el interesado dirá, en su carta a Juan de la Rosa González publicada por *La Iberia* el 11 de noviembre de 1860: «Yo no sé si por mi buena o mala ventura me dediqué muy joven a las letras; pero sí que lo hice por necesidad. Comencé por donde comienzan casi todos: por escribir una tragedia clásica y algunas poesías líricas. Esto es lo que en el lenguaje técnico llamamos pagar la patente de inocencia. La primera la guardo; de las segundas se publicaron varias. Aunque yo tengo para mí que la poesía lírica española sería una de las primeras del mundo si con ella se comiese o a sus autores se premiase de algún modo, nunca abrigué la presunción de creerme el llamado a sacar provecho de un género que abandonaban Tassara, Ayala y Selgas.» Gustavo Adolfo estaba un poco olvidadizo en cuanto al último punto; había tardado bastante en convencerse de que la producción poética no podía sostener materialmente al artista. Prefiero, sin embargo, retener de esta carta la ardiente defensa que contiene de la poesía española, y eso al final de 1860, después de tan penosas desilusiones. No conozco ninguna otra mención de la tragedia clásica que Gustavo Adolfo decía conservar todavía.

El año 1855 puede verse como una prolongación del divagar poético sevillano, con más libertad sin duda. Señala el término del sueño que Gustavo Adolfo ha presentado con tanta gracia y sobriedad en la tercera de las *Cartas desde mi celda:*

> Yo soñaba entonces una vida independiente y dichosa, semejante a la del pájaro, que nace para cantar y Dios procura de comer; soñaba esa vida tranquila del poeta que irradia con suave luz de una en otra generación: soñaba que la ciudad que me vio nacer se enorgulleciese con mi nombre, añadiéndolo al brillante catálogo de sus ilustres hijos, y cuando la muerte pusiese un término a mi existencia me colocasen, para dormir el sueño de oro de la inmortalidad, a la orilla del Betis, al que yo habría cantado en odas magníficas, y en aquel mismo punto adonde iba tantas veces a oír el suave murmullo de sus ondas. Una piedra blanca con una cruz y mi nombre serían todo el monumento.

25. El grupo de *La España Musical y Literaria*. La *Corona poética a Quintana*. Tentativas para crear una nueva publicación

Según la obra de Eugenio Hartzenbusch *Apuntes para un catálogo de periódicos madrileños* (Madrid, 1894), *La España Musical, Artística y Literaria,* teóricamente bisemanal (jueves y domingo), fue fundada en 1850, pero no pasaba del número XVI el 17 de noviembre de 1852. El diario *La España* anunció su salida el 10 de febrero de 1853. Salió de nuevo con el título de *La España Musical y Literaria* el 9 de octubre de 1854; el nuevo número IV lleva la fecha del 30 de enero de 1855.

Vino luego *La España Artística y Literaria*. Empezaría el 16 de marzo de 1856 y tendría brevísima vida; impresa por P. Montero, abarcaba ocho páginas de formato 26 × 17 centímetros; el redactor principal era Nombela.

El descubrimiento de ejemplares de estas revistas posteriores a octubre de 1854 provocaría sin duda el de nuevos textos del joven Bécquer, pues los recuerdos de Nombela y las investigaciones de Frutos Gómez de las Cortinas establecen que se interesó mucho por estas publicaciones cuyo animador era José Marco.

José Marco y Sánchez o Sanchis (Valencia, 1830-Madrid, 1895) se cita principalmente como autor dramático pero se conocen de él varios poemas publicados en revistas en distintas épocas de su vida. Se casó con la poetisa doña María del Pilar Sinués (1835-1893) quien publicó numerosas colecciones desde *Ecos de mi lira* (1857) hasta *Luz y sombra* (1879) y desarrolló intensa actividad en la prensa dedicada a la mujer y al hogar. Según Nombela, Marco se prendó de ella al leer uno de sus poemas y le dirigió una conmovedora declaración de amor a la que colaboraron los redactores de *La España Musical y Literaria,* incluso Bécquer; el casamiento se celebró por poderes y fue desafortunado; José Marco abandonó a su esposa y fundó un hogar ilegítimo. Me interesa en todo esto el hecho de que, por los años 1854-1855, era José Marco un «loco de poesía» como el mismo Gustavo Adolfo y que este común exceso estableció entre ellos lazos fortísimos.

Ya desde el otoño de 1854 recibió José Marco el apoyo de Nombela, de García Luna y de Bécquer para el despertar de su publicación *La España Musical y Literaria* que, según parece, se hallaba parada o no salía más que de tarde en tarde. Juan Antonio Viedma se juntó al grupo. Acciones concretas fueron llevadas; a pesar de sus torpezas y límites, traducen un verdadero esfuerzo para valorizar la creación poética en la vida social española.

Primero, los animadores de *La España Musical y Literaria* consiguieron presentar oficialmente un libro de poemas de 156 páginas titulado *Corona poética* con ocasión de la ceremonia de coronación de Quintana el 25 de marzo de 1855; habiéndose quedado invendido en gran parte el libro, obtuvieron hasta un auxilio notable de la reina para pagar a sus acreedores.

Intentaron luego crear una asociación de sostenimiento a la revista y se dirigieron de nuevo a la reina con la esperanza de que el matrimonio real figurase al frente de los cotizantes. Aunque llevada con tino e insistencia esta acción tuvo poco éxito.

También trataron de obtener préstamos de algunas personas particulares. Lograron uno del padre de Nombela. Esta ayuda fue la que, después de peripecias memorables, les permitió publicar *La España Artística y Literaria* en marzo de 1856.

* * *

El 14 de septiembre de 1854, Calvo Asensio lanzó en *La Iberia* la idea de coronar públicamente al viejo Quintana, para honrar a la vez al historiador, al poeta y al gran liberal que se había opuesto al absolutismo de Fernando VII. La meta era demostrar que los hombres que habían hecho la revolución o que se habían asociado a ella no se desentendían de ningún modo de la poesía y de las artes.

Se admitió que José Marco y sus nuevos amigos se uniesen a esta acción. Solicitaron a los poetas con quienes estaban relacionados y obtuvieron una participación numerosa. Sevilla fue ampliamente representada. Rodríguez Zapata, que tenía relaciones personales con Quintana, mandó un poema, así como Campillo, Ángel María Dacarrete, Arístides Pongilioni. Adelardo López de Ayala entregó también una contribución a *La España Musical y Literaria*. La de Bécquer titulada «A Quintana. La corona de oro (Fantasía)» fue una de las más importantes. También participó García Luna.

Había anunciado *La España Musical y Literaria* que el producto de la venta se entregaría a una obra de caridad cuyo fin era ayudar a los niños abandonados.

La coronación de Quintana tuvo lugar en el palacio del Senado el 23 de marzo de 1855. La reina en persona fue quien coronó al anciano. Una comisión dirigida por Hartzenbusch entregó a Quintana un ejemplar encuadernado en terciopelo de una obra editada por *La Iberia.* Marco, Viedma y un cierto Maldonado pusieron luego entre sus manos, en nombre de los redactores de *La España Musical y Literaria,* la colección editada al cuidado de la revista.

Marco, García Luna, Viedma, Nombela y Bécquer presentan como sigue la realización y la suerte de la *Corona poética* en una súplica a la reina fechada el 4 de julio de 1855: «Dios sabe con cuánto trabajo, con cuánta dificultad *(La España Musical y Literaria)* dio a luz una *Corona poética* tejida en loor del inmortal Quintana por los jóvenes mejor reputados y que bajo los más felices auspicios comenzaban su carrera literaria, y, sin embargo, doloroso es decirlo, después de tanto sacrificio, de tanta fe, de tanto entusiasmo, los ejemplares del libro se arrinconaron en los estantes de la redacción y ni un solo literato de reputación, ni siquiera uno de esos críticos que llenan a cada momento las columnas de los periódicos ensalzando la gracia de una bailarina o la coquetería de una actriz ha recogido en sus manos aquella obra para examinarla y hacer notar al público sus bellezas o defectos. Éste es un hecho que habla muy alto, que dice más que cuanto nosotros pudiéramos decir para trazar el cuadro del estado de nuestra literatura.»

La España Musical y Literaria no había podido hacer frente al coste de la publicación de la *Corona.* El 20 de abril de 1855, José Marco había solicitado la ayuda de la reina, quien le había hecho un donativo de 500 reales para pagar la deuda.

* * *

Franz Schneider fue el primer investigador que se interesó por los comienzos madrileños de Bécquer. Aunque sus pesquisas sean anteriores a 1914, sólo fue en 1925 cuando dio a conocer en la revista *Hispania* el texto del poema «A Quintana. Corona de oro». Este texto fue publicado de nuevo por don Dionisio Gamallo Fierros en 1944 en *El Español.*

La «Corona de oro» no es un trivial poema de circunstancia, y eso por dos razones. En primer lugar, Gustavo Adolfo aprovechó la oportunidad para dar pruebas, en el plano nacional esta vez, de su virtuosismo de versificador y de compositor poético. En segundo lugar, muchas imágenes cósmicas, luminosas, vaporosas; muchos rasgos de atmósfera tranquila o, al contrario, tempestuosa, personalizan el poema.

El conjunto abarca 290 versos divididos en composiciones de forma diversa y a menudo original. Constituye una a manera de álbum de muestras.

La decoración representa un paisaje nocturno a orillas del mar. Un arcángel que lleva la corona de oro baja del cielo e invita a las glorias poéticas difuntas a dejar su tumba para celebrar a Quintana. Osián, Fernando de Herrera y Petrarca hacen sucesivamente oír su voz, imitados durante esa noche por un centenar de otros poetas no nombrados. Al amanecer vuelve el arcángel al cielo; desaparece en la lejanía celebrando la inmortalidad poética.

Este arcángel es un hermano del arcángel del dolor presente en los fragmentos conocidos de *Elvira*. *A Quintana* representa como una cristianización de las prácticas mitológicas del clasicismo europeo. La inspiración lírica queda como de origen divino.

El poema comprende las once secuencias siguientes:

I. *Descripción del anochecer, de la noche, de la naturaleza que duerme en el seno de Dios.*

Esta secuencia consta de 28 endecasílabos asonantados *a-a*. Esta evocación está llena de dulzura, de velos vaporosos, de indecisión.

> Allá en el seno de su Dios, la frente
> con su blanco cendal de niebla orlada,
> duerme la creación a esa armonía
> que en los espacios misteriosa vaga.

La voluptuosa suavidad de la naturaleza nocturna se aplica también a los cementerios:

> Las verdes olas de la mar suspiran,
> acariciando las desiertas playas,
> y entre los sauces de las tumbas gimen
> con dulce soplo las ligeras auras.

Los versos siguientes:

> otra armonía en el espacio vaga,
> melancólico son a cuyo acento
> su cárcel rompe y se desprende el alma.

me recuerdan aquel poema que Emilio Carrere ha incluido en su edición de las *Rimas* (hacia 1924), dándole el número XCVII, cuyo origen no se conoce:

Manuel José Quintana. Grabado de *Españoles Ilustres*

> Esas quejas del piano
> A intervalos desprendidas,
> Sirenas adormecidas
> Que evoca tu blanca mano,
> No esparcen al aire vano
> El melancólico son;
> Pues de la oculta mansión
> En que mi pasión se esconde,
> A cada nota responde
> Un eco en mi corazón.

Esta composición, la décima clásica, presenta, en la disposición de las rimas, una simetría perfecta conforme con los ensayos formales que apasionaban al joven Bécquer.

II. *Surge el arcángel en una atmósfera impregnada de música y desciende hasta rozar el mar, provocando una tempestad de luz antes de llamar a los que recibieron antaño de él la inspiración.*

Esta parte se compone de veinticuatro alejandrinos (versos de catorce sílabas, en castellano). Se reparten en cuatro estrofas de seis versos cuyas rimas se ordenan según el esquema *aabccb* en el que *b* no es una rima consonante sino una asonante aguda. La asonancia cambia para cada estrofa: *a* en la primera, *u* en la segunda, *e* en la tercera, *i* en la cuarta. Los juegos de agua, de bruma y de luz hacen la singularidad de esta parte, pero las obligaciones de forma que se ha impuesto Gustavo Adolfo dañan la naturalidad y relieve del conjunto. He aquí la evocación del tumulto de las aguas provocado por el arcángel:

> El aquilón entonces, con la nevada espuma
> alzando un remolino, y con la densa bruma
> gigante al cielo sube magnífico dosel.
> Las cristalinas ondas agítanse brillando;
> de luz raudales lanza, los aires inflamando,
> la frente del arcángel que se reclina en él.

III. *El arcángel llama a los poetas muertos.*

El breve discurso del arcángel comprende dieciséis versos de doce sílabas divididos en cuatro cuartetos. Las asonancias agudas siguientes se usan: *a,* para los cuartetos 1 y 3; *o,* para el cuarteto 2; *e,* para el cuarteto 4.

IV. *Los poetas dejan su sepulcro solitario.*

El poeta insiste en la soledad: «sepulcros solitarios», «tumbas solitarias». Se encuentra aquí una mezcla de cuadro cristiano de resurrección y de fuegos fatuos paganos:

> de fosfórica luz ligeras llamas
> brotan de los sepulcros solitarios.

Esta parte consta de treinta endecasílabos asonantados *a-a* en los versos pares. El punto de vista narrativo se caracteriza por esta asonancia a lo largo del poema: se utilizan sucesivamente el endecasílabo y el octosílabo (romance).

V. *Osián.*

El canto de Osián comprende ochenta y cuatro versos que forman ocho silvas. Osián personifica aquí el cantor de las tempestades, de los vientos y de las brumas, de la naturaleza salvaje de los mares y montañas del Norte. La rima LII («Olas gigantes que os rompéis bramando») representa a mis ojos la herencia osiánica en la colección de las *Rimas*. Esta parte es la más desordenada del poema; la forma parece, en este caso, conformarse al carácter dominante del ambiente evocado.

Me seduce esta imagen del poeta petrificado en la eternidad:

> Yo de la oscura eternidad dormía
> el dulce sueño, la cansada frente
> reclinando en un sauce que crecía
> solitario en la orilla del torrente.

Osián canta a Quintana como patriota y como poeta de la liberación:

> No; que hora sólo mi entusiasmo inspira
> la grandeza inmortal de un vate ibero,
> que a la voz de su lira
> hizo temblar el despotismo fiero.

VI. *Transición* (cuatro endecasílabos asonantados *a-a)*.

VII. *Herrera.*

Conforme con la índole de la obra de Herrera y para honrar su ciudad natal, Gustavo Adolfo coloca aquí un soneto que esboza hábilmente un paralelo entre los combates navales de Lepanto y de Trafalgar, acontecimientos históricos tratados por Herrera y Quintana respectivamente.

VIII. *Transición* (cuatro endecasílabos asonantados *a-a)*.

IX. *Petrarca.*

Se subraya aquí la variedad de la inspiración de Quintana. El aspecto «paz y dulzura placentera» es el que ilustra la presencia de Petrarca.

Desde el punto de vista formal se compone esta parte de una combinación originalísima seguida de una octava real levemente modificada.

La primera parte está constituida por dos cuartetos enmarcados por dos estrofas de seis versos.

Los dos cuartetos centrales se componen cada uno de tres octosílabos y de medio-octosílabo, con asonancias agudas en 2 y 4 *(e* para el primer cuarterto, *a* para el segundo).

Cada una de las estrofas de seis versos envolventes está formada de alejandrinos; las rimas están dispuestas según la fórmula *aabccb* en la que *b* es, en ambas estrofas, la asonancia aguda *o,* diferente de las de los cuartetos envueltos.

La octava real que constituye la segunda parte contiene una pregunta y una contestación; ésta pone de relieve el nombre de Quintana.

Rafael de Balbín expresa la opinión siguiente acerca de este pasaje: «Y cuando se emplea aisladamente el año 1855, en la *Corona de Oro,* dedicada a Quintana, el módulo típico se había ya alterado bajo la estremecida inspiración juvenil de Bécquer, dando un ágil quiebro al pareado final, al escribir:

> ¿Quién, exclamé, es el genio cuya lira
> del corazón intérprete sincera,
> ora entusiasmo bélico respira,
> ora paz y dulzura placentera,
> e imitando ya el aura que suspira,
> ya los bramidos de la trompa fiera,
> es el asombro de la musa hispana?
> Y el eco murmurando
> me respondió fugaz: ÉSE ES QUINTANA.

Las *Rimas* contienen otra octava real, la rima IX («Besa el aura que gime en son doliente») y una octava de esquema original *abcabcdd;* esta última es la rima LVII («Este armazón de huesos y pellejo»).

Por su variedad, la parte «Petrarca» de la «Corona de oro» puede considerarse como el remate y selecto ramillete de los fuegos artificiales a que se parece el poema. Sin embargo no le sirve de conclusión.

X. *El final de la celebración. El alba. La ascensión del arcángel.*

Esta parte comprende veintiséis versos de romance asonantados *a-a.*

El arcángel compone la corona de Quintana quitando una hoja a los laureles que ciñen la frente de los poetas del pasado, y

> con suave movimiento
> desplega las blancas alas,
> y dejando en pos de sí
> de luz brillante una ráfaga,
> ligero cruza las nubes
> que ya tornasola el alba.

XI. *El canto lejano del arcángel.*

Este canto está integrado por cuatro estrofas de ocho versos hexasílabos. El esquema de las rimas es *abbcdeec* en que *c* es un asonante agudo: *o* para las estrofas 1 y 3, *a* para las estrofas 2 y 4 en que se hace resaltar los dos versos finales idénticos:

> Quintana, tu gloria,
> tu gloria, y no más.

El canto final opone las vanidades del mundo a la permanencia de la gloria poética (en este caso, la de Quintana); en las estrofas 2 y 4, los dos versos que se acaban de citar contrastan con el verso

> cual humo fugaz

Gustavo Adolfo demuestra aquí su perfecto sentido del paralelismo y de la simetría.

Merece notarse también la destreza que consiste, al caer el telón, en reducir progresivamente el metro del verso: alejandrinos de las estrofas de seis versos, endecasílabos de las octavas, octosílabos del romance, hexasílabos del romancillo.

Lo que me impresiona más, además del brillante virtuosismo, es la filosofía sombría del canto final. Es verdad que existe un alejamiento de índole mística en este joven de diecinueve años. La afición a la poesía lírica, lengua y música, es lo que le liga con mayor fuerza al mundo. Sin embargo no produce tal pasión un arte estático: la «Corona de oro» tiene la forma de un relato lleno de movimientos. Es necesario forjar una expresión paradójica, «pasividad dinámica», para dar cuenta de la situación que Nombela había acertadamente sentido y de que guardaba tan agudo recuerdo cincuenta años más tarde.

El canto del arcángel está a medio camino entre la balada, a la que el hexasílabo proporciona tan excelente material (como se ve en la rima LXXIII, «Cerraron sus ojos»), y las rimas de la melancolía.

Suprimiendo los ocho versos de circunstancia que dan al texto su finalidad social y aparente, se descubre un poema de alcance permanente y universal:

> La pompa, el orgullo,
> los goces, las penas,
> las horas serenas
> que brinda el amor;
> del mundo las dichas,
> el vano renombre,
> los sueños del hombre,
> su eterna ambición,
> a impulsos del tiempo
> al fin se concluyen,
> y rápidos huyen
> cual humo fugaz.
>
> Las torres soberbias
> que hieren el viento
> y eterno su asiento
> juzgará su autor;
> las altas columnas,
> las fuertes ciudades
> que en otras edades
> el hombre elevó,
> del tiempo al impulso
> también se concluyen
> y rápidas huyen
> cual humo fugaz.

* * *

En medio del año 1855 piensa el equipo de *La España Musical y Literaria* fundar una asociación para salvar el periódico y, si es posible, para repartir premios literarios y artísticos reservados a los jóvenes talentos. Los socios han de formar una «junta protectora» compuesta con personas que se comprometan a abonar veinte reales cada mes con este objeto. Administrará los fondos la «junta directiva» compuesta por los redactores de la revista.

La participación mensual de los socios se concibe como transitoria. Debe cesar cuando el importe de los suscriptores a la revista permita a ésta cubrir los gastos.

Se prevén varias ventajas a favor de los socios protectores. Recibirán la revista, tendrán el derecho de asistir a los concursos literarios y artísticos organizados por la dirección y sus nombres se publicarán. Se harán también públicas las adhesiones y dimisiones. Todo esto puede parecer quimérico, pero no carece de ingeniosidad. Altos patrocinios eran necesarios para infundir confianza y provocar un efecto de incitación social. Alentados por las atenciones de que se habían beneficiado en las festividades de la coronación de Quintana, los redactores de *La España Musical y Literaria* decidieron dirigirse a doña Isabel II.

El 4 de junio de 1855, redactan los seis artículos de los estatutos de la asamblea de protectores. Estos estatutos van firmados en el orden siguiente: José Marco, Gustavo Adolfo Bécquer, Santos Julio Nombela, Juan A. Viedma, Luis García Luna.

Una súplica dirigida a la reina lleva la misma fecha del 4 de julio. Los redactores hablan en nombre de la juventud. Su desesperación se expresa con sencillez: «La juventud tiene cerrados todos los caminos, se ve en la necesidad de ahogar todas sus aspiraciones.» Desenvuelven su crítica. Los editores son comerciantes que no piensan sino en aumentar su capital. La política absorbe todas las energías sin provecho para la sociedad. El egoísmo impera; es a las flores del genio lo que el simún a las de los campos. Lo demuestra lo que ocurrió con la *Corona poética* a Quintana. El indeferentismo resulta el obstáculo mayor para la fundación de una academia que estimularía y recompensaría a la juventud. La creación de la junta protectora de *La España Musical y Literaria* tiende a vencer la indiferencia. Los firmantes no dudan de que la reina sea la primera persona que se digne inscribir su nombre en la primera página del álbum que acompaña la súplica. Las firmas se suceden en el orden siguiente: Marco, García Luna, Viedma, Nombela, Bécquer.

Según una nota del intendente general de la Casa y del Patrimonio Real conservada en el archivo de palacio, esta súplica no se entregó antes del 20 de octubre y no la acompañaba ningún registro. Dicha nota se relacionaba con la recepción de una carta redactada por Nombela, firmada por él, por García Luna y por Bécquer (domicilio común: calle de Atocha, número 20, cuarto 2.º) en la que se precisaba que, antes de la salida de la reina para El Escorial, habían tenido el honor de ser recibidos por ella y le habían remitido en mano propia la súplica y el álbum; habiendo desaparecido éste, se hallaban —así afirmaban— en el mayor apuro para dar efecto a su proyecto de constituir una asociación de protectores, apuro tanto más de lamentar cuanto que la prensa estaba esperando con «avidez» el resultado de sus diligencias en palacio. Los signatarios ofrecían presentar un segundo álbum si fuera necesario. Exageraban mucho las consecuencias de la pérdida del primer álbum pero la opinión que defendían sobre las relaciones entre la literatura y el prestigio internacional de los pueblos era, a no dudarlo, sincera. «Sin el *álbum* donde deben constar los compromisos de los Protectores, sin saber el número de acciones que representan SS.MM., nuestros trabajos están paralizados y de esto se irrogan innumerables perjuicios a nosotros y aun al país, si consideramos la influencia de la literatura en el engrandecimiento de las naciones.»

El intendente general hizo saber, por carta del 30 de noviembre de 1855, a los redactores de *La España Musical y Literaria* que la reina se había dignado suscribir en su nombre propio para doce ejemplares de la revista. Implicaba esta contestación que la reina no había aceptado ponerse al frente de la junta protectora. Ante esta negativa, Marco y sus amigos renunciaron a la asociación proyectada.

El padre de Nombela que, según el testimonio de su hijo, fundaba grandes esperanzas en el «talento privilegiado» de Bécquer, prestó socorro a *La España Musical y Literaria* en el transcurso del año 1855. Entregó al tesorero de la junta directiva, Juan Antonio Viedma, una cantidad de 1.000 reales tomada prestada a un usurero a cambio de un recibo de 2.000 reales restituibles en un plazo de diez meses. Desgraciadamente gastó Viedma este dinero en fines personales, festivos y galantes, según parece. Sus camaradas se dirigieron a su familia que resarció al padre de Nombela. Tal vez permitiera este reembolso —lo asegura Frutos— la reaparición de la revista con el nuevo título *La España Artística y Literaria* el 16 de marzo de 1856: esto explicaría que Nombela fuese el principal redactor de la nueva publicación cuyo tiempo de vida se ignora.

La breve vida de Juan Antonio Viedma (1831-1869) merecería un examen. Nacido en Jaén, era de origen andaluz como Bécquer y García Luna. Ya desde 1856 publica un folleto de 32 páginas titulado *Un ramo de pensamientos. Poesías.* José María de Cossío le dice compañero fraternal de Cánovas e indica que frecuentaba hacia 1855-1858 la tertulia del Café de la Esmeralda por donde aparecían Barrantes, Trueba y Luis Eguilaz. Estaría muy ligado con el poeta José Martínez Monroy (1837-1861), puesto que redactó su biografía, publicada con fragmentos del poema «El Arte» en la revista *El Arte en España* en 1865. Viedma introdujo un nuevo espíritu en la poesía histórica española con sus *Cuentos de la Villa* (reunidos en volumen de 1868), que evocan la vida madrileña del Siglo de Oro. En esta obra, el empleo de versos cortos y de metros variados, así como la predominancia de un lirismo fuera del tiempo son elementos de la mutación poética que se verifica entre 1850 y 1870 y de la que Bécquer no es sino el más genial representante. En la época de publicación de *Cuentos de la Villa,* Viedma servía como magistrado en La Habana, donde falleció. Algunos de los «Cuentos» habían sido publicados en *El Museo Universal* entre 1858 y 1862. Esta revista acogió el poema de Viedma *La Fe* mientras Bécquer era su director literario (1866, pág. 103).

* * *

En 1855, sin duda entre principios de abril y finales de octubre, encontraron Bécquer y Nombela, que se llevaron a García Luna, a otro mecenas en la persona de Javier Márquez. La creación de un semanario literario titulado *El Mundo* fue decidida. Gustavo Adolfo escribió un artículo-programa para el primer número que abarcó además un artículo de García Luna y poesías de los cuatro fundadores. Según Nombela, a cuyas memorias se debe el conocimiento de este hecho, el primer y único número fue impreso con cierto lujo en algunos millares de ejemplares, pero apenas se difundió por falta de una organización administrativa y comercial de alguna eficacia. En 1910 se había extraviado el único ejemplar que Nombela había conservado.

En el transcurso del verano de 1855, el equipo Bécquer-Nombela-García Luna-Viedma (al que se unió Carlos Navarro) se puso al servicio del fundador de un nuevo diario político madrileño, *El Porvenir*. Gustavo Adolfo estaba encargado de sacar partido de las publicaciones francesas y de presentar la actividad teatral en Madrid. Se había prometido 20 duros al mes a cada uno de los redactores. Este trabajo no duró más de un mes, según Nombela, pues el director no pagó sino la mitad de lo prometido. Del examen del *Journal de Madrid* (dirigido por Hugelmann) deduzco que *El Porvenir* fue fundado a mediados de agosto; el *Journal* anunció el 14 de octubre que Viedma se separaba en buenos términos de la redacción de *El Porvenir*.

* * *

Todas estas experiencias revelan que, hasta los primeros meses de 1856, Gustavo Adolfo perteneció a un grupo reducido de jóvenes que intentó con tenacidad llevar en Madrid una acción literaria y artística independiente. En este grupo Gustavo Adolfo fue, con Viedma, el artista más atractivo. Nombela, muy dedicado al trabajo, lo animó. Más aún que a la escasez de dinero se debe el fracaso de este grupo a su inexperiencia en materia de organización y a su impaciencia ante las resistencias que oponía al ímpetu artístico la dura realidad social de la época.

26. Presentación ante el público femenino: Bécquer en la revista *Álbum de Señoritas y Correo de la Moda* (1855)

El *Álbum de Señoritas y Correo de la Moda* se publicaba cada semana con éxito desde 1853. Definiéndose «Periódico de Literatura, Educación, Música, Teatro y Modas», ofrecía a las jóvenes un artículo educativo, un poema, una especie de folletín, una revista de la actualidad madrileña y unas páginas sobre moda, con grabados.

El equipo de *La España Musical y Literaria* hizo que se publicasen en el *Álbum* algunos de sus poemas en 1855. María del Pilar Sinués, la esposa o futura esposa de José Marco, publicaba también sus versos en el *Álbum*.

Bécquer dio también a este semanario un poema que me parece sacado de la colección formada en Sevilla, «Anacreóntica» (págs. 266-267 del tomo III, núm. 130, del 16 de septiembre de 1855), así como una narración corta de aspecto biográfico, «Mi conciencia y yo», que es el primer texto en prosa publicado que se conoce hoy. Esta narración presenta a las jóvenes lectoras el ambiente del Madrid literario contemporáneo. Salió en el número 135, del 24 de octubre de 1855 (págs. 310-312 del tomo III).

Los poemas publicados en el *Álbum* en 1855 por los amigos y asociados de Gustavo Adolfo fueron:

— De García Luna, «El jazmín mensajero» (pág. 338);
— de Viedma, «La Esperanza, balada» (pág. 290);
— de Marco, «Fábula» (pág. 382).

El nombre de Nombela no aparece en los escritos de los escasos investigadores que han podido examinar el tomo III del *Álbum de Señoritas y Correo de la Moda*.

Ángel María Dacarrete, andaluz, nacido en El Puerto de Santa María en 1827, cuyas huellas seguía un poco Gustavo Adolfo ya que, como él, había colaborado a las «coronas» de Lista y de Quintana, publicaba desde 1854 en el *Álbum*. Tenía también entrada en la revista el grupo del Café de la Esmeralda (Trueba, Barrantes, Eguilaz) al que pertenecía Viedma. Y por fin, Selgas y Arnao le dieron algunos poemas durante los años cincuenta.

Al tomar contacto con el *Álbum* y la poesía que lo impregnaba, encontró Gustavo Adolfo, de modo personal y directo, una sensibilidad diferente de la del medio literario que le había formado. Esta sensibilidad, matizada de germanismo superficial, tendía a una expresión más sencilla, más libre, caracterizada en poesía por el uso frecuente de la asonancia.

Para el año 1855, Rafael Aznar cita dos fragmentos extraídos del *Álbum de Señoritas y Correo de la Moda* que son buenas ilustraciones de esta nueva corriente de la poesía española.

De José María de Larrea, que publica en el *Álbum* «Amor de niño» el 16 de mayo y «En un álbum americano» el 31 de agosto, Aznar cita las dos estrofas siguientes del primero de estos poemas:

> Fría ceniza de esperanzas muertas,
> seca guirnalda de marchitas flores,
> imágenes de sombra ya cubiertas,
> memorias de dulcísimos amores.

Llegad como fantásticos ensueños
de vuestra fe con las brillantes galas,
llegad ya misteriosos y risueños,
de mi deseo en las gigantes alas.

El segundo fragmento citado procede de un poema de Manuel de Llano y Persi, nacido en Torrijos (Toledo) en 1826, colaborador de la *Corona a Quintana* (tomo III del *Álbum*, pág. 210):

Apenas los albores de la vida
prestan su luz a tus nacientes gracias,
cierne la inspiración sobre tu frente
sus bellas alas.

Cisne que el mar de las pasiones cruza
y allá, en sus ondas tímidas, resbala,
rompe tu voz en mágica armonía,
cánticos alza.

Entre las numerosas mujeres que colaboran en 1854 y 1855 al *Álbum de Señoritas y Correo de la Moda,* cita Rafael Aznar los nombres de Robustiana Armiño, poetisa asturiana melancólica, y de «Corina» (María Verdejo y Durán), que había publicado *Ecos del corazón* en Zaragoza en 1853. La más inspirada parece ser otra aragonesa, Dolores Cabrera y Heredia, autora de la colección *Las violetas* (Madrid, «La Reforma», 1850) donde figura por lo menos una imitación de Uhland, «La voz del cielo». Este libro lleva un prólogo de Gregorio Romero Larrañaga en que se subraya con razón la fe cristiana que se expresa en numerosos poemas. De Dolores Cabrera se lee en 1855 en el *Álbum de Señoritas* una traducción de Friedrich Krumacher, «Las lágrimas», y una imitación de otro poeta germánico, Herder según parece, «El hijo de la tristeza». En septiembre de 1855 (tomo III, pág. 274) publica aún un breve poema con la indicación «imitación del alemán»; se titula «La mujer y las rosas». Dolores Cabrera y Heredia experimenta no sólo el espejismo germánico sino también, según Frutos, el muy reciente espejismo de la India. Tal vez un investigador de Zaragoza nos dé algún día informaciones sobre el foco de poesía femenina que, según toda probabilidad, brilló en Aragón por aquel tiempo, con singulares curiosidades exóticas. María del Pilar Sinués venía también de Zaragoza; tenía veinte años en 1855.

* * *

En un primer tiempo, Gustavo Adolfo debió de representar a los ojos de los redactores del *Álbum de Señoritas y Correo de la Moda* la perfección técnica del eclecticismo sevillano, atractiva a pesar de que el Sur pareciera vivir, desde el punto de vista de la inspiración poética, en un mundo de relojes parados.

Apreciaron la «Corona de oro» a juzgar por ese comentario sobre la *Corona a Quintana* ofrecida por *La España Musical y Literaria* que figura en el número 111, del 24 de abril de 1855:

> Largo y pesado sería nuestro artículo si hubiésemos de enumerar las bellezas que este libro encierra y el entusiasmo y respeto que revelan la mayor parte de las poesías que lo forman, por lo cual renunciamos a nuestro propósito, teniendo en cuenta los estrechos límites de nuestro semanario.
>
> Haremos, no obstante, mención de la brillante fantasía del joven poeta don Gustavo Adolfo Bécquer, que es acaso una de las mejores composiciones de la Corona y que demuestra el gran porvenir literario que a su autor espera.

Comentario profético, pero aquel gran porvenir iba a ser póstumo.

Después de tal manifestación de estima, la revista no podía menos de animar a Gustavo Adolfo publicando algunos de sus textos. Lo hizo, y con fidelidad, a pesar de un largo silencio (1855, 1860, 1861).

Algunos dibujos de Gustavo Adolfo me hacen pensar que tenía particular aptitud para el figurín de moda. No me sorprendería el que se haya procurado algunos ingresos por este lado.

* * *

«Anacreóntica» (16 de septiembre de 1855) expresa perfectamente las cualidades del joven Bécquer como discípulo de la escuela sevillana: fluidez, movimiento, sencillez.

El poema se compone de cincuenta y dos heptasílabos asonantes *a-a*. Se trata en cierto modo de un romancillo culto por oposición al romancillo popular en hexasílabos. Gustavo Adolfo presenta, pues, una composición cuya forma no se encontraba en la «Corona de oro», dando así una nueva prueba de la variedad de su talento.

El abandono de la «lira de cuerdas doradas» evocado en los dos primeros versos significa, además del cambio de registro, la búsqueda de la inspiración:

> Toma la lira, toma
> la de cuerdas doradas
> y dame la que alegres
> las flores engalanan.

El poeta, que es sacerdote a un tiempo ya que debe «cumplir de las Musas las órdenes sagradas», manda llamar a la linda Flérida y a sus compañeras por un joven, y ordena que se ponga la mesa a la sombra de los olmos, estando colocada en ella una copa finamente esculpida que narra el mito de Baco. El vino, «néctar de las parras», que se va a escanciar, simboliza la inspiración:

> Corre, muchacho, corre,
> de disponerlo acaba;
> que ya espero impaciente
> la hora de tomarla.

La evocación de la copa labrada me parece formar la parte más original del poema. Refleja las aficiones de Gustavo Adolfo en materia de dibujo:

> aquella en que la historia
> de Baco está grabada,
> sus valerosos hechos,
> sus ínclitas hazañas:
> aquella que las vides
> la tienen enredada.

* * *

«Mi conciencia y yo», breve relato de unas mil doscientas palabras, encierra una extraña mezcla de desdoblamiento poético (fuente de ironía), de predicación y de escenas de la vida de la juventud literaria madrileña en 1855.

Una corta introducción presenta el desdoblamiento que se verifica entre el literato, el artista que se expresa, hecho objeto del espectáculo social, y la intimidad personal, espectadora.

La anécdota que viene luego se descompone en tres partes: 1.º, la divagación del narrador en las calles de Madrid en una noche de temporal y el encuentro con un mendigo a quien niega una limosna; 2.º, la presencia del narrador en un café donde se reúnen jóvenes literatos; en este ambiente, el personaje que dice «yo» oye los vivos reproches de su conciencia; 3.º, la conclusión: siempre turbado, el narrador entra en el Teatro del Circo, huyendo del encuentro con esa voz de la conciencia que expresa la sensibilidad de su ser profundo.

Personaje invadido muchas veces por el tedio, el héroe tiene una filosofía bastante sombría: «El fastidio, el tiempo, he aquí los grandes asesinos de la humanidad.» Esta filosofía admite sin embargo cierta singularidad cómica, como se ve cuando el narrador juega con las palabras *matar* y *tiempo.* Ser extravagante, sale a la calle bajo un aguacero de tormenta. Su propio movimiento por las calles de Madrid inundadas parece liberar su imaginación: «... mi pensamiento vagaba también; yo por la tierra, él... que sé yo por donde, por un mundo al que él solamente sube. Ya no sentía el frío ni la lluvia...» La marcha rápida bajo la lluvia crea la posesión poética. Creo que Gustavo Adolfo expresa aquí una experiencia personal. El ruego del pordiosero sorprende al errático en estado de evasión poética: «Por la Virgen del cielo, una limosna, señorito.» La contestación es la del soñador cortés, bruscamente traído al plano de la realidad, «Perdone, por Dios, hermano», frase colocada a modo de epígrafe debajo del título.

Sigue la amarga carcajada de la conciencia ante esta evocación irrisoria de la fraternidad humana. Surge una hermosa visión. La forma femenina de velos flotantes, que estaba ya presente en los versos sevillanos, que va a inspirar la rima XV («Cendal flotante de leve bruma») y a ser objeto de la prosecución de Manrique en *El rayo de luna,* simboliza expresamente aquí el ideal que da su fuerza a la conciencia: «Volví la cara; a la luz de un relámpago creí ver el extremo de una túnica blanca, el último pliegue del vestido de una mujer que huía, que se ocultaba no sé dónde, quizá entre la niebla. Todo fue una ilusión, sólo vi al mendigo, a un joven pálido que me tendía una mano y una mirada suplicante; a un joven cuyas ropas goteaban, cuyos pies desnudos estaban sumergidos en la fría corriente del arroyo...» Escena de miseria sencilla y conmovedora.

Estalla de nuevo la carcajada en el café donde el protagonista se ha reunido con un alegre grupo de jóvenes de su edad. Se descubre aquí un estado psicológico, un estado de ausencia mental, semejante al que produce el potente efecto de la rima LV («Entre el discorde estruendo de la orgía»): «Me hallaba a punto de divertirme, cuando entre el murmullo y las risas de los concurrentes percibí una carcajada; una carcajada estrepitosa, resonante, aguda, pero que se apagó temblando y confundiéndose con el choque de la vajilla y el cristal de las copas.»

Se nota incidentalmente que un elemento de la rima LV está en el texto de «Mi conciencia y yo»: «... una carcajada que se perdía *como una nota de música* se extingue en el espacio...»

En la rima LV, el suspiro sustituye la carcajada burlona pero el ambiente sentimental resulta idéntico:

> Entre el discorde estruendo de la orgía
> Acarició mi oído,
> Como una nota de música lejana,
> El eco de un suspiro.

> El eco de un suspiro que conozco,
> Formado de un aliento que he bebido,
> Perfume de una flor, que oculta crece
> En un claustro sombrío.

La comparación de textos hace resaltar la equivalencia simbólica de la forma evanescente velada y de la religiosa de clausura, siendo el significado el ideal que mora en la conciencia, especialmente en la del ser joven.

El sentimiento religioso está muy presente en el texto de «Mi conciencia y yo», destinado a las jóvenes lectoras del *Álbum de Señoritas*. Está en conformidad con la personalidad del Gustavo Adolfo de esta época, aún muy próximo a la tradición sevillana. La voz femenina percibida en el café dice: «Mil palabras existen en la tierra, que puedes tomar en tus labios impuros; palabras que dicen amor, orgullo, placer, ambiciones; pero nunca digas "hermano", no profanes esa palabra santa que nació en el cielo y halló un eco de la tierra en la boca del Salvador.» La condenación de las vanidades humanas concuerda con los sentimientos permanentes de Gustavo Adolfo. No menos sincera aparece aquí su sensibilidad ante la miseria en un tiempo en que él mismo se encuentra de vez en cuando en situación de asistido.

Insensiblemente, el autor ha ido dejando la confesión y el mundo de su imaginación para dispensar una enseñanza moral de tipo impersonal.

Espantado, el narrador, el «yo» del relato, deja bruscamente la reunión. Un bromista asegura que se va a consignar sobre el papel el desenlace, que acaba de inventar, de alguna zarzuela. El narrador llega a la plaza del Rey y entra en el Teatro del Circo. Dándoselas de Don Juan, concluye diciendo (y aquí está sin duda el punto más flojo de esta fantasía): «Por la primera vez de mi vida tenía miedo de estar solo con una mujer, porque esa mujer era mi conciencia.» Acordémonos de que Gustavo Adolfo no ha alcanzado aún los veinte años.

Aquí Bécquer no es el narrador; pero es cierto que frecuenta los teatros y los cafés donde se reúnen los jóvenes para quienes los libretos de zarzuela son fuentes de ganancias. Dentro de poco va a imitarles.

Don Rafael Aznar observa que el uso de un solo signo de interrogación en las frases parece indicar una predominancia de lecturas francesas en esta época. Si se tiene además en cuenta el interés manifestado por el teatro, puede razonablemente formularse la hipótesis de que octubre de 1855 fue aproximadamente la época en la que Gustavo Adolfo colaboró en *El Porvenir,* periódico nuevo en cuya redacción estaba precisamente encargado, según Nombela, de analizar las informaciones transmitidas por la prensa francesa y de llevar la rúbrica de los teatros de Madrid.

* * *

Las colaboraciones de Gustavo Adolfo en el *Álbum de Señoritas y Correo de la Moda* fueron ignoradas por los responsables de la colección de *Obras* de 1871. Nombela tendría conocimiento de estas publicaciones de Gustavo Adolfo pero quedó apartado, por voluntad suya o no, de la elaboración de las *Obras*. Así se explica que «Anacreóntica» y «Mi conciencia y yo» no fueran descubiertos antes de 1910-1913, cuando Franz Schneider se vino a investigar en España. Dio a conocer estos textos en su tesis de 1914 (Leipzig) que no se difundió sino en un medio universitario reducido. Don Dionisio Gamallo Fierros fue quien, a partir de 1944, les dio más amplia audiencia en España. En 1970, don Rafael Aznar halló un ejemplar del tomo III del *Álbum de Señoritas y Correo de la Moda,* lo que le permitió dar un texto más fiel de «Mi conciencia y yo».

27. La hipótesis del descubrimiento de Toledo por Bécquer en 1855

Es probable que, aficionado a las artes como lo era, Gustavo Adolfo no haya tardado mucho en visitar Toledo después de su llegada a Madrid.

Don Vidal Benito Revuelta observa que, hablando de una tercera estancia en Toledo, el narrador de *Tres fechas* (relato publicado en el verano de 1862) oye decir por una anciana que el padre y la madre de la religiosa nuevamente ordenada han muerto «en el mismo día, del cólera, hace poco más de un año». Como la epidemia de cólera azotó Toledo con especial violencia entre agosto y octubre de 1855, la segunda estancia mencionada en *Tres fechas* tendría lugar en el verano de 1855 y el primero en la primavera del mismo año.

Por otra parte, se lee en el prólogo titulado «A quien leyere» del libro de Adolfo de Sandoval *Bécquer redivivo y el encuentro de Toledo* (Ed. Camarasa, Madrid, 1943) que el autor tuvo a menudo en la mano un manuscrito voluminoso de «impresiones becquerianas» redactadas por el poeta y guardadas por el erudito sacerdote toledano don Felipe San Román y Tejero, fallecido en 1920 en Madrid, siendo entonces rector del convento de la Encarnación y real capellán numerario. El destino del manuscrito después de la muerte de este último poseedor queda desconocido, añade Adolfo de Sandoval quien declara acordarse perfectamente del contenido del manuscrito que San Román y Tejero se negaba a dejar publicar a pesar de la insistencia de su amigo. Afirma Sandoval que Gustavo Adolfo visitó por primera vez Toledo con motivo de la Semana Santa de 1855. Agrega en la página 14 las extensas precisiones siguientes:

«Bécquer llegó a Toledo, y en sus diecinueve años, en la noche del 31 de marzo de ese año, hospedándose en una modesta casa de huéspedes de la calle del Nuncio Viejo, casa a la que se entra por un pequeño pasadizo, y feamente restaurada luego en su exterior. Tuvo por compañeros de hospedaje el poeta, a un muy culto y buenísimo Capellán mozárabe, a un profesor de la Academia de Infantería, un joven capitán, y a otro del Seminario. Todos simpatizaron muy pronto con el muchacho andaluz, con sus juveniles y contagiosos entusiasmos, con la alta nobleza de sentimientos que en todas sus palabras se traslucía. Y, sobre todo, el Capellán mozárabe, mentor suyo en la Catedral y otros ilustres sitios toledanos, y quien reiteradamente le rogó que le escribiese alguna de las impresiones suyas en esa su primera visita a la Imperial Ciudad. El poeta quiso complacerle; y todas las noches, al volver de sus románticas correrías a su hospedaje, escribía hasta las dos o las tres de la madrugada en su cuarto —y, a veces, en las Claverías de la Catedral, en el claustro de San Juan de los Reyes o en el paseo de San Cristóbal—, parte de esas sus impresiones, que llegaron a formar un abultado manuscrito del que, al irse de Toledo, hizo donación al mozárabe. Cuando éste, pocos años después, se fue del mundo, recogió sus libros y sus papeles, y entre éstos los escritos por Bécquer, un su sobrino, canónigo más tarde de Iglesia Primada. Y cuando, a su vez, el canónigo dejó la tierra, de sus papeles y de sus libros hizo generoso legado a su gran amigo, el buen sacerdote toledano Doctor Don Felipe San Román y Tejero.»

Una grave duda pesa, sin embargo, sobre este testimonio. Leo, en efecto, en la página 53 del libro: «Siguió hasta la callecica del Nuncio Viejo; y llegó a la casa que un amigo suyo de Madrid y gran conocedor de Toledo, el poeta Augusto Ferrán, le había buscado en las mejores condiciones, casa a la que daba ingreso un corto pasadizo.» La fraternal amistad de Augusto Ferrán está otra vez mencionada en la página 151 a propósito de una estancia situada hacia la fiesta de Todos los Santos en 1856. Sin embargo, el testimonio de Nombela, muy digno de fe sobre este punto, ya que fue un primo político de Ferrán, no deja lugar a ninguna duda; Gustavo Adolfo no conoció a Ferrán antes de que éste regresase de París, donde había vivido con Nombela, en el transcurso del verano de 1860. El relato de Adolfo de Sandoval resulta, pues, imaginario sobre este hecho preciso y creo prudente eliminar de la información biográfica becqueriana el *Bécquer redivivo*.

Esto no obsta para que Gustavo Adolfo haya visitado Toledo ya desde 1855, proyectando entonces empezar por esta ciudad, y más particularmente por la descripción de la iglesia primacial, la colección *Historia de los templos de España* cuya idea directiva, apologética, era la de *El genio del cristianismo,* de Chateaubriand. Las obras del escritor francés se aprecian mucho en España por aquellos años a juzgar por las iniciativas de un editor tan avisado como la casa Gaspar y Roig que publica las *Obras* ilustradas de Chateaubriand entre 1852 y 1858, especialmente *Memorias de Ultra-tumba, Atala, René*. Las obras propiamente históricas son reeditadas por Gaspar y Roig entre 1852 y 1854: *Estudios históricos,* así como *Los mártires o el triunfo de la religión cristiana* y *El genio del cristianismo o Bellezas de la religión cristiana.*

28. Una vida de bohemia laboriosa: 1856

No se sabe en qué momento Valeriano se volvió a Sevilla. Sería en el transcurso del primer semestre de 1856 pues Nombela indica que Gustavo Adolfo ya vivía, sin su hermano al parecer, en el número 8 de la calle de la Visitación (hoy 8, calle de Fernández y González), en una pensión situada en el cuarto piso de un «verdadero caserón», en una época donde ambos amigos estaban todavía relativamente desocupados y pasaban horas o días hablando de literatura y música en casa del pianista Lorenzo Zamora, a pesar del disgusto que tal ociosidad daba al ama del artista; ahora bien, la vida de Nombela cambia en 1856 cuando entra en la redacción de *El Diario Español,* donde se va a quedar hasta 1858, publicando en este periódico sus primeros folletines.

En la primavera de 1856, el grupo Nombela-Bécquer-García Luna entra en relación con Juan de la Puerta Vizcaíno, por intermedio de quien venden a dos valencianos los derechos sobre un drama titulado *Esmeralda* que habían compuesto inspirándose en *Notre-Dame de París,* de Hugo. Según Nombela, el oficioso corredor se ganó 2.000 reales con esta cesión de derechos. Los compradores cedieron muy pronto sus derechos a un editor especializado, Alonso Gullón, que presentó el manuscrito a la aprobación del censor de teatros para llevar la obra a la escena. La decisión del censor fue negativa. En virtud de una cláusula del contrato firmado por los tres autores, Gullón exigió la restitución de los 4.000 reales pagados. Se tornó contra Nombela, que tuvo que comprometerse a resarcirle progresivamente, en especial por cesión de derechos sobre obras futuras; así es como, en 1863, Nombela hizo beneficiario a Gullón de los derechos sobre una modesta zarzuela titulada *El colegial.* La liquidación de este negocio se verificó sólo en 1874 y, por efecto de los intereses vencidos, la deuda de Nombela alcanzaba entonces 12.000 reales; es verdad que el trabajo de Nombela le había permitido llevar un total de 14.000 reales al haber de su cuenta en la contabilidad de Gullón. Se ignora la suerte del manuscrito de *Esmeralda.* El texto del drama queda desconocido.

En sus memorias, Nombela hace de Juan de la Puerta Vizcaíno un explotador zalamero y sin escrúpulos. No obstante, guardó Gustavo Adolfo estrechas relaciones con él hasta los últimos días. En 1865, De la Puerta Vizcaíno le dedicó con las palabras siguientes el poema «El aire», de la colección de seguidillas *Risas y lágrimas:* «A mi querido amigo Gustavo Adolfo Bécquer.» El 17 de enero de 1865, Bécquer, que era entonces director de *El Contemporáneo,* hizo insertar en la gacetilla del diario este amistoso anuncio: «Hemos tenido el gusto de recibir una escogida colección de seguidillas, que con el título de *Risas y lágrimas* acaba de publicar nuestro querido amigo don Juan de la Puerta Vizcaíno. No dejamos de recomendar a nuestros lectores la adquisición de este tomito, que contiene bellísimas composiciones de aquel género, algunas de las cuales reproduciríamos con gusto a permitirlo nuestra publicación.»

De la Puerta Vizcaíno no dejó en la mente de Julia Bécquer el recuerdo de un rico bellaco sino el de un bohemio. La sobrina del poeta lo retrata como sigue, para los años 1866-1867: «Gran bohemio de aquel tiempo, el que, aunque no tenía casa ni hogar, iba acompañado siempre de su hermoso perro de Terranova, con el que estábamos entusiasmados los chiquillos por su inteligencia.»

El poema «El aire» y su dedicatoria son una señal de inteligencia entre dos artistas, de talento muy desigual sin duda, que tienen el mismo amor a la libertad:

> Siendo libre cual nadie,
> estoy cautivo
> entre los altos muros
> de lo infinito;
> y sólo cedo
> al Ser Omnipotente,
> único eterno.

De la Puerta Vizcaíno tendría algunas buenas relaciones en el palacio real pues, con ocasión de la publicación de *Risas y lágrimas,* lució el título de «secretario de la Sección de Ética y literatura de la Real Academia de Arqueología y Geografía del Príncipe Alfonso». Creo que estas relaciones fueron útiles para la realización de la historia de los monumentos religiosos con la que soñaba Gustavo Adolfo.

De la Puerta Vizcaíno es conocido además como autor de medianas obras teatrales, de novelas (cuya paternidad resulta dudosa, según Nombela) y de *La sinagoga balear,* subtitulada *Historia de los judíos de Mallorca* (1857), obra en la que Rubén Benítez ve, más bien que un trabajo histórico digno de tal calificación, «un catálogo de datos y de nombres que aparecen en los juicios de la Inquisición». En 1885, De la Puerta Vizcaíno era el corresponsal en París de *La Correspondencia Imparcial,* periódico fundado por Eloy Perillán Baxo; esta huella es la última que tengo de él.

Tomando cuerpo la idea de *Historia de los templos de España,* es de suponer que Gustavo Adolfo visitara de nuevo Toledo en 1856.

En cuanto al teatro productivo, *Esmeralda* no permanece aislada pero se abandona el género del drama cuando Nombela se aleja para dedicarse al periodismo y al folletín. Una comedia corta, *La novia y el pantalón,* es obra que Gustavo Adolfo y García Luna consiguen hacer representar el 15 de noviembre de 1856; en la misma época, escriben con esmero una zarzuela, *La venta encantada,* cuya impresión no se realizará antes del otoño de 1859 y que no se representará durante la vida de ambos autores. Como se verá más adelante, *La novia y el pantalón* refleja un tanto, con algún humorismo, la vida de Gustavo Adolfo y de su amigo en 1856.

Ramón Rodríguez Correa indica haber llegado a Madrid en 1856, viniendo de Sevilla: «Corría el año 56, y entonces llegué también a buscar lo mismo que Gustavo, con quien en los primeros pasos me encontré en el terreno de las letras.» Lo que Gustavo Adolfo había venido a buscar en Madrid —precisa Rodríguez Correa— era un trabajo literario que le permitiera vivir y fuera compatible con «la independencia de su carácter». Poco después, un protector hizo entrar a Gustavo Adolfo y Rodríguez Correa como escribientes fuera de plantilla en la Dirección de Bienes Nacionales, con el sueldo anual de 3.000 reales; pero Gustavo Adolfo se dejó sorprender entreteniendo a sus colegas de oficina con dibujos que representaban unos personajes de *Hamlet* y fue licenciado. Privado del trabajo de que comía, volvió a su vida insegura, dedicándose probablemente a escribir el libreto de *La venta encantada,* a preparar *Historia de los templos de España* y, más hipotéticamente, a hacer algunas traducciones de que habla vagamente Rodríguez Correa, mientras éste buscaba un empleo en la prensa. A partir de este momento tiene Gustavo Adolfo la suerte de poder contar con un apoyo y un consejero tan afectuoso como convencedor en la persona de su amigo Ramón.

Es de notar que, en sus recuerdos becquerianos, Nombela y Rodríguez Correa, que se verían más de una vez, no mencionan nunca el nombre del otro.

El período que va del verano de 1856 a finales del primer semestre de 1857 corresponde a la evolución que evoca brevísimamente Gustavo Adolfo al escribir en la tercera de las *Cartas desde mi celda,* disimulando los aspectos más llanos de sus actividades: «... Después que mis ideas tomaron poco a poco otro rumbo, y la imaginación, cansada ya de idilios, de ninfas, de poesías y de flores, comenzó a remontarse a épocas distintas, complaciéndose en vestir con sus galas las dramáticas escenas de la Historia, fingiendo un marco de oro para cada uno de sus cuadros y haciendo un pedestal para cada uno de sus personajes, volví a soñar, y como en las comedias de magia, nuevas decoraciones de fantasía sustituyeron a las antiguas y la vara mágica del deseo hizo posibles en la mente nuevos absurdos.»

En este texto se limita Gustavo Adolfo, por motivos que atañen a la

Ramón Rodríguez Correa

composición del conjunto, a evocar las fantasías que suscitaron en él los trabajos realizados con vistas a la publicación de *Historia de los templos de España*. Junto con el descubrimiento de Soria (que fue posible a partir de 1856, año en que el tío Francisco Bécquer, «Curro», se estableció en esta ciudad) y del Somontano, estos trabajos crean toda una corriente de la inspiración de Bécquer, la que tiende a restituir la vida a los monumentos, ruinas, leyendas y recuerdos de la Edad Media. En el plano de la sensibilidad y de las técnicas poéticas, la importancia de los años 1856-1858 reside sin embargo principalmente en la mudanza del gusto que se va cumpliendo entonces en Madrid, en el creciente éxito de una poesía sencilla que expresa ora las emociones personales (la corriente germanizante, especialmente heineana), ora la angustia universal (confluencia de varias tendencias reunidas bajo el término, entonces ambiguo y sospechoso, de «romanticismo»). Gustavo Adolfo va a encarnar secretamente esta mudanza, lo que se hará poco a poco manifiesto sólo después de su muerte. Por fin, el conocimiento de la India y de su literatura, hecho todavía excepcional en la España de los años 1850, va a enriquecer sus experimentos de creación literaria.

29. Acceso a la escena. La comedia *La novia y el pantalón*

Uno de los censores de teatro, Escobar, aprobó el texto de esta comedia el 23 de septiembre de 1856. La sátira de la vida política española no inquietaría mucho a los gobernantes aquel año, pues la censura dejó pasar estas réplicas:

ROBERTO:	¿Pues, hombre, por quién me toma?
PANTALEÓN:	¿Por quién? Por un farsante.
ROBERTO:	¡Cuidado... No soy ministro!

(Escena XI.)

La comedia se representó en el Teatro de Variedades a partir del 15 de noviembre siguiente y se imprimió en la *Biblioteca Dramática. Colección de comedias representadas con éxito en los teatros de Madrid.* (Imprenta de Vicente de Lalama.) Cabe en un folleto de 10 páginas con dos columnas. Su designación se lee como sigue en la primera página: *La novia y el pantalón. Comedia en un acto, original y en verso, por Adolfo García...*

Las peripecias de la intriga son las siguientes. El pintor Alfredo está esperando, en el desván que le sirve de estudio, a su bonita cliente Luisa cuyo retrato ha terminado y a quien debe acompañar para la compra de un marco. No posee más que un pantalón que se halla entre las manos de Enriqueta, su novia, quien debe devolvérselo después de planchado. Está atrasada. Llega inesperadamente de Valencia el poeta Roberto, amigo de Alfredo, quien le da comida y cama. Alfredo aprovecha el sueño de Roberto para tomarle el pantalón. Aún no ha vuelto Enriqueta cuando llega Luisa, que resulta ser la novia de Roberto, a quien va destinado el retrato, lo que ignora Alfredo. La voz de Luisa despierta a Roberto quien se cree traicionado. Preocupado por el problema del pantalón, Alfredo consigue salir con Luisa, inquieta, para acompañarla al almacén de marcos. Privado de su pantalón, Roberto tiene que renunciar a seguirlos. Enriqueta llega entonces con el pantalón planchado de Alfredo. Roberto echa mano de la prenda de vestir y narra su desgracia amorosa, que parece ser también la de Enriqueta. Don Pantaleón padre de Enriqueta, llega a su vez, en el momento preciso en que Roberto está acabando de ponerse el pantalón de Alfredo. Don Pantaleón pretende obligar a Roberto a casarse con su hija. Alfredo y Luisa regresan. Sucede una explicación general. Se establecen las inocencias. Roberto y Alfredo van a casarse respectivamente con Luisa y Enriqueta. Una décima final sirve de epitalamio y de saludo al público según la mejor tradición española.

Algunas situaciones cómicas son proporcionadas por la presencia de un personaje accesorio, Brígida, tipo de la solterona coqueta, que se ha enamorado de Alfredo. Brígida pertenece a la tradición procedente de la Belisa de *Les femmes savantes* (Molière) como don Pantaleón a la del teatro español del honor paterno.

El movimiento es rápido. La risa surge fácilmente de los elementos cómicos, con múltiples *quid pro quo.* Hacer salir a la escena a dos protagonistas que están varias veces en calzoncillos (largos por cierto, en 1856) no dejaba de ser bastante atrevido, pero el efecto de indumentaria (Alfredo viste un gabán largo al levantarse el telón) provocaba ya la risa.

Estamos muy próximos al *vaudeville* parisino. Se adivina que las *Escenas de la vida bohemia,* de Henry Murger, publicadas en 1851, han sido leídas por el público y los autores.

Un poco de vida cotidian ponen aquí Gustavo Adolfo y García Luna ante los ojos del público al presentarle a un pintor y a un poeta, tan desprovisto de dinero el uno como el otro. No me extrañaría que la idea del problema planteado por la posesión de un único pantalón decente fuese sacada de su experiencia personal. Lo cierto es que se han divertido mucho y se han reído de sus propias dificultades al escribir los romances y las redondillas de que se compone la comedia.

La observación exacta de la vida del pintor en su tecnicidad se refleja en la obra, por ejemplo en este pasaje relativo a la selección del marco para el retrato de Luisa:

> LUISA: Un óvalo, al que adornan
>   con follaje, o...
> ALFREDO: Por supuesto
>   un óvalo; así resalta
>   más la figura, y se acorta
>   el fondo...

En esta comedia ligera, llena de alegría, se encuentran por otra parte huellas de los desagrados y decepciones de ambos jóvenes. Una amargura dominada se expresa a través de la comicidad:

> ALFREDO: ....
>   Reniego de mi destino
>   y del primer tarambana
>   que tuvo la infausta idea
>   de ser artista en España.
>
>   Aquí el talento es artículo
>   de puro lujo...
>
>   (Escena I.)

La poesía no alimenta ni da ropa:

> Ya veo que está vacía
> de sustancia la maleta...
> Dime, chico: el que es poeta,
> se viste con la poesía?
>
>   (Escena VI.)

La escena VI de que procede esta redondilla es la más rica en indicaciones sobre el estado de ánimo de los autores después de dos años de vaguear en los medios literarios madrileños. Alfredo, el soñador, y Roberto, quien se figuraba que la poesía podía dar gloria y dinero, se burlan juntos de sus ilusiones. Estos personajes parecen resultar de un desdoblamiento esquematizado del joven Bécquer.

Por muy caricaturesca que se presente aquí, la vida del espíritu que describe Alfredo no dista mucho de la de Gustavo Adolfo tal como nos la pinta Nombela para la época referida:

ALFREDO: Mi casa es esta buhardilla,
                 y mi equipaje, el que ves.
                 Mas me distraigo... Recibo...
                 tengo biblioteca aquí...
                 sala de armas... y así
                 artísticamente vivo.
                 Poseo de Cadalso un tomo...
                 completa la Casa blanca*,
                 otra novelilla manca
                 y dos floretes sin pomo.
ROBERTO: ¡Ya es bastante!
ALFREDO: ¡Que si es!
                 Cuando leer se me antoja,
                 me detengo en cada hoja
                 con reflexiones un mes;
                 luego a un florete me ajusto
                 y ya a fondo o cuchillada,
                 lo trueco en sable o espada
                 conforme cuadra a mi gusto;
                 y en ilusiones vagando,
                  y objetos reproduciendo,
                  logro estar siempre leyendo
                  y a todas armas jugando.

Conque, en esta obra ligera, escrita para divertir y ganar algún dinero, la denuncia de un ambiente social antiartístico es tan clara como la ironía con la que se autoanalizan los jóvenes artistas.

30. *La venta encantada*, primera zarzuela de Bécquer y de García Luna. Una historia agitada

Después de *La novia y el pantalón,* Gustavo Adolfo y García Luna decidieron hacer su entrada, bajo el mismo pseudónimo de Adolfo García, en el mundo de la zarzuela. Los motivos económicos serían determinantes, pero hay que tomar en cuenta el encanto que ejercía la música sobre estos jóvenes autores. El interés poético que ofrecía el asunto elegido desempeñó también cierto papel en esta resolución. Los dos libretistas sacaron del *Quijote* varios episodios centrados en la novela de Cardenio y Lucinda tal

---

  * *La Maison blanche* es una célebre novela de Paul de Kock publicada en 1840, traducida al español en tres volúmenes por Félix Enciso Castrillón en 1843 *(Obras completas* de Paul de Kock, Unión Literaria) e incorporada en 1850 en *Colección completa de las novelas de Paul de Kock* («Biblioteca festiva»).

como se desarrolla entre los capítulos XXXIII y XLVII de la primera parte de la obra de Cervantes. Esta novela presentaba amores patéticos, episodios adaptables al movimiento veloz de una comedia de capa y espada y también atractivas posibilidades poéticas a través de los extravíos imaginativos de Cardenio y de Don Quijote. Gustavo Adolfo aprovechó estas posibilidades en los actos I y III, que son su obra como lo revela el manuscrito 14.593[4] de la Biblioteca Nacional de Madrid. Una de las hojas lleva un boceto de Gustavo Adolfo que no parece haber sido publicado; don Juan Antonio Tamayo lo describe como sigue: «Dibujo a pluma... que representa a Dorotea en el momento de ser descubierta (una joven en hábito varonil, con el caballo suelto, los brazos cruzados pudorosamente sobre el pecho, mientras un rostro de hombre la contempla).»

Escribió García Luna el acto II, que no contiene ningún trozo poético, Tamayo opina que Bécquer escribió toda la parte cantada.

Este trabajo fue sin duda la oportunidad que permitió que Gustavo Adolfo conociese al compositor Antonio Reparaz, nacido en 1831 en Cádiz, quien escribió la música de *La venta encantada*. En 1856-1857 se halla Reparaz en Zaragoza, antes de vivir en Oporto (Portugal) después de una corta estancia en Italia. Gustavo Adolfo quedará en estrecha relación con la familia Reparaz, presente en Madrid a partir de 1860, hasta su salida para Cuba en 1866.

Es probable que, estando ya acabado o muy adelantado el libreto de *La venta encantada*, supiesen los autores por el Teatro de la Zarzuela o el editor Gullón que Ventura de la Vega, autor del drama en prosa *Don Quijote de la Mancha en Sierra Morena (1832)*, planeaba escribir una zarzuela sobre el mismo tema. Dada la influencia de que disponía Ventura de la Vega en el medio teatral, Bécquer y García Luna tuvieron que tomar contacto con él; la representación, igual que la publicación, quedaron aplazadas. Según toda probabilidad, Ventura de la Vega puso su proyecto en ejecución mientras las puertas de los teatros quedaban cerradas para *La venta encantada;* se lee, en efecto, en un comunicado de las *Novedades* de mayo de 1858:

«Varios periódicos anuncian que el Excmo. Sr. D. Ventura de la Vega escribe una zarzuela titulada Don Quijote, la cual pondrá en música el Sr. Barbieri para la temporada venidera. Esta noticia nos ha recordado que dos años ha fue presentado a la empresa del teatro lírico español un libreto, también basado en la novela del inmortal Cervantes y nominado ''La venta encantada''. El autor o autores de esta obra no eran oficialmente excelentísimos en ninguna acepción de la palabra. De aquella zarzuela no ha vuelto a saberse nada después que los periódicos anunciaron su presentación; y como un recuerdo trae otro, el Don Quijote del Sr. Vega nos hace preguntar: ¿Qué habrá sido de ''La venta encantada''? Entiéndase que esta pregunta no se la hacemos al Excelentísimo Sr. Don Ventura de la Vega.»

Haciendo eco a esta protesta, que sólo podía dimanar de un amigo de los autores, Rodríguez Correa escribió el 12 de mayo de 1858 en *La Crónica:*

«Nosotros, que tenemos el gusto de conocer particularmente a los autores de la obra antigua (Bécquer y García Luna), no de la moderna (Ventura de la Vega), hemos oído de sus labios una historia sobre "La venta encantada" verdaderamente encantadora. En ella hay duendes, varitas mágicas, promesas, desapariciones, encuentros, muerte y resurrección. Pero como estas narraciones se nos han confiado en el seno de la amistad y no estamos autorizados para publicarlas, nos abstenemos de hacerlo, aconsejando, por otra parte, a nuestros jóvenes amigos, a que lo hagan.»

En el verano de 1859, Bécquer y García Luna se resolvieron a someter su libreto al censor. Antonio Ferrer del Río, censor de teatros, dio su aprobación el 10 de octubre. No habiéndose presentado ninguna posibilidad de representación, los autores entregaron el manuscrito a Alonso Gullón, quien lo publicó en su colección «El Teatro, colección de obras dramáticas y líricas» antes del final de 1859. La portada dice: «La venta encantada. Zarzuela en tres actos y en verso, letra de Don Adolfo García. Música de Don Antonio Reparaz.» El folleto comprende 74 páginas. El libreto contiene la carta-dedicatoria siguiente a Ventura de la Vega:

AL EXCELENTÍSIMO SEÑOR
DON VENTURA DE LA VEGA

Muy señor mío: Hace más de dos años me dió usted palabra de no escribir una zarzuela que tenía en proyecto, y cuyo asunto pensaba tomar del inmortal libro de Cervantes en la parte que refiere la aventura de CARDENIO. Usted supo entonces que yo había presentado en el teatro de la Zarzuela una con el mismo argumento, y a la que titulé *La venta encantada.* Es decir, que usted, sin conocerme, me dispensó un favor de grande importancia.

Agradecido a tan caballeroso proceder, y deseando dar a usted públicamente una prueba de mi reconocimiento, me tomo la libertad de dedicarle esta modestísima obra, que si hoy sale a la luz pública y mañana acaso se presenta en la escena, lo debe a un acto de su generosidad y al respeto con que miran su palabra empeñada los hombres pundonorosos y caballeros.

Tengo el honor de repetirme a sus órdenes atento y agradecido servidor, q. b. s. m.,

ADOLFO GARCÍA.

El *Don Quijote* de Ventura de la Vega, con música de Asenjo Barbieri, el más célebre músico madrileño de la época, se representó por primera vez el 23 de abril de 1861 y se imprimió en el mismo año.

Gustavo Adolfo no tuvo el gusto de ver *La venta encantada* en el teatro. Se representó en Madrid, por primera vez, el 21 de noviembre de 1871, once meses después de su muerte.

* * *

La redacción de este primer libreto de zarzuela dio a Gustavo Adolfo la oportunidad de familiarizarse con las formas versificadas destinadas al canto. Este trabajo le acercó a los gustos del público madrileño y contribuyó a flexibilizar su arte de la versificación.

Estima don Juan Antonio Tamayo que *La venta encantada* es una zarzuela concebida y versificada con amor. Las partes recitadas se componen clásicamente de versos octosílabos que forman romances y redondillas, exceptuando el diálogo entre Don Quijote y Sancho (acto I, escena VII) en el que el escudero da cuenta de su imaginaria visita a Dulcinea; este diálogo está formado de endecasílabos asonantados *a-a*. La variedad métrica es, por lo contrario, característica de las partes cantadas, especialmente en el monólogo de Cardenio (escena IV del acto I), donde, en su extravío, el infortunado amante de Lucinda se imagina sucesivamente cantando al pie del balcón de la amada, dialogando con espíritus burladores, y por fin conduciendo a Lucinda al altar, todo esto antes de expresar su furor al pensar en la infidelidad de que se cree víctima.

La evolución hacia el estilo de las *Rimas* se nota claramente en este monólogo; pero la innovación formal queda como esquematizada y la expresión de la fantasía personal está limitada. He aquí algunos de los pasajes que motivan mi sentimiento:

> Ves esa luna que se eleva tímida!
> Blanca es su luz;
> pero aún más blanca que sus rayos trémulos
> blanca eres tú.
>
> *(Cantando.)*

> Cara esposa, en tu frente ese velo
> flota en pliegues de cándido tul,
> como flota alba nube en el cielo
> al cruzar su diáfano azul.
>
> *(Recitando)*

> Lanzad, oh nubes, lanzad un rayo
> que ponga término a mi dolor!
>
> *(Recitando.)*

Como se ve, los acentos patéticos de ciertas rimas estuvieron precedidos de ejercicios meramente artísticos.

La escena V del acto III se presenta como un intermedio que nos enseña cómo el joven Bécquer se entrega, a la par que se divierte, a una construcción verbal cuyo rigor geométrico une simetría (el cuarteto central asonantado *á* forma el eje) y paralelismo (entre ambas estrofas de diez versos):

ESCENA V

CORO DE CABALLEROS.

CANTO

¡Chist!... Callad, callad; se alejan
y por nuestro el campo dejan...
    Quedo, quedo...
Con sigilo y con denuedo
avanzad.
A lucir va ya la aurora;
sonará pronto la hora.
    Chito, chito,
y la presa en el garlito
caerá.

No llega don Fernando
y es hora ya.
                    (Suena dentro una trompa.)
Pero callad. ¿Oísteis?
Es una señal.
                    (El Coro contesta a la seña.)
Ya que todos se alejaron
y al fin libres nos dejaron,
quedo, quedo;
gran sigilo, no haya miedo
y esperad.
Llegó al fin la ansiada hora,
a lucir va ya la aurora...
    Chito, chito,
y la presa en el garlito
caerá.

Una anticipación del sarao de *El Cristo de la Calavera* se encuentra en esa visión que tiene Don Quijote de los salones del palacio de Dulcinea donde se asocian mar y luz como en muchas rimas:

Cuando ya en los salones penetraste
en que la muchedumbre cortesana,
océano de luz, de oro y de perlas,
se agita en brilladores oleadas,

. . . .

(Acto I, escena VII.)

El rasgo más becqueriano de *La venta encantada* reside sin embargo en la transformación que experimenta en la zarzuela la comitiva que acompaña a Don Quijote a su aldea. El caballero, que se cree víctima de un encantamiento, se halla, atados los miembros, en una jaula colocada sobre un carro de bueyes. En la escena final de la zarzuela, Bécquer viste de blanco a los fantasmas que menciona el texto de Cervantes y pone en sus manos velas encendidas; estos personajes fantasmales preceden la jaula, colocada en parihuelas, en que está encerrado Don Quijote. «Compás y mesura. Más lúgubre: así», precisa el barbero. Un Miserere burlesco («Miserere, miserere, / de este noble paladín. / Resignados acatemos / los decretos de Merlín») completa este cuadro que evoca la marcha de un cortejo fúnebre o un paso de Semana Santa. Creo que Gustavo Adolfo se había complacido en imaginar el encantamiento como una especie de muerte (la de la voluntad en este caso) y su bien como un nuevo nacimiento; esto explicaría el empleo de las palabras «muerte y resurrección» en el comunicado de Rodríguez Correa del 12 de mayo de 1858.

Así vemos que el libreto de *La venta encantada* ha dado oportunidad a Bécquer para ejercitar a la vez sus facultades imaginativas, que se aproximaban a las de Cervantes en su complejidad, y sus diversas dotes técnicas. Este trabajo ha contribuido también a que su arte evolucione hacia cierta adaptación a los gustos de la burguesía y del pueblo madrileños.

31. La evolución del ambiente poético madrileño entre 1856 y 1860. Las *Rimas* como confluencia

José Selgas, Antonio Arnao o Campoamor me parecen ser, en 1856, los más activos representantes de la poesía de penetración, es decir de la que, apartando los ornamentos y ritmos tradicionales, intenta herir la sensibilidad contemporánea.

Varios mensajes poéticos llegados del extranjero favorecen el contacto buscado: desde 1848 conocen los poetas españoles la particular expresión lírica de Heine, transmitida por las traducciones francesas publicadas en la *Revue des Deux Mondes*. Después de la muerte de Heine (17 de febrero de 1856), una reducida parte de su obra se españoliza y da origen a formas nuevas. De modo menos llamativo, la poesía de Byron, anterior a la de

Ramón de Campoamor

Heine, surge de nuevo y ejerce una acción semejante. Las *Hebrew Melodies (Melodías hebreas)* son las que atraen. A principios de los veranos de 1851 y 1854, *El Semanario Pintoresco Español* presenta la traducción de numerosos fragmentos de esta obra. Aunque para Campoamor Byron sea el «Job del alma», a quien rechaza con horror, no deja de leerlo. La dicción directa, apasionada, muy musical de Musset sigue también seduciendo: en un artículo de *La América* del 24 de septiembre de 1861 titulado «El cementerio del Pére Lachaise en París», Luis Mariano de Larra considera a Musset como el poeta francés más destacado tras Lamartine y delante de Hugo.

La época está impregnada de todo lo que representa la «balada», palabra vaga a la que da cierta notoriedad la publicación de las *Baladas españolas,* de Vicente Barrantes (1853). Con sinceridad reconoce Barrantes cuán difícil es precisar el contenido de esta palabra. Lo caracteriza por los efectos psicológicos del decir poético: «Podría decirse que tiene: de la égloga, la sencillez; de la leyenda, el calor; de los romances antiguos, la melancolía, y de los cantos populares, el espíritu.» Barrantes ilustra su propósito con ejemplos históricos; Byron, Goethe y Schiller figuran en esta revista:

«Las baladas de Walter Scott —por ejemplo—, que viven con tanta fama, son leyendas históricas en su mayor parte, de acción dramática tal vez y de diálogo las más, y distintas, en fin, de todo en todo, de las de Goethe y Schiller, que conservan mejor su primitiva forma y sencillez. Adoptan Delavigne y Víctor Hugo un término medio, y aunque dramatizando en el fondo la acción, como era necesidad de escritores franceses, imitan la forma y el no sé qué apacible y vago de los alemanes, maestros en este género. Byron, en cambio, hace lo que nosotros hemos hecho; imita lo que le place de unos y otros, aunque les muda el nombre en melodías» («Advertencia del autor», *Baladas españolas,* Madrid, 1853).

Luis Eguilaz, el prologuista de las *Baladas españolas,* tenía conciencia de que el libro debía tomarse en consideración dentro de un vasto movimiento de renovación de la lírica española: «El nuevo sol de la lírica española comienza a brillar, disipadas las sombras de una noche que amenazaba ser eterna. En los momentos en que escribimos estas líneas, Selgas acaba de dar a luz otro libro *(El estío),* más hermoso, si cabe, que *La primavera.* Trueba comenzará en breve la publicación de un romancero popular, que debe añadir algunas hojas más a su corona de poeta: al lado de ellos, Barrantes.»

Gustavo Adolfo estuvo en relación con la escuela española de la balada por sus contactos con Juan Antonio Viedma. Va a dar la calificación de «melodía» (Byron) a dos de las primeras rimas publicadas: XV, «Cendal flotante de leve bruma» (24 de octubre de 1860), y LXI, «Al ver mis horas de fiebre» (final de 1860). Las baladas, en el sentido vago de Barrantes,

Lord Byron

existen en la colección de las *Rimas* aunque tal designación no aparezca en los títulos de los poemas publicados durante la vida del poeta. Merecen la denominación de balada rimas tales como la LXX («¡Cuántas veces al pie de las musgosas / paredes que la guardan»), la LXXI («No dormía; vagaba en ese limbo»), la LXXIII («Cerraron sus ojos»), «Lejos y entre los árboles», entre otras.

Los poetas madrileños van a encontrar en las poesías de Heine todos los aspectos de la balada: lo fantástico (muchas veces con matices lúgubres), lo histórico (de ambiente medieval con frecuencia), lo lírico (con predominación irónica y dolorosa aquí): Gustavo Adolfo va a seguir, entre otros, estos tres caminos en su obra en prosa y en verso. Y se aficiona, como todos sus amigos de Madrid, a los nuevos modelos formales que E. Florentino Sanz va creando y puliendo en sus traducciones de 1856 y 1857.

Entre los poetas afectados por el movimiento heineano iniciado por las traducciones de Agustín Bonnat y sobre todo de E. F. Sanz, Ángel María Dacarrete (El Puerto de Santa María, 1827-Madrid, 1902) fue probablemente el que llamara más la atención, aunque sus poemas se hubiesen quedado dispersos en las revistas, almanaques y álbumes durante su vida. En varias ocasiones sus obras se hallaron al lado de las de Gustavo Adolfo en las revistas y las colecciones. Algunos poemas, poco numerosos sin embargo, encierran acentos comunes que resultan principalmente de la seducción ejercida sobre ambos andaluces por ciertos aspectos de las obras de Byron, de Heine y de Musset, así como de los ejercicios semejantes de estilo a que se entregaron bajo la influencia de las traducciones de Eulogio Florentino Sanz. Sin embargo, pudo ocurrir que Dacarrete y Bécquer empleasen, más o menos conscientemente, una imagen o un giro descubierto al leer un poema del otro.

Los debates que se organizaron en el Ateneo de Madrid durante el año 1876 sobre la poesía lírica se concluyeron por una exacta descripción del ambiente de la época en que brotaron las *Rimas*. En una forma que, por desgracia, denota prisa y peca de oscuridad, Canalejas resumió como sigue lo dicho sobre este punto: «Viniendo al asunto, recordaré que sostenían los señores Vidart y Revilla que reflejaba G. Bécquer el gusto de la poesía germánica, y principalmente el de Heine. Los señores Valera y Rodríguez Correa sostuvieron con razón que fue Bécquer ajeno a esos estudios, y que la influencia, si la hubo, fue la general que se percibía desde los tiempos de Sanz, Dacarrete y Selgas, y en las inquietudes y aspiraciones del último período.»

Canalejas hubiera debido recordar la importancia de Sanz como traductor de Goethe y de Heine, en particular respecto de Bécquer y de Dacarrete.

Algunos de los hechos que se acaban de evocar exigen algunas precisiones.

La traducción de «Neuer Frühling» («Nueva primavera»)
por Agustín Bonnat (marzo de 1856)

El interés de Agustín Bonnat (1831-1858) por la poesía alemana se manifiesta desde 1854. El 18 de febrero de aquel año publica en *La Ilustración* una reseña de las *Baladas españolas* de Barrantes en que informa al lector de que, según la concepción de los poetas alemanes, las baladas son «pequeñas poesías en que la vibración de la oda y la peripecia del drama se encuentran reunidas en un cuadro sencillo y franco». En esta ocasión compara someramente las baladas de Goethe y las de Schiller.

Amigo, entre otros escritores, de Carlos Rubio (1831-1871), de Núñez de Arce (1834-1903) y de Luis A. Ramírez Martínez Guerrero (quien firmará más tarde con el pseudónimo de *Larmig)*, Bonnat publica en diversas revistas entre las cuales está *El Semanario Pintoresco Español* en que sale, en febrero de 1856, su balada germanizante «Madre mía, me muero; ya la fiebre...» donde el amor y la muerte van unidas. Este mismo mes, el 17, fallece Heine en París. Bonnat da a luz su traducción en prosa de *Neuer Frühlig (Nueva primavera)* en *La Ilustración* tres semanas después, los días 10 y 17 de marzo (tomo VIII de la revista, núms. 367 y 368), bajo la rúbrica «Literatura alemana».

Una carta de Bonnat a Ángel Fernández de los Ríos, director de *La Ilustración,* sirve de introducción al libro de poemas traducido. En ella indica Bonnat que su trabajo estaba terminado desde hacía algún tiempo. Menciona las traducciones publicadas en la *Revue des Deux Mondes* e insiste en el hecho de que contribuyeron poderosamente a difundir los conocimientos sobre Heine fuera de Francia y de Alemania. En esta introducción se halla uno de los pocos testimonios españoles de lectura de la obra de Gerardo de Nerval y de aprecio de su personalidad: «Gerardo de Nerval los traducía al francés, ayudado por el autor; el pobre Nerval, uno de los genios más caprichosos, más originales y más poéticamente sencillos de toda la Francia y que, loco en sus últimos días, acabó su vida aventurera colgándose de una reja en una de las calles más hediondas de París.»

Bonnat presenta a Heine como un espíritu libre, imaginativo, escéptico y apasionado, cuya obra poética debe su unidad a la predominancia del sentimiento amoroso. Sus poemas son una mezcla de queja, de canto y de risa. Citando a Nerval, Bonnat escribe: «(Heine) sentía como Byron y como él era hijo del sol.»

Neuer Frühling (publicado en 1831 en el segundo volumen de los *Reisebilder)* daba a conocer a los lectores españoles una serie de poemas cortos en que se equilibraban amargura y dulzura, quedando moderada la ironía. Expresaba este libro una delicadeza que se armonizaba con la vivacidad de los sentimientos. Realizada en prosa, la traducción sólo permitía conocer la índole y las orientaciones de la inspiración de Heine. En cuanto a la técnica poética, el único informe sobre los originales consistía en la división estrófica.

La traducción francesa de *Neuer Frühling* se había publicado en la *Revue des Deux Mondes* en septiembre de 1855 (tomo 3 de 1855, págs. 1296 y sigs.). Bonnat la utilizó pero sin enajenar su libertad.

Como ejemplos, he aquí los poemas XIV y XXIII, así como su traducción francesa y española.

Primer ejemplo: poema XIV:

> *Wenn du mir vorüberwandelst,*
> *Und dein Kleid berührt mich nur,*
> *Jubelt dir mein Herz, und stürmisch*
> *Folgt es deiner schönen Spur.*
>
> *Dann drehst du dich um und schaust mich*
> *Mit den groben Augen an,*
> *Und mein Herz ist so erschrocken.*
> *Dasz es kaum dir folgen kann.*

[*Quand tu passes auprés de moi, quand ta robe m'effleure seulement, mon coeur bondit de joie et se précipite sur tes belles traces.*
Alors tu te retournes, tu me regardes avec de grands yeux, et mon coeur est si effrayé qu'il peut á peine te suivre.]

[Cuando pasas a mi lado, cuando tu vestido no hace más que tocarme, mi corazón se estremece de alegría y se precipita en pos de tus huellas.

Entonces te vuelves, me miras con tus hermosos ojos, y mi corazón se asusta de tal manera, que no puede seguirte.]

Aquí Bonnat ha seguido estrechamente el texto francés, como demuestra con claridad la traducción del primer cuarteto. Ha omitido la traducción del «kaum» (apenas), final que figura, sin embargo, en el texto francés. Ninguno de los traductores ha restituido fielmente el sentido de «vorüberwandeln» (pasar delante de) ni de «stürmisch» (tempestuoso).

Un lector como Bécquer podía ser seducido por la simplicidad de la lengua, por la fugacidad del cuadro bipartido, por la sutileza del contacto sugerido y por el carácter íntimo de la timidez expresada. La fuerza de las asonancias *(á, ú)* no le estaba señalada y no podía advertir que el poema se componía de dos cuartetos isométricos que tenían cada uno su asonancia peculiar; esta división en dos cuartetos y este uso de la asonancia van a manifestarse sin embargo en las *Rimas*. (Las dos rimas becquerianas más típicas son aquí la LVIII, «¿Quieres que de este néctar delicioso...?» y «Amor eterno».)

Segundo ejemplo: poema XXIII.

> *Wie des Mondes Abbild zittert*
> *In den wilden Meereswogen,*
> *Und er selber still und sicher*
> *Wandelt an dem Himmelsbogen:*
> *Also wandelst du, Geliebte,*
> *Still und sicher, und es zittert*
> *Nur dein Abbild mir im Herzen,*
> *Weil mein eignes Herz erschüttert.*

> [*Come au sein des vagues impétueuses tremble l'image de la lune, tandis qu'elle-même chemine, d'un pas sûr et calme, en haut de la voûte céleste.*
> *Ainsi toi, ma bien-aimée, tu poursuis ton chemin, calme et sereine, et c'est bien ton image qui tremble au fond de mon coeur, parce que mon coeur est ébranlé.*]
> [Cómo tiembla la imagen de la luna en medio de las olas impetuosas, mientras ella camina con paso seguro y pacífico por la bóveda celeste.
> Así tú, amada mía, sigues tu camino, tranquila y serena; y mientras tu imagen tiembla en lo más íntimo de mi corazón.]

Bonnat se ha conformado con la traducción francesa, que da imperfecta idea de «wild» (salvaje), que no respeta la repetición de «still and sicher» (tranquila y segura) y que complica la expresión «im Herzen» (en [mi] corazón). Ha suprimido la explicación final, dejando en su pureza la imagen del reflejo trémulo y tiñéndolo de misterio.

La traducción española sugiere con exactitud la idea del temblor tan característica de la lengua poética de Bécquer. El díptico naturaleza-corazón humano, muy becqueriano también, salta a la vista; pero el lector no puede saber que se trata de dos cuartetos que combinan asonancias y rimas consonantes alternantes, ejercicio al que no se ha entregado Bécquer.

Al leer estos poemas XIV y XXIII de *Neuer Frühling* se piensa en el comienzo de la rima XXXII:

> Pasaba arrolladora en su hermosura
> y el paso le dejé.

Fue Agustín Bonnat uno de aquellos espíritus curiosos del siglo XIX que la tuberculosis hizo desaparecer tempranamente. Su muerte, acaecida el 28 de noviembre de 1858, fue llorada por Nemesio Fernández Cuesta en la revista de la quincena de *El Museo Universal,* número fechado del 15 de diciembre. Educado en un colegio francés pero salido de la Universidad de Madrid, Bonnat era, según indica Fernández Cuesta, un joven escritor de «agudo ingenio y de grandes esperanzas» que poseía «un fondo poco común de erudición literaria». «Prometía ser un Alfonso Karr español» había apuntado el diario *El Fénix* el 30 de noviembre; tal era en efecto el camino seguido últimamente por Bonnat según testimonio de Pedro Antonio de Alarcón que fue su amigo y experimentó su influencia.

La traducción de Goethe y de Heine
por Eulogio Florentino Sanz (1856-1857).
La creación de nuevos modelos poéticos

En el otoño de 1854, Eulogio Florentino Sanz y Sánchez (Arévalo, 1825-Madrid, 1881), uno de los más nobles caracteres de la poesía española del siglo XIX, es nombrado para un empleo de la legación de España en Berlín. Esta entrada en el cuerpo diplomático le da ocasión de familiarizarse con la poesía alemana y de dedicarse a experimentos de traducción.

Su poema más célebre, *Epístola a Pedro,* está ligado con esta estancia berlinesa y con una visita a la tumba de Enrique Gil y Carrasco, fallecido en la capital prusiana en 1846. El poema, dirigido a Pedro Calvo Asensio (1821-1863), director de *La Iberia,* se publicó en *La Ilustración* el 3 de marzo de 1856. Lleva la fecha: «Berlín, 1.º de febrero de 1856.» Impresionaría vivamente a Bécquer, tan sensible a todos los aspectos de la muerte. Lo cierto es que se expresan en la tercera de las *Cartas desde mi celda* sentimientos semejantes a los de Sanz para con los cementerios madrileños; Gustavo Adolfo alabará los cementerios floridos de las aldeas como Sanz hace, en 1856, el elogio de los camposantos germánicos, «con su césped de flores amarillas».

Desde el punto de vista de la aparición de la nueva poesía becqueriana, lo más importante fue, no obstante, la publicación de las traducciones siguientes: la del poema de Goethe «Nähe des Geliebten» («Proximidad del amado»), en *El Semanario Pintoresco Español* a principios de marzo de 1856 (pág. 72), y la de quince poemas de Heine bajo el título «Poesía alemana. Canciones de Enrique Heine traducidas del alemán al castellano por Don Eulogio Florentino Sanz», en *El Museo Universal,* sucesor de *El Semanario Pintoresco Español,* el 15 de mayo de 1857.

Heinrich Heine

La fecha de las traducciones de *El Museo Universal* es «Madrid, 1.°
de mayo de 1857». Sanz había vuelto a finales de febrero como lo prueba
una noticia de *La Discusión* publicada el 25 de dicho mes *(Veinticuatro
diarios,* tomo IV, núm. 6.570).

Los poemas traducidos fueron, sin duda, más numerosos que las
traducciones publicadas. Los recitó Sanz en los medios literarios que frecuentaba. Entusiasmaron a los jóvenes poetas, quienes hallaban en este
predecesor a un consejero franco y severo, pero acogedor, abierto y
atento.

Franz Schneider supo por el mismo Nombela en los años 1910 que,
después de la publicación de las *Canciones* de 1857, Bécquer y él se
habían ejercitado en escribir poemas conformes al estilo de las traducciones
de Sanz.

Cuando se abre el libro de Nombela *Horas de recreo, cuentos, leyendas, poesías y baladas* (París, Rosa Bouret, 1861), dedicado a su padre,
se nota la presencia del influjo de Heine al lado del, más generalizado,
de la balada. Son también visibles las huellas del pastoralismo sevillano.
«La niña enferma» es una realización bastante lograda. He aquí la primera estrofa:

> —Di, madre ¿por qué la flor
> Que hoy nace pura y lozana,
> Al amanecer mañana
> Perderá aroma y color?

Un poema como «Amor» es totalmente heineano por su forma, esto
es, por el empleo de la asonancia y la división en tres cuartetos compuestos con octosílabos, pero tal vez la acción de Ferrán sea más importante
aquí que la de Sanz. La idea expresada pertenece al ambiente becqueriano
(rima XXIV, «Dos rojas lenguas de fuego»). He aquí este poema, flojo
pero típico:

AMOR

> Los dos a un tiempo gozamos
> Al confundir nuestras almas,
> Y separarnos no pueden
> Aunque de ti me separan.
>
> Los que una vez confundieron
> En una dos gotas de agua,
> Aunque a desunirlas vuelvan
> Lo que desean no alcanzan.

Harán dos de la primera,
Mas después de separarla,
Una tendrá de la otra
Lo que tienes de mi alma.

Otra prueba del éxito de las lecturas por Sanz de sus traducciones de Heine la proporciona Frutos, quien cita la dedicatoria de cinco poesías publicadas por Franciso Vicens el 8 de octubre de 1857 en el *Correo de la Moda:* «A mi amigo don Juan Antonio Viedma. Después de oír leer a D. Eulogio Florentino Sanz unas traducciones de Enrique Heine.» Viedma pertenecía, como se sabe, al círculo en que evolucionaba Bécquer. Como Nombela en «Amor», Vicens no se aparta sin embargo del octosílabo y sólo guarda de las traducciones de Sanz el espíritu y la práctica de la asonancia.

Juan Valera leyó las traducciones de Heine por Sanz. Hizo pública, en su reseña de la traducción de *Manfred* por José Alcalá Galiano y por Fernández de las Peñas (1861), la alta estima que le inspiraban.

Un testimonio sobre el magisterio poético de Sanz en esta época se lee en *Historia de mis libros,* de Pedro Antonio de Alarcón (nacido en Guadix en 1833, fallecido en 1891). En estos recuerdos precisa Alarcón lo que era el nuevo lirismo para el que Sanz le juzgaba poco apto: «... lenguaje vago, simbólico y algo sibilítico, donde mucho tenga que adivinar y suplir, por ley de repercusión armónica, el excitado espíritu del auditorio.» Se acuerda de que Sanz le había aconsejado del modo siguiente, que revela lucidez, autoridad y afecto a la vez: «Sientes bien la poesía —díjome en 1856 Eulogio Florentino Sanz— pero reflexionas después demasiado y concluyes por expresarla con sobrada claridad y lisura. No naciste para cantar, sino para pintar exactamente la vida interior y la exterior... No cantes: escribe» *(Historia de mis libros,* Madrid, Rivadeneyra, 15.ª edición, 1932, pág. 192).

Sanz estuvo lejos de ser un traductor fascinado por el modelo. El trabajo que efectuó sobre los poemas de Goethe y de Heine fue principalmente a sus ojos un medio para presentar a la juventud madrileña mensajes musicales capaces de atravesar el espejo de la conciencia para alcanzar las capas secretas de la personalidad. Los presentadores de las *Canciones* de *El Museo Universal* advirtieron que se trataba de obras de arte personales tanto como de trabajos de transmisión. Consideraron que un encuentro se había producido entre dos sensibilidades cercanas: la de Sanz y la de Heine, ambas alumbradas y heridas por la inteligencia y el sentido crítico: «Nadie mejor que el señor Sanz pudiera ser el intérprete español de Heine, por los muchos puntos de contacto que existen entre estos dos poetas, según podrán notarlo nuestros lectores al repasar algunas de estas canciones, que aun traducidas del alemán, parecen más bien originales del autor del *Quevedo* y *Achaques de la vejez.* Al ofrecerlas a los lectores del *Museo Universal,* tenemos la satisfacción de ser los primeros en demostrar al público que la residencia del señor Sanz en Alemania, como agente diplomático, no será estéril para las letras españolas, que ya miran en él con tanta razón uno de sus más dignos representantes.»

La parte final de esta nota de la redacción demostraba la importancia que el editor de *El Museo Univesal* (Gaspar y Roig) atribuía al trabajo de Sanz: «Advertimos a todos los periódicos que hemos resuelto usar del derecho que nos da la ley para impedir la reproducción de estas canciones sin nuestra anuencia.»

Conviene ahora buscar lo que cada una de la traducciones de Sanz pudo, tanto en la forma como en el sentimiento, enriquecer la poesía española, lo que transmitió del original y las huellas que pudo dejar en la obra poética de Bécquer posterior a mayo de 1857.

Desde el punto de vista de la forma, se caracterizan estas traducciones por la predominancia de la asonancia y de la polimetría. Se trata de creaciones experimentales variadísimas. En cuanto al fondo, domina una gama de sentimientos ligados al fracaso amoroso: pérdida del gusto de vivir, angustia, autoacusación, ironía.

Sin embargo, el poema de Goethe «Proximidad del amado», publicado en 1856 en *El Semanario Pintoresco Español,* pertenece a un registro afectivo de otra índole: expresa la exacerbación de la sensibilidad por la pasión y la ausencia del ser querido. Sanz se ciñe con bastante fidelidad a la obra de Goethe, tanto en el sentimiento como en la técnica. La alternancia de los endecasílabos y heptasílabos castellanos traduce perfectamente el ritmo del poema alemán. En cambio la asonancia aguda *a* es una invención de Sanz; las rimas del poema de Goethe son consonantes todas, con una sutil selección. He aquí, como ejemplo, el original de la segunda estrofa (son cuatro) y su traducción:

> *Ich sehe dich, wenn auf dem fernen Wege*
> *Der Staub sich hebt;*
> *In tiefer Nacht, wenn auf dem schmalen Stege*
> *der Wandrer bebt.*

> [Véote, cuando el polvo en las veredas
> arrolla el huracán;
> y en la sombra sin fin, cuando el que pasa
> se estremece, al pasar.]

Este balanceo 11-7-11-7 es uno de los más utilizados por Bécquer; se halla en las rimas XXI, XXII, XXXI, XXXIII, XXXVII, XLVII, XLIX,

Eulogio Florentino Sanz

LVI, LVIII, LXX, y en parte en las LV y LXIV. La asonancia aguda *a*
se emplea en las rimas XXXIII y XXXVII, lo que da a estos poemas una
forma idéntica a la de la traducción de Sanz. Véase como ejemplo la quinta estrofa de la rima XXXVII (texto de Bécquer que no sufrió ninguna
corrección):

> Allí donde el murmullo de la vida
> temblando a morir va,
> como la ola que a la playa viene
> silenciosa a expirar.

El motivo del poema de Goethe ha pasado a la rima XXVIII («Cuando entre la sombra oscura») con un ardor que hace de este poema uno
de los más sensibles de Bécquer; es uno de los pocos poemas con rimas
consonante de las *Rimas;* hecho excepcional también, Bécquer emplea el
octosílabo en esta composición exquisita, muestra del clasicismo teatral
más refinado en poesía.

La combinación 11-7-11-7 aparece otra vez en la traducción del número 51 de *Lyrisches Intermezzo* (mayo de 1857). Se aplica aquí de manera
arbitraria, puesto que los ocho versos cortos de Heine llamaban más bien
al empleo del octosílabo. Los dos cuartetos llevan la asonancia aguda *i*
que recuerda la asonancia alemana *ein.*

He aquí el texto de Sanz, de tonalidad un poco más dramática que el
de Heine:

> *Vergiftet sind meine Lieder...*
>
> ¡Que están emponzoñadas mis canciones!...
> ¿Y no han de estarlo, di?
> Tú de veneno henchiste, de veneno
> mi vida juvenil.
>
> ¡Que están emponzoñadas mis canciones!...
> ¿Y no han de estarlo, di?
> Dentro del corazón llevo serpientes,
> y a más te llevo a ti.

Los poemas compuestos de dos cuartetos con asonancia aguda única
forman una serie teórica de cinco (asonancias *a, e, i, o, u).* En esta serie,
Bécquer no se ha valido más que de la asonancia *a,* eso en la rima XXXIII,
«Es cuestión de palabras, y no obstante», netamente heineana. Las asonancias *o* y *u* se encuentran respectivamente en el cuarteto único de esquema 11-7-11-7 de las rimas XXII («¿Cómo vive esa rosa que has prendido...?) y XXI («¿Qué es poesía, dices, mientras clavas...?») que son ligeras
fantasías de álbum. El doble cuarteto 11-7-11-7 con asonancia aguda dis-

tinta en cada cuarteto le ha atraído; ha utilizado esta forma en las rimas
LVIII («¿Quieres que de ese néctar delicioso...?» —asonancia *e* en el primer cuarteto, *o* en el segundo—) y XLIX («Alguna vez la encuentro por
el mundo» —asonancia *i* en el primer cuarteto, *o* en el segundo—), ambas
heineanas. La forma del primer cuarteto de la rima XLIX es idéntica a
la traducción de Sanz (hecho rarísimo, esta rima no sufrió ningún retoque):

> Alguna vez la encuentro por el mundo
> Y pasa junto a mí:
> Y pasa sonriéndose y yo digo:
> ¿Cómo puede reír?

Por fin, ha utilizado Bécquer el doble cuarteto 11-7-11-7 con asonancia llana *a-a* en la rima XXXI («Nuestra pasión fue un trágico sainete»)
y con la asonancia llana *e-o* en la rima XLVII («Yo me he asomado a las
profundas simas») donde se oyen los acentos heineanos de queja y acusa-
ción pero en que el sentimiento de la fatalidad sustituye la ironía.

La traducción del número 51 de *Lyrisches Intermezzo* evoca para los
lectores de Bécquer la rima censurada por los primeros editores de las *Obras*
(«Una mujer me ha envenenado el alma») así como el verso «Sé que en
su corazón, nido de sierpes» de la rima XXXIX.

En la colección de experimentos que representan las *Rimas,* domina
la búsqueda relativa a la combinación de endecasílabos y heptasílabos. El
mismo afán se encuentra a más modesto nivel en las *Canciones* de 1857;
lo hallamos en la traducción de los números 26, 49, 51 (que acabamos de
examinar) y 55 de *Lyrisches Intermezzo.*

El número 26 está traducido en versos de rimas consonantes. Sanz emplea catorce versos para traducir los diez de Heine. Su deseo fue obtener
una construcción simétrica: dos estrofas de cinco versos separadas por un
cuarteto. Es un poema de la ruptura y del galanteo desafortunado cuyo
espíritu resurge, ensombrecido y dramatizado, en las rimas XXX («Asomaba a sus ojos una lágrima») y XXXIII («Es cuestión de palabras y no
obstante»).

Bécquer no emplea la combinación métrica 11-7-7-11 por medio de la
cual Sanz traduce el número 49 de *Lyrisches Intermezzo*. En cambio, esta
traducción expresa un pesar muy cercano al que forma el objeto de la
rima XXX («Asomaba a sus ojos una lágrima») compuesto de dos cuartetos de endecasílabos. Las asonancias agudas *a* (Sanz) y *o* (Bécquer) dan
a ambos poemas, junto con la semejanza de la estructura global, un
parentesco formal que refuerza el del fondo. Sin embargo, el cuadro
psicológico resulta mucho más rico y preciso en la rima. He aquí los dos
textos:

— Traducción del número 49 de *Lyrisches Intermezzo:*

Wenn zwei voneinander scheiden...

Al separarse dos que se han querido
¡ay! las manos se dan;
y suspiran y lloran,
y lloran y suspiran más y más.

Entre nosotros dos, no hubo suspiros
ni hubo lágrimas... ¡Ay!,
lágrimas y suspiros
reventaron después... muy tarde ya.

— Rima XXX:

XXX

Asomaba a sus ojos una lágrima
Y a mi labio una frase de perdón:
Habló el orgullo y se enjugó su llanto.
Y la frase en mis labios expiró.
Yo voy por un camino, ella por otro:
Pero al pensar en nuestro mutuo amor,
Yo digo aún: «¿Por qué callé aquel día?»
Y ella dirá: «¿Por qué no lloré yo?»

El número 55 trata el tema de las lágrimas en el sueño como la rima LXVIII («No sé lo que he soñado») pero los dos poemas distan bastante, tanto por su forma como por su espíritu. Sanz ha traducido con versos de rimas consonantes llanas los tres cuartetos del poema de Heine, singularizándose cada cuarteto por una asonancia aguda distinta *(a, i, u);* con ello ha dejado escapar un interesante ejercicio, al que se ha dedicado Gustavo Adolfo de manera brillante en varias rimas (XI, XIV, XLVIII). Los cuartetos 7-11-7-11 del poema de Sanz aparecen en la rima LXVII («¡Qué hermoso es ver el día...») pero el empleo de la asonancia llana *a-e* por Bécquer les da una sonoridad muy diferente.

Sanz traduce muy fielmente el célebre número 33 de *Lyrisches Intermezzo* («El pino del Norte y la palmera») con dos cuartetos de esquema métrico 11-11-11-5 y asonancia *e-o.* La rima homóloga no existe, pero la rima XVII («Hoy la tierra y los cielos me sonríen», asonancia aguda *o)* está formada por un cuarteto 11-11-11-5, el cual se usa también en las rimas XXXIX («¿A qué me lo decís; lo sé, es mudable...» —segunda estrofa, asonancia *o-a*—) y XLI («Tú eras el huracán, y yo la alta» —tres estrofas 11-11-11-5 unidas por la asonancia aguda *e*—).

El número 61 de *Lyrisches Intermezzo* es un cuarteto de versos largos con rimas consonantes *aabb*. Sanz lo traduce por un cuarteto de endecasílabos asonantados *o-a:*

> *Die Mitternacht war kalt und stumm...*
>
> ¡Ay!, a la media noche, muda y fría,
> solo gemí del bosque entre las sombras,
> y de su sueño recordé a los sauces,
> que inclinaron de lástima sus copas.

Estos sauces sensibles hacen pensar en la vegetación compasiva de las rimas XL («Su mano entre mis manos») y LXX («¡Cuántas veces al pie de las musgosas...»). La rima I («Yo sé un himno gigante y extraño») se compone de tres cuartetos que son los exactos homólogos de la traducción de Sanz.

Bécquer ha conservado menos elementos de los demás experimentos de Sanz tales como aparecen en las traducciones publicadas el 15 de mayo de 1857.

La queja lastimosa, atenuada por la ironía, que se expresa en la traducción del número 23 de *Lyrisches Intermezzo* no corresponde al espíritu de las *Rimas*. Sanz ha traducido el balanceo del original alemán por una combinación de versos de diez y seis sílabas asonantadas *a-e;* esta combinación métrica no aparece en Bécquer, pero sí la asonancia *a-e* en la rima LXVII la cual reproduce, en estilo culto (versos en once y siete sílabas), la forma del poema de Sanz.

La traducción del número 47 de *Lyrisches Intermezzo* es fiel y sencilla: los tres cuartetos de octosílabos se corresponden perfectamente con los tres cuartetos del original. La asonancia aguda *a* es también la que domina en el poema de Heine. Considerando las *Rimas,* volvemos a encontrar el tema de la indiferencia de la amada, tratado de manera mucho más concreta, en la rima XXXIX y la que empieza por «Dices que tienes corazón y sólo». Por otra parte, unos cuartetos de octosílabos asonantados en *a* aguda componen la rima II («Saeta que voladora»).

Las facultades inventivas de Sanz se manifiestan en la traducción del número 3 de *Lyrisches Intermezzo*. Los seis largos versos trocaicos de Heine, de un potente efecto que es difícil igualar en lengua extranjera, se convierten en el texto de Sanz en ocho versos repartidos como sigue: cuatro versos de diez sílabas asonantados o agudos que enmarcan un bloque de cuatro octosílabos cuyas asonancias *e-a* y *o-a* van alternando. Las palabras-imágenes directrices de este poema («rosa», «lirio», «paloma», «sol») tienen sus homólogas en la rima «A Casta» no incluida en el «Libro de los gorriones» («rosas», «flores», «cisnes», «esplendor del día»).

Ni la forma ni el espíritu de la traducción del número 64 de *Die Heimkehr* («Du hast Diamanten und Perlen»), o sea, «El regreso», «Tienes diamantes y perlas», están representados en las *Rimas*. Este poema irónico del rechazo no superado comprende tres cuartetos asonantados en *e* aguda; Sanz intenta producir un exacto reflejo del texto alemán empleando el octosílabo y guardando la asonancia. Es una hazaña. Bécquer no utiliza la asonancia *é* con los octosílabos; la emplea con otros metros en algunas rimas, especialmente en la XXXII («Pasaba arrolladora en su hermosura / y el paso le dejé»), y en la XLI.

Vuelve a encontrarse esta asonancia *é* en la traducción del número 5 de *Neuer Frühling* («Gekommen ist der Maie»; «Ha llegado mayo»), compuesto con tres cuartetos de versos de diez sílabas, combinación no practicada por Bécquer. Este poema de la divagación afectiva wertheriana, bien captada por Sanz, no tiene ninguna correspondencia en las *Rimas*.

Con mucha destreza ha traducido Sanz el ritmo del número 4 de *Neuer Frühling* («Ich lieb eine Blume, doch weiss ich nicht, welche», «Quiero a una flor, pero no sé cual») por medio de una alternancia de alejandrinos (catorce sílabas) y de heptasílabos. La asonancia aguda *o,* frecuente en Bécquer (dieciséis empleos), une los versos. Este poema, impregnado de la misma sentimentalidad vaga y errante que el precedente, no ha suscitado ningún eco en las *Rimas*.

Con la traducción del número 4 del libro *Angélica,* Sanz ha introducido en su selección un poema algo picaresco, cuya ligereza ha sugerido atinadamente usando el popular octosílabo castellano. Ha sustituido la asonancia aguda *u* del original por la asonancia llana *o-a,* no utilizada por Bécquer con el octosílabo pero sí cinco veces con los metros cultos (rima I, XXXVI, XXXIX, LII, LXIII). De esta traducción, en que se lee (estrofa primera)

> Siempre le cierro los ojos
> cuando la beso en la boca,
> y ella, por saber la causa,
> con mil preguntas me acosa.

se acordaría tal vez Bécquer al escribir en la rima XXVIII

> Si en mi boca de otra boca
> Sentir creo la impresión.

aunque se vea bien claro lo que el ensueño añade a la sensualidad en el segundo caso.

Renunciando a utilizar el endecasílabo o el alejandrino para traducir los siete versos largos del número 31 de *Lyrisches Intermezzo* en que hace surgir el poeta un contraste violento entre el resplandor de la naturaleza y las lúgubres luces de su mundo sentimental (contraste de que usa Bécquer, atenuándolo sutilmente, en la rima LXVII, «¡Qué hermoso es ver el día...!»), Sanz desdobla los versos del original para obtener catorce octosílabos asonantados *e-o*. Se encuentra el empleo de este metro y de esta asonancia en la rima XXV («Cuando en la noche te envuelven / las alas de tul del sueño»). La progresión por una sucesión de «y» que se observa en la traducción de Sanz da una de sus peculiaridades a la rima LXXV («¿Será verdad que cuando toca el sueño...?»).

Las *Canciones de Enriquer Heine* se concluyen por una balada que dio en gran parte su fama a la selección. Se trata de la traducción, con el título de «El mensaje», del número 7 de las *Romanzen* de *Junge Leiden* (Penas juveniles), «Die Botschaft». Este breve poema de cuatro cuartetos tiene ambiente medieval. Una hija del rey Duncan (transformado en «Cristian» en la traducción de Sanz) se casa; un miembro de la nobleza manda a un servidor suyo a la corte para enterarse de qué princesa se trata, pues el rey tiene dos hijas; caso de que se trate de la morena, el criado tiene que traer pronto la noticia a su amo; si se trata de la rubia, ha de pasar sin prisa por la casa del maestro cordelero para traer una fuerte cuerda. Castellanizando el texto, Sanz invierte el color de la cabellera femenina. Antes que utilizar una alternancia métrica 11-7-11-7 con una o varias asonancias agudas, lo que hubiera perfectamente reflejado la forma alemana, adopta el traductor una combinación de octosílabos y de pentasílabos que totalizan veintiún versos. Corresponden al final de los cuatro cuartetos de Heine los cuatro pentasílabos siguientes: «del rey Cristián», «se casa hoy», «no corre prisa», «tráeme el cordel»; las rimas españolas son consonantes. Practicando, por el contrario, la asonancia, Bécquer utiliza la combinación, bastante popular, de octosílabos y pentasílabos en las rimas XII («Porque son, niña, tus ojos», asonancia *e-a),* XXV («Cuando en la noche te envuelven», asonancia *e-o);* XIX («Sobre la falda tenía», asonancia *e-o);* la alternancia de los octosílabos y pentasílabos en esta última rima se aproxima a la técnica del original de «Die Botschaft».

Esta revista enseña de qué modo las traducciones de Eulogio Florentino Sanz publicadas en 1856 y 1857 ayudaron al joven Bécquer a realizar su revolución estilística personal en el campo poético. Para él Sanz fue primero un modelo de observación abierta y de experimentación, más ejemplar por su manera de actuar que por su arte. De modo selectivo aplicó su sensibilidad y su inteligencia a los mensajes afectivos de Heine tanto como a los ensayos técnicos de Sanz. Me parece que la asimilación de estas influencias artísticas se acompañó de un proceso de personalización caracterizado por:

— La sobriedad e intensidad de expresión, marcada por cierto genio matemático.

— El respeto por lo indecible y la creación de aureolas de silencio.

— Una atmósfera psicológica dominada por la alianza entre la ingenuidad y un potente amor propio.

Al descubrir la colección de las *Rimas* en 1871, Eulogio Florentino Sanz, quien sólo conocía de ellas algunos componentes dispersos en revistas, álbumes y memorias de oyentes, se daría cuenta de que la poesía con que había soñado había sido cultivada por un maestro. Eusebio Blasco fue, entre otros, testigo de este descubrimiento. Vio claramente las afinidades que existían entre Sanz y Bécquer como lo demuestra el pasaje siguiente de *Mis contemporáneos* (pág. 66, retrato de Eulogio Florentino Sanz):

> Cuando aparecieron las Rimas de Bécquer, las impuso al Casino, que era su verdadera casa y hogar, a fuerza de repetirlas. Tenía muchos puntos de contacto con el poeta a quien celebraba. Era, como él, obscuro, soñador, independiente y desgraciado.
> Le encantaba la vida misteriosa. Se había propuesto no dar versos al público, pero hacía composiciones a un sin fin de cursis adoradas, como llamaba él a las mujeres que conocía por ahí en cafés apartados del centro, en teatros de tercer orden, en los paseos solitarios, en las iglesias más lejanas.

Pablo Ristelhuber. «Intermezzo, Poème de Henri Heine» (1857)

Esta traducción en versos franceses, editada por Poulet-Malassis y de Braise, debió de difundirse bastante en España dado el interés despertado por las traducciones de Bonnat y de Sanz. Se trata de una bella edición de bolsillo.

El *Prelude* («Prolog» de Heine) contiene, reunidas, las ideas que van ilustradas en *El rayo de luna* y *Los ojos verdes* de Bécquer.

He aquí lo que se dice del caballero:

> *Il errait vacillant et se trainait sans cause*
> *Abimé dans un rêve étrange et séduisant*
> . . . .
> *Il s'asseyait chez lui dans le coin le plus sombre,*
> *Il vivait loin du monde en son discret ilot.*

[Vacilante vagaba y padecía sin causa / abismado en un sueño extraño y seductor / ... / En casa se sentaba en el más oscuro rincón, / vivía lejos del mundo en su silenciosa isla.]

Y de sus amores con la ninfa velada:

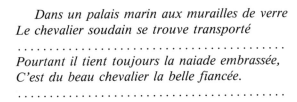

Dans un palais marin aux murailles de verre
Le chevalier soudain se trouve transporté
....
Pourtant il tient toujours la naiade embrassée,
C'est du beau chevalier la belle fiancée.
....

[En un palacio marino con murallas de vidrio / se halla de repente transportado el caballero / ... / Sin embargo sigue abrazando a la ninfa, / quien del hermoso caballero es la hermosa novia.]

Ángel María Dacarrete y la poesía heineana

Aunque Dacarrete precediera a Bécquer en nueve años, la evolución de su gusto me parece paralela a la del arte de Gustavo Adolfo, más bien que precursora. Creo que los dos poetas experimentaron simultáneamente la atracción de las traducciones de E. F. Sanz y empezaron entonces a cultivar este nuevo tipo de poesía. En la obra de Dacarrete no fueron este sentimentalismo y esta manera sino la mera huella de un tiempo, un experimento artístico entre otros; por el contrario, descubrió Gustavo Adolfo en las invenciones de Sanz acentos capaces de dar voz a la personalidad que se agitaba confusamente en las móviles vibraciones de su ser.

En 1857, Dacarrete está muy ligado con el grupo que publica el diario *La Crónica*. Ahora bien, su principal redactor es Ramón Rodríguez Correa. Bécquer y Dacarrete, cuyos textos habían sido vecinos en los homenajes a Lista y a Quintana así como en el *Álbum de Señoritas y Correo de la Moda,* no pudieron dejar de tener conocimientos mutuos de su actividad poética al frecuentar a los periodistas de *La Crónica,* aunque el primero estuviese dedicado a la realización de *Historia de los templos de España* y el segundo escribiese principalmente para el teatro en esta época.

Los poemas que Dacarrete publica el 1 de abril de 1857 en *Las Crónicas,* «Alegoría», «El arte», «La España», son composiciones patrióticas de factura más bien clásica. No existe prueba de que Dacarrete haya escrito un poema de tipo heineano antes del 15 de mayo de 1857, fecha de la salida de las traducciones de Sanz en *El Museo Universal.* El más temprano poema de este tipo que haya salido publicado es, en el presente estado de nuestros conocimientos, «Ensueño», compuesto de cuatro cuartetos de esquema estrófico alternado 11-11-11-5 y 11-11-11-7 con asonancia *e-o,* He aquí el primero:

No sé decir por qué... ya tanto hacía
que no soñaba en ti, sino despierto!...
No sé decir por qué la última noche
te vi entre sueños.

Don José Pedro Díaz ha encontrado este poema en *La Ilustración Hispano-Americana,* revista publicada en París, número del 31 de octubre de 1857. El texto procedía, según indicación de la revista, de un número anterior del *Correo de la Moda;* pero nada permite fijar la fecha exacta de esa primera publicación. La estrofa citada es métricamente análoga a la traducción del número 33 del *Intermezzo* por Sanz («Solitario en el Norte se alza un pino»), construida también con la asonancia *e-o.* Dacarrete ha realizado una bonita alternancia de cuartetos acabados ora por un pentasílabo, ora por un heptasílabo. Bécquer no ha dejado ningún poema de forma idéntica, pero hallamos en las *Rimas* algo aproximado, con más refinamiento: se trata de la rima XLIII («Dejé la luz a un lado, y en el borde») donde se suceden tres cuartetos de esquema distinto, 11-11-11-7, 11-11-11-5 y 11-11-11-11 con las respectivas asonancias agudas *e, o, i.*

El libro póstumo de las *Poesías* de Dacarrete (1906, edición de benevolencia pues, alto funcionario de la Restauración, Dacarrete tuvo un final de vida acomodado), encierra un poema de tipo heineano, «En el baile», que lleva la fecha de 1857 sin la indicación del mes y que, por consiguiente, no puede ser reputado anterior a la publicación de las traducciones de Sanz. El poema se compone de tres estrofas 11-11-11-7 con asonancia aguda *o.* La segunda estrofa, que saco del texto reproducido por José María de Cossío en el tomo I de *Cincuenta años de poesía española* (pág. 211), me parece la más típica:

¿Por qué extrañar que vague indiferente,
mi vista en derredor?
¡Ay, mil ojos se fijan en mis ojos,
pero los *suyos,* no!

Esta forma métrica es la de la traducción que hizo Sanz de *Nähe des Geliebten,* siendo sustituida la asonancia aguda *a* por la *o.* Era también la forma de la traducción del número 51 de *Lyrisches Intermezzo* («¡Que están emponzoñadas mis canciones...!») de asonancia aguda *i.* Indiqué ya los varios usos que hizo Bécquer de esta distribución métrica. La rima XXII («¿Cómo vive esa rosa que has prendido...?») es idéntica a «En el baile» en cuanto al metro y a la asonancia. Se trata de una galantería de álbum dejada con ocasión de una recepción mundana, probablemente con baile; aquí, Bécquer y Dacarrete escriben para el mismo público femenino de la buena sociedad madrileña.

Ángel María Dacarrete. Biblioteca Nacional. Madrid

Los poemas publicados por Dacarrete en *La América* el 8 de agosto de 1858 fueron los que llamaron principalmente la atención. «Ensueño» está entre ellos. Como se ve, la publicación de estos poemas es quince meses posterior a la de las traducciones de Sanz; creo que son de la misma época que varias rimas de Bécquer. Anunciaba *La América*: «Estas poesías forman parte de una colección que con el título de *El libro del amor* piensa publicar el señor Dacarrete.» Éste renunció a la publicación de su colección, pero sus herederos encontraron en sus papeles (1902) algunos poemas manuscritos reunidos bajo el título indicado por *La América*.

El poema titulado «A...», con el epígrafe en francés «J'avais quitté la proie pour l'ombre... (Gérard de Nerval: Petits chateaux de Bohême)» (o sea: «Había dejado la presa para la sombra... Gerardo de Nerval: Pequeños castillos de Bohemia») es muy heineano. Abandonado por su nueva amante, el poeta se acuerda de las palabras de la mujer a quien dejó antes acongojada. El poema se compone de cinco estrofas 11-11-11-7 asonantadas *o-o*. He aquí la primera estrofa:

> «¡Como yo has de llorar!», tú me decías,
> anegados en lágrimas tus ojos:
> «¡Como yo has de llorar!» y tal vez *ella*
> se burle de tu lloro.

En sus traducciones de 1857, Sanz practicó las combinaciones de endecasílabos y heptasílabos pero no la estrofa 11-11-11-7. En cambio, ésta se encuentra con mucha frecuencia en Bécquer. La rima LXXV («¿Será verdad que cuando toca el sueño...?») es idéntica por su forma al poema de Dacarrete: cinco estrofas 11-11-11-7 asonantadas *o-o*. El asunto y la intención difieren sin embargo: el poema de Bécquer es una interrogación sobre la verdad de los sueños.

Teniendo como epígrafe una copla popular, el poema «Vigilia», es un romance asonantado *e-a* compuesto de una serie de interrogaciones quejumbrosas que recuerdan el número 23 de *Lyrisches Intermezzo* traducido por Sanz. La forma es la de la traducción del número 31 («Es el mundo tan hermoso / y es tan azulado el cielo..») con extensión doble. La inspiración de los dos poemas de Heine y del de Dacarrete tienen un eco apagado, misterioso, en la rima LXVII («¡Qué hermoso es ver el día!»). El epígrafe indica que la influencia de Heine, captada principalmente por conducto de Sanz, interfiere con el creciente interés por la lírica amatoria popular. Esta doble seducción se manifiesta también en Sanz. Despertará después en las *Rimas* pero en la obra de Augusto Ferrán es donde culminará.

«¡Acuérdate de mí!» es una sucesión de endecasílabos, forma no practicada por Sanz pero empleada moderadamente por el nuevo Bécquer (rimas III, V, XL). Breves toques comunes existen entre este poema y las rimas XXVII (el sueño de la amada) y XXVIII («Cuando entre la sombra oscura»).

La colección publicada el 8 de agosto de 1858 en *La América* contiene también «La Boda. Traducción de la poesía de Enrique Heine, del mismo título» que no es fácil identificar entre los poemas de Heine pues ninguno de ellos lleva este título.

El soneto «Clara con besos de su ardiente boca» expresa, en una lengua tímida y prosaica, la idea de la búsqueda de la mujer misteriosa; el misterio va a identificarse con el ideal inasequible en la rima XI («Yo soy ardiente, yo soy morena») cuyos tres cuartetos de decasílabos asonantados (metro usado por Sanz) reemplazan los catorce versos del soneto. Ni la teatralización imaginada por Bécquer ni la intensidad de su lengua están en Dacarrete, como lo muestran los dos tercetos del soneto:

> ¿Quién podría calmar mi íntimo anhelo,
> Perpetua sed de amor, fuente de males?
> ¿Quién por verla no más me hace dichoso?
>
> Es una cuyo nombre no revelo
> Y que apenas distingo entre cristales,
> cuando cruzo su calle haciendo el oso.

La nueva sentimentalidad se capta muy fugazmente en numerosos poemas de Dacarrete, quien utiliza unas veces las formas tradicionales, otras veces las que experimentó o sugirió Sanz; pero sus fuerzas le traicionan tanto en la creación imaginativa como en la realización técnica. Su potencia de simbolización y de creación de paradigmas queda floja.

Ha procurado Dacarrete traducir algunos poemas de *Lyrisches Intermezzo*. Su traducción del número 14 en octubre de 1858 en *La Crónica* se imprimió de nuevo en el *Almanaque literario del Museo Universal para 1860*. Este poema es uno de los más irónicos y hasta de los más pérfidos en la lírica amorosa de Heine: los ojos, la boca y las mejillas de la amada se alaban con términos superlativos y mimosos mientras los dos versos finales, asociados por la rima y bien destacados, subrayan con el mismo intencional tono melindroso la falta de corazón, la falta de sensibilidad. No se ha arriesgado Dacarrete a traducir por una octava clásica los sutiles ocho versos del poeta alemán. Ha optado por tres cuartetos tradicionales de octosílabos, empleando una asonancia en el primero, consonancias en los otros dos. Estamos lejos del esfuerzo inventivo de Sanz. Respecto del fondo, esta traducción no es más que una imitación. El azul de los ojos es una invención de Dacarrete, igual que el segundo cuarteto, en el que el infiel traductor sustituye por el talle y el pie la boca y la mejilla elogiadas, acercándose así a la copla andaluza:

> En mil endechas canté
> tu airoso y esbelto talle;
> más versos hice a tu pie
> que piedras piso en la calle.

El tercer cuarteto traduce con bastante fortuna la conclusión venenosa del poema de Heine:

> *Und wenn meine Liebste ein Herzchen hätt,*
> *Ich machte darauf ein hübsches Sonett.*
>
> ¡Qué soneto escribiría
> con amante inspiración
> a tu corazón, luz mía...
> si tuvieses corazón!

Puede cotejarse este cuarteto de Dacarrete con las rimas XXIX («¿A qué me lo decís? Lo sé: es mudable») y la rima suprimida por los primeros editores «Dicen que tienes corazón y sólo», pero, en ambos casos, la expresión queda grave, separándose así de la del número 14 de *Lyrisches Intermezzo* y de la imitación realizada por Dacarrete.

Dacarrete escribió otro poema en el estilo del número 14 de *Lyrisches Intermezzo*. Se trata de «Dime», fechado «1859» en las *Poesías* póstumas, pero que Geoffrey W. Ribbans ha descubierto en el número 14 de la revista humorística *El Nene* fechado 3 de marzo de 1860. Hanse comparado las dos primeras estrofas de «Dime» con la rima XIII («Tu pupila es azul y cuando ríes»), publicada con el título «Imitación de Byron» en la misma revista el 17 de diciembre de 1859. Animaba *El Nene* Manuel del Palacio; Bécquer y Dacarrete colaborarían ocasionalmente a la revista gracias a Rodríguez Correa que era uno de los redactores bajo el pseudónimo de «El Niño Perdido». La violencia acusadora de la última estrofa de «Dime» no corresponde ni a la ironía heineana ni a la dignidad becqueriana:

> Dime, ¿habrá una mujer, que cual tú, inspire
> amor tan puro, adoración tan santa?
> ¿Dime, habrá sierpe que tan negra tenga
> como tú el alma?

Las tres primeras estrofas de «Dime» presentan el esquema métrico 11-11-11-7, terminándose la cuarta por un pentasílabo. La asonancia general es la llana *a-a*. Desde el punto de vista formal, Bécquer y Dacarrete están aquí muy próximos; sin embargo la exacta figura musical de «Dime» no se encuentra en las *Rimas*.

Ulteriormente publicó Dacarrete otros numerosos poemas, especialmente en *La América* y en *La Revista de España* (fundada en 1868). Su inspiración se repartió entre la corriente sevillana tradicional, el cantar andaluz y la vena Heine-Sanz. La intensa concentración afectiva y luminosa de las *Rimas* hizo resaltar la palidez de esta poesía pero el recuerdo de un talentoso adepto de la poesía heineana interpretada por Sanz quedó ligado al nombre de Dacarrete.

Otro artista de la poesía breve: Guillermo Matta

Un clima poético complejo se manifiesta en *La América* en 1858 y 1859. En el número del 24 de febrero de 1859 pueden leerse «Canción (traducida del alemán)» por Eulogio Florentino Sanz, en endecasílabos con rimas consonantes, una «Serenata» de Zorrilla («Soy un átomo errante»), composición suave, fluida, en heptasílabos y pentasílabos, así como una composición heineana del chileno Guillermo Matta (1829-1899) en 11-11-11-7. Todo esto fluctúa entre Selgas, Heine y las *Rimas* que nacen en la misma época, recitándose y escribiéndose acá y acullá. Sin embargo no se practica la asonancia final en ninguno de los poemas citados.

He aquí el texto de Guillermo Matta:

POR TI

Si alguna vez en ilusiones bellas
Mi pensamiento arrebatado inflamo,
Es porque miro otra ilusión en ellas,
Mi vida, es porque te amo!

La poesía del desengaño. Campoamor y Bécquer

Ya desde 1838, Ramón de Campoamor (1817-1901) empieza a representar en Madrid la escuela de la melancolía, un poco como lo hiciera Millevoye en Francia años antes.

En el plano formal acorta el poema y emplea el lenguaje familiar. Acerca la reflexión poético-filosófica a los modos de pensar de la buena sociedad madrileña, especialmente a los de los círculos femeninos. Acostumbra al público culto a una expresión versificada relativamente escueta y hace aceptar un escepticismo bastante sombrío.

La sociedad burguesa española aprecia esta sencillez, esta ausencia de ilusiones y esta flema casi británica bajo la cual se transparentan las emociones.

En los años 1850, Campoamor es uno de los pocos poetas cuyas obras se leen de vez en cuando en la prensa diaria. Por ejemplo: *El León Español* publica «¿Qué es amor?» el 18 de octubre de 1859. Los entusiasmos de algunos (cual Manuel de la Revilla, gran admirador de las *Rimas* también) y las críticas de los otros (v.g. Canalejas) demuestran, durante los años setenta, que su poesía permanece actual.

Gustavo Adolfo no pudo menos de leer numerosas doloras.

La mujer ardiente y morena de la rima XI debe algo a la dolora *Las dos almas*. A través de la declaración «De ansia de goces mi alma está llena» aparece como una filigrana la redondilla siguiente de Campoamor:

> Pues de ansia de goces lleno,
> Busca el oído armonía,
> El paladar ambrosía,
> E, impúdico el tacto, cieno.

La dolora *Sufrir es vivir* presenta evidente analogía con las rimas XLVIII («Como se arranca el hierro de una herida») y LVI («Hoy como ayer, mañana como hoy») en que se lee:

> ¡Ay! a veces me acuerdo suspirando
> Del antiguo sufrir...
> Amargo es el dolor; pero siquiera
> ¡Padecer es vivir!

Rasgo común a Campoamor y Bécquer es el miedo a la insensibilidad, tanto a la insensibilidad que crea al fracaso amoroso (rima LXIV, «Como guarda el avaro su tesoro») como a la que sucede al fracaso intelectual *(La viuda y el filósofo* de Campoamor).

Además de las rimas ya citadas me parecen cercanas a las doloras:

— La rima LVIII («¿Quieres que de este néctar delicioso...?»), donde la decepción y el hastío borran hasta el amor.
— La rima LIX («Yo sé cuál el objeto»), con su cruel confesión final, «Yo, que no siento ya, todo lo sé».
— La rima LXIX («Al brillar un relámpago, nacemos»), verdadera dolora miniaturizada.
— La rima LXXII que trata de las tres ilusiones principales (el amor, la gloria y la libertad).

— La rima suprimida «Fingiendo realidades».
— «Lejos y entre los árboles», rima que se aproxima tanto más a la dolora cuanto que tiene la forma de una narración.

El fundamento de la dolora como el de la «rima-dolora» es de índole mística. La vida decepciona. El ser humano no puede encontrar en ella ninguna satisfacción total y duradera; se desliza sin dejar nada. Tal insatisfacción, filosófica y sentimental a la vez, existiría en alto grado dentro de la burguesía femenina española, dejada apartada de las responsabilidades. No veo otra explicación del éxito de Campoamor en este círculo durante unos sesenta años.

Otra causa de este éxito en los medios femeninos puede estribar sin embargo en el aspecto puntual, vibratorio, de la expresión, característico sobre todo de la poesía becqueriana pero existente también con una intensidad menor en las doloras. Don Juan María Díez Taboada ha notado la afición de Campoamor a lo sugestivo e intuitivo, en estrecha relación con el estilo: «Verdaderamente, Campoamor es el primero que intenta sugerir. Él trata de sustituir el gesto ampuloso y teatral por el rasgo apenas indicado.»

La mayor parte de las doloras difieren, no obstante, de las rimas en varios aspectos. Expresan, a menudo en forma de anécdota, de diálogo o de relato impersonal, una amarga sabiduría de alcance universal mientras que, con excepción de las que tratan del arte poético, las rimas becquerianas expresan o simulan un sentimiento nacido de una vivencia personal concreta. Antes que renovar la forma lírica, Campoamor procura hacer que se la olvide; su métrica y su vocabulario se caracterizan por la sencillez, la escasa diversidad y la conformidad con la tradición popular. Por el contrario, la obra de Bécquer, en su totalidad, lleva el sello de una constante vigilancia artística. Aun cuando la inspiración se desvía hacia el decir o canto popular, se nota en las *Rimas* la búsqueda de las armonías sonoras y de las construcciones originales.

Campoamor tenía sentimientos de amistad y de admiración para Eulogio Florentino Sanz. Versos de Sanz sirven de epígrafe a las doloras *La ciencia de la vida* y *La dicha es la muerte*. Igual que Sanz comprendió Campoamor que, purificado e intensificado, lo mejor de las doloras se había infiltrado en las *Rimas*. En el diario *La Época* del 30 de mayo de 1879 se lee este anuncio: «Mañana sábado a las nueve de la noche celebrará el Ateneo reunión extraordinaria consagrada a la memoria de nuestros poetas más ilustres. Constará de las lecturas siguientes: Garcilaso, leído por el señor Selgas; Fray Luis de León, por el señor Ruiz Aguilera; Herrera, por el señor Campillo... Bécquer, por el señor Campoamor.»

Constancia sevillana: las «Poesías» de Narciso Campillo (1858)

Sevilla parece poco afectada por la poesía breve y sugestiva que se desarrolla en Madrid.

Cuando, en 1858, Campillo publica sus poemas en la capital andaluza (Imprenta-Librería Española y Extranjera), José Amador de los Ríos le acusa cortésmente recibo de un ejemplar con estas palabras: «Veo (en sus poesías) que es Vd. discípulo de su muy querido amigo don Francisco Rodríguez Zapata, apareciendo en consecuencia filiado en la escuela de los Listas y Reinosos. Esto dicen también sus buenos versos, cuya lectura no puede ser indiferente a los que se precien de saborear los frutos del parnaso.»

Dedicando en *El Contemporáneo* del 25 de diciembre de 1860 un artículo al libro *Poesías* de Campillo, Juan Valera, amigo del autor, ve en él el nuevo adalid de la escuela sevillana; Bécquer, amigo de la infancia, no es quien hace esta reseña; Gustavo Adolfo está entonces cautivado por la poesía del destello, de la fugacidad, que acaba de expresarse en *La Soledad* de Augusto Ferrán, libro que él presentará en el mismo *El Contemporáneo* el 20 de enero próximo.

La imagen que Campillo cultiva de la poesía es la que anima al Bécquer de *Historia de los templos de España,* no al Bécquer de las rimas de la intimidad. Tradición, religión, historia, sentido de la sublimación son allí los valores dominantes: «En nuestro siglo, opuesto a todo entusiasmo generoso, los corazones que, huyendo del materialismo, triunfante dondequiera, buscan el bálsamo de sus heridas, y sus sueños de virtud y grandeza en la poesía, álzanse a encontrarla en la religión o en las tradiciones que son su refugio... Me preguntaréis ahora: qué es la poesía? Interrogad a la historia, esa antorcha de los tiempos, y os mostrará claramente que la poesía es todo lo sublime, virtuoso y bello que se eleva del polvo y vuela al seno de su Creador» (prólogo a *Poesías).*

Se siente aquí que la síntesis poética que se verificó en las *Rimas* se hubiera difícilmente cumplido al quedarse Gustavo Adolfo en Sevilla. La noble concepción de la poesía que defiende Campillo se manifiesta en las *Rimas,* pero no representa más que uno de los varios aspectos del libro.

32. Panorámica sobre los años de *Historia de los templos de España* (1857 y 1858)

La realización del proyecto de *Historia de los templos de España* empieza en junio de 1857. Las diligencias y la preparación debieron de ocupar a Gustavo Adolfo y a De la Puerta Vizcaíno durante una parte de 1856 y el primer semestre de 1857.

Portada de *Historia de los templos de España,*
Madrid, 1857

Los directores tuvieron que obtener la protección del clero, especialmente del arzobispo de Toledo y del patriarca de las Indias. Les fue además preciso encontrar colaboradores con competencias diversas. La lista que menciona el prospecto da idea a la vez del número de diligencias que se efectuaron y de la importancia de las relaciones que ambos jóvenes habían podido trabar. El primer ilustrador de la obra fue José Casado del Alisal (nacido en la provincia de Palencia en 1832), pintor y grabador muy experimentado, ya que había sido pensionado para estudiar en Roma en 1855; grabó los retratos de los dos altos dignatarios eclesiásticos que habían aceptado patrocinar la obra. Entre los nombres de colaboradores teóricos más célebres, se notan:

— En materia de historia y artes, los de Manuel de Assas, José Amador de los Ríos, Ramón de Mesonero Romanos y Cayetano Rosell y López.
— En materia de literatura y poesía, los del duque de Rivas, Hartzenbusch, Campoamor y Antonio de Trueba.

Todos los amigos de Gustavo Adolfo (Campillo, García Luna, Rodríguez Correa, Nombela, Viedma) estaban mencionados. Ayudarían a establecer contactos con las personalidades. Por supuesto, Valeriano y Campillo obrarían en Sevilla al mismo efecto. En su noticia necrológica de 1871 emite Campillo un juicio personal sobre *Historia de los templos de España*: «En 1857, ayudado de otros literatos y dirigiendo la obra, emprendió la *Historia de los templos de España*, de cuyo importante trabajo sólo pudo publicar el primer tomo, notable bajo el doble concepto de la redacción y los dibujos, algunos de los cuales son suyos, singularmente el de la portada.» Gustavo Adolfo había hallado una actividad que, a la par que satisfacía su pasión por las cosas medievales que se había desarrollado desde su llegada a Madrid, le permitía cultivar sus talentos en materia literaria y gráfica.

La realización de *Historia de los templos de España* fue su actividad principal hasta principios del año 1859. Seguía viviendo, según parece, en la pensión del 8 de la calle de la Visitación; pero pasaba mucho tiempo en el local donde se había domiciliado la administración de la obra, el 14 de la calle de Torija. Seguía tan apasionado por la música y le gustaba tocar improvisaciones en un piano que se hallaba en la sala de recepción. Según un recuerdo de Rodríguez Correa transmitido por el periodista cubano Antonio Escobar, estas diversiones musicales fueron las que provocaron el encuentro de Bécquer con el tenor Mario (José María Mario, nacido en Cagliari en 1808 y fallecido en Roma en 1883), quien vivía en las cercanías y gustaba de oír las fantasías del joven sevillano. No eran totalmente gratuitos estos ejercicios y no por mero capricho estaba instalado un piano en este sitio: Gustavo Adolfo proseguía, en efecto, su tarea de libretista de zarzuelas y soñaría con escribir libretos de ópera. Escobar apunta esta precisión dada por Correa: «Bécquer contaba un libreto de ópera, ideado por él, escena por escena, perfectamente planeado; y en el acto arrancaba al piano los motivos de dúos, coros, arias.» En esta época escribían Gustavo Adolfo y García Luna el libreto de un juguete musical llamado *Las distracciones,* que el censor admitió el 3 de julio de 1858. Hablaré más adelante de esta obrita que se representó con éxito el 3 de marzo de 1859 en la escena del Teatro de la Zarzuela.

El encuentro con Manuel de Assas, quien redactó las dos terceras partes del texto de la *Historia* dedicado a la catedral primacial, fue importante para Gustavo Adolfo. Manuel de Assas (nacido en Santander en 1813), tenía un amplísimo conocimiento del pasado español al que contribuía a proteger en las diversas comisiones en las que participaba. Durante el año 1858 intentó mantener en vida *El Semanario Pintoresco Español* escribiendo solo el texto íntegro de varios números; pero este decano de los grandes periódicos ilustrados españoles tuvo que desaparecer el 20 de diciembre; la salida de *El Museo Universal* de José Gaspar y Maristany y de Gaspar Roig, el 15 de enero de 1857, había contribuido a arruinar la vieja publicación. Manuel de Assas fue además uno de los introductores del sánscrito en España. Creo que de él procede el interés que manifestó Bécquer por la cultura de la India. En mayo de 1858, Rodríguez Correa, que tiene que cuidar de la vida material de su amigo herido de repente por la enfermedad, descubre en los papeles de Bécquer el magnífico texto de *El caudillo de las manos rojas.* Esta «tradición india» es el fruto de lecturas y conocimientos extraordinarios. Varios pasajes revelan que algunas rimas están ya escritas o concebidas. Gustavo Adolfo está haciendo la síntesis personal de las corrientes poéticas de su tiempo; las traducciones de Heine por Eulogio Florentino Sanz (15 de mayo de 1857) desempeñan, ya lo hemos visto, el papel de catalizador.

Aprendizaje del oficio de director de una publicación artística, rápida asimilación de conocimientos técnicos complementarios, tentativa para insertar la poesía del vivir personal en la presentación de los monumentos; lecturas, redacción de leyendas, brote de las primeras rimas, actividad musical, los dos primeros años de *Historia de los templos de España* fueron de agotadora pero libre labor. No extraña que, como resultado de tantos trabajos, se hubiese debilitado la salud de Gustavo Adolfo. Una grave enfermedad eruptiva se declaró en mayo de 1858. Llamado por los amigos madrileños, Valeriano dejó Sevilla y permaneció algunos meses al lado de su hermano. En sus memorias, Nombela señala esta presencia así como la suya, las de García Luna, Federico Alcega y Díaz Cendrera; pero olvida la de Rodríguez Correa. Me inclino a fechar en esta época el hermoso retrato de la capa ribeteada de terciopelo granate que sirvió de modelo para el grabado de A. Maura colocado a la cabeza de las *Obras* a partir de la cuarta edición (1885). La camisa abierta, el cabello desordenado sugieren, en mi sentir, un retrato de convaleciente. Esta obra de Valeriano fue propiedad de Francisco de Laiglesia. A juzgar por una mención del libro de don Rafael Montesinos, *Bécquer. Biografía e imagen* (pág. 360), se halla hoy en la colección del conde Ibarra, en Sevilla.

En este mismo año de 1858, el talento de Valeriano fue oficialmente reconocido en Sevilla; el pintor obtuvo una medalla de plata en la exposición de Bellas Artes.

A consecuencia de discrepancias entre los propietarios y los directores, que referiré más adelante, *Historia de los templos de España* cesa de publicarse a principios de 1859, una vez completado el tomo primero dedicado a los edificios religiosos toledanos; este tomo, hoy rarísimo, quedará único. Amargado, Gustavo Adolfo tiene que buscar una nueva actividad.

En su carta a Juan de la Rosa González de noviembre de 1860, Gustavo Adolfo ha dejado el testimonio siguiente acerca de su labor como director de *Historia de los templos de España:*

> Andando algún tiempo, emprendí la publicación de la *Historia de los templos de España.* Para llevar a cabo este proyecto, era preciso luchar con grandes dificultades materiales y hacer estudios superiores a mi edad y ajenos a mi inclinación. Logré vencer las primeras, y la prensa en general emitió un juicio, que considero demasiado benévolo, sobre los segundos.
>
> Enojoso por demás sería el referir ahora los sacrificios de todo género que hice por llevar a cabo esta obra, que al fin tuvo que suspenderse, falta de los grandes recursos y la protección tan indispensables a las publicaciones de su magnitud e importancia.
>
> La crítica no se apercibió de su muerte, ni aun siquiera puso sobre su tumba el epitafio de la de FAETÓN:
>
> *Si no acabó grandes empresas,*
> *murió por acometerlas.*
>
> Esto al menos hubiera sido un consuelo.

33. *Historia de los templos de España*. La vida de una empresa editorial

La vida de Gustavo Adolfo Bécquer no fue únicamente la de un soñador. Su gran designio práctico fue la creación y animación de periódicos y colecciones capaces de elevar la cultura de sus contemporáneos, especialmente con objeto de revalorar la tradición española. Da prueba de ello la lista de los proyectos encontrados en sus papeles, anterior a 1862. La dirección literaria de *Historia de los templos de España* fue para él una preparación a la de *El Museo Universal* (1866) y de *La Ilustración de Madrid* (1870).

Según las previsiones de los fundadores, *Historia de los templos de España* había de comprender cinco o seis tomos constituidos por un centenar de entregas. El ritmo planeado era un tomo cada dieciocho meses.

Los realizadores se dividían en tres grupos: 1.º, el de los financieros y administradores; 2.º, el de los directores encargados de orientar, recoger, coordinar los textos e ilustraciones y vigilar la impresión, y 3.º, el de los redactores de artículos, dibujantes, grabadores y, ya, fotógrafos.

Los capitalistas responsables de la administración fueron en los principios «Rubert y Pta», esto es, según parece, un cierto Rubert y Juan de la Puerta Vizcaíno. Surgieron dificultades; la segunda y tercera entregas salieron con retraso. Se alborotó el público. Entonces se formó, en noviembre de 1857, una sociedad capitaneada por Jaime Llimona y C.ª; uno de los socios, Francisco Carles, asistió a Llimona en sus tareas administrativas. Al hablar del propietario, *La Crónica* no menciona nunca otro nombre que el de Carles.

Los directores fueron Bécquer y De la Puerta Vizcaíno. El papel del último parece haber quedado en teórico. Piensa Rafael de Balbín que su intervención al lado de Gustavo Adolfo se debe al hecho de que éste, siendo menor de edad, no podía desempeñar solo la dirección de una publicación por entregas periódicas, esto en virtud de la ley de imprenta del 13 de julio de 1857. Sin embargo, el comienzo de realización del proyecto es muy anterior al voto de esta ley; creo que la presencia de De la Puerta Vizcaíno se explica en un principio por su fe en el valor de la idea de Gustavo Adolfo, por cierta contribución financiera inicial y por la utilidad de sus relaciones sociales.

En cuanto a la redacción e ilustración eran muchas las colaboraciones esperadas; pero el número de los redactores del primer tomo se limitó a tres: 1.º, Manuel de Assas, quien escribió las ciento veintiocho primeras páginas de la monografía dedicada a la catedral de Toledo; 2.º, un desconocido, de escaso mérito, que escribió las cuarenta y dos páginas restantes, y 3.º Gustavo Adolfo, quien redactó las ciento veintiuna páginas que trataban de los demás edificios religiosos de la ciudad.

Era Manuel de Assa un excepcional conocedor de Toledo. Había publicado en 1848 un *Álbum artístico de Toledo* y en 1851 la obra *Indicador toledano o Guía del viajero en Toledo*. Desde 1853 tenía la responsabilidad del secretariado de la comisión encargada de publicar la colección de monografías *Monumentos arquitectónicos de España.* Representó a la comisión toledana de monumentos en la ceremonia de inhumación de los restos mortales del cardenal Cisneros. *El Seminario Pintoresco Español,* de que, como ya he expuesto, fue el director en 1857, contiene varios artículos suyos sobre monumentos de Toledo; uno de ellos tiene por objeto el palacio de Pedro el Cruel, cuyos sitios y vestigios describe Bécquer en *Tres fechas.* En este erudito, de inmensa curiosidad (derecho, ciencias, historia, pero sobre todo arquitectura, artes decorativas y filología) había encontrado Gustavo Adolfo un mentor ideal. Por su parte, Assas sería conquistado por la fe y el genio poético del joven sevillano.

La extensión del estudio de Assas fue una de las causas de la suspensión de la obra. Mandó el administrador que se abreviase el texto que tenían desarrollado acerca de la catedral. Resistieron los directores y decidieron hacer reconocer por los tribunales su derecho de decisión en esta materia. Don Dionisio Gamallo Fierros fue quien publicó el primero algunos datos sobre este pleito. Bécquer y De la Puerta Vizcaíno acusaron a los editores de proponerse terminar a gusto suyo el primer volumen mutilando la monografía de la catedral de Toledo. Por decisión de diciembre de 1861, la Audiencia de Madrid confirmó el juicio de primera instancia y mandó que los editores-propietarios respetasen en todo las disposiciones tomadas por los directores en materia literaria, dejándoles totalmente libres de dar a los textos la forma estimada por ellos la más adecuada y la extensión que creerían necesaria. Se comprende que tan áspero conflicto haya puesto fin a la colaboración entre los proveedores de fondos y los realizadores artísticos. La prematura cesación de la colaboración de Assas debió de dañar también el renombre de la publicación. Dada la estima de que gozaba este erudito en los medios arqueológicos y artísticos, su alejamiento resultaría disuasivo para muchos de los autores que habían aceptado participar en la obra. El conflicto jurídico hace manifiesta la solidaridad que unía a Manuel de Assas y Gustavo Adolfo.

Asistido por De la Puerta Vizcaíno para las diligencias oficiales, Gustavo Adolfo fue la conciencia y el corazón de la empresa.

La historia de la publicación puede reconstruirse como sigue:

El 21 de junio de 1857, Bécquer y De la Puerta Vizcaíno recibieron audiencia en el Palacio Real, sometieron a doña Isabel II el plan de la edición de *Historia de los templos de España* y solicitaron su protección. La obtuvieron, pues se lee en la dedicatoria de la obra: «Señora: Cuando tuvimos el alto honor de exponer en presencia de V.M. y de vuestro augusto esposo el plan de la *Historia de los templos de España,* era ésta sólo un pensamiento grande, pero difícil de llevar a cabo. Hoy que merced a tan noble protección la idea ha tomado forma de libro, es deber nuestro consignarlo así en la primera de sus páginas para que este débil testimonio de gratitud pase con él a la posteridad.»

El lujoso prospecto se repartió en el mes de julio. La prensa divulgó la noticia *(La Discusión* el 16, *La Época* el 17). *La Crónica,* que había señalado ya el proyecto, elogió especialmente el talento del dibujante Ildefonso Núñez de Castro (22 de julio).

La primera entrega salió de la imprenta a principios de agosto. Estaba adornada con el retrato de los reyes y los del arzobispo de Toledo y del patriarca de las Indias, estos dos últimos por Casado del Alisal, excelente retratista que realizó también en otra entrega uno de los retratos de Juan Guas, arquitecto de San Juan de los Reyes.

Si don Dionisio Gamallo Fierros encontró la fecha de la primera visita de Gustavo Adolfo al Palacio Real con objeto de lanzar *Historia de los templos de España,* a Rica Brown debemos las indicaciones relativas a la segunda audiencia. Ésta tuvo lugar el 9 de agosto a las diez de la noche. Acompañaban a Gustavo Adolfo De la Puerta Vizcaíno y un cierto Manuel Alfague. El objeto de esta visita era presentar el álbum de inscripción, es decir, recoger solemnemente las suscripciones de los reyes, dentro de un proceso protocolar semejante al usado para intentar la salvación de *La España Musical y Literaria.*

En los días que siguieron, Gustavo Adolfo se fue de Toledo en compañía del fotógrafo Bernardo Caro y del dibujante Núñez de Castro. El 14 de agosto lo anunió *El Diario Español,* del que Nombela era uno de los colaboradores. Semejante aviso se dio en *La Discusión* del 16.

La distribución de la primera entrega se hizo a finales de agosto. El 26 señaló el hecho *La Discusión* con esta halagüeña mención: «obra de primera clase». El 1 de septiembre, el mismo diario dedicó algunas líneas a la obra en la «revista bibliográfica» que estaba a cargo de Pi y Margall.

La segunda entrega salió a la luz a principios de octubre *(La Crónica,* 7 de octubre) y no en septiembre. El retraso se acrecentó con la tercera entrega: *La Crónica* tomó nota de su recepción el 19 de noviembre y publicó la información siguiente: «La publicación se suspendió por algunos días a causa de haber pasado la propiedad de la obra a manos del Sr. D. Francisco Carles. La entrega que hemos recibido contiene la continuación de la historia de la catedral de Toledo y una magnífica lámina detallando el arco de la puerta de los Leones de dicha catedral.»

El 30 de noviembre de 1857, el joven *El Museo Universal,* entonces dirigido por Nemesio Fernández Cuesta, publicó otra información que, aunque destinada a sosegar a los suscriptores, señalaba la contrariedad entre las promesas contenidas en el lujoso prospecto y los retrasos notados. Al informar al público, *El Museo Univesal* expresaba su satisfacción acerca del cambio de administrador: «Esta publicación que se anunció con gran aparato y comenzó bastante mal, se va mejorando, merced a las reformas introducidas en su dirección.»

La quinta entrega sale a principios de enero de 1858. Contiene el comienzo de la monografía de San Juan de los Reyes por Gustavo Adolfo. Sin embargo, la monografía de la catedral por Assas está todavía lejos de su término. Las entregas ulteriores van a ser constituidas ora por la continuación de la monografía de Assas, ora por los trabajos de Bécquer sobre los otros edificios religiosos de Toledo.

El 26 de febrero, *La Época* participa la salida de la séptima entrega, lo que demuestra que el retraso de 1857 está recuperado: «Sigue publicándose con mucha regularidad y rapidez la magnífica *Historia de los templos de España,* cuya séptima entrega, tan notable como las precedentes, acaba de aparecer, acompañada de una bellísima lámina que representa detalles de la puerta del Niño Perdido en la catedral de Toledo.»

Es posible que Gustavo Adolfo cuente con algún amigo entre los redactores de *La Época.* El comunicado por el cual este diario anuncia el 13 de abril la salida de la novena entrega, que contiene el final de la monografía de San Juan de los Reyes, es alentador para el autor de este texto: «Con la entrega 9.ª de la *Historia de los templos de España,* recién publicada, concluye la interesante monografía del Convento de San Juan de los Reyes, que con abundancia de datos y noticias, y buen estilo, ha escrito don Gustavo Adolfo Bécquer.» El muy conservador diario *La Esperanza* publica un texto análogo el 17 de abril.

La crónica de Madrid que la *Revue Espagnole, Portugaise, Brésilienne et Hispano-Américaine,* editada en París, publica el 5 de abril resulta halagadora para *Historia de los templos de España* pero indica que, por el momento, la ayuda del gobierno se destina más bien a los trabajos de que está ocupándose la comisión encargada de realizar los *Monumentos arquitectónicos de España:* «La magnifique *Histoire des Temples d'Espagne,* à laquelle travaillent presque tous nos littérateurs, avance à grands pas. Ce sera indubitablement une des oeuvres les plus notables de la littérature espagnole. On travaille aussi, depuis quelque temps, à un ouvrage véritablement colossal. La commission des monuments artistiques, soutenue par l'appui moral et pécuniaire du gouvernement, forme en ce moment une immense collection de plans et de vues de nos monuments architectoniques, qui seront publiès accompagnès du texte.» («Adelanta con rapidez la magnífica *Historia de los templos de España* a la que colaboran casi todos nuestros literatos. A no dudarlo será una de las obras más notables de la literatura española. Se trabaja también, desde algún tiempo, en una obra verdaderamente colosal. La comisión de los monumentos artísticos, sostenida por el apoyo moral y material del gobierno, está reuniendo una inmensa colección de planos y vistas de nuestros monumentos arquitectónicos, que se publicarán acompañados del texto.») El reconocimiento del valor literario de *Historia de los templos de España* resultaba en extremo satisfactorio para Bécquer, cuyos textos estaban publicándose en esos días.

Pero la salud del joven director no resiste a los esfuerzos dispensados. Cae gravemente enfermo antes del 29 de mayo, fecha en que *La Crónica* empieza a publicar *El caudillo de las manos rojas.* En efecto, Rodríguez Correa revelará en su prólogo a las *Obras* (1871) que había descubierto esta «tradición india» (que, según dice, se reprodujo en varias publicaciones españolas y extranjeras con la inexacta pero lisonjera indicación «traducción india») al explorar los papeles del enfermo con la esperanza de descubrir en ellos algunos textos cuya publicación pudiese proporcionar subsidios.

Esta enfermedad generó la interrupción de *Historia de los templos de España,* cuya producción seguía un excelente curso en la primavera de 1858. La décima entrega había salido en mayo. La undécima había sido preparada antes de la enfermedad y pudo repartirse a principios de junio (anuncio de *La Crónica* del 12 de junio, en el número que encierra el final del *Caudillo).*

A principios de septiembre, *La Crónica* pudo dar explicaciones a los suscriptores, serenarles y anunciarles una especie de indemnización en forma de tres entregas agrupadas y adornadas con sendas hermosas láminas:

> «La dirección de la publicación de la *Historia de los templos de España*, importante bajo el punto de vista literario, artístico, religioso y aun patriótico, se ha visto muy a pesar suyo en la imposibilidad de dar entrega alguna durante algún tiempo, porque de los señores colaboradores, uno, el Sr. de Assas, se encontraba fuera de Madrid, desempeñando una comisión del Gobierno de S.M.; otro, el Sr. Bécquer, se encontraba gravemente enfermo, y los demás, o estaban también ausentes a causa de la estación, o no tenían preparados trabajos que pudieran servir para el tomo que se está dando.
>
> En la actualidad habiendo ya regresado el Sr. de Assas, y restablecídose (sic) el Sr. Bécquer, la dirección tiene ya original para dar en breve espacio de tiempo tres entregas, para las cuales servirán tres preciosas láminas que hay tiradas ya, y representan una el interior de San Juan de los Reyes, otra el sepulcro de D. Álvaro de Luna, y la otra el interior del Cristo de la Luz.
>
> A éstas, que indemnizarán a los suscriptores del retardo sufrido en el recibo de las entregas, seguirán sin interrupción las demás, puesto que se han tomado todas las medidas necesarias para que no ocurra otra interrupción.»

La ausencia de Manuel de Assas mencionada en este comunicado se debía sin duda al viaje para el inventario efectuado por el erudito entre Madrid y Alicante en calidad de secretario de la comisión de publicación de *Monumentos arquitectónicos de España.*

La duodécima entrega salió hacia el 20 de septiembre (anuncio de *La Crónica* del 21).

A finales de septiembre, Rodríguez Correa dejó la redacción de *La Crónica* para entrar en la de *El Día*. Le sucedió en *La Crónica* un tal M. Campos, quien anunció, en el número del 27 de octubre, que las entregas 13 y 14 se habían repartido y que la 15 estaba en prensa. Precisó que la dirección disponía de los originales hasta el número 20, lo que daba a entender que no había de temerse ninguna interrupción en un futuro próximo. La publicación carecería de suscriptores, pues *La Crónica* la recomendaba al público deseoso de adquirir una instrucción de calidad. Campos elogia como sigue la monografía de Santa Leocadia que cabía total o parcialmente en las entregas 12 a 14: «La monografía del antiquísimo templo de Santa Leocadia, famoso por los concilios que durante la monarquía goda en él se celebraron, obra del distinguido literato don Gustavo Adolfo Bécquer, es digna de llamar la atención de todas las personas instruidas, religiosas y amantes de las glorias nacionales.» Aquí se expresan de nuevo los sentimientos patrióticos y nacionalistas que defenderá Bécquer, en materia de artes, a lo largo de su corta vida.

Poco después estallaría el conflicto acerca de la extensión de la monografía de la catedral, resolviendo los editores mandar terminar ésta por un redactor mediocre cuyo nombre queda ignorado.

Pierdo aquí las huellas de *Historia de los templos de España*. Lo único cierto es que la empresa había cesado de vivir desde algún tiempo cuando, en agosto de 1859, Gustavo Adolfo vino a ser temporalmente el colaborador literario de *La Época*.

Se completó el tomo relativo a Toledo y Gustavo Adolfo quiso concluirlo con una nota («Advertencia interesante») que explicaba por qué un falso retrato de Juan Guas, arquitecto de San Juan de los Reyes, había sido publicado en la *Historia*. El descubrimiento del retrato verdadero era reciente. Gustavo Adolfo rectifica el error y da a conocer una copia del retrato auténtico.

Se habló poco de *Historia de los templos de España* después de la suspensión, la cual había de ser definitiva. Me parece significativo de este relativo silencio el hecho de que la voluminosa obra de Antonio Martín Gamero, *Historia de la ciudad de Toledo,* publicada en Toledo en 1862 (imprenta de Severiano López Fando) no mencione ni el nombre de Bécquer ni su obra.

Cuando, en 1860, Amador de los Ríos examina la producción literaria de los años 1858 y 1859, no se olvida de *Historia de los templos de España* al hablar de los progresos de la arqueología; pero se trata para él de una pura obligación social y desconoce a Bécquer: «*Los templos de España* —escribe— obra publicada bajo los auspicios del episcopado.» Cita, en cambio, los nombres de Antonio Parceriza, autor de *Recuerdos y bellezas de España,* así como el de Antonio Redondo, autor de *Historia descriptiva y artística del Escorial.* Reserva su admiración y sus alabanzas para los oficiales *Monumentos arquitectónicos de España* (todo esto se lee en *El Contemporáneo* del 15 de mayo de 1861, sección «Variedades», bajo el título «La literatura española en los años de 1858-1859», que es el de un artículo probablemente traducido por Valera, sacado de una revista alemana).

34. Los textos de Bécquer en *Historia de los templos de España.* Poesía, historia y arte

En ciento veintiuna páginas estudia Bécquer un centenar de monumentos toledanos entre los cuales ochenta existían todavía. Aun cuando no los hubiera visitado todos, tal trabajo supone una presencia en la ciudad de un mínimo de tres meses; las estancias se repartirían a lo largo de los años 1855 a 1858; la única de que tenemos prueba documental es la del verano de 1857.

Sin duda Gustavo tuvo contactos con las comisiones que presidía o asistía Manuel de Assas. Ensalza el celo de la comisión de monumentos artísticos de Toledo al final del capítulo II de «San Juan de los Reyes» y expresa su respeto para los miembros de la Comisión Provincial de Monumentos Históricos y Artísticos al final del capítulo II de «El Cristo de la Luz».

El único volumen de *Historia de los templos de España* sufre de grandes desequilibrios. La sola monografía de la catedral de Toledo ocupa ciento setenta páginas. La obra propia de Gustavo Adolfo empieza con dos hermosas monografías, las de San Juan de los Reyes y de Santa Leocadia, que abarcan la tercera parte de sus textos; luego las explicaciones van reduciéndose hasta limitarse con frecuencia a algunas líneas de historia e inventario artístico. La falta de selección da por resultado, al final del tomo, una seca presentación de monumentos que raya en enumeración fastidiosa.

Se sabe por las declaraciones contenidas en la carta a De la Rosa González de noviembre de 1860 que ciertos aspectos de este trabajo disgustaban a Gustavo Adolfo. Sin embargo supo explotar hábilmente las fuentes encontradas y hacer un trabajo original por varios conceptos.

No se había preparado para la investigación histórica, pero sentía bien el encanto de la restitución del pasado así como el placer del contacto con el documento o el vestigio material antiguo. Su información queda de segunda mano en la mayoría de los casos; pero la hermosean la espontaneidad de la juventud, la imaginación poética y el estilo personal; sin embargo, la sobriedad va creciendo a medida que se alarga la lista de los monumentos, siendo algunos de escaso interés; al mismo tiempo se hace más visible el sustrato formado por la información ajena. En varios lugares, Gustavo Adolfo cita expresamente:

— La *Historia general de España* del padre Juan de Mariana, muy adicto a Toledo donde salió en 1592 la primera edición de su gran obra y donde pasó la mayor parte de su vida.
— *Toledo pintoresca* (Madrid, 1845) de José Amador de los Ríos.
— *Toledo en la mano* (Madrid, 1857) de Sixto Ramón Parro.
— Los numerosos estudios y artículos sobre Toledo de Manuel de Assas así como obras antiguas que conoce por los extractos reproducidos en las obras citadas.

Don Rubén Benítez ha demostrado en su libro *Bécquer tradicionalista* que Gustavo Adolfo sigue de cerca, en muchos lugares, la fuente que tiene a la vista; esto es particularmente exacto para Mariana en la parte histórica de «San Juan de los Reyes» y para Sixto Ramón Parro en la descripción de los monumentos que se mencionan en los capítulos finales que tratan de las parroquias latinas, de los monasterios y conventos, de las comunidades, de los santuarios y de las capillas. Habla don Rubén Benítez de una «demasiado estrecha relación» entre Parro y Bécquer. Me parece sin embargo, a la vista de los templos citados por el investigador argentino, que, si Gustavo sacó en efecto numerosos datos de *Toledo en la mano*, se esforzó siempre, a pesar de su cansancio final, por hacer un examen crítico de estos informes y por transmitirlos de manera elegante.

En varios lugares se representa Gustavo Adolfo examinando sitios y objetos. Da entonces su opinión personal sobre los problemas que éstos pueden plantear. En otras partes, confronta los diversos pareceres formulados por los eruditos (a quienes llama a menudo «los inteligentes», término que incluye también a los aficionados entendidos) e intenta solucionar los problemas exponiendo los motivos de su preferencia. El aspecto positivo y frío de su personalidad es el que se manifiesta en tales casos.

De vez en cuando se comporta como crítico de arte; sus observaciones y apreciaciones son de especial precisión en materia de pintura y escultura. Existe un rasgo constante en sus juicios, aunque vaya atenuándose un poco en los últimos capítulos del tomo único de *Historia de los templos de España:* se trata de su hostilidad al clasicismo del Renacimiento y de los siglos posteriores en materia de arquitectura. Estima que la restauración del gusto grecorromano ha conducido con demasiada frecuencia a despreciar, alterar o destruir la expresión original y vigorosa de las religiones cristiana e islámica tal como había brotado en la Edad Media. El arte ojival es el representante «genuino» de la religión cristiana, como el arte árabe lo es de la religión «islamita» (final de la primera parte del texto dedicado al Cristo de la Luz). La crítica más viva del Renacimiento se lee en la primera sección de «San Juan de los Reyes»: «... se exhumó en Italia el gusto romano, y ya ataviado su esqueleto con las galas platerescas, ya afectando su primitiva sencillez, inundó a las otras naciones bajo la forma del Renacimiento. Nada se respetó; profanáronse los más caprichosos pensamientos de nuestra arquitectura propia, a la que apellidaron bárbara...» Gustavo Adolfo lamenta en particular la predominancia del desnudo sobre los ropajes «largos y fantásticos», así como la invasión del interior de los monumentos por la luz de las cúpulas; en esta ocasión evoca el espacio interno de los antiguos santuarios bañados «en la tenue y moribunda claridad que se abría paso a través de los vidrios de colores del estrecho ajimez o del calado rosetón».

Es necesario hacer ahora algunas observaciones acerca de la introducción general de *Historia de los templos de España,* de las monografías de San Juan de los Reyes, de Santa Leocadia, del Cristo de la Luz, de las dos sinagogas medievales, y sobre los textos finales (parroquias mozárabes, parroquias latinas, conventos y monasterios, etc.).

* * *

No obstante su oratoria discutible, la «Introducción» tiene una hermosa fuerza porque es concisa y ordenada.

La finalidad de la obra —unir el pensamiento religioso, la arquitectura y la historia— se expresa por una imagen seguida de una sola frase. Este enérgico pasaje dice: «La tradición religiosa es el eje de diamante sobre el que gira nuestro pasado. Estudiar el templo, manifestación visible de la primera, para hacer en un solo libro la síntesis del segundo: he aquí nuestro propósito.»

La imagen del eje de diamante aparece de nuevo en la fábula cosmológica de asunto indio, *La Creación.* Tiene como simétrico el eje de cristal, fragilísimo, del poema *Amor eterno* («Podrá nublarse el sol eternamente»).

Bécquer enumera luego los campos de estudio con una inteligente sucesión de imágenes cuyas sonoridades épicas nos parecen hoy algo forzadas: hace salir de su tumba a los arquitectos y escultores, invita a seguir por la imaginación la evolución de la pintura, ilustra la historia evocando los archivos que permiten remontarse a la gran época monástica y a la Reconquista, anuncia una síntesis explicativa basada en el poder de la fe creadora.

Sigue una indicación general en que se elogian las colaboraciones y los apoyos de que beneficia la publicación. Aquí se expresan el ardor y la impaciencia que caracterizaban ya la solicitud que el equipo de *La España Musical y Literaria* había dirigido a la reina y que reaparecerán en 1859 en el primer artículo literario acogido por *La Época;* se habla de esa «juventud que espera con ansia el instante de saltar al palenque literario para probar sus fuerzas con un asunto grande».

A pesar de la alusión final a la «raquítica Babel de la impiedad» no disimula Gustavo Adolfo, ya desde aquella época, que su único propósito es salvar el recuerdo de una civilización admirada pero muerta. Resulta curioso que haya podido escribir sin ser censurado que el fin de la empresa era «armar el esqueleto de esa era portentosa que, herida de muerte por la duda, acabó con el último siglo».

Pablo Piferrer (1818-1848) manifestaba sentimientos mucho menos sombríos cuando escribía, unos veinte años antes, en la introducción del volumen «Cataluña» de sus *Recuerdos y bellezas de España:* «El filosofismo (del siglo XVIII) y las guerras intestinas han menoscabado la sencillez y amor a la tradición.» Queda el hecho que, distantes de una generación, el joven catalán y Bécquer pertenecen a la misma corriente de poesía del pasado; les anima el mismo amor a las antiguas costumbres fundadas en el sentimiento religioso. Don Guillermo Díaz Plaja piensa que Bécquer leyó las introducciones de Piferrer y se inspiró en ellas para su introducción de *Historia de los templos de España.* Tal lectura es verosímil y no cabe duda que al leer las palabras de Piferrer «Nosotros pediremos a las crónicas y a los archivos la memoria de aquellos tiempos y la pintura de las costumbres perdidas...», se piensa en los «Evocaremos... sabremos... seguiremos... Registraremos los archivos...» de la «Introducción» becqueriana, pero la semejanza me parece proceder sobre todo de la adhesión a una misma corriente, el romanticismo conservador o arqueológico, que se origina en *El genio del cristianismo* de Chateaubriand. Gustavo Adolfo va a entusiasmarse pronto con la poesía popular, las costumbres campesinas de Soria y del Somontano, las fiestas religiosas; de este modo va a recorrer las diversas vías señaladas por Piferrer, quien quería dar a conocer la poesía de las costumbres ancestrales tales como podían todavía observarse en algunas comarcas o durante ciertas fiestas religiosas. Se asemejará también a su desgraciado predecesor al interesarse por Alemania como fuente de los estudios sobre las tradiciones populares.

Historia de los templos de España se dirige primero a los medios conservadores. La «Introducción» halaga los gustos de este público. En el mismo tiempo, García Luna proyecta publicar una obra destinada a dar a conocer la biografía de todos los prelados que gobiernan la Iglesia (anuncio del 2 de marzo de 1858 en *El Fénix).*

La monografía de San Juan de los Reyes

Esta monografía comprende cuatro partes. La exposición histórica (II) y la descripción artística (III) están situadas entre dos textos líricos, una vista de conjunto que sirve de introducción (I) y lo que llamaré la leyenda de San Juan de los Reyes (IV).

La introducción, que refleja sucesivamente los arrebatos imaginativos del pensador, del artista y del poeta, baña en un fuego simbólico —ese fuego interno, fuente de magníficas imágenes, pero también aislador, devastador y agotador, que se nota en todos los escritos de Gustavo Adolfo entre 1857 y 1860: «ardiente meta», «imaginación ardiente», «imaginación de fuego». En la parte final, la evocación del proceso creador en materia de arquitectura trae el desarrollo metafórico siguiente, típico de esos años de fuego: «Un mar de lava arde en tu fantasía, y entre las hirvientes crestas de sus olas se agitan y confunden las partes del todo que buscas.»

La parte IV compone una leyenda poética del monumento dividida en nueve cantos o evocaciones que refieren su historia desde la época de la edificación hasta el momento en que el poeta lo deja. La búsqueda de los efectos musicales y la importancia de los elementos auditivos son tan notables aquí que puede verse también en esta cuarta parte —que es expresamente la del poeta, contrapuesta a las del historiador (II) y del arquitecto o del decorador (III)—, la sucesión de los temas de un poema sinfónico.

El ambiente de San Juan de los Reyes ejerció sobre Gustavo Adolfo un efecto casi terapéutico que traduce esta nota afectiva encerrada en el canto introductivo de la sección IV: «El poeta... que viene... a pediros un rayo de inspiración y un instante de calma.»

«La onda de colores y de luz», como el poeta define la parte IV en la introducción de «San Juan de los Reyes», se inicia con dos breves relámpagos guerreros (2 y 3) que evocan la unión del misticismo y de la caballería, de la religión y de la conquista en la España del siglo XV. El canto de la parte IV pone en escena al arquitecto que concibe febrilmente el monumento en una noche de tormenta, a la luz de una lámpara de llama crepitante.

El canto 5 evoca la construcción del edificio; y el canto 6 hace revivir a la iglesia conventual en el tiempo de su esplendor. La piedra recobra sus adornos y las estatuas se animan como harán las de la catedral en *La ajorca de oro,* relato publicado en 1861.

Está dedicado el canto 7 a una nueva evocación de la sombra de Cisneros, la cual había aparecido ya en la introducción general (parte I). Gustavo Adolfo representa al cardenal don Francisco Jiménez de Cisneros conforme a su propio ideal, conforme a su propio sueño de gloria. Tanto en la introducción como en este canto es Cisneros un soñador solitario. En su persona se unen dolor, genio y «voluntad de diamante». Esta alianza del amor a la soledad y de la voluntad de obrar, puede parecer extraña pero existe en el joven Bécquer. Fuente de dificultad y malestar, puede explicarse y justificarse como sigue: en las profundidades de la intimidad es donde deben buscarse los proyectos y valores, pero esta búsqueda sólo tiene sentido si se realiza a favor de todo lo que vive.

En este canto 7, Gustavo Adolfo imagina —y es pura fantasía— a un Cisneros, reciente novicio, que anda soñando, en el claustro de San Juan de los Reyes, una tarde de otoño; no sin pena, su espíritu va destacándose de los «últimos rumores del mundo». Los sentimientos engendrados por la consideración de la muerte vencen finalmente al amor humano. Este Cisneros joven está muy cercano al héroe de *El rayo de luna*. Ambos jóvenes son unos visionarios a cuyos ojos el ideal y la hermosura, que encarna la mujer, se interfieren. La «sombra fugaz» que el novicio tiene la impresión de ver deslizarse ante sus ojos es parecida a la «cosa blanca que flotó un momento y desapareció en la oscuridad», a esa ilusión nocturna que capta la imaginación de Manrique en el claustro arruinado de San Juan de Duero. Pronto, la rima XV («Cendal flotante de leve bruma») va a recoger estas vagas idealidades y ardores.

En la misma época, Gustavo Doré empieza a interesarse por el tema del neófito. La desgarradora desilusión que sugiere su litografía de 1855 y más aún, por más moderado, su cuadro de 1869, contrastan con la resolución del héroe becqueriano. Doré representa a un joven idealista que se ha extraviado en una comunidad monacal fea y agonizante; Bécquer hace de un espectáculo fúnebre (los monjes que conducen el féretro al camposanto) una ocasión de fortalecimiento de la fe.

El canto 8 evoca la ocupación del edificio por las tropas napoleónicas. Todos los elementos del relato *El beso* se encuentran aquí: el campamento en la iglesia, la impiedad de los soldados, el vino de Champaña, la vida conferida a las estatuas, el sentimiento de indignación. Sólo faltan el ultraje a los yacentes y la bofetada con el guantelete de piedra.

El poeta describe el incendio como si lo presenciara. Las filas de estatuas cuya inmovilidad contrasta con la agitación de las llamas están comparadas a los condenados del infierno descritos por Dante; ésta es la primera mención del florentino en los escritos de Bécquer. La frase final «Dejad que en su seno la obra de la destrucción se corone» recuerda todo lo que atañe a Siva en *El caudillo de las manos rojas*.

Al tumulto del canto 8 sucede de repente la paz del canto 9: «El alto silencio del abandono vive ahora en vuestros muros, entre cuyos sillares crece la hiedra que da sombra al nido de la golondrina, hecho de leves plumas sobre el dosel de las estatuas...» El poeta se despide del monumento mientras va cayendo la noche; no se confundirá el recuerdo de esta visita con las «impuras y vanas impresiones de la tierra».

Este último cuadro reaparecerá desarrollado en la conclusión de las *Cartas literarias a una mujer,* en la que el poeta se presentará dibujando todo el día y hasta la caída de la noche en el claustro de San Juan de los Reyes.

Bécquer reproducirá además la cuarta parte entera de la monografía en *El Contemporáneo* el 20 de septiembre de 1862 (núm. 528).

En conjunto, la pintura de ambiente en «San Juan de los Reyes» queda muy ligada a la apología de la España cristiana combatiente. La observación pura y despreocupada se expresa poco en el texto, excepto en las sensaciones auditivas y, de manera más extensa, en las que se refieren al ambiente crepuscular.

El 15 de enero de 1858, en el exacto momento en que Gustavo Adolfo empezaba a publicar su monografía de San Juan de los Reyes, salía en *El Museo Universal* un artículo de Emilio Castelar (nacido en Cádiz en 1832) titulado «Una tarde en San Juan de los Reyes». La sensibilidad que se expresa en el texto de Castelar tiene parentesco con la de Bécquer. Parece que ambos escritores se hayan inspirado recíprocamente. Pudiera Castelar haber tomado de Bécquer la imagen del eje de diamante que figuraba en la introducción a *Historia de los templos de España* publicada algunos meses antes. A la inversa, Gustavo Adolfo pudo recordar de Castelar la oposición tierra-cielo: «El templo de San Juan de los Reyes —escribe Castelar— símbolo de lo infinito, prueba que si el hombre, por su organización, pertenece a la tierra, por su pensamiento pertenece al cielo. Si alguna vez por tu desgracia, lo dudaras, lector, acércate a uno de esos templos, y encontrarás en ellos prueba de tan consoladora verdad, y verás en ello la realidad de Dios, y la inmortalidad del alma.»

La apasionada fe en Dios de Castelar, tal como se expresa en la introducción de su artículo, parece muy cercana a los sentimientos que traduce la rima VIII («Cuando miro el azul horizonte»), poema que criticaron algunos comentaristas ultracatólicos en los años 1870. He aquí lo que dice Castelar en este texto lírico: «Así como la creación con sus maravillas atestigua la existencia de Dios, el arte atestigua la inmortalidad del hombre. Esta sed de lo infinito que nos aqueja, este continuo tormento, este vacío del corazón dice que somos desterrados, que venimos de otro mundo mejor, y que todo nuestro gran trabajo consiste en levantar una escala misteriosa para subir a ese mundo. ¿Por qué, en la callada noche, cuando la luna se refleja en el mar, y tiñe de misteriosa luz el horizonte, y las auras nos regalan el aroma de las flores, los gorjeos del ruiseñor, el alma, delante de aquel cuadro, se forja otra vida mejor, otro espectáculo más bello, otro mundo más grande? Porque el alma es una lágrima de Dios, se evapora, y se pierde en lo infinito, en lo eterno, que es su centro.»

La monografía de Santa Leocadia (el Cristo de la Vega)

Había previsto Gustavo Adolfo para sus contribuciones a *Historia de los templos de España* una estructura uniforme cuatripartita: I. Impresiones generales; II. Relaciones con la historia; III. Descripción artística; IV. Referencias legendarias y literarias. En «El Cristo de la luz» es donde se aplica más nítidamente el esquema. En la monografía de San Juan de los Reyes, Gustavo Adolfo había colmado muy felizmente el vacío de la cuarta parte por una «leyenda de los siglos» subjetiva. Se respeta el esquema cuatripartito en la monografía de la basílica de Santa Leocadia, el segundo texto publicado, pero la primera parte está bonitamente dedicada en su casi totalidad a la descripción del sitio y al descubrimiento del edificio por el autor. En la parte IV, Gustavo Adolfo se limita a relatar brevemente la leyenda del Cristo de la Vega, ya tratada por Zorrilla como él lo recuerda a los lectores.

En la primera parte, Gustavo Adolfo procura que el lector participe de su propio paseo arqueológico. Este carácter subjetivo de la experiencia —la de un poeta y de un experto en materia de pintura— da su encanto al texto. La idea de un encadenamiento de descripciones breves, llevadas por el movimiento del excursionista, hace de la descripción artística un relato viviente. El ambiente general ofrece varios puntos comunes con el de la monografía de San Juan de los Reyes: la estación es el otoño, se privilegia el momento crepuscular de la tarde, surge la melancolía. Los sentidos captan con avidez la realidad circundante. Dominan las impresiones visuales y auditivas. Se combinan sin embargo con los elementos de la atmósfera ideal, interior, creada por la fantasía del poeta, de la que uno de los rasgos constantes es un «dolorido sentir» que dimana de un sentimiento artístico de impotencia, de esa «vaguedad sin nombre, imposible de expresar con palabras» que experimenta Gustavo Adolfo ante el panorama otoñal que se presenta a sus ojos desde la altura donde se levanta el hospital de Tavera.

Claridades y sombras son los elementos característicos de las visiones ideales becquerianas. Universo musical y universo luminoso se fusionan en esta subjetividad. Tal vez Murillo fuera quien cultivó ésta con la mayor perfección pero su nombre no aparece en la monografía de Santa Leocadia; los pintores a quienes Gustavo Adolfo toma aquí como referencias son Claudio Lorena y Rembrandt.

Puede aplicarse al joven Gustavo Adolfo de *Historia de los templos de España* esta observación formulada por Gustavo Planche en su estudio «Le paysage et les paysagistes: Ruisdael, Lorrain, Poussin» *(Revue des Deux Mondes,* 1857, volumen 3, pág. 783): «Con sus recuerdos, con sus sueños

(Lorrain), componía un tipo de felicidad o de tristeza, y cuando quería hacer visible para todos lo que había percibido dentro de sí mismo, se tornaba hacia la naturaleza para dar más exactitud a su pensamiento..., en él estaba el modelo.» Tal vez Bécquer no tuviese completa conciencia de todo cuanto proyectaba de sí mismo en sus impresiones paisajistas, pero sintió bien el parentesco de su arte con el de Claude Gellée: «Lorena, en algunos de sus maravillos paisajes, ha logrado sorprender su secreto a la naturaleza, y ha reproducido ese último adiós del día, con todo el misterio, con toda la indefinible vaguedad que lo embellece». Cuando, el 15 de febrero de 1858, Pi y Margall describe en *El Museo Universal* las colecciones del museo real de pintura y de escultura, menciona diez obras de Claudio Lorena. ¡Y qué obras! Visitando el museo del Prado en 1866, el viajero francés Eugenio Poitou notará en su *Voyage en Espagne* (Tours, Mame, 1869): «Dos nombres solos representan a la escuela francesa: Poussin y Claude Lorrain... El segundo tiene cinco o seis paisajes que son incomparables: dos entre otros, en el salón Isabel, que representan un amanecer y un atardecer. El Louvre no tiene nada más hermoso, y no hay pintura en el mundo de cuya vecindad no pueda salir ésta airosa. Claudio Lorena es el más grande de los paisajistas... Como se dice que Velázquez pintó el aire, pudiera decirse que pintó la luz; y por este medio es como expresó mejor que nadie la suprema poesía de la naturaleza» (pág. 416, traducido del francés). Entre estos cuadros figuraría con mucha probabilidad una de las más luminosas obras marinas de Lorena: *El puerto de Ostia con el embarco de San Pablo,* pintada para el palacio del Buen Retiro de Felipe IV.

Pudo, pues, tener Gustavo Adolfo un conocimiento directo de los cuadros de Gellée. Los reflejos dorados, las aguas centelleantes y las brumas azuladas que se encuentran a menudo en sus descripciones se ven en muchas obras del pintor francés.

Se pronuncia el nombre de Rembrandt cuando se alude a los focos de luz crepuscular que subsisten en la basílica de Santa Leocadia a la entrada del poeta y de su guía. El trato de la luz por Rembrandt en los interiores se evoca también en *Tres fechas* (tercera parte) y en el comentario del cuadro de F. Sans «Episodio de Trafalgar» *(Exposición de Bellas Artes de 1862).* No mencionando Pi y Margall a Rembrandt en su revista el 15 de enero de 1858, ignoro si Bécquer pudo conocer directamente algunos cuadros del maestro holandés.

Gustavo Adolfo nota que la basílica, con su humilde portal, sobrevive, mientras que del rico barrio romano de la cercanía sólo quedan algunas toscas piedras. Eso le da ocasión para afirmar la superioridad de la fe sobre la fuerza y, más generalmente, de «la idea sobre la materia».

Esta primera parte de la monografía de Santa Leocadia fue reproducida el 3 de septiembre de 1862 en *El Contemporáneo.* Los amigos de Bécquer la hallaron en este periódico y la recogieron en el tomo II de la edición original de las *Obras*.

La segunda parte de la monografía contiene la historia detallada y razonada de los acontecimientos de que la basílica fue el teatro. Es un relato animado que me impresiona sobre todo por la especie de posesión que sufrió Gustavo Adolfo al evocar la detención y la muerte de Leocadia, mártir sin historia documentada ni rostro. Cuando refirió la lucha de la joven contra una autoridad contraria y su muerte prematura subieron al nivel de la conciencia y se expresaron todos los sentimientos que había experimentado durante sus enfermedades (incluso tal vez en el curso de la grave enfermedad de mayo-julio de 1858): «La luz, el aire, las flores, las aguas, el cielo, el amor con sus horas de éxtasis, la vanidad con sus momentos de triunfo, las galas, las joyas, el movimiento, la vida en fin; la vida que tanto se ama cuando se es tan joven y se la siente huir de entre nuestras manos, todo esto venía a pasar como una visión tentadora y ardiente ante los ojos de Leocadia...» Raras veces se pintó con tanta emoción la belleza del sacrificio consentido por un ser joven.

La monografía del Cristo de la Luz

Como las dos precedentes, esta monografía es completa y contiene una parte poética. Ésta pertenece a la introducción, cuya importancia se debe a que, siendo la antigua mezquita (transformada en capilla del Santísimo Cristo de la Luz y Nuestra Señora de la Luz) el primer monumento de origen árabe presentado en *Historia de los templos de España*, Bécquer expresa aquí su sentimiento global sobre el arte islámico de España.

En esta parte introductiva, Gustavo Adolfo hace constar que, por razones principalmente políticas y religiosas, los vestigios dejados en España por la civilización musulmana han sido desestimados durante demasiado tiempo. Señala también como responsable de este nocivo comportamiento el «delirio de regeneración clásica que así en el terreno de las ideas como en el de las cosas trajo el Renacimiento». Apunta que la reacción artística que caracteriza la época presente permite examinar con neutralidad todos los estilos. Procurando ligar este estudio con el espíritu religioso que anima la empresa de *Historia de los templos de España*, afirma que es preciso conservar con mucho cuidado los preciosísimos restos de la arquitectura mahometana para poder medir el «coloso al que el poder de nuestra religión y el esfuerzo de nuestros mayores humillaron».

Trata luego de caracterizar el arte árabe y comienza por afirmar el principio de una concordancia entre la atmósfera afectiva que cada religión va creando y la arquitectura de los templos. La demostración de esta idea le da ocasión para evocar sucesivamente, en una suerte de poema en prosa compuesto de secuencias cortas e iguales, los monumentos religiosos de Egipto, de la India, de Grecia, del mundo árabe, del mundo cristiano medieval (siendo puestos de relieve el *Apocalipsis* y «las severas melancólicas tintas» atribuidas a la Edad Media). Faltos de originalidad religiosa, Roma y Bizancio no tuvieron originalidad arquitectónica; sólo hubo modificaciones del genio creador griego.

Gustavo Adolfo presenta con mucha delicadeza la arquitectura árabe que había podido admirar en Sevilla antes de estudiarla en Toledo: «La arquitectura árabe parece hija del sueño de un creyente dormido después de una batalla a la sombra de una palmera. Sólo la religión, que con tan brillantes colores pinta las huríes del paraíso y sus embriagadoras delicias, pudo reunir las confusas ideas de mil diferentes estilos y entretejerlos en la forma de un encaje. Sus gentiles oraciones no son más que una hermosa página del libro de su legislador poeta, escrita con alabastro y estuco en las paredes de una mezquita o en las tarbeas de una aljama.»

Se acaba esta introducción con el examen de las tres épocas de la arquitectura musulmana en Toledo.

La monografía se continúa según las divisiones acostumbradas: historia del monumento en sus sucesivas estadías, descripción arquitectónica y artística, leyendas. La sencillez exterior de la arquitectura musulmana se subraya en el comienzo de la parte III.

La parte dedicada a las leyendas reproduce una larga inscripción que se lee en el interior del edificio. Dicha inscripción está precedida de una defensa de las creencias populares, las cuales son de índole, precisa el autor, capaz de hacer olvidar un momento al lector la «prosaica realidad de nuestra existencia».

Abarcando lo relativo a la cadena de las civilizaciones y al arte musulmán de Toledo en su esplendor, la parte más poética de la introducción (parte I) se reprodujo en *El Contemporáneo* el 9 de septiembre de 1862 bajo el título «Arquitectura árabe». Los amigos de Gustavo Adolfo sacaron este artículo de *El Contemporáneo* para insertarlo, conservando el título, en el tomo III de las *Obras* de 1871.

Las monografías de las antiguas sinagogas
Santa María la Blanca y Nuestra Señora del Tránsito

A partir de estas monografías se manifiesta una creciente sequedad. Los trozos poéticos van enrareciendo.

La monografía de Santa María la Blanca comprende sólo tres partes: I, lo que Gustavo Adolfo llama un «ligero bosquejo» de la historia de los judíos en España desde los orígenes hasta las medidas represivas de 1492;

II, la historia del monumento; III, su descripción. No hay ni leyenda tradicional ni tentativa para dar vida poética al sitio.

Intencionadamente se abstiene Gustavo Adolfo de todo juicio sobre la conducta de los Reyes Católicos con respecto a la comunidad judía. No se pronuncia el nombre de Cisneros, quien no podría ser aquí el patético y ficticio soñador presentado en la monografía de San Juan de los Reyes. He aquí este texto que no es la obra de un ingenuo (además, De la Puerta Vizcaíno, compañero de Bécquer en la empresa, se interesaba por la cuestión judía): «Ocupado ya el trono de Castilla por los Reyes Católicos don Fernando y doña Isabel, tuvo lugar la expulsión de los judíos de España, abandonándola en número de 800.000, medida que a tan distintos pareceres y acaloradas controversias ha dado lugar entre los historiadores, y de la que nosotros no nos ocuparemos por no ser de la mayor importancia para el asunto de nuestra obra.» Examinando en la monografía de Santa Leocadia el concilio toledano de 633-634, Gustavo Adolfo había elogiado la tolerancia manifestada para con los israelitas por los padres conciliares («celo humanitario digno del mayor encomio»). Por eso me sorprende un repulsivo retrato de israelita, el de Daniel Levi, tipo del hombre fanático, alevoso y cruel, en *La rosa de pasión (El Contemporáneo,* 24 de marzo de 1864): este hecho puede explicarse por la fidelidad del escritor al espíritu de la tradición popular, pero hubiera sido útil que lo indicase.

Varias veces expresa Gustavo Adolfo en *Historia de los templos de España* su admiración por la decoración de los techos árabes de madera de alerce. El encanto de esta ornamentación pertenece a lo que, a su sentir, escapa al poder de la palabra. Tal sentimiento se expresa por primera vez en la parte III de la monografía de Santa María la Blanca: «… un riquísimo artesonado de alerce que forma infinitas combinaciones geométricas, y de cuyo conjunto maravilloso no es posible dar una idea con palabras.»

En algunas de las últimas líneas de la monografía se lee un bonito compendio de la historia artística del edificio: «Dos siglos, pues, han contribuido a esta obra: uno armó su esqueleto y le imprimió su carácter de solidez y severidad; otro la revistió de galas y la impregnó en su perfume de lujo y poesía.»

Reducida a dos partes (breve historia de la fundación y descripción del monumento), la monografía de Nuestra Señora del Tránsito vale sobre todo por la densidad y exactitud de la expresión.

Otros textos

Las demás contribuciones de Gustavo Adolfo ofrecen reducido valor. Sin embargo, me han interesado algunos puntos.

En las líneas consagradas a los Santos Justo y Pastor («Parroquias latinas») se ve a Gustavo Adolfo mandar instalar escaleras y luego trepar para examinar la pintura de las cornisas y de los artesones de alerce, así como los frisos que llevan inscripciones coránicas, lo que confirma la viva atracción que ejercía sobre su espíritu el arte musulmán a la par que da idea de la conciencia con que cumplía con su misión informativa.

En varias ocasiones, Gustavo se comporta como crítico de arte, especialmente en materia de pintura. Se observa esto de modo particular en las líneas dedicadas a Santo Tomé («Parroquias latinas [suprimidas en la actualidad]»), donde se encuentran pareceres sobre el cuadro de Vicente López *Jesús y Santo Tomás,* y sobre *El entierro del conde de Orgaz,* del Greco; en ambos casos Gustavo Adolfo da su apreciación del dibujo. El análisis del cuadro del Greco, el mejor de su producción según la crítica, resulta bastante completo; el dibujo se califica de «más correcto de lo que generalmente se observa en los cuadros de este artista»; la composición, el movimiento, la variedad y la naturalidad se alaban, así como los colores. No obstante, Bécquer critica con energía un aspecto de la composición: «Lástima que por una de esas extravagancias que lo caracterizaron, pintara sobre el fondo una nube cargada de racimos de ángeles tan apiñados, tan faltos de entonación y tan duros que turba la armoniosa disposición del asunto y afea y descompone su inspiración.»

Gustavo Adolfo siente poca afinidad entre el temperamento artístico del Greco y el suyo. Es verdad que existe en la pintura del Greco un frío metálico y un rechazo de la gracia, de los que la emoción humana sale singularmente alzada, que están en oposición con la vaguedad cordial y los vapores luminosos de que gusta el poeta sevillano. Me parece sin embargo curioso que Gustavo Adolfo no haya saludado en el Greco al visionario y representante de un arte atrevidamente subjetivo. Escribe en uno de los párrafos sobre San Vicente Mártir («Parroquias latinas [suprimidas en la actualidad]»): «En el retablo, que se encuentra en la cabecera del templo, y cuya traza y obra de arquitectura, pintura y escultura pertenece exclusivamente al Greco, demostró este artista las grandes dotes de inteligencia que poseía: dotes que le hubieran colocado a los ojos de la crítica desapasionada en un rango muy superior al en que se halla, sin el desarreglo de su genio y los caprichos y extravagancias de su desordenada fantasía.» Es que Bécquer se comporta aquí, como lo hizo toda su vida en materia de pintura, como crítico amante de la verdad y naturalidad. Cabe apuntar de paso que, en 1858, los grandes pintores españoles representados en el museo de Madrid son Velázquez (64 obras), Murillo (46 obras), Zurbarán (14 obras) y Ribera (58 obras). El ejemplo de la crítica del joven Bécquer confirma esta declaración de *Azorín* para el período considerado: «... el Greco es un pintor ignorado; nadie le conoce, y los pocos que le conocen le tienen por loco y extravagante.» Al fin y al cabo, Gustavo Adolfo es uno de estos pocos conocedores; su crítica atenta, y favorable en conjunto, de *El entierro del conde de Orgaz* nada tiene de conformista. El descubrimiento del Greco empieza, en Francia, en 1875. A partir de este momento se desarrolla paralelamente en España y en Francia una nueva valoración del pintor cretense. El libro de Mauricio Barrés, *Greco ou le secret de Tolede* (1910), será el que, en Francia, dará a conocer al gran público culto la obra del Greco.

Me parece, por fin, digno de mención en estas colaboraciones finales de Gustavo Adolfo a *Historia de los templos de España* la cordura de su opinión sobre la vida y la acción monásticas. En la introducción del capítulo «Monasterios y conventos de varones» apunta con neutralidad la existencia de divergencias acerca de los méritos de las comunidades religiosas en la España contemporánea y concluye: «Pero la benéfica influencia que han ejercido en las costumbres, y el poderoso apoyo que han prestado a las artes y a las ciencias, no puede ser negado por quien de buena fe y desnudo de preocupaciones estudie la historia de la humanidad.»

35. El encuentro de Bécquer con la cultura de la India (1856-1858)

El descubrimiento de la civilización hinduista, de la rica fantasía de sus poetas y artistas, fue importante para Gustavo Adolfo, pues le permitió, bajo el velo de un exotismo del todo nuevo en España, liberar sus ardores por medio de una prosa poética poco compatible con asuntos comunes. La lejana atmósfera de la India permitía también expresar una visión del mundo bastante sombría y una filosofía desilusionada, ambas más becquerianas que índicas, que no hubieran podido dejar, dentro de un escenario más ordinario, de inquietar a parte de la burguesía española de que procedía la gran mayoría de los lectores.

La India y sus antiguas culturas eran muy poco conocidas de los intelectuales españoles a mediados del siglo XIX. Los curiosos podían sin embargo hallar informes bastante circunstanciados en los dos tomos de *Costumbres, instituciones y ceremonias de los pueblos de la India oriental*, obra del misionero francés J. A. Dubois, traducida por Celedonio de Latreyta (Madrid, 1842), en los artículos «Brahmanismo o Bracmanismo (Historia religiosa)» e «India» de la *Enciclopedia moderna* editada por F. de P. Mellado (1851-1853) o en el capítulo «India. Metempsicosis-castas-ceremonias religiosas-costumbres-literatura-comercio», de la *Historia Universal* de Salvador Costanzo (1857). Se podía también acudir a las enciclopedias francesas, lo que debió de hacer Gustavo Adolfo. La sublevación de las regiones septentrionales de la India (conocida en Europa con el nom-

bre de «rebelión de los cipayos»), que se inició en marzo de 1857, llamó
la atención sobre esta región del mundo y suscitó la publicación de numerosos artículos de vulgarización sobre las sociedades de la India, que lee-
ría Bécquer.

El interés por el hinduismo, es decir, por el fondo antiguo de la religión y de las costumbres de la India, se benefició del que los filólogos españoles manifestaron por el sánscrito a partir de los años 1850. El movimiento sanscritista se desarrolló paralelamente en Granada y en Madrid.
Fue más constante en la primera de estas ciudades gracias a la presencia
de Leopoldo Eguilaz y Yanguas (nacido en 1829, autor del *Glosario etimológico de las palabras españolas* publicado en 1887), que empezó a dar
a conocer localmente extractos de sus traducciones del sánscrito en 1857.

En Madrid, la primera tentativa para fomentar los estudios sánscritos
vino de Manuel de Assas, con quien Gustavo Adolfo entró en relaciones.
Se había convencido Assas de la importancia del sánscrito y se había iniciado en su estudio en París durante los años 1853-1854 al desempeñar una
extensa misión cuyo objeto era establecer relaciones entre los arqueólogos
españoles y los de varios países (Francia, Alemania, Rusia y Suiza). Empezó a dispensar una enseñanza libre de sánscrito en la Universidad Central durante el otoño de 1856. El discurso que pronunció al inaugurar esta
enseñanza fue publicado en tres números de *El Semanario Pintoresco Español,* los de 12 de octubre, 2 de noviembre y 7 de diciembre de 1856. Entre
otras materias trataba este discurso del descubrimiento de la literatura sánscrita por los eruditos europeos; daba una visión sinóptica y una apreciación
de esta literatura, calificada de «vasta y fecunda», así como informaciones sobre la cultura de la India cuya antigüedad y diversidad estaban puestas
de relieve. A pesar de su cautela en materia religiosa y filosófica, Manuel
de Assas encontró oposiciones y tuvo que cesar en 1858 su curso semanal
de una hora. Estos sucesos fueron en particular relatados por Nemesio Fernández Cuesta, quien fue uno de los auditores de Assas, en la introducción a los cuentos del *Hitopadeza* publicados el 13 de mayo de 1867 en
La América con el título «Fábulas y cuentos indios». En 1857, Julián Sanz
del Río también se interesa por la gramática sánscrita y el *Rig-Veda,* como
lo prueba una nota de su diario fechada del día 19 de septiembre.

En noviembre de 1857, Assas daba también lecciones de sánscrito en
el Ateneo de Madrid. Un anuncio de *La Crónica* del 19 de dicho mes indica que el profesor dispensaba un curso de dos horas cada semana; existían
dos grados y eran numerosos los alumnos.

No creo que Gustavo Adolfo se aficionase a los estudios de sánscrito,
pero su interés por la cultura de la India se despertaría a favor de las informaciones artísticas y literarias que procedían de esta enseñanza y que
circulaban. Debió de asimilar con rapidez muchos datos. Pudo encontrar

referencias en los artículos y libros ya citados, en la prensa y también en el *Cours familier de littèrature* de Lamartine, cuyo tomo primero, publicado en 1856, encierra una conversación III que se titula «Philosophie et littérature de l'Inde primitive», donde se estudian los *Vedas,* el *Mahabarata, Sakuntala,* el simbolismo religioso, incluso el de los colores. Esta obra pudo alimentar la melancolía que era uno de los componentes de la personalidad de Bécquer y que emergía de cuando en cuando. ¿No escribe Lamartine en la conversación III: «Nuestra tierra no fue, no es y no será nunca más que un sepulcro blanqueado entre dos misterios»? (pág. 257).

La imagen de la India en «Historia de los templos de España» («El Cristo de la Luz», primera parte)

La India está presentada aquí como el país de la vida potente y ardorosa. No es la patria de Buda. La atención de Gustavo Adolfo se ha fijado en la rica decoración de las paredes de los templos rupestres (Ellora, Badami, Elephanta, etc.). La fe de los *Vedas* anima las esculturas que se divisan en la penumbra; de igual manera, el Antiguo y el Nuevo Testamento inspiran sentimientos que devuelven la vida a las obras de las estatuas cristianas de la Edad Media. La variedad y la complejidad de la creación imaginativa que revelan las artes de la India impresionaron particularmente a Gustavo Adolfo: «La India, con su atmósfera de fuego, su vegetación poderosa y sus imaginaciones ardientes, alimentadas por una religión todo maravillas y mitos emblemáticos, ahuecó los montes para tallar en su seno las subterráneas pagodas de sus dioses. La extraña y salvaje poesía de los Vedas que toma formas y vive cuando a la moribunda luz que se abre paso a través de las grutas sagradas se ven desfilar, confundiéndose entre las sombras de sus muros, las silenciosas procesiones de monstruosos elefantes, guiados por esos deformes genios que desplegan sus triples miembros en semicírculo como las plumas de un quitasol.»

«El caudillo de las manos rojas»

Junto con la cuarta parte de «San Juan de los Reyes» y con las rimas que exaltan la poesía y el amor, este relato pertenece a los textos compensadores que permitieron a Gustavo Adolfo soportar el peso de las tareas ingratas que necesitó la realización de *Historia de los templos de España.*

El texto ocupó ocho folletines del diario *La Crónica* (29 de mayo-12 de junio de 1858). Rodríguez Correa empleó los términos siguientes para presentarlo en la rúbrica «Noticias generales»: «Como verán nuestros lectores, hoy comenzamos a publicar en las columnas de nuestro folletín un

notable trabajo del Sr. Don Gustavo Adolfo Bécquer, sobre el cual supri-
mimos elogios, recomendando sólo su lectura.»

Al componerse el tomo I de las *Obras,* en 1871, *El caudillo de las manos
rojas* fue amputado involuntariamente: primero, de la segunda mitad de
la estrofa II y de la totalidad de las estrofas III a VII del canto VI; segundo, de la totalidad de las estrofas I a VIII y de la mitad de la estrofa IX
del canto VII. El canto VII desapareció como canto final: su residuo vino
a formar el final del canto VI, considerado éste como el último. De extensión anormal, la nueva estrofa II del canto VI se hallaba constituida por
dos fragmentos incoherentes: primera parte de la estrofa II del canto VI
y segunda parte de la estrofa IX del canto VII.

Desaparecían, pues, del relato:

— El anuncio por el cuervo de cabeza blanca de la llegada del tronco
  de árbol en el que había de esculpirse la efigie de Vishnú, así como
  el anuncio de la venida del peregrino-escultor.
— Las instrucciones dadas a Pulo-Delhi acerca de su conducta con el
  peregrino, en especial la prohibición de espiar al escultor en la acción de realizar su obra.
— La historia del cuervo y la revelación de que el pájaro es Brahma,
  señor de las leyes universales y humanas.
— La construcción del templo, la llegada del peregrino; la culpa de
  Pulo quien, bajo el influjo del alcohol y del festín que ha ofrecido
  al viajero, cede durante la noche a la curiosidad, infringiendo, pues,
  sin remedio la interdicción que le había sido indicada.

El final del relato se volvía desde luego casi incomprensible ya que el
peregrino, calificado «misterioso viajero» en la estrofa III, surgía de modo
inexplicable en la narración. Ni el origen de la sorpresa del príncipe al ver
el aspecto de la estatua ni la índole de su culpa podían entenderse.

Pienso que los amigos de Bécquer echaron mano de un manuscrito,
tal vez el que permitiera a Rodríguez Correa realizar la publicación de 1858,
del que se había extraviado o se extraviaron algunas cuartillas. No puede
admitirse la hipótesis según la cual se hubiese omitido uno de los folletines
de *La Crónica* puesto que los fragmentos desaparecidos no ocupan un folletín entero sino parcialmente los folletines de los de 11 y 12 de junio de
1858. El recopilador se resolvió a modificar la numeración de las estrofas
finales sin preocuparse de la ruptura del proceso narrativo o sin reparar
en ella. Algunas expresiones y palabras fueron modificadas de trecho en
trecho en el texto para mayor corrección.

Durante mucho tiempo se leyó *El caudillo de las manos rojas* como
un poema más bien que como un relato; por eso es por lo que, creo, nadie

llamó la atención sobre la oscuridad de la parte final del texto. Don Dionisio Gamallo Fierros fue quien, sólo en 1947, siguiendo la indicación dada por Rodríguez Correa en el prólogo de las *Obras,* abrió *La Crónica* y descubrió el texto completo tal como se había publicado en 1858; lo dio a conocer primero en el periódico *La Comarca* de Ribadeo (Galicia), luego en el libro *Páginas abandonadas* (1948) de donde pasó a las *Obras* de las ediciones Aguilar.

Con *El caudillo,* Gustavo Adolfo recorre de entrada extensas zonas de la fantasía universal. Su relato, cuyo pesimismo se emparenta con el de la mitología nórdica, es moral e iniciático. Pulo-Delhi es un ser valiente, pero queda el objeto de un juego entre las fuerzas apolíneas representadas por Vishnú y las fuerzas dionisiacas representadas por Siva. El sivaísmo, que pertenece al mundo de la materia y del movimiento, vence. En cuanto al amor, depende a la vez de la idea y de la materia, de lo eterno y de lo movedizo; va a donde le lleva la voluntad humana. De voluntad demasiado débil, Pulo no logra dominar las pasiones que le atan a la tierra; el amor, plenamente vivido, se muestra con él tiránico; fracasa en las pruebas de purificación impuestas; la voluntad y luego la impaciencia le pierden.

La historia es sencilla. Un príncipe y su hermano, el rey, aman a una misma mujer. El primero mata al segundo en lucha singular y secreta. Siva persigue a los amantes con su vindicta mientras Vishnú intenta salvarles imponiendo al homicida dos pruebas sucesivas de índole esencialmente psicológica en las que, estando a punto de salvarse, fracasa por su culpa. Los dos amantes mueren con nobleza.

Los cantos, llamados «capítulos» en *La Crónica,* están divididos en estrofas de cinco a veinte líneas, sustitutos imperfectos de la *sloza* india (dos dísticos) mencionada por Assas en sus ponencias. Los cantos comprenden respectivamente 13, 16, 15, 26, 23, 7 y 19 estrofas, las cuales pueden designarse como sigue; V, 12 = estrofa 12 del canto V.

He aquí cómo se reparten los episodios entre los cantos:

Cantos I a III: Tippot-Delhi, rey de Orisa, y Pulo-Delhi, su hermano, rajá de Dakka, se han prendado ambos de la hermosa Siannah. Tippot-Delhi ha exiliado a su hermano a Kattak (Cuttack), capital de Orisa. Infringiendo esta interdicción, Pulo cita a Siannah de noche bajo los muros de Kattak. Tippot-Delhi sorprende a los amantes. Pelean ambos hermanos y Tippot-Delhi queda muerto. Pulo recibe la dignidad real pero ha ofendido gravemente a Siva, único señor de la destrucción, al dar muerte a su hermano. El dios le castiga impidiendo que las manchas de sangre que lleva en las manos puedan ser lavadas por las aguas del río local, el Jawkior. Le agobia, además, con remordimientos. Pulo acude al solitario, devoto de Vishnú, que mora en el monte Jabwi, junto a la fuente pura de un torrente, para intentar sustraerse a la venganza de Siva y conseguir que sus manos tornen a su estado primero. Vishnú, quien se enfrenta con Siva en un sutil equilibrio, impone a Pulo como prueba expiatoria una peregrinación a las fuentes del Ganges en compañía de Siannah pero absteniéndose de relaciones carnales.

Canto IV: En circunstancias en que intervienen el calor de la atmósfera, la maléfica sombra de un árbol, la potencia de un canto de amor y la flaqueza de ambos amantes, éstos violan la interdicción que pesa sobre ellos estando cercanos al término de su peregrinación. Desaparece Siannah. Pulo está a punto de darse muerte, pero le salva Vishnú que le invita, para borrar los efectos del crimen y volver a vivir con Siannah, a reedificar su templo en las cercanías de Kattak; este templo había sido destruido antaño por sectarios de Siva que habían vencido y matado al padre de Pulo. El rey tendrá primero que recoger las instrucciones de un cuervo de cabeza blanca al que encontrará en una alta roca, cerca del sitio donde yacen las ruinas del templo sepultadas bajo las arenas.

Cantos V y VI: Un año más tarde, Pulo está de vuelta en Kattak y se encamina a las alturas rocosas que dominan la orilla del océano; llegado a la cumbre, descubre al cuervo de cabeza blanca que le conduce al campo de batalla donde pereció su padre; éste aparece en forma de llama roja, siendo los otros guerreros muertos representados por llamas azules; la llama roja conduce a Pulo y al cuervo al sitio donde yacen escondidas las ruinas de la «pagoda» destruida; el cuervo indica a Pulo de qué modo habrá de reconstruirse el templo; precisa que la imagen de Vishnú tendrá que ser esculpida en el tronco de un árbol desconocido traído por las olas del mar; este trabajo se efectuará a cuidado de un peregrino que llegará al final de la misma tarde y a quien Pulo, que le habrá agasajado con humildad, no deberá de ningún modo intentar mirar en el ejercicio de su arte. Contestando a una pregunta de Pulo, el cuervo narra su propia leyenda, llena de vaguedad y pesimismo, y remite al príncipe a una inscripción que ha grabado con su pico en la piedra; esta inscripción revela que el cuervo es Brahma y que el templo se llama Jaganata.

Canto VII: Ya está construido el templo. El mar echa a la orilla el misterioso tronco. Aparece el peregrino-escultor y se le agasaja fastuosamente; pero Pulo, cuya autodisciplina se halla debilitada por la impaciencia y los vapores del alcohol, cede a la ansiedad y curiosidad; infringe la interdicción y observa lo que pasa en el salón de trabajo apartando ligeramente las colgaduras que lo aíslan. En el acto desaparece el peregrino; la imagen divina que deja atestigua la victoria de Siva, pues le representa en toda su crueldad. Pulo, cuyas manos quedan ensangrentadas, manda conducir la estatua al templo que será el de Siva y no de Vishnú; ofreciéndose él mismo en sacrificio, solicita el favor de ver a Siannah una última vez y el perdón del dios para ella. Después de que se haya atravesado el cuerpo con su espada, haciendo saltar gotas de sangre hasta el rostro de la estatua, ve su deseo satisfecho: reaparece Siannah. Inconsolable, se arrojará en la hoguera mortuoria de Pulo. Tal es el origen de la costumbre de la inmolación por el fuego de las viudas indias.

El caudillo refleja el interés que Gustavo tenía en esta época por las diversas manifestaciones del sentimiento religioso. Algunos aspectos del hinduismo están correctamente traducidos: los ríos purificadores, los ritos de purificación en general, el simbolismo de los números y colores, las castas, el dualismo Vishnú-Siva sobre todo, con todos sus matices. Los sueños aparecen como el modo de comunicación más corriente entre los dioses y los hombres: en sueño recibe el brahmán del monte Jabwi el mensaje de Vishnú; por el sueño sufre Pulo los asaltos de los representantes de Siva después de transgredir la obligación de castidad impuesta por Vishnú; por el sueño también tiene conocimiento de la intervención salvadora de éste, magníficamente representado en gigantesco cazador armado del arco.

A pesar de la presencia activa de los dioses, resulta el relato más lírico que épico pues, después de la muerte de su hermano, Pulo no tiene otro adversario que él mismo. El elemento épico asoma sin embargo en las luchas oníricas contra el tigre (IV, 13 y 14), contra la muerte que invade la naturaleza (IV, 15), contra la serpiente (VI, 16 a 19), tres emanaciones de Siva. Su presencia se nota también en el relato de la muerte del padre de Pulo y en el de la destrucción del templo de Vishnú (V, 10 a 19).

Se observa en *El caudillo de las manos rojas* la combinación de algunos elementos de la literatura romántica europea. Son:

— La marcha de Atala y Chactas a través de la selva (Chateaubriand, *Atala,* observación debida a don Rubén Benítez).
— El ermitaño de *Atala* (misma fuente informativa), y también la visita al solitario en *La caída de un ángel* de Lamartine.
— Las reminiscencias shakespearianas: *Macbeth,* con el tema de las manos sangrientas (se representa *Macbeth* en el Teatro de Jovellanos durante el año 1857), *Hamlet* y *Macbeth* con el tema del rey traicionado cuya muerte está vengada o combatida con éxito en sus efectos por el hijo.

La segunda parte de *El caudillo,* la que trata de la construcción del templo de Jaganata, está inspirada en la auténtica leyenda de fundación del templo de Djaggernaut, conocida en la literatura europea desde que Bernardin de Saint Pierre la había mencionado en *La chaumière indienne* («La cabaña india») (1791). En el libro *L'Inde contemporaine* (Hachette y C.ía, París, 1855), de Ferdinand de Lanoye, Djaggernaut o Djaganata se alza «dans les amas de vase et de sable que se disputent l'eau douce du Gange et les flots salés de l'Océan» (pág. 399) («en los montones de cieno y de arena donde luchan las aguas dulces del Ganges y las ondas salinas del mar»). Ya desde el siglo XVIII (Bernier, *Voyage au Cachemyre,* 1655, por ejemplo) se mencionaba el templo de Djaggernaut en los relatos de viajes europeos.

La leyenda de fundación del templo está relatada por Lacroix de Marle en *Histoire générale de l'Inde ancienne et moderne depuis l'an 2000 avant J.C. jusqu'a nos jours* (Emler hermanos, París, 1828). Brahma revela a uno de sus devotos, el rey Indra-Dhuma, que un templo de oro edificado por uno de sus antepasados se encuentra enterrado en la arena en cierta comarca. Una corneja, tan vieja que su plumaje se ha vuelto blanco, le conduce sobre el templo sepultado y se lo enseña. Brahma aconseja al rey Indra-Dhuma construir un nuevo templo encima del templo de oro inicial, fundar en la cercanía la ciudad de Puru-Chottama (Puri), recoger el tronco de árbol, manifestación terrenal de Vishnú, que el mar traerá, y solicitar de Vischua-Karma, arquitecto de los dioses, que lo trabaje. El rey sigue estas recomendaciones. Vischua-Karma promete esculpir en una noche el tronco para hacer la imagen de Krishna, encarnación principal de Vishnú, con la condición de que nadie venga a observarle en su trabajo. Como no oye ningún ruido de herramienta, Indra-Dhuma se inquieta y viene a mirar por un agujerito lo que pasa en la sala donde trabaja el escultor. Vischua-Karma lo advierte y abandona el tronco en su estado de desbaste. El rey se resigna a instalar en el templo esta imagen grosera.

Friedrich Rückert tradujo con exactitud en dísticos alemanes esta leyenda en sus *Brahmanische Erzählungen (Cuentos brahmánicos),* editados en Leipzig en 1839 (poema núm. 115). Siguió muy de cerca el texto de Lacroix de Marle, aunque sólo conservando lo más importante.

Con precisiones que procedían de informes locales, Andrew Sterling reprodujo la leyenda en su libro *Orissa. Its geography, statistic, history, religion and antiquities* (Londres, 1846). Se lee en esta obra que el árbol traído por el mar, manifestación terrenal de Vishnú, era el *Nim* y que estaba adornado con los emblemas del dios —concha, maza, loto y disco— cuando Indra-Dhuma (aquí el maharajá Indradyumma) lo recogió. Un soberbio estanque perpetuaba el recuerdo de este suceso en el recinto del templo de Djaggernaut.

La leyenda pasó al artículo «Djagrenate (ville et pagode)» del tomo X de *Encyclopédie du XIXe siécle. Répertoire universel des sciences, des lettres et des arts* (París, 1858). La narración es idéntica a la que había dado a conocer Lacroix de Marle.

Esta leyenda tiene sobre todo como objeto explicar el aspecto informe de la principal estatua, de madera pintada, que abriga el templo. Este aspecto se testifica y comenta en los textos siguientes:

— Bernardin de Saint-Pierre, *La chaumière indienne:* «La statue de Jagrenat, la septiéme incarnation de Brahma, en forme de pyramide, sans pieds et sans mains, qu'il avait perdus en voulant porter le monde pour le sauver.» (Traducción: «La estatua de Jagrenat, la séptima encarnación de Brahma, en forma de pirámide, sin pies y sin manos, que había perdido al querer llevar el mundo para salvarlo.»)

— J. S. Buckingham, *Tableau pittoresque de l'Inde (Cuadro pintoresco de la India),* traducido del inglés al francés por Benjamín Laroche (París, 1832): «Ces fameuses idoles ne sont autre chose que des bustes de bois, d'environ six pieds de haut, posés sur une sorte de piédestal et ayant une grossiére ressemblance avec la nature humaine; elles sont peintes de blanc, de jaune et de noir; leur figure est horriblement difforme. Leur tête est ornée d'une espèce de casque, formé de piéces d'étoffe de différentes couleurs. Les bras des deux fréres son étendus horizontalment hors des chars. Leur soeur n'offre aucune ressemblance avec la nature humaine.» (Traducción: «Aquellos famosos ídolos no son sino bustos de madera, de unos seis pies de alto, colocados sobre una especie de pedestal y que tienen una remota semejanza con la naturaleza humana; están pintados de blanco, amarillo y negro; su cara es horrorosamente deforme. Se orna su cabeza con una especie de casco formado de piezas de paño de diversos colores. Los brazos de los dos hermanos se extienden horizontalmente fuera de los carros. Su hermana no presenta ninguna semejanza con lo humano.»)

— *Grand dictionnaire universel du XIXe siécle (1873):* el artículo «Jaggrenat» indica que el ídolo que representa a Vishnú está groseramente tallado, que el color dominante de la madera es el rojo, que el rostro es negro, pero que la abierta boca es color de sangre; piedras preciosas reemplazan los ojos; los brazos están dorados; la efigie de Vishnú se coloca entre dos estatuas que representan: la primera, a Bala-Rama; la segunda a Sita o Subhudra, hermana de Vishnú.

Se lee en la estrofa VII, 1, del *Caudillo* que Jaganata significaba «Señor del mundo». Esta indicación (Weltenherr) figura en la obra de Christian Lassen *Indische Althertumskunde (Antigüedades Indias)* (1847-1861, tomo I, pág. 226). Se halla también en una nota del estudio de Teodoro Pavie, «Krichna, ses aventures et ses adorateurs», publicado el 1 de enero de 1858 en la *Revue des Deux Mondes.* Según Pavie, el ídolo de Djagan-Natha es la imagen de Krishna, principal encarnación de Vishnú: la estatua tiene una cabeza enorme, está falta de piernas y va provista de cuatro brazos de oro únicamente en las fiestas.

El nombre de Brahma, inmensa y difusa fuerza creadora, está asociado con el templo de Jaganata. A esta fuerza es a la que parece aludir Alexis Soltykoff cuando escribe en su *Voyage dans l'Inde* (pág. 215, segunda edición, 1851): «Ce qui rend le temple de Djaganate si infiniment supérieur en sainteté á tous les autres, c'est que les Indiens croient que l'Esprit sans nom qui anime tout l'univers y fait sa résidence ni plus ni moins...» («Lo que hace el templo de Jaganata tan infinitamente superior en santidad a todos los demás es que los indios creen que el espíritu sin nombre que anima todo el universo mora en él, ni más ni menos...») Antes de 1858, casi todos los autores hacen de Djaggernaut un templo de Vishnú; el árbol en que se transformó este dios sufrió, sin duda por acción de Siva, a quien se designa en tal ocasión con el nombre de Mahadeva, una desecación comparable con la que describe Bécquer en la estrofa IV, 15, de *El caudillo;* sólo subsistió el tronco inmortal que reapareció más tarde sobre el mar en las inmediaciones del templo reedificado. Existía sin embargo una fuerte ambigüedad en la destinación del templo, ya que los devotos de Siva se codeaban en él con los de Vishnú en la mitad del siglo XIX. Escribe De Lanoye en *L'Inde contemporaine* (pág. 401); «... C'est un terrain neutre que viçnouvites et çivaites fréquentent avec un zéle égal, et oú ils déposent leurs animosités mutuelles et la haine de sectaires qui les divisent partout ailleurs...» («... Es un terreno neutral que vishnuitas y sivaítas frecuentan con igual celo y donde abandonan sus mutuas animosidades y el odio de sectarios que les dividen en cualquier otro sitio.»)

Bécquer aprovechó hábilmente esta ambigüedad, haciendo de la metamorfosis de la imagen esculpida en el tronco, que pasa a ser la de Siva en vez de la prevista de Vishnú, la sanción de la última culpa cometida por Pulo. Pero, con eso, ha alterado la realidad. El templo era más bien vishnuita pero lo que adoraban en él los peregrinos era el conjunto de las fuerzas de la «Trimurti» sivaíta (Brahma, Vishnú, Siva). La mezcla de las castas, admitida en este lugar, hasta hacía pensar en alguna supervivencia de una lejana tradición budista.

Con destreza ha transformado Gustavo Adolfo la leyenda de fundación del templo en un drama psicológico centrado en la violenta agitación pasional que caracteriza al personaje de Pulo-Delhi. La reparación de un acto fratricida sustituye como fundamento de la intriga narrativa el mero deseo de mejor vida *post-mortem* del rey Indra-Dhuma. La violación del deber de confianza y de discreción ya no tiene como sanción la simple desaparición del arquitecto de los dioses, Vischua-Karma (o del mismo Vishnú según otra versión del mito), que abandona su trabajo, sino el triunfo de la muerte y la pérdida de la mujer amada. En *El caudillo de las manos rojas* se manifiesta el sentimiento trágico al más alto nivel, el que da su fuerza permanente al mito de Orfeo y Eurídice. Si bien el suicidio del héroe queda ajeno a la tradición india, toma una significación noble en la concepción becqueriana; con el sacrificio de su persona, alza Pulo el amor a la cumbre de los valores. El sacrificio de Siannah tiene el mismo sentido.

Nótese el paso que la costumbre del «sutti» o «satti», muerte voluntaria de las viudas que se arrojaban a la hoguera funeraria del marido, se evocaba con frecuencia en las obras que trataban de la provincia de Orissa porque existía en las dunas arenosas de Cuttack un lugar dedicado a las divinidades de la muerte (entre ellas Siva y su esposa Cali), donde se realizaban las cremaciones; en su libro sobre *Orissa,* Andrew Sterling indica un promedio anual de seis inmolaciones de viudas por el fuego para la ciudad de Cuttack, y de veintitrés para el distrito. Bécquer incorpora arbitrariamente una imaginaria leyenda del origen del «sutti» a la de la fundación del templo. El espíritu de su conclusión recuerda, más que cualquier otro texto, la hermosa balada de Goethe «El dios y la bayadera» (1797), otro himno al amor que Jacinto Salas y Quiroga había traducido en 1838 en la revista *No me Olvides.*

Después de numerosos viajeros y observadores, Ferdinand de Lanoye describe de modo muy crítico las escenas de fanatismo a que daba lugar tanto la peregrinación a Djaggernaut como las ceremonias en el curso de las cuales salían los carros que llevaban las efigies divinas *(L'Inde contemporaine,* págs. 339-402). Bécquer no se ha valido de esta literatura condenatoria de la que había salido en Francia el tópico del «carro de Djaggernaut», del dios que aplasta a los adoradores suicidas.

En la estrofa VI, 6, el cuervo de cabeza blanca expresa una opinión pesimista sobre el sentido humano de la justicia. Esta opinión refleja los sentimientos del joven Bécquer después de unos cuarenta meses de vida madrileña: «... Viví en el mundo, regeneré las sociedades, escribí leyes y... el pago de mis vigilias, de mis afanes y de mi amor fue tal que pedí volver a ser cuervo; y aunque después de juzgarme en la tumba los hombres me han hecho justicia, heme aquí que cuervo soy y cuervo seré hasta la consumación de los siglos.» Aunque subjetivo, este texto contenía una verdad sobre la evolución religiosa de la India; el culto de Brahma encarnado aquí en el cuervo —culto abstracto y elevado— se fue disolviendo poco a poco en el de las dos divinidades populares (Vishnú y Siva), de sus esposas respectivas (Lakshmi y Cali) y de las emanaciones de estas divinidades.

Desde el punto de vista formal, *El caudillo de las manos rojas* es la obra más representativa de la época becqueriana de los sueños. La lejanía de los ambientes descritos y la idea confusa que de ellos podía formarse España han permitido a Gustavo Adolfo proyectar su mundo interior, ideal, en el relato. No existe ninguna estrofa que no embellezcan la voz del recitante, la música de la lengua, a veces complementaria del ambiente musical del contenido, la luminosidad o coloración viva y variada de las imágenes. En muchos lugares encuentra aquí su mejor expresión en prosa el bucolismo de los poemas del período clásico sevillano (I, 3; I, 12; III, 7; III, 23; V, 2). Se hace un uso abundante:

— de las piedras preciosas: diamante, zafiro, rubí, esmeralda, ópalo;
— de las materias ricas o delicadas: perla, ámbar, nácar, ébano;
— de los tejidos ornamentales más ligeros: crespón, tul, seda de Ca-
chemira.

La estrofa IV, 5, encierra una bonita presentación del sueño, de sus
preliminares y de sus frases imaginativas:

> El sueño tiende las alas de tul y abandona la selva donde vive en
> un alcázar de ébano escondido entre la flotante sombra de los áloes.
> El silencio lo precede, y sus hechuras lo siguen en grupos fantásti-
> cos. Éstos se agitan y confunden entre sí, dando ser a nuevas y rápi-
> das metamorfosis, locos delirios, embriones de confusas ideas, seme-
> jantes a las que produce en mitad de la fiebre una imaginación débil
> y sobreexcitada.

La estrofa I, 2, presenta una de las más finas evocaciones del crepúsculo
entre todas las que se hallan en los escritos de Gustavo Adolfo:

> El día que muere y la noche que nace luchan un momento, mien-
> tras la azulada niebla del crepúsculo tiende sus alas diáfanas sobre
> los valles, robando el color y las formas a los objetos, que parecen
> vacilar agitados por el soplo de un espíritu.

El retrato final de Siannah resulta típico del arte idealizador purísimo,
musical, que caracteriza al Bécquer de los veinte años:

> Siannah, la perla de Ormuz, la violeta de Osira, el símbolo de la
> hermosura y del amor, la que formó Bermach en un delirio de placer,
> combinando la gentileza de las palmas de Nepal, la flexibilidad de los
> juncos del Ganges, la esmeralda de los ojos de una *schiva,* la luz de
> un diamante de Golconda, la armonía de una noche de verano y la
> esencia de un lirio salvaje del Himalaya; Siannah, la hermosa entre
> las hermosas, siguió a Pulo a través de su peregrinación en esas regio-
> nes desconocidas de las que ningún viajero vuelve.

La rima X («Los invisibles átomos del aire»), de la que no se conoce
hasta hoy ninguna publicación durante la vida de Bécquer, es una versión
condensada del final del canto de himeneo titulado «La vuelta del combate», dicho por Siannah en III, 14. Este canto, pedido por Pulo a pesar
de las reticencias de su esposa, es el que provoca la primera caída del héroe.
Se ha encontrado un manuscrito volante de este poema sin fecha, así como

un álbum de salón donde figura el texto. Gustavo Adolfo lo transcribió en 1868-1869 en la colección del «Libro de los Gorriones».

Esta misma escena crucial del canto III contiene elementos de la futura rima XIII («Tu pupila es azul y cuando ríes»), publicada poco tiempo después (1859) en el periódico *El Nene*. Se lee en III, 11: «Siannah calla; sus labios entreabiertos y rojos dejan escapar suspiros ardientes, y en su pupila húmeda, azul y dilatada, brilla un punto luminoso semejante al reflejo de una estrella en un lago.»

Las estrofas IV, 1, y IV, 5, sobre el sueño, abarcan un conjunto de reflexiones cuyo eco se percibe en la rima LXXV («¿Será verdad que cuando toca el sueño?»). El sueño conduce a la vida o al mundo de «la idea»; la acción y la imagen oníricas son traducciones, en los pensamientos que expresa el joven Bécquer, de las aspiraciones de su personalidad liberada de las necesidades sociales y corporales. El mundo de los sueños es el de la comunicación con la imaginación pura.

La estrofa III, 9, constituye un curioso paréntesis psicológico que encierra los más claros comentarios:

— De la rima VIII («Cuando miro el azul horizonte»), rima del entusiasmo provocado por la inmensidad y riqueza del universo que se abre ante la mirada humana, y también rima de cierta vivencia mística:

> Hay momentos en que el alma desborda como un vaso de mirra que ya no basta a contener el perfume; instantes en que flotan los objetos que hieren nuestros ojos, y con ellos flota la imaginación. El espíritu se desata de la materia y huye, huye a través del vacío a sumergirse en las ondas de luz, entre las que vacilan los lejanos horizontes.
>
> La mente no se halla en la tierra ni en el cielo. Recorre un espacio sin límites ni fondo, océano de voluptuosidad indefinible, en el que empapa sus alas para remontarse a las regiones en donde habita el amor.

— De la estrofa 3 de la rima XI («Yo soy un sueño, un imposible, / vano fantasma de niebla y luz»), otra expresión de una agotadora busca de ideal:

> Las ideas vagan confusas, como esas concepciones sin formas ni color que se ciernen en el cerebro del poeta; como esas sombras, hijas del delirio, que nos llaman al pasar y huyen, nos brindan amor y se desvanecen entre nuestros brazos.

Otros textos sobre la India. Proyectos

Los otros textos de Bécquer de tema índico son:

— *La Creación,* publicado en *El Contemporáneo* el 6 de junio de 1861.
— *Apólogo,* publicado primero en la nueva revista *La Gaceta Litera-ria* el 28 de febrero de 1863, reproducido luego en el número 18 de la revista sevillana *La España Literaria* el 30 de abril de 1864.

El uno y el otro son apólogos amenos, de tono ligero; pero encubren un pensamiento pesimista. Quizá se hayan elaborado en 1857-1858. Refle-jan los serios conocimientos sobre el hinduismo que había adquirido Gus-tavo Adolfo. La adaptación de la materia a las exigencias de un periódico y de un público determinados pudo intervenir posteriormente.

Subtitulado «poema indio», *La Creación* tiene la misma forma que *El caudillo de las manos rojas* pero el canto, dividido en diecinueve estrofas, es único. Se trata de un poema cosmológico cuyo personaje central es Brah-ma, el espíritu creador. El ánsar, ave que pertenece a los símbolos que ro-dean al dios, está reemplazado poéticamente por el cisne (estrofa 5). El humorismo por una parte, la ternura que los niños (aquí los *gandharvas)* inspiran a Gustavo Adolfo por otra, tienen en este relato tanta importan-cia como los numerosos matices poéticos y la denuncia de las debilidades que se observan sobre nuestro planeta. Los cantos VIII y XVIII contienen imágenes idénticas a las de las estrofas 5, 10, 15 y 17 de la rima V («Espíri-tu sin nombre»). La expresión *Esprit sans nom* había sido utilizada por Soltykoff al tratar de Djaganate en su libro *Voyage dans l'Inde,* designa-ba a Brahma o Vishnú asociados en la leyenda de fundación del templo. La creación defectuosa de la Tierra y de la vida terrestre que Gustavo Adolfo atribuye a las fantasías y a la impericia de los jóvenes *gandharvas* no era ajena al pensamiento indio; se lee en *Baghavâta ou Histoire poétique de Krichna,* traducido y publicado por Eugenio Burnouf en 1840 (imprenta real, París): «Ayant regardé cette création coupable (le créateur), ne res-sentit que peu d'estime pour lui-même; et ayant purifié son coeur par la contemplation de Baghavat, il produisit ensuite d'autres êtres» (libro ter-cero, capítulo 12, verso 3). («Después de mirar esta creación desgraciada (el creador), experimentó sólo poca estima para sí mismo; purificado su corazón por la contemplación de Baghavat, produjo luego otros seres.»)

Por una selección acertada de imágenes y breves sentencias, la estrofa 1 evoca con fuerza la reducción de humanidad entera que representa el mundo indio.

El *samsara* o metempsícosis está traducido por una bonita compara-ción al final de la estrofa 1 en que las contradicciones del corazón humano y de la naturaleza van enunciadas con sencillez y ecuanimidad: «El amor es un caos de luz y de tinieblas; la mujer, una amalgama de perjurios y ternura; el hombre, un abismo de grandeza y pequeñez; la vida, en fin, puede compararse a una larga cadena con eslabones de hierro y de oro.»

La idea que expresa todo el apólogo se resume al principio de la estrofa 2: «El mundo es un absurdo animado que rueda en el vacío para asombro de sus habitantes.» La Tierra puede compararse con un juguete dejado entre las manos de pilluelos sin cuidados. La conclusión es muy sombría. La profecía que contiene toma singular relieve en nuestros días: «Por fortuna nuestra, Brahma lo dijo y sucederá así. Nada hay más delicado ni más terrible que las manos de los chiquillos; en ellas el juguete no puede durar mucho.»

La Creación es uno de los textos donde mejor se manifiesta el amor de Gustavo Adolfo por el mundo de la niñez. Me parece delicioso el trozo siguiente (estrofas 18 y 19):

> Su airado acento atronó el cielo y amedrentó a la turba de muchachos, que huyó sobrecogida y dispersa a puntapiés, y ya tenía levantada la mano sobre aquella deforme creación para destruirla; ya el solo amago había producido en ella esa gran catástrofe que aún recordamos con el nombre del Diluvio, cuando uno de los gandharvas, el más travieso, pero el más mono, se arrojó a sus plantas, diciendo entre sollozos:
> —¡Señor, Señor, no nos rompas nuestro juguete!

XIX

> Brahma es grave, porque es dios y, sin embargo, tuvo que hacer un gran esfuerzo al oír estas palabras para no dejar reventar la risa que le retozaba en los ojos.

La apariencia infantil y burlesca del texto, reflejo del alegre estado de ánimo con que Gustavo Adolfo lo escribió, tenía una ventaja indirecta; lo protegía contra las críticas de los lectores graves, las de los defensores quisquillosos de la fe católica en particular.

La forma de *Apólogo* es distinta de la de las otras dos obras indianizantes. Se trata de un corto relato sin divisiones. La Tierra ya no es la creación de los niños juguetones sino de Brahma que se ha embriagado; el resultado es tan lamentable en un caso como en el otro. El tercio del relato está dedicado a una rápida evocación de la creación del mundo; se describe la «Trimurti»; como en *La Creación* se menciona a la Maya, la ilusión creadora; el ánsar o ganso de Brahma no aparece pero, conforme con la descripción que solía hacerse del dios, se alude a sus cuatro cabezas. *Apó-*

logo pudiera titularse «El amor propio. Fábula»: sólo este vano sentimiento tiene el poder de hacer adelantar a la humanidad. Es el licor mágico inventado por Vishnú, potencia de la conservación; es común a los apetitos de poder, de gloria y de seducción; todos se fundan en un pueril deseo de dominación.

La India quedó algún tiempo entre los centros de interés de Gustavo Adolfo. En la lista de proyectos que estableció antes de julio de 1862 figuran:

— «La bayadera» (estudio indio).
— «Poetas indios, árabes», en una colección «Biblioteca popular».
— «Poetisas indias y árabes (?)», en una «Biblioteca del Bello Sexo».

36. Las relaciones de Bécquer con la sensibilidad krausista y sus representantes. El misterio de los folletines taurinos de *La Crónica*

Es probable que, en 1857 y 1858, Gustavo Adolfo se haya interesado por los sentimientos expresados por Sanz del Río y haya tenido contactos con sus discípulos.

La Crónica, cuyos animadores son Campos y Rodríguez Correa, sostiene con vigor el movimiento krausista.

El 2 de octubre de 1857, *La Crónica* publica *in extenso* el discurso pronunciado por Sanz del Río en la Universidad Central con ocasión de la ceremonia de apertura del año académico 1857-1858. El diario publica informaciones sobre los nuevos doctores apadrinados por Sanz del Río (Cayetano Vidal el 24 de octubre de 1857; en esta última noticia, Campos califica a Sanz del Río de «gloria nacional»).

Uno de los colaboradores literarios de *La Crónica* es Francisco de Paula Canalejas, amigo de Miguel Morayta de Sagrario, el cual, muy ligado con Castelar, entra en la redacción el 1 de diciembre de 1858. Canalejas publica en *La Crónica* entre otros trabajos la reseña del primer tomo de la obra de Isaac Núñez de Arce *Elementos filosóficos de la literatura esthetica* (27 de mayo de 1858) y, dentro de un número donde *El caudillo de las manos rojas* sale en folletín, la reseña del drama de Dacarrete *Julieta y Romeo* (2 de junio de 1858). En noviembre de 1858, *La Crónica* publica artículos de Canalejas en forma de cartas dirigidas a Morayta; la carta publicada el 18 de noviembre se titula «Una expedición a Monserrat».

Parece que Canalejas haya entablado, en esta época o en otra, relaciones personales con Gustavo Adolfo, pues escribe en su discurso del 16 de octubre de 1876: «Su vida de hombre, para los que muchas veces intentamos consolar sus calladas y sombrías penas, merece el más profundo respeto, el más sentido y compasivo recuerdo.»

Alberto de Segovia apunta que Gustavo Adolfo tuvo relaciones amicales con los hermanos Giner de los Ríos. Hubiera sido el compañero de pensión de Hermenegildo durante una estancia en Toledo; me parece que tal estancia no puede situarse en otra época que 1869 ó 1870 ya que Hermenegildo había nacido en 1847. Cita Alberto de Segovia este retrato de Bécquer escrito por Hermenegildo Giner: «Era un sujeto de aquellos que, como los grandes retratos de los pintores, una vez vistos no se olvidan nunca. Dulce, insinuante, misterioso, interesaba a pesar de su desaliño. Era poco pulcro, probablemente por escaseces, por su naturaleza enfermiza o quizá influido del ejemplo de bohemios de la época, a lo Carlos Rubio.»

Según Alberto de Segovia, la afición a las artes hubiera creado lazos entre Gustavo Adolfo y Francisco Giner, tres años más joven; ambos hubieran tenido oportunidad de aconsejar al coleccionista de cuadros Manuel Portilla, quien instaló algo como un museo particular en sus aposentos de la calle de Leganitos.

Todo esto no sorprende cuando se conoce el importante lugar ocupado por los andaluces o las personas educadas en Andalucía entre los primeros discípulos de Sanz del Río (período 1854-1859).

La rima VIII («Cuando miro el azul horizonte») está cercana a un texto escrito por Sanz del Río en 1855. En ella se encuentra la misma concepción del sentimiento poético como mediación entre el «yo» y Dios. Para Sanz del Río, se expresa Dios directamente en el corazón de cada humano al mismo tiempo que se refleja en la humanidad, la historia, el universo. La expresión de la duda queda sin embargo propia de la rima VIII; se aparta tanto del entusiasmo de Sanz como de la estricta fe católica. He aquí las líneas más típicas del texto de Sanz del Río, que, según parece, se recitó públicamente: «... En un corazón puro está Dios tan enteramente y verdaderamente como en toda la Humanidad y toda la Historia y todo el Mundo donde te halles a Dios como un espejo, mientras en tu corazón te habla directamente... Comercia, pues, con (la Naturaleza) y habla con ella sin el recelo mezquino y apocadizo de nuestros padres que con una impía piedad temían manchar el espíritu al contacto con un cuerpo. La contemplación del inmenso espacio de las alturas te dará un anuncio secreto de la inmensidad de Dios: el silencio solemne y misterioso del cielo estrellado traerá a tu corazón el reconocimiento religioso de la inagotable vida, y los renacimientos de la naturaleza vegetal y animal te moverán a preguntarte día y noche con la curiosidad religiosa de un hijo *¿Qué queréis, Dios, hacer con todo este aparato de grandes obras?* Siempre, querido, tendrás que salir del estrecho horizonte que limita tus ojos fuera y más allá, y esto te prepara, aunque no te pone aún delante de Dios» (discurso incorporado en el diario personal de Sanz del Río con fecha de 28 de enero de 1855).

La rima VIII ilustra con delicadeza la preparación espiritual preconizada por Sanz del Río.

El pensamiento krausista y el ramo intimista del lirismo becqueriano dimanan de la misma corriente profunda de vuelta a la valorización intuitiva de la experiencia individual con expresión sencilla. Tratando de las obras clásicas alemanas, Sanz del Río había subrayado y favorablemente juzgado esta vuelta hacia las fuentes vivas de la inspiración en el curso que había profesado en 1857-1958; publicó parte de este curso en 1860 con el título *Doctrinal histórico de la literatura germánica.*

* * *

La defensa de la espiritualidad, con términos cercanos a las formulaciones de Sanz del Río, se alía con la valorización del ensueño en una delicada crónica titulada «Toros y caballos» publicada en el folletín de *La Crónica* del 12 de mayo de 1858. Esta crónica atípica se inserta en una serie de artículos de tema tauromáquico debida a un autor anónimo que firma «El Español Rancio» o «Un Español Rancio»; es el cuarto y el último texto de la serie que comprende. «Toros. Lo que fue y lo que es» (7 de abril) así como dos crónicas tituladas «Toros» (14 y 29 de abril). Con razón ha llamado don Dionisio Gamallo Fierros la atención sobre el valor literario de este conjunto anónimo. El autor es un andaluz, relación de Rodríguez Correa; le gusta sugerir el contraste entre la agitación del mundo y su propia melancolía; sus cuadros de ambiente resultan de una sensibilidad próxima a la de Bécquer, en especial por el interés manifestado por los juegos de luz y las impresiones auditivas. Dos razones principales me hacen opinar que «El Español Rancio» no es Gustavo Adolfo: 1, cuando, el 29 de mayo, Rodríguez Correa empieza a publicar en la misma parte del diario *El caudillo de las manos rojas,* se excluye todo pseudónimo; 2, en esta época expresan siempre ardor e impaciencia los escritos de Gustavo Adolfo; su vivacidad no corresponde con la melancolía más bien pasiva que se expresa en «Toros y caballos», ritmado por la pregunta «¿Qué me importa...?» y luego por el adjetivo «triste». Observo, por fin, que, en mayo de 1858, el joven Gustavo Adolfo no manifiesta aun para los incidentes menores de la vida política española el interés que se nota en el artículo de «El Español Rancio». Es lícito pensar, más bien que en Valera, entonces bastante mimado por la suerte, en la personalidad de José Luis Albareda (Cádiz, 1828-Madrid, 1897), gran aficionado a toros y a caballos, futuro político de primer orden, amigo de Correa; pero estas coincidencias no bastan, con mucho, para fundar una atribución.

En «Toros y caballos», el cronista expresa primero su desilusión ante las vanas agitaciones de la vida política española («la político-manía que, a pesar nuestro, salta a la mente, pues es difícil resignarse, teniendo sangre española, a vivir pobre y mal mandado»), para luego describir su visita al hipódromo de la Casa de Campo, analizar sus melancólicos sentimientos a tono con las variaciones del tiempo y pedir perdón a los lectores de que su estado de ánimo no le haya permitido hablar de toros. Todo el artículo está penetrado de un subjetivismo cuya patética sencillez se encuentra raras veces en la prosa española de la época. Doy a continuación el monólogo interior que antecede a la llegada al hipódromo y donde se expresan tanto la religiosidad del autor como su voluntad de poner la actividad de la imaginación en el primer rango de los valores:

«Hay seres en el mundo para quienes solamente el hombre tiene palabras; seres que pasan por delante de la naturaleza, sin fijar jamás los ojos del alma en ella; seres para quienes el mundo es su propio individuo, que llaman a la verdad poesía, y al materialismo verdad; si la humanidad entera fuera así, el espiritualismo sería una locura y el alma una creación de los filósofos. Mas, por fortuna nuestra, el hombre no es así; la imaginación y la sensibilidad, combinadas, levantan el alma a un mundo de vagas creaciones, en donde el espíritu reconoce toda la inmensidad de su grandeza. Entonces nos hablan el cielo, el sol, el mar y todos los objetos que nos rodean; en estos momentos, casi sublimes de la vida, parece que la mano de Dios toca nuestros corazones, y el alma, rompiendo las redes en que vive envuelta, eleva su vuelo a un mundo de concepciones celestiales. Si me preguntáis cuál es el mayor bien del mundo, os contestaré que soñar. Si me prometéis poder, gloria y fortuna, me apresuro a contestaros: Deseo más todavía, deseo un continuo delirio; quiero parar mi vida en uno de esos momentos felices en que mi imaginación anima y da forma a todos los sentimientos de mi alma; en uno de esos momentos en que creo que los árboles me hablan, que entiendo el canto de las aves, los murmullos de las fuentes, las corrientes de los ríos y los ayes lastimeros de las olas del mar; cuando comprendo el universo todo; cuando el triste ladrido de un perro, que resuena en medio de la noche silenciosa, excita en mi corazón mil sentimientos.»

37. Esbozo de la vida y de las actividades de Bécquer desde el final de la publicación de *Historia de los templos de España* hasta la fundación del diario *El Contemporáneo* (principios de 1859-20 de diciembre de 1860)

En la curiosa y magnífica biografía funeraria que forma la tercera de las *Cartas desde mi celda*, las páginas dedicadas al sepulcro del guerrero medieval con cuya gloria soñaba Gustavo Adolfo representan el tiempo de *Historia de los templos de España.* La descripción de este sepulcro es una reminiscencia, ricamente ornada, de los sentimientos experimentados al descubrir las obras guardadas en San Juan de los Reyes y en San Pedro Mártir de Toledo.

A los ojos del memorialista fúnebre de 1864, la época de *Historia de los templos de España* señala la cumbre de sus entusiasmos juveniles. A partir de este momento se acrecienta el peso de los fracasos y decepciones. Un lento endurecimiento se va cumpliendo. He aquí el recuerdo que Gustavo Adolfo guardaba de esta evolución:

«Desde que impresionada la imaginación por la vaga melancolía o la imponente hermosura de un lugar cualquiera, se lanzaba a construir con fantásticos materiales uno de esos poéticos recintos, último albergue de mis mortales despojos, hasta el punto aquel en que sentado al pie de la humilde tapia del cementerio de una aldea oscura, parecía como que se reposaba mi espíritu en su honda calma y se abrían mis ojos a la luz de la realidad de las cosas, ¡qué revolución tan radical y profunda no se ha hecho en todas mis ideas! ¡Cuántas tempestades silenciosas no han pasado por mi frente; cuántas ilusiones no se han secado en mi alma; a cuántas historias de poesía no les he hallado una repugnante vulgaridad en el último capítulo! Mi corazón, a semejanza de nuestro globo, era como una masa incandescente y líquida, que poco a poco se va enfriando y endureciendo.»

Los años 1859 y 1860 son todavía años de fuego. Los impulsos y expansiones imaginativas del poeta fracasan ante dos realidades: la de la competición social y política en Madrid y la de una personalidad femenina.

Estos dos años son los de la creación poética (empezada en 1857-1858) que hizo la gloria póstuma de Bécquer. Sin embargo, quedaron mucho tiempo vacíos en su biografía. Hoy todavía conocemos sólo de ellos unos hitos y fragmentos.

He aquí los puntos de referencia que permiten no extraviarse:

— 2 de marzo de 1859: se representa en el Teatro de la Zarzuela la comedia musical *Las distracciones,* que había obtenido el visado de la censura el 3 de julio precedente.

— 23 de agosto y 14 de septiembre de 1859: Gustavo Adolfo publica en *La Época* dos folletines literarios, «Crítica literaria» y «El maestro Herold».

— 10 de octubre de 1859: *La venta encantada* recibe el visado favorable de la censura; no se representa la zarzuela, pero Alonso Gullón publica su texto en la colección «El teatro» con la indicación del año 1859.

— 17 de diciembre de 1859: «Tu pupila es azul, y cuando ríes» (futura rima XIII) sale en *El Nene,* revista cómica; es la primera manifestación pública del nuevo estilo poético de Gustavo Adolfo en verso.

— Mayo de 1860: ésta es la indicación que lleva el poema «¡Duerme!» (futura rima XXVII) que Gustavo Adolfo copia, localiza, fecha y firma en el álbum de Josefina Espín y Pérez, hija del compositor, organista y musicólogo Joaquín Espín y Guillén.

— Agosto o septiembre de 1860: Augusto Ferrán, que acaba de pasar unos dos meses en París con Nombela, traba amistad con Gustavo Adolfo.

— 5 de octubre de 1860: *Tal para cual,* comedia en un acto de García Luna y de Gustavo Adolfo, se representa en el Teatro de la Zarzuela (visado del censor del 20 de septiembre).

— 22 de octubre de 1860: *La cruz del valle,* zarzuela de los mismos autores, con música de Antonio Reparaz, se representa en el Teatro del Circo (visado del censor del 29 de septiembre).

— 21 y 28 de octubre, 11 de noviembre de 1860: la leyenda *La cruz del diablo* se publica en la revista semanal *La Crónica de Ambos Mundos.*

— 24 de octubre de 1860: «Cendal flotante de leve bruma» (futura rima XV) se publica en la sección «Literatura» de *Álbum de Señoritas y Correo de la Moda* (núm. 375) bajo el título «Tú y yo. Melodía.»

— 11 de noviembre de 1860: el diario *La Iberia* publica en su folletín hebdomadario titulado «Álbum» una carta dirigida por Gustavo Adolfo a Juan de la Rosa González, redactor, quien, en el «álbum» del 4 de noviembre, había lamentado que, cubiertos con el anónimo, los autores del libreto de *La cruz del valle* hubiesen preferido dedicarse al trabajo lucrativo de convertir en zarzuela un drama francés ya arreglado por otros en vez de escribir una obra original digna de sus dotes literarias.

En esta carta, Gustavo Adolfo mira su corta colaboración literaria a *La Época,* cuyo nombre calla, como el hecho más importante acaecido en sus actividades desde que *Historia de los templos de España* ha dejado de publicarse. Indica que esta colaboración ha cesado contra su deseo. Afirma haber buscado luego unos ingresos en el teatro y la zarzuela, agregando la precisión: «La política y los empleos, últimos refugios de las musas en nuestra nación, no entraban en mis cálculos ni en mis aspiraciones.»

A finales de noviembre o principios de diciembre de 1860 es cuando Gustavo Adolfo remite a la dirección de *El Museo Universal* una página de su diario poético íntimo, «Al ver mis horas de fiebre» (futura rima LXI).

Al mismo tiempo se resuelve a entrar en el equipo redaccional de un diario político, al lado de Rodríguez Correa. El primer número de *El Contemporáneo* sale el 20 de diciembre. El éxito de este diario va a asegurar a Gustavo, que publicará en él numerosos textos literarios, una situación estable, aunque modesta, en la prensa madrileña.

Parece que entre el principio de 1859 y el otoño de 1860, Gustavo Adolfo haya vivido en una casa de huéspedes situada en el 19 de la plaza de Santo Domingo (según don Rafael Montesinos). Indica como domicilio el número 30 de la calle de Santa Isabel cuando corrige las pruebas de *Tal para cual* en el otoño de 1860 (Tamayo).

Extraña que el trabajo remunerado de Gustavo Adolfo se haya limitado durante los años 1859 y 1860 a una efímera colaboración en el diario *La Época*, a la redacción de una corta comedia y a la de un libreto de zarzuela.

El provecho sacado de la representación y la publicación de *Las distracciones,* y de la publicación de *La venta encantada* luego, fue compartido con García Luna, que vivía muy modestamente de su colaboración al diario *El Fénix*.

No cabe duda de que este período fue de particular estrechez para Gustavo Adolfo.

Eran buenas las noticias procedentes de Sevilla. Joaquín y Valeriano consolidaban su reputación. En 1860, obras de Joaquín figuran entre las que representan al arte español en la Exposición Universal de París. Por su parte, Valeriano pintaba cuadros estimados, pero tenía cargo de familia. Vivía con Winnefred Coghan, hija de un marino irlandés retirado en El Puerto de Santa María. Un primer hijo, Alfredo, había nacido en 1858; la segunda, a quien Gustavo Adolfo, su padrino, dio el nombre de Julia, nació el 5 de diciembre de 1860; el bautismo se celebró, por poderes, en Sevilla el 23 de diciembre mientras se verificaba el lanzamiento de *El Contemporáneo*. Valeriano y Winnefred, que no habían podido unirse legalmente dada la oposición del padre de la joven, obtuvieron por fin el consentimiento de éste y se casaron en febrero de 1861.

La intensidad lírica de los artículos de *La Época,* la mutación que ponen de manifiesto los poemas publicados entre diciembre de 1859 y diciembre de 1860, la publicación de las *Cartas literarias a una mujer* a partir del 20 de diciembre de 1860, atestiguan una secreta y enérgica labor en esta época. Nombela apunta de paso en *Impresiones y recuerdos* (tomo III, página 375) que la mayoría de las rimas se escribieron en 1860 y 1861. Esta información resulta poco segura porque es tardía (hacia 1910) y porque Nombela dejó España por algunos años el 5 de junio de 1860. Creo más exacto considerar que la mayor parte de las rimas se escribieron desde el verano de 1857 hasta la época del matrimonio (mayo de 1861), con una creación máxima en 1859-1860.

Pienso que, de modo paralelo a esta creación poética personal, Gustavo Adolfo se aficionó entonces por el arte popular: cuentos, leyendas, cantares. Con su experiencia alemana, con su entusiasmo por la poesía popular española, Augusto Ferrán trajo a Gustavo Adolfo los complementos culturales que iba buscando. El interés por la poesía límpida y ligera común a Heine y a los cantores del pueblo, especialmente en la lírica amorosa, unió a los dos hombres tanto como lo hizo su visión pesimista de la naturaleza humana, fruto de su experiencia íntima.

Las lecturas, los esbozos, las experiencias nuevas conducen en el otoño de 1860 a la publicación de la fundamental rima XV y del primer cuento de tema español y popular así como a la constitución de un conjunto de imágenes y de esquemas dramáticos que van a emplearse en las «variedades» de *El Contemporáneo*.

Los años 1859 y 1860 fueron también los de las decepciones amorosas.

Fueron durante mucho tiempo años totalmente oscuros para los biógrafos de Bécquer, que los llenaron de ensueños fundándose en el testimonio de Julio Nombela sobre la pasión, reputada muda y distante, del poeta por Julia Espín y Pérez. La tesis de Franz Schneider, *Vida y creación de Gustavo Adolfo Bécquer consideradas principalmente desde el punto de vista cronológico* (1914), trajo elementos concretos sobre este trozo de vida; pero no traducida, quedó desconocida mucho tiempo en España. Esto explica que un becquerista de mucha sensibilidad y bien informado, pero poco respetuoso de la verdad histórica, don Fernando Iglesias Figueroa, haya podido entregar a la publicidad *(La Voz,* 1 de enero de 1926), sin que se denuncie la superchería antes de diciembre de 1970, supuestos fragmentos de cartas dirigidas por Gustavo Adolfo a Rodríguez Correa, fechadas en Toledo a principios de diciembre de 1859 y enero de 1860. Estos fragmentos apócrifos presentaban a un Bécquer psicológicamente agobiado, huyendo de Madrid para escapar al amor que le inspiraba una cierta Elisa Guillén, con quien tenía sin embargo cita cada día según el texto; y luego preparándose a volver lleno de esperanza al final de una estancia toledana de un mes caracterizada como sigue: «un mes escaso ha sido para mí un siglo, una noche eterna». Iglesias Figueroa traía así una manera de legitimidad biográfica a la imagen del poeta abrumado por un fatal y misterioso amor, a esas rimas tristes y ardientes destinadas a una sombra y que tanto excitan la imaginación del lector.

En realidad, las preocupaciones de Gustavo Adolfo estaban entonces muy distantes de la arqueología toledana. Sin duda le atormentaría el amor; pero «Tu pupila es azul, y cuando ríes», publicada el 17 de diciembre de 1859 como «Imitación de Byron», no pertenecía al drama sino a la más delicada poesía de álbum.

38. La representación y publicación del «juguete cómico lírico» *Las distracciones* (principios de marzo de 1859)

Las distracciones es una zarzuela en un acto de quince escenas. El texto fue probablemente escrito en la época más feliz y más activa de *Historia de los templos de España,* es decir en la primavera de 1858, ya que el visado favorable de la censura lleva la fecha del 3 de julio. Publicando bajo el pseudónimo de Adolfo García, Bécquer y García Luna han mezclado el tema clásico del distraído (el Menalco de *Los caracteres* de La Bruyère) con una cascada de situaciones vodevilescas. Los periodistas especializados en la actividad teatral notaron en seguida el parecido de *Las distracciones* con una obra representada algunos años antes en el Teatro de Variedades, *La cabeza a pájaros,* inspirada a su vez en el vodevil francés *Les absences de Monsieur.*

Gustavo Adolfo debió de escribir los versos de la parte cantada, bastante reducida, caracterizada por una jovialidad un tanto libre. El público hizo repetir el dúo báquico entre Policarpo y su amigo Mena, que recuerda una alegre noche madrileña de la fiesta de San Juan; el verso «vaso viene y beso va», repetido en el dúo, refleja bien el espíritu de éste. La combinación de versos cortos, de tres a ocho sílabas, es fácil y animada.

Como en *La novia y el pantalón,* se nota la presencia del arte de la pintura; esta vez, el artista es Carolina, la joven esposa de Policarpo; tiene talentos de paisajista y dibuja en un álbum.

Especialmente en la escena V satirizan Gustavo Adolfo y García Luna al calavera desengañado representado por el personaje de José Tenorio (Pepito); se encuentran aquí claras alusiones al *Don Juan Tenorio* de (José) Zorrilla y al *Diablo Mundo* de Espronceda («¡Malditos quince años! / ¡Funesta edad de amargos desengaños!»), lo que confirma los sentimientos burlones que inspiraban a Gustavo Adolfo los acentos tumultuosos del romanticismo vistoso. De modo menos significativo, el final de la escena X contiene una alusión a la cueva de Haydée, que pertenece a la decoración de *El conde de Montecristo* de Alejandro Dumas.

El Teatro de la Zarzuela había hecho saber por medio de las gacetillas de los diarios, que *Las distracciones* y otra corta comedia, *Juan sin pena,* servirían de entremeses en la espera de que aparezcan en el cartel obras de más peso.

A pesar de su confesada ligereza, *Las distracciones* tuvo éxito, gracias en particular a la música de Antonio Gordón. El 5 de marzo, escribió *El Diario Español:* «La poca música que tiene es agradable y la instrumentación muy buena, sobre todo el dúo cómico de las botellas, que mereció los honores de la repetición.»

«La ejecución fue buena, tanto por parte de la Murillo y de la Fernández, que hizo muy bien el papel de pollo seductor, como por la de Caltañazor y Calvet. La entrada un lleno completo.»

Caltañazor hacía el papel de Policarpo, el distraído; Calvet, el de Mena; la Murillo, el de Juana, la impetuosa criada; y la Fernández, el del joven calavera, Pepito Tenorio.

Este éxito ayudó materialmente a Bécquer y a García Luna. Cedieron sus derechos de autores a Prudencio de Regoyos, que publicó en 1859 *Las distracciones* en la colección o galería dramática llamada *El Museo Literario*.

39. Problemas afectivos (1859-1861)

Tanto sus actividades de libretista y de crítico como sus aptitudes y gustos llevan a Gustavo Adolfo a frecuentar los medios musicales en esos años de ensueño ardiente. De estos círculos surgen las seductoras, es decir las jóvenes cuya imagen se acerca más a la de la compañera ideal.

Según una tradición oral seria que ha recogido don Rafael Montesinos, el joven poeta trabó tiernas relaciones con Elisa Rodríguez Palacios, hija de un violinista del Teatro Real, Teodoro Rodríguez. Puede suponerse que Gustavo Adolfo se hospedaba ya en el 19 de la plaza de Santo Domingo, pues, según los recuerdos transmitidos, cada uno de ambos jóvenes tenía su domicilio cerca de dicho teatro. La familia de la chica, poco favorable a este idilio a causa de la mala salud y de la pobreza aparente del novio, hizo que Elisa se fuese a vivir a casa de unos parientes en Hellín (Murcia). Relaciones epistolares se establecieron entre Gustavo Adolfo y Elisa. La joven acabó por casarse con un rico propietario de Hellín, José Guerrero Coy. Una de las hijas de Elisa, Catalina Guerrero Rodríguez, conservó las cartas amorosas de Bécquer; pero éstas se perdieron cuando la casa de la familia Guerrero fue acometida a principios de la guerra civil, en julio de 1936. La tradición familiar coloca de modo muy aproximativo las relaciones Elisa-Gustavo Adolfo a mediados del siglo XIX.

Según opiniones concordantes, los sentimientos y sueños de Gustavo Adolfo tuvieron por objeto, en el curso de los años 1859 y 1860, una joven de veintiún años, Julia Espín y Guillén, hermosa y distinguida, dotada de una buena voz de soprano y atraída por llegar a ser cantante profesional. El principal testigo de esta pasión fue Rodríguez Correa, pero ha guardado un total silencio sobre este punto. Él fue quien, según tradición oral de la familia de Julia Espín, introdujo a Gustavo Adolfo en el círculo musical del padre de Julia. Es cierto que Correa gozaba de la confianza de Julia, pues se conserva un retrato de ella realizado por Alejandro Eichenwald en 1869 en Moscú, a donde había ido a cantar, que lleva en el dorso la dedicatoria manuscrita: «A mi bueno y querido amigo, recuerdo cariñoso de Julia Espín Collbrand. Madrid 4 abril 70.»

El primer memorialista que hizo mención de la pasión de Gustavo Adolfo por Julia fue Eusebio Blasco en un retrato contenido en el libro *Mis contemporáneos. Semblanzas varias* (1886). Este retrato debió de escribirse y también publicarse en un diario o revista antes del 30 de marzo de 1885, fecha del fallecimiento de Casta Esteban, puesto que se precisa en él que la viuda del poeta sigue en vida. Blasco no nombra a Julia Espín pero no es dudoso que alude a ella, como se deduce de la comparación de dos pasajes de uno de sus libros ulteriores, *Memorias íntimas* (1904). Refiriéndose con alguna arbitrariedad a las rimas XXXIV («Cruza callada, y son sus movimientos»), XXXV (¡No me admiró tu olvido! Aunque de un día») y XXXIX («¿A qué me lo decís? Lo sé; es mudable»), escribe Blasco: «No es un secreto para nadie que el poeta estuvo ciegamente enamorado de una hermosura que no debo nombrar porque existe todavía y tiene ya legal y legítimo dueño. Muy hermosa criatura, pero sin seso. Un admirable busto como el de la fábula, y muy incapaz de comprender las delicadezas del hombre que quiso vivir para ella.»

Nombela confirmó en sus memorias, *Impresiones y recuerdos* (1909-1912), después del fallecimiento de Julia acontecido a finales de 1906, la pasión que Gustavo Adolfo había experimentado por ella. Precisó que había ofrecido a su amigo introducirle en las veladas musicales que se daban en casa de Joaquín Espín pero que Gustavo Adolfo había rechazado esta propuesta, quedando su pasión, pues, callada y distante. No hay motivo para dudar que, según atestigua Nombela, Gustavo Adolfo vio por primera vez a las hijas de Espín y Guillén en el balcón del domicilio familiar de la calle de la Justa con ocasión de paseos dados por los amigos a finales de 1858 entre la Puerta del Sol y las alamedas del Príncipe Pío; pero fue seguramente más tarde y sin que Nombela lo supiera cuando entabló relaciones con ellas. He aquí el cuadro que traza Nombela de las relaciones de Bécquer con las hermanas Espín:

> No tardé en saber quiénes eran aquellas dos interesantes señoritas; y como la que, sin sospecharlo, inspiró a Bécquer todas las rimas amatorias debe pasar en su compañía a la posteridad, siquiera sea como la Laura del Petrarca, diré que se llamaba Julia y que era hija del compositor D. Joaquín Espín y Guillén, profesor del Conservatorio y autor de obras musicales que alcanzaron gran notoriedad.
>
> Amigo mío era un hijo del citado maestro, que fue a su vez un distinguido músico, y cuando adquirí estas noticias y me enteré de que en la casa de aquellas jóvenes se celebraban muy intersantes conciertos, propuse a Bécquer que asistiéramos a ellos. Mi indicación fue ro-

tunda y categóricamente rechazada. Prefería el ideal a la realidad. Aquella Julia fue su inspiración; cuando cesaban de verla sus ojos la veía su espíritu. Amó el alma que adivinaba, y por lo mismo que le revelaba los más recónditos y hermosos sentimientos de la mujer, no quiso conocerla, ni siquiera oír su voz. Mantenía con ella unas relaciones ideales, vivía de una ilusión.

Al escribir estas líneas ignoraría Nombela que el hispanista americano Everett Ward Olmsted había investigado en Madrid algunos años antes y publicado el resultado de sus pesquisas en el prólogo del libro *Legends, tales and poems of Gustavo Adolfo Bécquer,* publicado en Boston en 1907. Gracias a Manuel del Palacio se había enterado el investigador americano de que Bécquer, Rodríguez Correa, Ferrán, el mismo Manuel del Palacio y otros jóvenes (no se pronuncia el nombre de Nombela) habían participado en las veladas musicales y literarias organizadas en casa de Joaquín Espín. En ellas, Bécquer leía sus versos. Sus sentimientos por Julia Espín eran manifiestos aunque no declarados y sus amigos habían tenido a bien sondear las disposiciones de la joven. Ésta no había disimulado que el desaliño y la poca limpieza del joven poeta, cuyo arte estimaba, suscitaban en ella una repulsa.

El testimonio indirecto de Manuel del Palacio vale mucho. Fue un fiel amigo de los hermanos Bécquer. Al final de 1858, dirigía *Nosotros,* una revista literaria en que la moda heineana encontraba simpatías; Dacarrete y Selgas escribían en ella; el 14 de octubre de 1858, *La Crónica,* que apoyaba *Nosotros* dándola a conocer, publicó varios poemas sacados de sus páginas, especialmente «Imitación del alemán» de Dacarrete. *El Nene,* en que Bécquer publicó «Tu pupila es azul, y cuando ríes» en diciembre de 1859, era una revista dirigida por Manuel del Palacio a quien asistía Rodríguez Correa.

Olmsted tuvo en mano la prueba concreta de la presencia de Gustavo Adolfo en el salón de los Espín cuando pudo ojear en casa de Benigno Quiroga y López-Ballesteros, el marido de Julia, en 1907 probablemente, dos álbumes que habían pertenecido a ésta. Uno de estos dos álbumes contenía dibujos de esqueletos animados (juegos, ejercicios acrobáticos) y llevaba la dedicatoria «Les morts pour rire. Bizarreries dédiées à Mademoiselle Julia, por G.A. Becker», con, según parece, el vocablo erróneo «bizarriès» por «bizarreries». Los artículos de crítica artística publicados en *La Época* durante el verano de 1859 confirman que Gustavo Adolfo se ocupaba mucho de las cosas de Francia en esta época; el empleo del francés formaba sin duda parte de la costumbre *chic* del salón Espín. El segundo álbum contenía: 1.º, once dibujos sobre el tema de *Lucia di Lammermoor,* ópera de Donizetti creada en 1835, muy representada en

España, cuyo tercer acto resulta especialmente lúgubre; 2.°, un dibujo que rerpesentaba una vista de la sala del Teatro Real en la que está presente Joaquín Espín; 3.°, varios dibujos humorísticos. Entre estos últimos figuraban otros dibujos de esqueletos, un dibujo que representaba a una monja despavorida al descubrir un diablillo bajo la manta de su cama, otro dibujo del que ya se ha hablado (capítulo 11) que mostraba al poeta sentado en un sillón y soplando una nube de humo en la cual aparecían ocho o nueve mujeres (¿unas musas?) que subían en posturas ora mundanas, ora angélicas.

El 5 de diciembre de 1914, Juan López Núñez relató como sigue en *La Esfera* las confidencias que había hecho Julia Espín a una de sus amigas mucho tiempo después de la muerte de Bécquer: «Todo se redujo a una conversación sin trascendencia sostenida en una velada familiar con el poeta. Desde entonces no volvió a hablar con él, a quien veía en todas partes devorándola con sus negros ojos, perdidos siempre en la visión remota y misteriosa de lo imposible.» Los álbumes de Julia Espín prueban que Gustavo Adolfo asistió durante bastante tiempo a las veladas artísticas que tenían lugar en casa de Joaquín Espín. Prueban también que los diversos aspectos de sus dibujos —ensueño, rareza cómica, humorismo macabro— interesaban y divertían. En el álbum de Josefina Espín, nacida el 20 de septiembre de 1840, hermana menor de Julia, es donde Gustavo Adolfo escribió el primer texto hoy conocido de la rima XXVII («Despierta, tiemblo al mirarte»), muy bonito ejercicio poético dentro de la línea psicológica nueva; la fecha (mayo de 1860), revela que esta inscripción es anterior a la salida de Nombela para París (5 de junio de 1860); resulta extraño que este buen conocedor de los medios musicales madrileños no se haya enterado de las visitas de su amigo a la casa de los Espín. En los documentos hoy conocidos nada permite pensar en otra cosa que relaciones superficiales entre Gustavo Adolfo y las hermanas Espín; pero el joven vivía en un mundo en que lo imaginario y lo vivido, en constante interacción, se intensificaban mutuamente.

Ajeno, en el fondo, al ambiente burgués del salón Espín, Gustavo Adolfo se mostraría en extremo sensible, sin percibir exactamente la causa, al rechazo instintivo, velado por la educación, que se desprendía de la conducta de Julia con él. Para que esta relación tuviese un feliz término, hubiera sido necesario que la joven experimentase hacia él, a la vez, un sentimiento de admiración y otro de devoción protectora, dulcemente directiva; si el primero debió de existir en cierto modo, faltó el segundo. Esta inadecuación afectiva, agravada por las dificultades materiales del poeta, favoreció la aparición de esas potentes centellas que son las rimas psicológicas (pero puede ser que algunas de ellas tengan su fuente en otros encuentros y otras experiencias) y dio origen a varios esquemas escénicos o novelísticos cuyo tipo se halla en el relato *Un boceto del natural,* publicado anónimamente en *El Contemporáneo* en mayo de 1863. Los procesos de amplificación y distorsión que se producen en Bécquer entre el toque emotivo y el momento creador (es decir, el momento en que la imaginación toma su vuelo), hacen que la distancia sea importante entre la biografía y la obra, entre lo vivido y la creación artística, entre lo experimentado y lo reflejado. Esta advertencia vale tanto para los relatos como para las rimas. Creo que la fuerza de éstas es, en extensa medida, la de la alucinación; y que hasta las rimas más sencillas, más desnudas, son ante todo maravillosas creaciones oníricas y musicales. Esta opinión era ya la de Valera, quien tuvo a Bécquer a su lado durante varios años en la oficina de *El Contemporáneo,* un Valera, cuya experiencia de la vida y cuya práctica artística me parecen poder contarse entre las más ricas del siglo XIX europeo. He aquí lo que apunta sobre el particular en su ensayo de 1901 *La poesía lírica y épica en España en el siglo XIX:*

> Empeño inútil e imposible me parece el de averiguar y declarar quiénes fueron las mujeres de las que Bécquer anduvo enamorado: la que hablaba con él como Julieta, en el balcón donde anidaban las golondrinas y donde se enredaban las tupidas madreselvas; la que le dirigió mirada tan beatificante que le hizo exclamar: «¡Hoy creo en Dios!»; la que con su mano de nieve arrancó melodiosos sones del arpa olvidada; la que por infidelidad y traición hizo comprender al poeta por qué se llora y por qué se mata; la que, encerrada en el claustro, dejaba oír su voz cantando maitines, cuando, en el silencio de la noche, rondaba el desvelado poeta en torno del monasterio; la que prueba, con la sola afirmación de que es, que la poesía será siempre; la que evoca por su mero recuerdo al amor que pasa, entre olas de armonía alborozando la tierra con batir de alas y rumor de besos, y la que amarga y quizá acorta el vivir del poeta, cuyo espíritu se propone aguardarla a las puertas de la muerte para decirle, cuando ella llegue, todo lo que hasta entonces ha callado.
>
> Yo me atrevo a sospechar que ninguna de estas mujeres vivió jamás en el mundo en que todos corporalmente vivimos.

En cambio, el anciano Valera se aparta de la verdad cuando finge ignorar que Bécquer, si murió pobre, no vivió siempre en la estrechez. O cuando se olvida del alistamiento político del poeta, contrario al suyo a partir de 1865, al lado de González Bravo.

Volvamos a Julia Espín. Don Rafael Montesinos, quien ha recogido informaciones orales que proceden de los descendientes de su hermana Josefina, escribe en *Bécquer. Biografía e imagen* (pág. 33):

Julia Espín (Julia Pérez Colbrand)

¿Qué puede aportar Julia Espín a la reconstrucción de esa historia que es también la suya? Después de muerto Bécquer, cuando la fama del poeta alcanzó proporciones alarmantes para la inspiradora de las Rimas, ésta negó siempre sus relaciones con Gustavo. Hasta se ponía nerviosa cuando sus sobrinos, pasados los años, le solicitaban noticias sobre Bécquer. La respuesta, rápida, hiriente, siempre idéntica, no tardaba en aparecer: «Bécquer era un hombre sucio.» Con esas cinco palabras, Julia trataba de liquidar el más bello capítulo de la poesía española del XIX. ¿Por qué ese desdén póstumo de la musa hacia su poeta? ¿Qué recuerdos trataba de alejar de su mente Julia Espín? No sabemos qué gallo de la negación cantaría en su alma con remordimiento, al pronunciar aquellas palabras: «Bécquer era un hombre sucio.»

Comprendo la herida que la actitud referida puede causar en la extensa familia de los becqueristas; pero no creo que Julia Espín se haya comportado de modo desleal para con el poeta, ni para consigo. No era fácil adherirse al desprendimiento de Gustavo Adolfo respecto de las necesidades materiales o de las ambiciones sociales, ni fácil tampoco penetrar en los sutiles meandros de sus ensueños, de su sensibilidad y de sus perfectibilidades de sujeto quedado cercano a la infancia.

Julia (nacida el 18 de noviembre de 1838 en Madrid) soñaba con llegar a ser una cantatriz célebre como la hermana de su bisabuela materna, Isabela Ángela Colbrandt, primera esposa de Rossini; por eso se dio a conocer en su carrera musical más bien con el nombre de Julia Espín y Colbrandt o Collbrand. Su familia estaba protegida por Narváez y bien introducida en palacio. Su padre, que había fundado y dirigido con valor una revista, *La Iberia Musical* (luego *Iberia Musical y Literaria)* entre 1842 y 1845 y había compuesto varias obras, incluso dos óperas, era maestro director de la Universidad Central (desde 1856) y profesor de solfeo en el Conservatorio (desde 1857); en 1858, era organista de la capilla real. El 15 de mayo de 1856, Julia había cantado con éxito en palacio ante los reyes. En 1858, solicitó de la reina una pensión para continuar en el extranjero estudios musicales iniciados muy temprano; precisa en su solicitud que quiere abrazar la carrera del arte lírico-dramático. Se ve así que, aun cuando hubiese ejercido sobre Julia un potente atractivo, lo que no era el caso, Gustavo Adolfo hubiera chocado con una vocación incompatible con un casamiento a los veinte o veintidós años. Julia siguió efectivamente los pasos musicales de su padre durante unos quince años. Cantó en Italia, particularmente en La Scala de Milán en 1867, desempeñando papeles de segundo orden, y en Rusia durante el año 1869. La acompañaba en tales viajes su hermano Joaquín Espín y Pérez, compositor y director de orquesta renombrado.

Evolucionando en los mismos círculos conservadores, en las inmediaciones del trono, Gustavo Adolfo y Julia se cruzaron de cuando en cuando después de 1860. No existe ningún indicio de cualquier nueva relación entre ellos.

Por efecto de la caída de la monarquía a principios de octubre de 1868, Bécquer y Joaquín Espín y Guillén perdieron ambos su empleo público.

El 20 de abril de 1873, unos veintiocho meses después de la muerte de Bécquer, Julia, quien rayaba en los treinta y cinco años, se casó en Madrid con Benigno Quiroga y López Ballesteros, nueve años más joven. Este hecho no ha de sorprender, pues guardó toda su vida una hermosura y prestancia que admiraron los contemporáneos. Su marido era un hombre de gran valía, que fue nombrado temprano director de la Escuela de Montes de que había salido. Parece que se debe principalmente a su capacidad de técnico y administrador su elevación a altos empleos administrativos tales como las direcciones generales de Agricultura (1885), de Trabajos Públicos (1893) así como, por poco tiempo (1887-1888), la de Administración y Fomento de Filipinas; el jefe fusionista Segismundo Moret le confió por fin, entre diciembre de 1905 y enero de 1907, la cartera de Gobernación. Desde 1881 era diputado por Lugo. Los retratos que se conservan de él le presentan como un intelectual de tipo más bien céltico, de excepcional distinción, apacible, sereno, muy dueño de sí mismo, muy apto, me parece, para apreciar la poesía intimista de Gustavo Adolfo, cercana a la de Rosalía de Castro. Benigno Quiroga fue un hombre de espíritu liberal. Su acción en Filipinas fue generosa y suscitó fuertes resistencias en España; después de 1898 y, al final de la administración española, dio su nombre el gobierno filipino a una calle de Manila.

El matrimonio tuvo tres hijos. Falleció Julia Espín el 19 de diciembre de 1906 en el piso familiar de la calle de Alcalá en Madrid. Su marido murió en 1908.

La fotografía rusa de Julia Espín y Pérez Colbrandt figuró pronto en la *Enciclopedia Universal Espasa-Calpe* con este comentario que sigue la versión poco exacta de los hechos difundida por Nombela y adoptada por José Montero en *La Esfera* (núm. 267, 8 de febrero de 1919): «Julia Espín y Pérez Colbrandt tiene importancia histórica por haber sido la musa de Gustavo Adolfo Bécquer, quien, no obstante, no quiso escribir su nombre en sus rimas. El poeta rehusó ser presentado a su amada ideal, pues sólo buscaba "una idealidad que le estimulase en su vida de cisne melancólico, una sombra que fuera siempre delante de él, como el rayo de luna ante los pasos de Manrique, el héroe de su leyenda" (José Montero, *La Esfera).*»

40. Fuentes psicológicas, sociales y artísticas de las *Rimas*. El elemento popular: *El libro de los cantares* de Trueba

El año 1859 y el primer semestre de 1860 representan en la vida madrileña de Gustavo Adolfo el tiempo de la depresión, aunque la inspiración permanezca ardiente.

Cuando, en marzo-abril de 1860, después de los éxitos militares de Marruecos, se edita el *Romancero de la guerra de África,* con la participación de los poetas de talento reconocido, Gustavo Adolfo no figura entre ellos. Su inspiración lírica pertenece ya a otro dominio, el de lo íntimo e intemporal.

Se va esfumando la esperanza de una vida literaria y artística a la vez independiente y materialmente decente. Se esquiva silenciosamente la compañera ideal. Esta adversidad no ha conducido a Gustavo Adolfo hasta la desesperación, pero ha favorecido, en su poesía, la expresión de la tristeza y de la añoranza.

Las *Rimas* son, ante todo, obras de arte nacidas de una vida imaginativa intensa. La música, arte del oído pero también arte de la composición sutil y rigurosa, las envuelve como envuelve toda la vida de Gustavo Adolfo en esta época, trátese de las óperas oídas, de su crítica, de la presencia en el salón de los Espín o de la elaboración de libretos de zarzuela. Gustavo Adolfo guarda lo más sutil de la inspiración de sus predecesores o de sus contemporáneos (Espronceda, Zorrilla, Arolas, Aguiló, Campoamor, Selgas, Dacarrete, principalmente) y se deja llevar por una vaguedad de época, sentida como «germánica» en Madrid; el ensueño suaviza la herida del contacto diario con lo real, como sugieren los títulos de los libros por editar de que las revistas publican unos extractos; se llaman tales libros *Nubes y estrellas* (Javier de Palacio, *La América,* 8 de diciembre de 1860) y *Sueños y realidades* (Enrique Fernández Iturralde, *El Museo Universal,* varios trozos entre 1863 y 1866). En cuanto a Gustavo Adolfo, su labor poética se cimenta en la sencillez del estilo heineano y en los modelos musicales propuestos por Eulogio Florentino Sanz en sus traducciones. Durante los años 1859-1860 descubre el poeta que la sencillez y la brevedad heineanas, unidas con una musicalidad menos refinada pero eficaz, existen en la poesía popular española, especialmente en el cuarteto asonantado y en la seguidilla. Tal vez este descubrimiento preceda al encuentro con Augusto Ferrán; pero éste, con quien Bécquer ha de sentir afinidades muy pronto, encarna de modo perfecto la conjunción Heine-canto popular de Andalucía.

El año 1859 es el de la publicación en Sevilla de los *Cuentos y poesías populares andaluces* de Fernán Caballero, de quien dirá Gustavo Adolfo en su comentario de *La Soledad:* «Ha reunido un gran número (de canciones) en sus obras.» Siguiendo, como Fernán Caballero, el ejemplo de los hermanos Grimm, publican en 1860 Valera y Antonio María Segovia su *Florilegio de cuentos, leyendas y tradiciones vulgares.*

El libro de los cantares, publicado por Antonio de Trueba y la Quintana (1819-1889) en 1852 y siete veces reeditado hasta 1858, de manera oculta en tres casos (según *La Crónica,* noticia del 24 de diciembre de 1858), fue probablemente el que más leyera Gustavo Adolfo. Éste comenta en la reseña de *La Soledad:* «Trueba ha glosado (las canciones) con una espontaneidad y una gracia admirables.» *El libro de los cantares* fue también una de las fuentes de la sencillez lírica de Rosalía de Castro. Las huellas de esta lectura son perceptibles en las *Rimas.*

La bonita imagen de la rima XXVII («¡Duerme!»),

> suave como el rastro luminoso
> que deja un sol que muere

me recuerda el «sol de los muertos» de *El libro de los cantares,* más particularmente el que aparece en «Gente morena» (núm. 29):

> ¡Oh! virgen de los ojos azules
> que vi llorar en mi aldea
> de amor y melancolía
> cuando doraba la sierra
> el triste sol de los muertos
> tu amor quiero y tu tristeza!

Estas lágrimas me recuerdan también las de «Tu pupila es azul, y cuando lloras» (segunda estrofa de la rima XIII).

La comparación entre el estado de vigilia y el de sueño de la amada es un tema común al Heine adaptado por Ferrán (número XIV de las «Traducciones del poeta alemán Enrique Heine» publicadas en 1861 en *El Museo Universal),* a Trueba *(Libro de los cantares,* núm. 4, «Desde balcón a balcón») y a Bécquer («¡Duerme!»). Sólo en el último representa el sueño el estado ideal por todas las reflexiones e imágenes que suscita de parte del observador.

La rima de los ojos verdes (XII), combinación compleja de octosílabos y pentasílabos asonantados *e-a,* es una respuesta de la escuela sevillana, respuesta deliciosa pero cuidadosamente labrada, a los romances de Trueba que se titulan «Los ojos de la morena» (núm. 5), «La niña de los ojos azules» (núm. 6), «Gente morena» (núm. 29). El movimiento arrebatador de este último poema se ha transmitido a «Porque son, niña, tus ojos». Basta comparar:

GENTE MORENA

Moreno pintan a Cristo,
morena a la Magdalena,
morenas sin duda fueron
la granadina Zulema,
la aragonesa Isabel,
la castellana Jimena
que en los anales de amor
dejaron memoria eterna;
morenitas suelen ser
las muchachas de mi tierra,
moreno es el bien que adoro...
¡viva la gente morena!

Rima XII:

Porque son, niña, tus ojos
Verdes como el mar, te quejas;
Verdes los tienen las náyades.
Verdes los tuvo Minerva,
Y verdes son las pupilas
De las hurís del profeta.

La enumeración de los encantos de la amada en la rima XII pertenece a la veta popular que ilustra «Lo mejor de las niñas» de Trueba (núm. 46).

La última rima mandada por Gustavo Adolfo a la imprenta, «Yo sé cuál el objeto» (rima LIX) recuerda «Melancolía» (núm. 39 de *El libro de los cantares)* por el movimiento y sentimiento, pero se invierten los actores:

Carlos, no me preguntes
por qué estoy triste,
pues no lo sé, pues sólo
puedo decirte
que ha muchos días
nada me aflige y tengo
melancolía
....

Carlos! tú que adivinas
mis pensamientos,
tú que sientes acaso
lo que yo siento,
ve si penetras
la misteriosa causa
de mi tristeza.

Recordemos, entre los versos de la rima LIX, los que están más próximos a los que se acaban de citar:

> Yo conozco la causa de tu dulce
> secreta languidez.
> ....
> Yo penetro en los senos misteriosos
> de tu alma de mujer.
> ¿Te ríes? Algún día
> sabrás, niña, por qué
> mientras tú sientes y nada sabes
> yo, que no siento ya, todo lo sé.

La rima publicada el 16 de marzo de 1872, «Es un sueño la vida», no incluida en la colección del «Libro de los gorriones», tiene un verso final que parece reflejar una reminiscencia del estribillo de «Amor inmortal» (núm. 42 de *El libro de los cantares):*

> Allí se irán a juntar
> tus amores y los míos!
>
> (Trueba.)

> Yo soñaría con mi amor y el tuyo
>
> (Bécquer.)

Y se piensa en el «allí» reiterado de la rima XXXVII («Antes que tú me moriré: escondido») que designa también el más allá.

Aunque las *Rimas* sean el fruto de un arte refinado que transforma la fuente popular cuando la hay, creo que el título «Libro de los gorriones» debe, de modo más o menos consciente, algo al título «Libro de los cantares» ¿No había aludido Trueba al canto de los pájaros en la segunda edición de su libro?: «La mayor parte de los versos que contiene este libro se han compuesto de memoria, soñando con mi país y vagando por el Retiro, por la Florida, por la montaña del Príncipe Pío, por la Casa de Campo, por la Virgen del Puerto, por las praderas del Canal, por Lavapiés y el Barquillo, por donde quiera que cantaran pájaros y ostenta el pueblo sus virtudes y sus vicios...»

41. Las rimas difundidas entre diciembre de 1859 y diciembre de 1860

La publicación de «Tu pupila es azul, y cuando ríes» (futura rima XIII) en *El Nene* el 17 de diciembre de 1859, señala la primera manifestación pública de la nueva poesía becqueriana. Estamos en presencia de un delicado poema de álbum acogido por un periódico cómico y satírico que se autodefine «revista infantil entre literaria y grotesca, artística y fenomenal de las cosas y las personas de este bienaventurado país». Como ya sabemos, animaban la revista Manuel del Palacio y Ramón Rodríguez Correa, el fiel apoyo de Bécquer, quien gustaba de firmar «El Niño perdido».

En *El Nene,* el poema se titula «Imitación de Byron». Se trata en efecto de una glosa de la primera estrofa del poema 10 de las *Hebrew Melodies* (1815). En la rima, la imagen byroniana —la lágrima comparada con la gota de rocío sobre la violeta— está engastada entre dos estrofas de idéntica forma (11-7-11-7). La simetría no es sólo formal, sino también semántica: la estrofa 1 evoca el alba sobre el mar, la estrofa 3 la aparición de las estrellas en el cielo del crepúsculo vespertino.

Por esos años existe una serie becqueriana de la pupila azul en la cual «Tu pupila es azul, y cuando ríes», figura entre el retrato de Siannah vencida por la pasión (III, 9, de *El caudillo de las manos rojas)* y el de la ideal destinataria de las *Cartas literarias a una mujer* (principio de la carta I).

La otra y sola versión de «Tu pupila es azul» que se conozca es la del *Libro de los gorriones* (1869). Bécquer ha alargado el segundo verso de cada estrofa para formar un endecasílabo, siendo el esquema final 11-11-11-7.

El poema de Byron había gustado mucho en España. Lo encontramos traducido en las *Rimas varias* de Aguiló, en la colección *Melancolías, rimas y cantigas* de Arnao (1857) y en prosa por un anónimo en el número del 15 de marzo de 1858 de *El Museo Universal* («Yo te he visto llorar; una gruesa lágrima apareció brillante en tus ojos azules; semejaba una gota de rocío en el cáliz de una violeta...»). Las imágenes de la rima XIII se hallan también en *Idylle* de Musset (1839). La publicación de 1859 es, pues, la de un ejercicio finísimo de forma sanziana cuyas imágenes pertenecen a la lírica europea reciente. De esta tradición sacó Gustavo Adolfo tres transparentes visiones de ensueño presentadas con especial y propio esmero musical.

Ya sabemos que, en mayo de 1860, y firmándola «Gustavo Adolfo D. Bécquer», el poeta deja, escrita de su mano y con el título «¡Duerme!, la futura rima XXVII («Despierta, tiemblo al mirarte») en el álbum de Josefina Espín, sin duda después de leerla en el salón de la casa.

Pertenece este poema a la tradición de la lírica amorosa. Entre otros habían tratado el tema del sueño de la amada Espronceda, Heine y Trueba. En la rima XXVII, Bécquer realiza una síntesis entre:

— La poesía popular representada por el cuarteto de introducción y los dos cuartetos que forman el epílogo, los tres en octosílabos,
— y la poesía nueva Heine-Sanz, representada por los tres pares de cuartetos 11-7-11-7 que son el corazón del poema y que están dedicados sucesivamente a los labios, a los ojos y a la voz de la amada, respectivamente asociados con el cielo, el mar y el torrente.

La asonancia *e-e* suelda auditivamente el conjunto.

El poeta debió de lamentar no poder construir un texto con simetría perfecta, lo que suponía una conclusión reducida a cuatro versos. Pero si la brevedad de un solo cuarteto enérgico convenía al exordio (un exordio que recuerda este pasaje de *Don Quijote,* «Yo velo mientras tú duermes», segunda parte, comienzo del capítulo LXVIII), no podía traducir el silencioso y tranquilo movimiento final del amante; la caída lenta imponía que se extendiese moderadamente el soliloquio.

Lo más significativo del poema estriba en el balanceo entre

— la poesía sonora, que corresponde al estado de vigilia y al mundo real que intimida al poeta, por una parte, y
— la poesía apagada, íntima, producida por toques breves, que corresponde al estado de sueño y que permite al observador entrar en el mundo de la ilusión, por otra.

Esta dialéctica es también la de lo consciente frente a lo inconsciente, de lo social frente a lo personal.

Considerada desde este punto de vista, la rima XXVII tiene el mismo valor de manifiesto de la poesía becqueriana que el comentario de *La Soledad.* Le gustaba a Gustavo Adolfo este poema de luces y sombras. Lo trabajó varias veces. Un texto ligeramente modificado fue publicado el 21 de enero de 1863 en *La Gaceta Literaria;* algunos otros matices aparecen en el manuscrito del *Libro de los gorriones* (poema 63); la modificación más importante consiste en la sustitución del raro pero sugestivo «Si nace, el rayo azulado» (de la aurora) por «el resplandor enojoso». Este cambio hace resaltar la idea expresada, pero perjudica el lento amortiguamiento que da su encanto al final de 1860.

El álbum de Josefina Espín contiene un dibujo de Gustavo Adolfo que representa, en mi opinión, su ideal femenino. Se trata de una joven de cara ovalada, con un óvalo un poco alargado, de nariz ligeramente respingo-

na, de fino talle; lleva una larga cabellera negra y brillante; envuelta en ropajes, planea por los aires encima de un campo austero evocado por algunos
trazos de lápiz. Esta figura aérea es contemporánea de la rima XV («Cendal flotante de leve bruma») que publicó Bécquer el 24 de octubre de 1860
con el título «Tú y yo», «Melodía» en *Álbum de Señoritas y Correo de Moda*.

La rima XV es también un poema de álbum y creo que en un álbum
de salón se hallará algún día su primera versión, siempre que el manuscrito
reproducido en 1886 en *La Ilustración Artística* o el documento que ha descubierto don Francisco López Estrada en el archivo municipal de Sevilla
no sea la página arrancada de dicho álbum. Parece que esta rima haya sido
elaborada en 1860 para el agrado de los medios musicales, como otros muchos
buenos poemas publicados en esta época que llevaban la indicación «Melodía». La contraposición «Tú y yo» era un tópico de la poesía del tiempo que
inspiró a Manuel Ossorio y Bernard unos versos paródicos en su sátira «Un...
poeta» (texto recogido en *La República de las Letras,* Madrid, 1877, pág. 26):

> Tú eres la dicha, yo soy la pena,
> yo el navegante, tú la sirena,
> yo noche oscura, tú claro día,
> yo prosa humilde, tú poesía,
> tú diva hermosa, yo Belcebú,
> yo sol que muere y aurora tú.

De este lugar común hizo Bécquer un poema que expresa toda la intensidad de su vida artística y sentimental de los años 1858-1860, especialmente cuando define al poeta por la abstracción

> vaga esperanza de algo mejor

que vendría a ser en 1866

> ansia perpetua de algo mejor,

y cuando caracteriza del modo siguiente sus arrebatos imaginativos y afectivos:

> Yo que a tus ojos en mi agonía
> los ojos vuelvo de noche y día;
> yo que incansable, corro demente
> tras una sombra,
> tras la hija ardiente de una visión.

El manuscrito sevillano contiene la variante «yo, que en mis sueños,
corro demente» que pone de manifiesto el papel de lo imaginario en esta
busca.

El objeto del deseo es el ideal hacia el cual tiende la voluntad del poeta y del artista alumbrada por los relámpagos demasiado flojos y fugaces de la imaginación. La búsqueda artística no puede separarse de la búsqueda amorosa, cuyos dos aspectos, carnal y espiritual, no pueden tampoco disociarse en la representación becqueriana. Desde este punto de vista, la rima XV tendría que ser incorporada al conjunto de las rimas sobre el arte agrupadas hasta el número V en las ediciones corrientes.

Sorprende que la forma de la rima XV quede bastante cercana a los usos tradicionales. Es uno de los pocos poemas de las *Rimas* que tienen rimas consonantes, los versos de diez y de cinco sílabas están dispuestos con una diversidad grande. El conjunto resulta a la vez rápido, caótico y armónico.

Sanz había utilizado varias veces el decasílabo en sus traducciones de Heine pero sin asociarlo con el pentasílabo; acababa en cambio de experimentar esta combinación en un poema de tres estrofas próximas a la rima XV por su forma y tema, publicado a finales de 1859 en el *Almanaque de «Las Novedades»* para el año 1860: «Tú, Él y Yo-Traducida del alemán».

El vocabulario de la escuela sevillana tiene mucho realce en la rima XV («Rumor sonoro de arpa de oro», «beso del aura», «largo lamento del ronco viento») pero, como ha mostrado don Juan María Díez Taboada, las reminiscencias de los ritmos y palabras empleados por Espronceda, especialmente en *El estudiante de Salamanca,* no tienen menos importancia en ella. El tema visual del velo flotante (tejido o niebla) es un elemento constante del arte becqueriano; halla su expresión más perfecta en la rima XV.

Consciente de cuanto reflejaba este poema de sus aspiraciones de la juventud, Bécquer lo publicó, o dejó publicar, por lo menos tres veces; se vuelve a encontrar después de 1860 en *El Museo Literario* de Valencia (6 de noviembre de 1864) y en *El Museo Universal* (4 de marzo de 1866).

En noviembre o diciembre de 1860, Gustavo Adolfo entrega a la dirección de *El Museo Universal* el texto de la futura rima LXI («Al ver mis horas de fiebre») para su publicación en el álbum de poesía del *Almanaque del Museo Universal para el año 1861.* Este texto va a reunirse en el álbum de poesías con el soneto de Eulogio Florentino Sanz «Presunción del amante», un corto poema asonantado de Ángel María Dacarrete («Me han dicho que es tu rostro») y el poema «Imposible (Imitación del árabe)» de Luis Rivera, que tenía rasgos comunes con las rimas XLI («Tú eres el huracán») y XXXII («Pasaba arrolladora en su hermosura»).

Tiene como temas la rima LXI la soledad del genio joven y el temor al olvido. Sus acentos pertenecen a otro registro que el de las rimas precedentes, que eran declaraciones a la amada ideal. Esta vez la entonación es la del diario íntimo. El aspecto autobiográfico se limita, creo, a reflejar el sentimiento doloroso de vivir en una sociedad donde la práctica pura y apasionada del arte quedaba sin salida. Este texto expresa también el deseo de una presencia femenina cariñosa y permanente, deseo creciente en este hombre que se aproxima a los veinticinco años. En el *Almanaque,* el poema lleva un epígrafe, cuyo origen ignoro, que subraya este hecho: «Es muy triste morir joven y no contar con una sola lágrima de mujer.» Sin embargo, los sentimientos de soledad y de muerte que impresionan tanto en esta rima son frutos de la fantasía del autor más bien que reflejos de su vida. Entre 1858 y 1860, Gustavo Adolfo está rodeado de amigos fieles y atentos; cuando remite a *El Museo Universal* «Al ver mis horas de fiebre», ha recobrado toda su energía; va publicando; el teatro le ha proporcionado ingresos; la entrada en el equipo redaccional de un gran diario promete cierta seguridad. A pesar de este conjunto de hechos favorables, la decepción poética queda grave y se expresa en noviembre de 1860 en la carta dirigida a *La Iberia;* el tono de esta carta difiere del de la rima por la voluntad de lucha pero ambos textos denuncian igualmente la indiferencia de la sociedad del tiempo acerca de las aspiraciones de los jóvenes poetas.

La rima LXI es el equivalente subjetivo de la rima LXXIII («Cerraron sus ojos»). El caminar narrativo es el mismo en ambas composiciones, desde la agonía hasta la evocación de la indiferencia de la naturaleza y de los hombres para con los muertos. Cada una de las seis estrofas de la rima LXI se compone de tres octosílabos y de un hexasílabo; este último verso lleva una interrogación de forma constante («¿quién...?» seguido de un verbo en futuro de indicativo) que da su origen a la obsesiva asonancia aguda *á*. El esquema métrico 8-8-8-6 es único en las *Rimas,* pero el hecho de que la rima LXXIII esté compuesta de hexasílabos recuerda el lazo temático que une los dos poemas. El aspecto musical de la rima LXI es importante; Bécquer lo subrayó dando a la obra el título de «Melodía» para el *Almanaque.*

«Al ver mis horas de fiebre» es una de las pocas rimas que ni el autor ni sus amigos modificaron cuando se realizó la colección (1869-1871).

42.   Bécquer, colaborador literario de *La Época* (agosto-septiembre de 1859)

Los dos artículos literarios que Gustavo Adolfo escribió para el diario conservador *La Época* a finales del verano de 1859 señalan el principio de sus actividades en la prensa y también como crítico. Lo dice claramente en su artículo inaugural: «... al bajar hoy por primera vez al palenque de la prensa, para combatir a la sombra de su pendón, sólo con armas de buena ley lo haremos.»

Me inclino a creer que esta tentativa para crearse una situación en la prensa fue favorecida por la ausencia de numerosos periodistas durante ese verano particularmente bochornoso. Leo en la «Revista de Madrid» que firma el 22 de agosto «El Barón de Illescas» en *El Clamor Público:* «El verano imprime tal languidez y decaimiento en el espíritu como en el cuerpo. Por eso sin duda no acaece hoy ninguno de esos sucesos tan frecuentes en otras estaciones...; gracias al abrasador y continuado calor que nos derrite, nadie tiene gana ni aun de incomodarse con sus más encarnizados enemigos.»

Este calor y esta deserción se asemejan a los que describe Gustavo Adolfo al principio de su primer artículo, transponiéndolos al París del año 1838.

Los dos artículos publicados son de una concepción excepcional para la época y hasta para la nuestra. En la prensa diaria del tiempo se ceñía la crítica literaria al teatro y a la ópera; más que por el génesis y significación de las obras o los propósitos de los autores se interesaban los cronistas por el juego de los actores, la dirección de escena y los sentimientos del público; las más de las veces, todo esto quedaba rutinario y falto de ambición. «Crítica literaria» y «El maestro Herold» pertenecen ambas a una literatura crítica de tono muy distinto; el primer artículo es un manifiesto que afirma la gravedad de la misión del crítico, el segundo evoca la mención de la cual nace la creación artística. Hoy, el lector puede apreciar estos textos como obras de arte autónomas. No obstante, se referían de modo implícito a dos sucesos contemporáneos. Por esta elevación, por la delicadeza y el alcance general de la ilustración, por la voluntad manifiesta de abrir al lector anchas vías inesperadas, Bécquer renovaba el género de la crónica de espectáculo, volviendo con su lirismo peculiar a las direcciones indicadas por Larra. La presencia de la poesía de las *Rimas* es importante en ambos textos, principalmente en el segundo.

Sólo se conoce este aspecto del genio becqueriano desde 1960, año en que doña María Concepción de Balbín dio a conocer en la *Revista de Literatura* los dos artículos de *La Época.* Parece que los madrileños de 1859 no lo entendieron bien. Por ejemplo, el artículo «El maestro Herold», centrado en el proceso de creación de la ópera cómica *Zampa,* no contenía ninguna indicación sobre las circunstancias de la representación en el Teatro de la Zarzuela. Aunque no pudiendo menos de apreciar el movimiento del texto y la fuerza de las imágenes, la redacción de *La Época* y los lectores del diario quedarían defraudados ante este cambio de presentación crítica.

Es posible que la brevedad de la colaboración de Bécquer haya tenido un origen extraprofesional, tal como un nuevo quebranto de salud, pero creo que el pasaje de la carta a De la Rosa González que alude a este episodio hubiera tenido otra tonalidad en este último caso. Dice: «Más tarde se me presentó la ocasión de escribir artículos literarios y críticos. El señor La Rosa debe saber el periódico en que aparecieron, y aún me ruborizo de los inmerecidos elogios que por entonces me dirigió, al par que casi todos mis compañeros de otros periódicos. Escasamente mes y medio me ocupé en estos trabajos, que también tuve que abandonar por causas enteramente ajenas a mi buen deseo de no *buscar el tanto por ciento con careta.* Ninguno de tantos como me saludaron al aparecer me dijeron "adiós" al marcharme. Creerían que los abandonaba por mi gusto.»

Hubo, pues, decepción. Sobreviniendo después de la prematura suspensión de *Historia de los templos de España,* debió de ensombrecer un poco más las disposiciones de ánimo del poeta.

«Crítica literaria» (23 de agosto de 1859)

«Crítica literaria» es el manifiesto del nuevo cronista quien, según parece, tiene la esperanza de poder consagrarse a esta actividad. Para captar la atención del lector, Bécquer relata de modo enigmático un hecho acaecido en París hace ya bastantes años. En medio del verano, cuando la ciudad está abandonada por la buena sociedad, un crítico, hoy célebre en toda Europa, penetra por casualidad en un teatro casi vacío y descubre en él el talento de una joven actriz desconocida. En el primer entreacto, el periodista toma contacto con la heroína, quien le cuenta su difícil lucha; por su ardor y algunas expresiones, este relato recuerda varias rimas. La experiencia personal de Gustavo Adolfo se transparenta en muchas partes. Se da por fin la llave del enigma: «La última palabra de esta historia hace poco que se ha dicho: Julio Janin la pronunció al colocar en nombre de Francia y del arte los laureles de Talia sobre la tumba de la Rachel.»

El autor indica a continuación que esta anécdota ha determinado su vocación de crítico. Apoyándose en la razón, se esforzará por juzgar los méritos con justicia y evitar herir a los artistas de buena voluntad; se propone unir en sus escritos la concisión francesa con la gravedad castellana. Condenando toda vulgaridad y grosería, define la misión del crítico de la manera más clásica: «Paladín del buen gusto, emblema de la verdad y la justicia, símbolo popular de la filosofía, venerable código de axiomas literarios que la observación y la experiencia de los siglos que han dejado de existir nos legaron por herencia al desaparecer, la Crítica, una, inmutable, inflexible como la razón de donde dimana, debe expresarse con un lenguaje severo y digno del sacerdocio que ejerce.» Se barrunta ya en este texto el deseo de conciliar razón y tradición.

Al escribir este artículo, Bécquer saca hábilmente provecho de la actualidad. Según toda probabilidad acaba de leer la obra de Julio Janin titulada *Rachel et la tragédie,* ilustrada con fotografías por Enrique de la Blanchére, publicada en casa de Amyot en 1859. En las páginas 39 y siguientes de este libro es donde Janin narra la noche del sábado 18 de agosto de 1838 en el Teatro Francés, en cuya escena se representaba el *Horacio* de Corneille. Gustavo Adolfo saca algunos detalles del texto de Janin y deja expresarse sus propios sentimientos. La evocación del ambiente estival de la capital francesa figura en Janin pero Rachel no era para él la desconocida de quien habla su émulo español, puesto que la joven actriz había llamado ya su atención el año anterior cuando actuaba en el Teatro del Gimnasio. Se acaba el libro con la presentación de extractos de varios discursos leídos ante la tumba de Rachel, fallecida el 3 de enero de 1858.

Existe una diferencia capital entre el libro de Janin y el breve artículo de Bécquer; el primero está lleno de la retórica del hombre público; el segundo debe su encanto a la proyección de una esperanza íntima, expresada con recato pero también con firmeza.

Bécquer sobresale en la pintura de las dudas que pueden asaltar al ser joven que se siente impulsado por una vocación o una íntima misión no reconocidas por la sociedad. El reflejo de sus propios tormentos se dibuja cuando trata este tema: encarcelación de Leocadia en *Historia de los templos de España,* dudas de Rachel ante la indiferencia del público en «Crítica literaria». Escribe en este artículo:

> Todos los genios que tienen que abrirse paso a través del vulgo, todas las cabezas privilegiadas a quienes les es necesario conquistar palmo a palmo el terreno que la prevención o la ignorancia defienden contra sus esfuerzos generosos, que es ese combate sordo y horrible de todos los días, de todas las horas, de todos los momentos, compran a precio de una tortura o de una lágrima cada hoja de laurel con que un día han de ceñir su frente, experimentan cuando los fatiga el cansancio de la lucha esas amargas y dolorosas reacciones.

En esta evocación del combate de Rachel contra la incomprensión y la asfixia moral es donde se encuentran expresiones y acentos a los que hacen eco algunas rimas:

— «Hasta entonces una voz secreta que se levantaba del fondo de su conciencia le había gritado *adelante,* y aunque desgarrándose los pies con los agudos zarzales de la senda, había proseguido sin vacilar su marcha», recuerda

1. «¡Ay! pensé; cuántas veces el genio / así duerme en el fondo del alma / y una voz como Lázaro espera / que le diga *Levántate y anda*» (rima VII, «Del salón en el ángulo oscuro»).

2. «Los despojos de un alma hecha jirones / en las zarzas agudas» (rima LXVI, «¿De dónde vengo...? El más horrible y áspero»).

Por fin, los versos de la conclusión de esta rima LXVI, que dicen:

> En donde esté una piedra solitaria
> sin inscripción alguna,
> donde habite el olvido,
> allí estará mi tumba.

se desarrollan y explican como sigue en «Crítica literaria»: «¿Cuántos otros, faltos de una diestra salvadora, tendida a tiempo entre las sombras que los envuelven, no doblan la frente bajo el peso de la fatalidad, y plegando las alas con que inútilmente quisieron remontarse, caen y se confunden en la corriente de la vida y van a perderse con ella a una tumba sin nombre?»

También existen en «Crítica literaria» gérmenes de rimas no compuestas o no conocidas, como éste: «... había fijado su dilatada pupila en ese caos del porvenir que flota en la mente, y el brillante meteoro de gloria se oscurecía como una lámpara que espira temblando en el fondo de un sepulcro.»

«El maestro Herold» (14 de septiembre de 1859)

La técnica empleada en «El maestro Herold» se asemeja a la de «Crítica literaria». El artículo empieza por la evocación de una puesta del sol sobre París. El mismo párrafo introduce paulatinamente al lector en el interior del cuarto de un músico. Se reconoce aquí la manera de Walter Scott, adoptada más tarde por los cineastas en las escenas de introducción: «El último rayo del sol, replegándose de altura en altura y enrojeciendo las dentelladas crestas de los edificios de la gran ciudad, acababa de perderse tremolando su enseña de fuego sobre las torres de Nuestra Señora, cuando la tenue luz del crepúsculo, penetrando a través de los vidrios y las blancas colgaduras de sus balcones, bañó en una claridad azulada y triste el gabinete de estudio de un artista.» El tema del joven genio amenazado por la incomprensión, ya presente en «Crítica literaria», reaparece en las líneas que siguen a propósito de *La ilusión,* título de una obra de Herold. Se desarrolla este tema en la biografía del músico que Bécquer inserta con destreza en su texto: «... como a todos los que parecen arrebatados por una muerte prematura, un presentimiento vago e instintivo le decía incesantemente que su hora suprema no estaba lejos. ¡Y morir desconocido! ¡Morir sin gloria!... Esto era horrible» (hay que saber que Herold murió en 1833 y que, según se indica en la primera línea, la escena descrita ocurre en 1830). La expresión de estos sentimientos está seguida por la entrada en escena, en la penumbra, de un libretista, amigo de Herold, quien va a sugerir, por medio de seductoras imágenes, el tema de una ópera que tiene por marco la región de Nápoles. Bécquer revela y subraya luego que el narrador es el libretista Mélesville y la ópera proyectada *Zampa ou la fiancée de marbre.* El artículo acaba con el relato abreviado de los últimos años de la vida del compositor, que murió tísico después de haber conseguido un éxito con *Le Pré-aux-Clercs* (nombre del lugar parisino cercano a Saint Germain-des-Prés donde se citaban a menudo los duelistas hasta principios del siglo XVII).

Las imágenes y expresiones que vuelven a encontrarse en las rimas sobre las artes y sobre el entusiasmo amoroso (agrupadas en su mayoría por los amigos del poeta en la primera parte de las *Rimas,* I a XXIX) abundan en este folletín más aún que en el anterior.

La mera lectura no permite percatarse de que el artículo fue suscitado por un suceso de la actualidad. En efecto, se había abierto la temporada lírica con una serie de representaciones de *Zampa o la esposa de mármol* acerca de las cuales dice Nemesio Fernández Cuesta en *El Museo Universal* del 15 de septiembre de 1859 («Revista de la quincena»): «Hasta ahora no tenemos más teatro abierto que el de la Zarzuela, que nos ha dado para principio de temporada una versión lírica francesa. Titúlase el libreto *Zampa* y está bien traducido; la música es de un buen compositor y agradó; la pieza, como obra literaria, es bastante mala. Ya el teatro de Jovellanos ha sustituido esta producción con otras tres originales, de cuyo éxito hablaremos después de haberlas visto. Celebramos que el teatro lírico español siga más bien este camino que el otro, prefiriendo el original a lo traducido o arreglado; ya que digamos desatinos alguna vez, que sean siquiera nuestros, y no vayamos a buscar los ajenos.»

Las representaciones de *Zampa* habían empezado el 1 de septiembre. En la crónica de teatros de *El Clamor Público,* J. de Ganda había tasado de «acertada» la selección hecha por el Teatro de la Zarzuela (llamado también de «Jovellanos» porque estaba situado en dicha calle). Se lee en una reseña del 2 de septiembre que menciona las dificultades de ejecución para una tropa poco familiarizada con las óperas cómicas francesas: «La bellísima ópera de Herold... proporcionó anoche un rato delicioso a los aficionados a la buena música.» Se precisa más adelante: «El teatro estuvo lleno de una lúcida concurrencia que aplaudió frecuentemente los inspirados cantos de Herold...» Bécquer fue uno de los asistentes que apreciaron esta música; pero el asunto y los paisajes de la ópera le conmovieron igualmente.

Su artículo no es sólo una defensa de la vocación artística que se había formulado ya en «Crítica literaria»; es también una ilustración de la efervescencia que precede al nacimiento de la obra de arte. Gustavo Adolfo afirma aquí, como lo hará en las *Rimas* y en otros muchos textos, lo inexpresable del complejo impulso creador:

La palabra hirió al sentimiento, a su conmoción se levantó una idea, y aquella idea, despertando a sus hermanas, que dormían en el fondo de la memoria, comenzó a desarrollarse y a tomar formas perceptibles a la mente. Las muertes ilusiones de su juventud comenzaron entonces a incorporarse y a cruzar por su imaginación, semejantes a esas legiones de fantasmas que, rompiendo el mármol de sus tumbas, y envueltas en sus blancos sudarios, hienden silenciosas las tinieblas de la noche, evocadas por un conjuro.

¿Quién podría reproducir con las palabras, impotentes para expresar ciertas ideas, las rápidas evoluciones de la imaginación que, franqueando el abismo que las divide, salta de uno en otro pensamiento, y atando los recuerdos más incoherentes con un hilo de luz sólo a ella visible, desarrolla esos gigantes panoramas del pasado, poemas de extraña forma en que se sintetiza la vida?

La expresión «hilo de luz», empleada con el mismo sentido, se encuentra en la rima III. El lector actual queda impresionado por la semejanza que nota entre los preliminares de la creación artística tales como los describe aquí Bécquer y la actividad onírica; los recientes estudios sobre los mitos han puesto de manifiesto la verdad de esta intuición.

La «claridad azulada y triste» del crepúsculo parisino va a pasar a la rima XXVII («Despierta, tiemblo al mirarte») y al comentario de *La Soledad* pero aplicada al alba madrileña.

Los cuatro versos del comienzo de la rima XIV, dedicados a la mirada de la amada,

> Te vi un punto y flotando ante mis ojos
> la imagen de tus ojos se quedó,
> como la mancha oscura orlada en fuego
> que flota y ciega si se mira al sol

son una mutación lírica de las líneas de «El maestro Herold» que aluden al espejismo artístico: «*La ilusión*. Poco a poco las letras de esta palabra comenzaron a destacarse y a brillar entre las sombras, como esas manchas de colores, guarnecidas de fuego, que flotan en el vacío delante de los ojos, después que se cierran deslumbrados por el sol.»

La «ardiente visión» de Herold vuelve a aparecer, con un ligero cambio, en la primera versión publicada de la rima XV (1860):

> yo que incansable corro demente
> tras una sombra
> tras la hija ardiente de una visión.

Estos cotejos confirman la equivalencia amor-arte-espiritualidad, aspiraciones que se fusionan en la mente de Bécquer, durante este período de intensa creación poética.

La parte del artículo dedicada al diálogo que imagina Bécquer entre Herold y el libretista Mélesville contiene elementos de la decoración de la rima XVI con las azules campanillas y las verdes hojas que las acompañan.

Un fragmento de la narración de Herold es el antecedente y una de las fuentes de las rimas XVIII y XXII, que forman para mí en las *Rimas* el díptico de *Zampa* o del volcán.

He aquí las palabras de Herold:

«Vivía en Nápoles, contaba apenas veinte y un años, cuando comenzó a anunciarse por las sencillas gentes de los pueblos vecinos al Vesubio que se preparaba una espantosa erupción del terrible volcán.

»—En qué conoce, le pregunté a una aldeana, que el fuego hierve oculto en el seno de la tierra, próximo a estallar en raudales de lava y humo.

»—Miradlo, respondió: en que los lirios de mi jardín se mecen sin que suspire la brisa del golfo.»

En la rima XVIII se compara implícitamente el corazón de la amada al volcán:

> Entre la leve gasa
> que levantaba el palpitante seno,
> una flor se mecía
> en compasado y dulce movimiento.

La comparación es explícita en la rima XXII:

> ¿Cómo vive esa rosa que has prendido
> junto a tu corazón?
> Sobre un volcán hasta encontrarla ahora
> nunca he visto una flor.

Una hermosa imagen de «El maestro Herold» no ha pasado a las *Rimas*. Es la siguiente: «... la inspiración resplandecía a través de sus facciones, como la luz en una lámpara de alabastro.»

Quizá Gustavo Adolfo frecuentase ya el salón de los Espín en el verano de 1859. Esta circunstancia pudiera haberle incitado a publicar tan bello artículo sobre Herold y su ópera *Zampa,* hoy la más popular de sus veintidós obras. En efecto, Joaquín Espín y Guillén tendría un cariño especial por esta obra, pues cuando publicó en *La Iberia,* entre el 8 de mayo de 1869 y el 24 de agosto de 1872, una serie de crónicas en que las óperas ocupan el lugar principal (Bellini, Donizetti, Rossini), firmó con el pseudónimo de «Zampa».

«Crítica literaria» y «El maestro Herold» demuestran que, en 1859, Gustavo Adolfo experimentaba de modo muy marcado la influencia de París y de la cultura francesa, a semejanza de la gran mayoría de los salones madrileños en este tiempo de apogeo del segundo Imperio. Está subrayado este hecho por la dedicatoria en francés de algunos dibujos en el álbum de Julia Espín. En aquellos días se integran perfectamente en la organización mental del poeta tanto el romanticismo francés como el español; como síntesis hecha de relámpagos intuitivos sobre un mundo ora sosegador ora tempestuoso, las *Rimas* transmiten silenciosamente lo más sustancial (por ser lo más íntimo) de la poesía romántica francesa (Lamartine, Hugo, Musset).

43. Las relaciones con Julio Nombela en 1859 y 1860. Un nuevo amigo: Augusto Ferrán y Forniés. *La Soledad* y la importancia de la poesía popular en el arte poético becqueriano

Hasta el 30 de junio de 1859, Nombela trabajó para el diario *El Fénix,* liberal, del que García Luna era también colaborador. Asumió en él la revista teatral y la crónica madrileña, publicando además en sus hojas novelas cortas y relatos titulados «Leyendas íntimas».

A finales del verano de 1859, encontró a Augusto Ferrán y Forniés (Madrid, 27 de julio de 1835-Carabanchel, 2 de abril de 1880), de vuelta a Madrid desde hacía poco después de una estancia de unos cuatro años en Alemania, principalmente en Munich. En *Impresiones y recuerdos* indica Nombela que conoció a Ferrán en la imprenta de Fortanet. En efecto, había Ferrán lanzado una revista llamada *El Sábado* mientras Nombela había fundado por su parte la revista *Las Letras y las Artes,* imprimiéndose ambas publicaciones en el establecimiento dirigido por Fortanet.

El primer número de *El Sábado* salió el 3 de septiembre de 1859. Doña Manuela Cubero Sanz ha podido ver el número 2, publicado el 10 de septiembre. Siguieron algunos números, que ningún investigador vio nunca, y se apagó la revista. El número 2 contenía un artículo de Florencio Janer (Barcelona, 1831-El Escorial, 1877), joven abogado y erudito madrileño que había contraído matrimonio con Adriana, hermana de Ferrán, este artículo se titulaba «¿Habrá una lengua universal?». Entre las demás colaboraciones este número 2 contenía «Soneto (inédito)» de Nombela y tres textos del propio Ferrán, a saber: 1.º, una muy erudita biografía de don Jaime I de Aragón, de una índole poco compatible con las aficiones y la pereza de Ferrán (se piensa en la colaboración de un amigo, o de Janer); 2.º, una traducción del cuento de los hermanos Grimm, *Marienkind,* con el título «La niña de María. Cuento de Grim (sic), traducido directa-

Julio Nombela

mente del alemán», la primera traducción española que se conoce de este cuento; 3.º, un poema compuesto de tres coplas asonantadas en *o* («Y pregunté yo afligido») de tonalidad muy melancólica como lo muestra este cuarteto final:

> Y una voz entonces dijo:
> para ti ya no hay amor...
> Ni ya para ti esperanza,
> más tarde dijo otra voz.

Según Nombela, Ferrán quería hacer de *El Sábado* un órgano de difusión en España de la literatura poética alemana.

Nombela pensó en fundar *Las Letras y las Artes* poco después de la desaparición de *El Fénix*. Ya desde el 22 de julio de 1859 anunciaba *La Época* que Nombela se proponía hacer la recensión crítica de las letras y artes españolas del siglo XIX. La revista, que era semanal, vivió entre el 18 de octubre de 1859 y el 4 de marzo de 1860. Ferrán participó bastante temprano en su redacción, sin duda cuando *El Sábado* dejara de salir, y dirigió la publicación a partir del número 15 (13 de febrero de 1860). Doña Manuela Cubero Sanz cita el número 13 del 24 de enero de 1860, en el cual Ferrán escribió el texto de la sección «Teatros de Madrid». En esta crónica insistía Ferrán en que un drama que Nombela estaba escribiendo había de tener parecido con *Reo y juez,* obra que se estaba representando, porque tenía la misma fuente, a saber, una novela de Moleri traducida del francés, *Madame Le Blanc.* Los principales objetos de la revista eran el teatro y la música.

Mientras se publicaba *Las Letras y las Artes,* colaboraba Nombela en otros periódicos. Por ejemplo, redactaba revistas musicales para el diario *El Horizonte* (enero y febrero de 1860); la representación de las óperas formaba la materia dominante de estas crónicas.

Finalmente decidió Nombela irse a París para estudiar dos asuntos: 1.º, la organización de la vida teatral; 2.º, las academias literarias y artísticas. Ferrán le acompañó. Ambos amigos dejaron Madrid el 5 de junio de 1860 y se encaminaron a París, vía Alicante, a donde llegaba ya el ferrocarril, Barcelona (por mar), Marsella (por mar). Tomaron el tren entre Marsella y París.

En París, a donde llegaron el 10 de junio, los dos viajeros se presentaron en casa de Adriano Ferrán, el padre de Augusto, que vivía en el 3 de la calle de Savoie, en el corazón del venerable París parlamentario de los siglos XVII y XVIII; se hospedaron en un hotel del 5 de la misma calle.

Desde su vuelta de Alemania Ferrán había vivido de un anticipo que se le había consentido sobre la herencia de su madre, quien había llevado en Madrid un próspero taller y comercio de marcos dorados. Había disipado esta cantidad y no había podido acompañar a Nombela a París sino tomando prestados 200 reales con interés usurario; habiendo descuidado ganarse la vida en la capital francesa, tuvo que reiterar la operación desde París. El reembolso de estos préstamos había de verificarse, llegada su mayoría (27 de julio de 1860), por medio de los bienes procedentes de la herencia de su madre. Nombela, que proporciona todas estas informaciones, precisa que, en París, Ferrán se pasaba la mayor parte del tiempo en paseos, lecturas en un gabinete del pasaje de la Ópera y frecuentación del baile de «La Closerie des Lilas» en Montparnase. Sin embargo, ayudó un poco a Nombela en la traducción de las *Memorias* de Garibaldi para el editor parisiense Rosa y Bouret.

Se resolvió finalmente Ferrán a arreglar con su padre algunos asuntos que atañían a la sucesión de su madre para luego volver a Madrid. Padre e hijo acordaron atribuir a Augusto la tercera parte de la casa número 12 de la calle de Espoz y Mina, en cuyo desván estaba ya instalado el joven; los alquileres correspondientes, cobrados desde la muerte de Rosa Forniés, fueron entregados a Augusto en la misma proporción del tercio. Estaba encargado Florencio Janer, apoderado de Adriano Ferrán en Madrid, de mandar establecer las escrituras notariales necesarias. Esto no representaba más que una parte de la importante sucesión del matrimonio Ferrán-Forniés.

Dejó Ferrán París en compañía de un librero de Alcoy, José Martí, y de otro librero, Agustín Jubera; llegó a Madrid durante el mes de agosto de 1860, reembolsó sus deudas y siguió viviendo libremente.

Nombela se quedó en París, donde se casó con una prima hermana de Augusto (hija de Tomasa Forniés, hermana de Rosa), a quien había conocido en casa de Adriano Ferrán; la joven, llamada por su tío, había llegado de La Habana en febrero de 1860. La primera hija de Nombela nació en París y fue bautizada en Saint-Germain-des-Prés el 24 de junio de 1862. Nombela se volvió a Madrid con su familia el 1 de mayo de 1863.

Para Rosa y Bouret no realizó Nombela únicamente trabajos de traducción. Publicó en esta casa de librería-edición dos libros de obras propias:

— En 1860, *Leyendas íntimas. Historia de dos amigos,* dedicado a Ferrán.
— En 1861, *Horas de recreo. Cuentos, leyendas, poesías y baladas.*

Para el mismo editor redactó además un *Manual de música* (1860) y un *Manual completo del tornero y del arte de tornear* (1862) que sirvió mucho tiempo, ya que Bouret puso en el mercado una nueva edición del libro, enteramente revisado, en el año 1885.

Durante su estancia parisina escribió por fin Nombela *El libro de los refranes* y una novela de costumbres en cuatro tomos, *Historia de un minuto* (1862).

Como se ve, Bécquer parece haber desaparecido de la vida de Nombela entre septiembre de 1859 y junio de 1860. Aunque muy atento a cuanto se relacionaba con la música, Nombela parece ignorar que Gustavo Adolfo frecuentaba el salón de los Espín. Se nota algo más curioso todavía: durante este período no pudo, o no quiso, Nombela poner en contacto a Ferrán y Bécquer. En efecto, declara en *Impresiones y recuerdos:* «Como yo hablaba a Ferrán (en París) con frecuencia de Bécquer y le había recitado versos suyos, que sabía de memoria, me pidió con mucho interés que le diera una carta para él, de quien deseaba ser amigo, y le complací con el mayor gusto.» Sorprende en extremo que Nombela no haya reunido nunca a sus dos amigos, especialmente con ocasión de su salida para Francia en compañía de Ferrán. En mayo de 1860, Gustavo Adolfo estaba en Madrid. Nada hace suponer que haya dejado la ciudad durante los meses anteriores. No veo más que una sola explicación a este hecho: por motivos que ignoramos, se habían relajado las relaciones entre Nombela y Bécquer a partir de septiembre de 1859.

Su modo de vida, temperamento y común pasión por la poesía habían de unir a Ferrán y Bécquer.

Bécquer había perdido temprano a su padre. Ferrán había vivido muy poco con el suyo, que había ido a instalarse en La Habana y luego en París. Adriano Ferrán pintaba por afición, no su hijo.

Como Bécquer, Ferrán ponía su libertad muy alto, pero la prosperidad del comercio materno y después la herencia recibida le protegieron mucho tiempo contra las necesidades más apremiantes. Como a Eulogio Florentino Sanz, le gustaba el contacto con las clases populares. Era un ser melancólico, de voluntad bastante floja. Parece que su estancia prolongada en Baviera le hubiese inclinado temprano a excesos de cerveza y alcohol que deterioraron gravemente su salud mental después de 1873.

Sus preferencias artísticas fueron la poesía popular melancólica y la poesía de Heine. Le cautivaron también los cuentos populares. Su efímera revista *El Sábado* reflejó estos gustos y dio a conocer los aspectos correspondientes de la literatura alemana. Ferrán fue uno de los traductores del *Fausto* de Goethe; pero su texto, no publicado, queda desconocido.

Uno de los méritos de Ferrán fue no limitarse a recoger cantos populares españoles, sino inspirarse en la forma y espíritu de algunos de ellos para expresar su propio pesimismo. Animado por Bécquer y Rodríguez Correa, publicó a expensas propias, a finales de 1860 o principios de 1861, un libro titulado *La Soledad* que comprendía dos partes: «Cantares del pueblo»

Augusto Ferrán y Forniés

(83 poemas) y composiciones propias de forma parecida (176 poemas cortos) elaborados en Alemania, Francia y España. Los cantares de *La Soledad,* cuartetos en su mayor parte, pudieron enriquecer la poesía de Bécquer: el cantar LXXV, «Yo me asomé a un precipicio», ha dejado una reminiscencia en la rima XLVII, «Yo me he asomado a las profundas simas»; el cantar «Los besos y los suspiros» (CXXXIX), tiene parentesco con la rima XXXVIII, «Los suspiros son aire y van al aire», cuya idea vuelve a aparecer en *Creed en Dios* (1862) y *Tres fechas* (20-24 de julio de 1862); el cantar LXXXVI, «Has pasado junto a mí», está cercano a la rima XLIX, «Alguna vez la encuentro por el mundo»; el vagar romántico une la rima LXVI, «¿De dónde vengo?... El más horrible y áspero», al cantar CLXV de *La Soledad,* «¿Quién eres? —Ya ni me acuerdo.»

Ventura Ruiz Aguilera (1820-1881), autor de *Ecos nacionales* (primera edición: 1849, con aumentos ulteriores) no dejó de rendir homenaje a Ferrán, reconociendo que había sido el primer literato en componer y publicar un número notable de cantares.

El segundo libro de Ferrán, *La Pereza* (1872), editado en la imprenta de Fortanet como *La Soledad,* contiene 141 poemas. Muchos de ellos son sencillas coplas; pero esta colección se distingue de la anterior por el número mayor de poemas formados de una cadena de cuartetos asonantados y también por la presencia de numerosas auténticas soleares, compuestas de tres octosílabos asonantados en los versos 1 a 3. Las peculiaridades expresivas de algunas rimas se perciben en *La Pereza.* El texto en prosa «Una inspiración alemana», publicado por Ferrán en *La Revista de España* en 1872, contiene asimismo reminiscencias becquerianas.

La afición a la poesía de Heine creó otro lazo entre Ferrán y Bécquer. Ya desde noviembre de 1861, el primero publica unas «Traducciones e imitaciones de Heine» en *El Museo Universal.* En estos poemas se nota una gran variedad métrica; la poesía personal de Ferrán se mezcla aquí con las formas que habían puesto de moda las traducciones de Sanz. Algunos de ellos (I, X, XI, XIII, XIV) tienen una sencillez, si no una energía, que recuerda las *Rimas.* Me gusta de modo especial el principio del número XI, inspirado en el canto 49 de *Die Heimkehr (El regreso):*

> Pláceme la noche amiga
> de los que viven sufriendo
> y contar las tristes horas
> embebido en su silencio.
>
> Entonces se ensancha el alma,
> y, desprendida del cuerpo,
> vive vida de armonías,
> vive vida de recuerdos.

En *El Semanario Popular,* cuyo primer número salió el 13 de marzo de 1862, reprodujo Ferrán muchos cantares de *La Soledad.* Esta revista, dirigida por Florencio Janer, se destinaba a desarrollar la cultura de las clases modestas. Al final de 1862, Ferrán publicó en *El Semanario Popular* ocho cantares inéditos que figuraron igualmente en las poesías del *Almanaque literario de «El Museo Universal» para 1863.* Entre el 16 de abril de 1863 y el 18 de febrero de 1864, *El Semanario Popular* publicó dieciséis traducciones de textos de Heine, principal pero no exclusivamente poemas; si no puede asegurarse que Ferrán sea el autor de estas traducciones, no puede dudarse en cambio de que a él se deba la orientación germanizante y pronórdica de la revista.

Manifestando su común adhesión a la poesía popular y a la poesía heineana, Ferrán y Bécquer publicaron juntos en el semanario *El Eco del País,* en fecha de 27 de marzo de 1865, el primero una traducción bastante libre del *lied* 89 de *Die Heimkehr,* el segundo la rima XXIII que había sido publicada ya en *El Contemporáneo* el 23 de abril de 1861. El conjunto se presentaba como sigue:

(Traducción de Enrique Heine.)

La vida es la negra noche,
la muerte un sueño pesado...
Ya anochece... tengo sueño...
¡Ha sido el día tan largo!...

Por encima de mi lecho
pasa un ruiseñor cantando
sus inocentes amores...
Ya oigo entre sueños su canto.

AUGUSTO FERRÁN.

Por una mirada un mundo;
por una sonrisa, un cielo;
por un beso... Yo no sé
qué te diera por un beso.

GUSTAVO ADOLFO BÉCQUER.

Después de la muerte de Bécquer, Ferrán publicó además «Canciones (Recuerdos de Enrique Heine)» en *La Ilustración Española y Americana* (1873), poemas de métrica variada y de fondo bastante fiel al de los originales. En septiembre-octubre de 1877, la *Revista Contemporánea* publicó la traducción por Ferrán de un prólogo de Heine a *Don Quijote.*

Ferrán muere en 1880. Un modo de primer homenaje a su poesía personal de forma popular se expresa cuando, en 1894, la *Revista Contemporánea* (tomo 93, pág. 430) publica, bajo el título «Cantares», ocho poemas sacados de *La Soledad* (seis) y de *La Pereza* (dos).

Los cuentos del pueblo deleitan tanto a Ferrán como a Bécquer. Ya desde 1859, Ferrán había publicado por lo menos un cuento de los hermanos Grimm, *Marienkind,* en *El Sábado.* Bajo su influencia, *El Semanario Popular* publicó en 1862 un cuento de Hoffmann, *El tonelero de Nuremberg,* y diez cuentos de los hermanos Grimm.

* * *

Una estrecha amistad se anudó pronto entre Augusto Ferrán y Gustavo Adolfo. Así es como Ferrán aparece en calidad de testigo, al lado de García Luna y de Antonio Reparaz, en el informe para dispensa de las tres canónicas amonestaciones establecido con vistas al casamiento de Bécquer, celebrado el 19 de mayo de 1861.

Se trasluce el conocimiento personal que Bécquer tiene del temperamento y de los gustos literarios de Ferrán cuando, el 20 de enero de 1861, dedica en *El Contemporáneo* un artículo a *La Soledad.* Hablando de Ferrán, menciona «su libre educación literaria, su conocimiento de los poetas alemanes y el estudio especialísimo de la poesía popular» (IV). Aprecia en los cantares de Ferrán una «especie de vaga e indefinible melancolía que produce en el ánimo una sensación al par dolorosa y suave»; se define aquí un matiz artístico que corresponde exactamente al temperamento de Ferrán.

En el prólogo de *La Soledad* había indicado Ferrán con claridad que su arte representaba una fusión entre los cantos populares españoles y el *lied* alemán, especialmente al modo de Heine: «He escrito estos versos en el estilo sencillo y espontáneo de las canciones populares, las cuales he intentado imitar. Si me he separado algunas veces del carácter peculiar de este género de poesías, no lo puedo atribuir más que a mi predilección por ciertas canciones alemanas, entre ellas las de Enrique Heine, que en realidad tienen alguna semejanza con los cantares españoles.»

El artículo de Bécquer es un modelo de presentación poética, no de crítica. Representa para la poesía lo que «Crítica literaria» para el teatro y «El maestro Herold» para la ópera, pero, a diferencia de los artículos anteriores, se divide en seis cortas secciones cuidadosamente ordenadas, un poco como los capítulos de *Historia de los templos de España* o *El caudillo de las manos rojas,* y tiene por objeto el examen de una obra española determinada. El mundo ideal del crítico-poeta sigue expresándose extensamente pero se establece el contacto con la realidad del texto.

La introducción es un cuadro-monólogo; el periodista, que acaba de leer el libro, evoca, bajo la influencia de los recuerdos despertados, la ardorosa atmósfera de Sevilla, llena de vida, mientras la luz triste del alba madrileña de invierno penetra por la ventana; esta oposición representa la del ensueño y de la realidad. Después de cinco años pasados en Madrid, Sevilla ocupa el lugar de la capital en el mundo de los sueños. Desde este punto de vista, el artículo sobre *La Soledad* tiene la significación de una especie de mensaje dirigido a los sevillanos. Los términos de esta idealización demuestran que Gustavo Adolfo sigue viviendo en lo que llamo el «período del fuego»: «Toda mi Andalucía, con sus días de oro y sus noches luminosas y transparentes, se levantó como una visión de fuego del fondo de mi alma.» Se encuentran destellos de las *Rimas* en este díptico Sevilla-Madrid; la rima XVI («Si al mecer las azules campanillas») con dichas enredaderas y con los balcones y madreselva de la primera parte, la rima XXVII («Despierta, tiemblo al mirarte») con la luz azulada del alba que da su fondo ambiental a una de las más delicadas evocaciones del Madrid del siglo XIX que contenga la literatura española.

En algunas líneas ligeras y rápidas, Gustavo Adolfo expone luego sus nuevas ideas poéticas (II). Completando primero la definición, formulada en «Crítica literaria», de una crítica de arte seria, afirma que el crítico tiene que desprenderse de las «influencias puramente individuales» si quiere cumplir dignamente con su «misión». A continuación distingue dos categorías de poesías que caracteriza por una serie de contraposiciones donde toman sitio, en desorden, varias imágenes:

> Poesía magnífica y sonora / Poesía natural, breve, seca.
> Meditación y arte / Chispa eléctrica o de fuego.
> Pompas de la lengua / Palabra que hiere y huye.
> Poesía objetiva, poesía de todo el mundo / Poesía subjetiva, poesía
> de los poetas.
> Una melodía / un acorde.
> Placer de la invención / atracción de lo inconsciente, de cuanto
> no lleva nombre.
> Poesía discursiva / Poesía de síntesis.

Bécquer practicó sucesivamente estas dos formas de expresión que pueden calificarse «forma continua» y «forma discontinua o discreta».

Contra el academicismo defiende la legitimidad de la segunda, denunciando implícitamente lo que Baudelaire había llamado ya desde 1857 la «hérésie de la longueur» («herejía de la extensión») en sus *Notes nouvelles sur Edgar Poe*. Y concluye que los poemas de *La Soledad* pertenecen, como la poesía popular en que se inspiran, a la poesía de síntesis.

A mis ojos, la colección de las *Rimas* compendia la historia de Bécquer como poeta. Algunas rimas quedan cercanas a la poesía discursiva sevillana (IX, LVII, por ejemplo); otras representan con gran pureza la poesía de síntesis o de centella (III en el campo de la teoría artística, XLIX en el de la psicología amorosa, por ejemplo); otras, en fin, hermanan ambos estilos poéticos (XV, XVI y XXVIII, por ejemplo).

Prosiguiendo con el examen de la noción de poesía popular, Bécquer desarrolla luego las ideas que pudo transmitirle Ferrán acerca del papel de la imaginación popular en la formación de las mitologías (mitología pagana, mitología cristiana, mitología de los héroes modernos). La palabra «síntesis» significa aquí «condensación». Bécquer apunta que Ferrán ha intentado hacer con la poesía popular española, singularmente con la andaluza, lo que los poetas alemanes, en especial Goethe, Schiller, Uhland y Heine, con la poesía popular alemana. Trueba ha glosado los cantares; Fernán Caballero los ha recogido; Ferrán es el primer artista que ha compuesto muchos de ellos para publicarlos en libro.

Después de señalar que el autor ha encabezado el volumen con una colección de cantares del pueblo, Bécquer hace constar que la melancolía que matiza todos los poemas originales de Ferrán está conforme con la que expresa la guitarra al acompañar una soleá (IV). Del dibujo de Valeriano titulado «El baile de la taberna» (reproducido en la página 253 del libro *Bécquer. Biografía e imagen* de don Rafael Montesinos) puede inferirse que Gustavo Adolfo tocaba ocasionalmente este instrumento.

En la parte V, Bécquer comenta una selección de los poemas compuestos por Ferrán. La copla que lleva el número I le parece dar una exacta idea del tono dominante de la colección:

> Las fatigas que se cantan
> son las fatigas más grandes,
> porque se cantan llorando
> y las lágrimas no salen.

Esta cita se encadena perfectamente con la observación que Gustavo Adolfo acaba de hacer sobre las quejas y llanto de la guitarra. La reseña de *La Soledad* que *La España* publicó el 25 de enero de 1861 confirma que esta cuarteta tuvo gran éxito. Se reprodujo en muchas ocasiones.

Bécquer ha reconocido en *La Soledad* sus preocupaciones fundamentales. Cinco coplas las ilustran. Tratan de: 1.º, el misterio, considerado como maravilloso, de la fantasía; 2.º, el carácter fugaz de la felicidad; 3.º, la existencia de aspiraciones que no se pueden discernir ni definir; 4.º, las penas que no pueden apartarse (figuradas por la sombra del cuerpo en la copla); 5.º, el sentimiento de la muerte propia. La enumeración becqueriana forma aquí una verdadera rima en prosa.

El cantar siguiente de Ferrán, de una llaneza intencional (punto mencionado 3.º)

> Yo no sé lo que yo tengo
> ni sé lo que a mí me falta,
> que siempre espero una cosa
> que no sé cómo se llama.

es interpretado por Bécquer con términos que aclaran el significado de la rima XV («Cendal flotante de leve bruma») publicada algunas semanas más temprano y también el de la rima XI, inseparable de la XV: «Esta impaciencia nerviosa que siempre espera algo que nunca llega, que no se puede pedir, porque ni aun se sabe su nombre; deseo quizá de algo divino, que no está en la tierra, y que presentimos no obstante.»

Esta galería se completa con la cita de tres poemas formados de dos cuartetos asociados:

— En el primer ejemplo, únicamente por el carácter agudo de la asonancia propia de cada estrofa *(á* y *ó).*
— En los otros dos ejemplos. por una asonancia única *(a-a, i-a,* respectivamente).

Halla aquí Gustavo Adolfo la oportunidad de unir estos pomeas con los nombres del Byron de *Manfred,* así como a los de Schiller y de Hugo, que parecen representar a sus ojos las modernas literaturas inglesa, alemana y francesa. Las citas terminan con otro de los poemas de dos estrofas: de asonancia única *á,* esta canción expresa una tristeza (melancolía, vaguedad, suavidad, apunta Bécquer), que tiñe la finura psicológica del propósito, formulado de manera muy prosaica a pesar de la presencia de la palabra «nave»:

> Los que quedan en el puerto
> cuando la nave se va,
> dicen al ver que se aleja:
> ¡quién sabe si volverá!
>
> Y los que van en la nave,
> dicen mirando hacia atrás
> ¡quién sabe cuando volvamos
> si se habrán marchado ya!

Por fin, Gustavo Adolfo expresa (VI) su profética certidumbre de que los cantares personales de Ferrán pasen al repertorio popular. Se imagina de vuelta en Sevilla y cogido por la nostalgia de los «días y cosas» de su pasada vida madrileña al oír en las calles uno de los cantares de Ferrán; es un homenaje tributado a la amistad.

El artículo del 20 de enero de 1861 no se incluyó en la primera edición de las *Obras* (1871), sin duda porque Ferrán había resuelto en esta época colocarlo al principio de su nuevo libro, *La Pereza,* en que se reprodujo *La Soledad* con algunas enmiendas. El artículo sirvió de prólogo a las *Obras completas* de Ferrán publicadas por «La España Moderna», probablemente con el auxilio de Rodríguez Correa, en 1893. Mientras tanto había entrado el texto en las *Obras* de Bécquer al publicarse éstas por segunda vez en 1877.

Florencio Janer publicó sobre *La Soledad* un artículo alentador para su hermano político en el número 19 de mayo de 1861, de *El Museo Universal.* Escribiendo bajo el pseudónimo de «Juan de Madrid», Nombela había detenidamente comentado y citado *La Soledad* en la rúbrica «revista española» de *El Correo de Ultramar* (París) fechado el 28 de febrero de 1861. Por calurosos que sean, estos artículos no traducen de ningún modo un estremecimiento emotivo comparable con el de que da testimonio el texto de Bécquer.

44. *Tal para cual,* «juguete literario» (otoño de 1860)

Esta zarzuela en un acto de catorce escenas, con música de Lázaro Núñez Robres, es la primera de las dos obras líricas que Gustavo Adolfo y García Luna escribieron durante los ochos primeros meses de 1860 para obtener recursos.

Se valieron del tema tradicional de los criados que se ocultan y disfrazan para vivir algún tiempo como los amos. Andrés, servidor de Juan de Saavedra, y Laura, criada de Leonor de Guzmán, esperan, gracias a tal subterfugio, seducir a alguna persona de la nobleza. Cada uno abriga la esperanza de que el amor que haya despertado sobreviva al descubrimiento de su verdadera condición social. El experimento queda sin conclusión, pues el único encuentro que se produce es el de los dos embusteros quienes, al disipar el engaño, escogen conservar su libertad. Por sus maniobras ponen en peligro el idilio que se ha anudado entre Juan y Leonor; este argumento es el segundo motor de la acción teatral.

Así es como, en el período más intenso de renovación lírica personal, Gustavo Adolfo escribe elegantes redondillas, quintillas y seguidillas. La escena XI, escena de la seducción entre Andrés y Laura, divierte con la imitación claramente declarada del estilo galante de Calderón; esta imitación tiene por objeto a la vez las metáforas y el rigor estructural de la ex-

presión poética. Ha mostrado don Juan Antonio Tamayo que las imágenes empleadas son por parte (girasol-sol, acero-imán) las de la comedia
Casa con dos puertas mala es de guardar. La imagen del olmo y de la vid
parece propia de García Luna, quien la utilizó en una obra ulterior. Esta
escena XI se compone de seguidillas, forma adaptada al ambiente dieci-
ochesco (la acción se desarrolla en el tiempo de Felipe V en los jardines de
Aranjuez), así como al espíritu burlesco, satírico, a veces cínico, del texto.
La rima suprimida del «Libro de los gorriones» que comienza por «Fingiendo realidades» es una seguidilla que presenta idénticos caracteres; la
imagen del Fénix que aparece en la parte final de la rima está empleada
en tono cómico por Andrés: «En vuestra llama / dejad que amante fénix / se tueste un alma.»
La personal poesía de Bécquer no está totalmente ausente de esta obra
ligera. No carece de sutileza la comparación que hace Andrés entre la condición social y el engaste de una piedra preciosa:

> Y si en la joya es corriente,
> pues lo labran semejante,
> que al que no es inteligente
> hace el engarce patente
> cuál es vidrio y cuál diamante,
> la que ya me ha conocido
> diamante al aire montado
> en el oro del vestido,
> no me entregará al olvido
> por verme desengarzado.

Las especulaciones becquerianas sobre el estado de sueño surgen en una
quintilla de la misma escena:

> Por eso, como el que ausente
> de la que adora, se empeña
> en verla en un sueño ardiente,
> y cree soñar lo que siente
> y cree sentir lo que sueña...

La escena de la ruptura (IX), en la que luchan el amor y el orgullo en
la mente de cada uno de los protagonistas, era tradicional en el teatro francés
(Molière, Marivaux, Musset).
Después de recibido el visado favorable del censor de teatros Antonio
Ferrer del Río en fecha 20 de septiembre de 1860, *Tal para cual* fue representada el 5 de octubre en el Teatro de la Zarzuela al mismo tiempo que
una corta comedia musical, *El veterano*.

En opinión de don Juan Antonio Tamayo, *Tal para cual* es una de las zarzuelas que Bécquer escribió con mayor arte. Esta calidad del estilo no quedó inadvertida. *La Iberia* del 5 de octubre calificó la obra de «zarzuelita de nuestro teatro antiguo, pero escrita con gusto literario». El 6, *La España* expresó sentimientos parecidos: «Anoche se estrenaron en el teatro de la Zarzuela dos zarzuelas en un acto. *Tal para cual* se titula la primera y *El veterano,* la segunda. Las dos fueron "tal para cual". Ambas pasaron en medio de una marcada indiferencia, a pesar de que la primera está escrita bastante bien.»

Bécquer y García Luna cedieron sus derechos a Antonio Gullón, que mandó imprimir 500 ejemplares del texto para su colección «El teatro». Gustavo Adolfo corrigió las pruebas. Dice la dedicatoria al actor Vicente Caltañazor, quien había desempeñado los papeles de Policarpo en *Las distracciones* y de Andrés en la nueva zarzuela: «Como un recuerdo de amistad y una prueba de reconocimiento, ofrece este juguete literario su afectísimo El Autor.»

45. *La cruz del valle* (otoño de 1860)

Esta zarzuela en tres actos ocupó a Bécquer y a García Luna durante parte del año 1860 al mismo tiempo que *Tal para cual.* Tuvieron la satisfacción de escribir el texto para su amigo Antonio Reparaz, autor de la música.

El enredo no ofrece ninguna originalidad. Está copiado del de un melodrama francés de Juan-Bautista Agustín Hapdé, *La tête de bronze ou le déserteur hongrois* (1808), que se había traducido ya y representado en España en 1817 antes de imprimirse en Valencia (1819). Se localiza la acción con bastante arbitrariedad en Presbourg (actual Bratislava) y en sus alrededores. El príncipe, locamente enamorado de la condesa Adelaida, persigue con su odio a Federico, joven militar a quien ama la condesa y con quien está secretamente casada. La vida del joven corre varias veces peligro a pesar de la protección de Hermán, quien actúa a modo de intendente de la casa del príncipe. Todo acaba felizmente al descubrir el príncipe que Federico es el hijo que ha tenido de Luisa, su amor de la juventud, a quien creía muerta; con obedecer las órdenes del padre del príncipe, guiado éste por la razón de Estado, Hermán no había dejado, en efecto, de cuidar del niño, quitado a su madre y criado lejos de ella. Las figuras femeninas, Adelaida y Luisa, son modelos de inocencia y piedad. Existe una pareja de graciosos, Dryn y Catalina, cuyo papel tiene importancia en el desenvolvimiento de la acción. Don Joaquín Casalduero señala en esta adaptación, como en *Tal para cual,* la influencia del teatro de Calderón.

La decoración resulta amena: parque del castillo, sitio montañoso de la cruz del valle, cortijo en este sitio.

Se siente que la creación lírica sigue intensa en este momento de la vida de Bécquer. El fervor de las *Rimas* se percibe en el trato del sentimiento amoroso y en la evocación de la naturaleza, especialmente en la atmósfera de tormenta del segundo acto. Este lirismo queda sin embargo sometido a las necesidades de la adaptación musical y a las leyes de un género que depende estrechamente de los gustos del público. Reproduzco a continuación dos ejemplos de las tonalidades propiamente becquerianas que se hallan a trechos en *La cruz del valle:*

— Lirismo amoroso:

> Brilla hermosa en lontananza
> mensajera del amor,
> una estrella de esperanza
> en la noche del dolor.

— Lírica de los meteoros:

> De la tormentosa noche
> misterioso mensajero
> el relámpago ligero
> se ve a intervalos brillar.

Está muy aparente en esta zarzuela la afición becqueriana a las flores, heredada de Rioja. En la primera escena del primer acto, el coro explica a Dryn el simbolismo de las flores así como el de los mirtos y laureles:

> La camelia
> es la hermosura,
> el clavel es el afán,
> la violeta
> es la ternura
> y el orgullo el tulipán.
> Son los mirtos
> la armonía,
> los laureles el valor
> y en sus himnos
> de alegría
> es un verso cada flor.

Ritmo ligero (tercetos de versos de cuatro, cinco y ocho sílabas utilizados cuatro veces), diestra combinación de las rimas asonantes y consonantes, empleo acertado de dos asonancias agudas *(a* y *o)* que dan fuerza a los versos 6 y 12, todo esto hace de este canto una pequeña joya.

La primera escena del acto III encierra una de las más bonitas evocaciones becquerianas de la aurora, comparable con las de *El caudillo de las manos rojas,* en decasílabos esta vez:

> Onda de perlas, luz y colores,
> alada hermana del rojo sol,
> tú das hermosa vida a las flores,
> oro a las nubes, calma al dolor.

Expresada por el príncipe (acto I, escena VI), se encuentra en *La cruz del valle* una metáfora complementaria de las rimas XI y XV:

> Tú eres perla, que la concha
> guarda fiel como un tesoro,
> y yo soy el rayo de oro
> que chispea sobre el mar.
> Si ambicionas luz que vaga
> tornasole tu alba frente,
> ven a mí; ven, que un torrente
> de oro y luz te puedo dar.

Tomando sus distancias con la ilusión creada por arte, Gustavo Adolfo introdujo en *La cruz del valle* (acto III, escena V) versos que contienen la antítesis humorística de las rimas XVI («Si al mecer las azules campanillas») y XXVIII («Cuando entre la sombra oscura»), así como del poema de Goethe traducido por Sanz, «En ti pienso, mi bien, cuando los rayos»):

DRYN: Dime, morena, dime
          …
          Si cuando roncas
          fugaz pasa en tus sueños
          mi aérea sombra.

CATALINA: Al rumor de las hojas
          que el aire mueve,
          pienso en ti noche y día,
          junto a la fuente.
          Y con mis lágrimas
          el agua que bebemos
          se vuelve amarga.

El censor de teatros otorgó el visado favorable a *La cruz del valle* el 29 de septiembre de 1860. Fue aceptado por el Teatro del Circo. La primera representación tuvo lugar el 22 de octubre, aunque hubiese turbado los ensayos el abandono de la cantatriz Murillo y del director de orquesta Serra, debido a disensiones dentro de la compañía. Gustó la música de Antonio Reparaz. *La Época* el 23 y *La España* el 24 mencionaron un «éxito regular». *La Iberia* se limitó, el día 24, a dar la información de que se trataba de un arreglo del antiguo melodrama *La cabeza de bronce*.

Bécquer y García Luna cedieron en seguida la propiedad del libreto a Antonio Gullón quien, como había hecho con *Tal para cual,* publicó el texto en la colección «El teatro» antes que finalizara el año 1860.

Se representó de nuevo *La cruz del valle* en el Teatro del Circo el 28 de septiembre de 1866. Llenó la sala y fue aplaudida.

Las representaciones de 1860 originaron una curiosa polémica que dio a Bécquer la oportunidad de exponer públicamente sus sentimientos sobre la vida literaria madrileña y sus propias luchas.

46. La crítica de *La cruz del valle* por Juan de la Rosa González en *La Iberia* y la contestación de Bécquer (noviembre de 1860)

Las representaciones de *La cruz del valle* suscitaron de parte de un observador apreciado, Juan de la Rosa González, reflexiones muy críticas sobre la utilización del repertorio dramático francés para componer zarzuelas y sobre el empleo de pseudónimos por los autores de estos arreglos. En opinión de De la Rosa, tales prácticas tenían por único origen el apetito de lucro, dañaban a la creación original y podían acarrear una desconsideración de las obras explotadas.

Estas reflexiones salieron en el «álbum» semanal de *La Iberia* que constituía el folletín del domingo 4 de noviembre de 1860.

Diario progresista, *La Iberia* había sido fundado en 1853 por Pedro Calvo Asensio (1821-1863) y por Sagasta. Juan de la Rosa González (1821-1886), amigo y colaborador literario de Calvo Asensio, había participado en la redacción desde el principio. La orientación política del diario explica que se lea en el folletín del 4 de noviembre la frase siguiente: «El neo-catolicismo ha invadido también el teatro.» Era verdad que las tendencias de Bécquer y de García Luna eran conservadoras, y que *La cruz del valle* quedaba tradicional en cuanto a las manifestaciones de la fe cristiana. Esto no permitía, sin embargo, a De la Rosa colocar a los jóvenes autores atacados entre los neocatólicos, cuyo jefe era entonces Cándido Nocedal, discípulo de Donoso Cortés. Era manifiesto el abuso.

Bécquer dirigió a De la Rosa González una protesta cuyo hermoso texto se publicó enteramente en el álbum del domingo siguiente, 11 de noviembre, con el título «Comunicado del señor Bécquer contestado por el señor Larra».

De nuevo se expresa en el preámbulo de esta carta la idea elevada que Gustavo Adolfo tenía de la responsabilidad del crítico. Enuncia aquí su propósito de enseñar, por la breve narración de su vida literaria, las dificultades que ha experimentado para abrirse camino en la España contemporánea. He aquí el preámbulo íntegro:

> Muy señor mío: Varios periódicos se han ocupado con más o menos benevolencia de la zarzuela arreglada del francés, que con el título de *La cruz del valle* se representó hace algunos días en el teatro de la plazuela del Rey. Como quiera que al hacerlo sólo tratasen del escaso mérito de la obra, no me he creído en el deber de ocuparme de semejantes juicios. La crítica literaria es libre; si abusa de su libertad, tanto peor para ella.
>
> En el mismo silencio me hubiera mantenido respecto a su revista del domingo 4, si en ella sólo se hubiese concretado a juzgar la producción; pero como de lo menos que trata es de ésta, y sólo dirije sus tiros a esos arregladores neo-católicos literarios que ocultan bajo la careta del pseudónimo las mezquinas razones de tanto por ciento, yo, en mi nombre, y en el del señor don Luis García Luna, mi amigo y colaborador en este trabajo, teniendo en cuenta que acaso somos los únicos que al presente usamos un pseudónimo en esta clase de obras, pseudónimo que por otra parte no han respetado las gacetillas, me creo en la necesidad de hacer a Vd. algunas observaciones, que al mismo tiempo que le proporcionarán datos para la verdadera historia de nuestra actual decadencia literaria, no podrán menos de influir en su ánimo para que, con la notoria buena fe e imparcialidad que le caracterizan, rectifique las duras e injustas palabras con que tan ligeramente nos califica.
>
> En efecto, señor La Rosa González: yo creo como Vd., que el estado, no sólo de nuestro teatro, sino de nuestra literatura en general, es bastante lastimoso; pero también creo que el crítico, el elevado crítico, el crítico en fin, antes de lanzar un anatema sobre los que desgraciadamente son víctimas de un efecto, debe remontarse a desentrañar las causas que lo producen.
>
> ¿En qué se diferenciaría, si no, el hombre superior analítico y filósofo, del vulgo rutinario e ignorante de los censores?
>
> Esa causa que sin duda existe, puesto que todos tocamos sus efectos, acaso la comprenda usted, si ya no la ha comprendido, cuando recorra estas breves líneas en que hago un ligerísimo bosquejo de mi corta vida literaria.

Después de este preámbulo hace Gustavo Adolfo un compendio de sus actividades literarias desde la publicación de sus primeras poesías hasta su breve colaboración en *La Época* (agosto-septiembre de 1859). Este texto facilita datos para fijar las varias etapas recorridas; por eso lo he citado al tratar de cada una de ellas. Sin embargo, Gustavo Adolfo omite indicar que, ya desde 1856, García Luna y él habían tenido que trabajar para el teatro con objeto de conseguir algunos recursos más o menos complementarios. Como lo explica más adelante al hablar de sus actividades recientes y como lo confirma una carta privada de 1864, la comedia y la zarzuela no eran para él sino trabajos «alimenticios» realizados con arte; sus pasiones pertenecían a un mundo distinto. Parece faltar a la exactitud cuando declara que no pensó en el teatro y en la zarzuela sino posteriormente a sus colaboraciones en *La Época;* creo que quiere decir que sólo a partir de este momento pensó vivir, por lo menos durante algún tiempo, ayudándose de esa clase de trabajos. Relata como sigue el génesis de *La cruz del valle:*

> La política y los empleos, últimos refugios de las musas en nuestra nación, no entraban en mis cálculos ni en mis aspiraciones. Entonces pensé en el teatro y en la zarzuela.
>
> Un editor me propuso para este último género un drama francés arreglado ya al español hace muchos años por el Excmo. Señor don Ventura de la Vega, y con cuyo mismo argumento existen una ópera francesa, otra alemana y otra italiana, que sólo de nombre conozco.
>
> El asunto, como se ve, nació con estrella musical.
>
> Lo arreglé en unión con mi amigo don Luis García Luna. Nuestro cometido se reducía a escribirlo en versos castellanos y proporcionar al compositor algunas situaciones musicales. Usted, señor La Rosa, en la gacetilla y la revista ha tenido la bondad de decir que el arreglo en cuestión tiene lo uno y lo otro. Yo, sin embargo que, aun cuando en esta senda me han antecedido muchos escritores de primer orden, no creo que es la que conduce a la inmortalidad, al poner en ella el pie tuve rubor, y me tapé la cara.
>
> Ahora bien: yo no sé qué quiere decir neo-católico en literatura; pero si todo el que como yo lucha un año y otro por buscar la gloria en su terreno, y protesta como puede cuando se ve obligado a descender a otro, lo es, por mi parte acepto la calificación.
>
> Sin más, queda de Vd.S.S.Q.B.S.M.
>
> GUSTAVO ADOLFO BÉCQUER.

De la Rosa González reaccionó correctamente. Publicó la carta íntegra y expresó su estima para con los jóvenes autores («dos jóvenes en quienes, según ya varias veces hemos manifestado, reconocemos talento»). Fundándose en una distinción bastante desordenada aparecida en un artículo de *La América* del 8 de noviembre titulado «La herencia de Cervantes», debido a la pluma de Luis Mariano de Larra, el hijo de «Fígaro», entre los «llamados» y los «escogidos», tuvo esta frase de conclusión: «Nosotros queremos que los que como el señor Bécquer son de los *llamados,* no sientan de ese modo desfallecer su fe, para que un día puedan en fuerza de talento, de luchas y de privaciones, ser de los *escogidos.*» Bécquer no necesitaba exhortaciones de tal género; sabía lo que eran las luchas y sobre todo las privaciones, a pesar de la fraternal ayuda que le rodeaba.

Como lo había hecho Gustavo Adolfo desde 1856, Luis Mariano de Larra había lamentado en «La herencia de Cervantes» la debilidad del interés de los españoles por la creación literaria. ¿No había escrito en su artículo: «España es el país donde menos libros se publican después de Turquía»? Uno de sus amigos, Javier de Ramírez, gran admirador de su padre, periodista cuyo nombre se encuentra en 1861 en las páginas literarias de *La América* al lado de los de Luis Mariano de Larra y de García Luna, intervino el 18 de noviembre de 1860 a favor de los autores de *La cruz del valle* en la revista dramática del *Diario Español.* Bajo el título «Algunas muy pocas reflexiones sobre el estado actual del arte dramático en España. Contestación del Sr. Larra padre al Sr. Larra hijo», se lee lo siguiente:

> Escribamos zarzuelas y lloremos, y si entre los que las escriban hay algunos a quien el rubor les hace ocultar su nombre, no se les acuse como lo ha hecho *La Iberia* de que buscan el tanto por ciento con careta, a lo neocatólico. Para responder a las exigencias de la crítica, basta la obra, la personalidad del autor importa nada. Por más que *La Iberia* se empeñe, no será nunca una mengua buscar la subsistencia por medios lícitos y decorosos. Cervantes legó al mundo *El Quijote,* y ningún biógrafo suyo le ha echado en cara su mala estrella, que le obligó a apremiar a los pueblos para el pago de las contribuciones.

Este desagradable incidente debió de incitar a Gustavo Adolfo a buscar medios de subsistencia más estables y a acercarse a la «política y los empleos», entrando, a instigación de Rodríguez Correa, en la redacción de un diario que estaba a punto de fundar un grupo de conservadores moderados animado por González Bravo y que había de llamarse *El Contemporáneo.*

47. La primera leyenda de tema nacional publicada: *La cruz del diablo* (octubre-noviembre de 1860)

Mientras el Bécquer replica públicamente al crítico de *La Iberia,* sale en *La Crónica de Ambos Mundos,* periódico semanal, su leyenda popular *La cruz del diablo,* localizada en los Pirineos catalanes. La publicación empieza en el número del domingo 21 de octubre, continúa en el del 28 y termina en el del 11 de noviembre; el 4, *La Crónica de Ambos Mundos* había cuidado de dar aviso que el final de la «preciosa novela» de «Don Augusto Adolfo Bécquer» (sic) se publicaría en el número siguiente, lo que demuestra el interés manifestado por los lectores.

Los protagonistas de la leyenda son un señor feudal extraviado y cruel, anónimo, ya que el narrador no le llama sino «el señor del Segre», y el pueblo. El siniestro personaje sale para la cruzada después de haber concedido libertad y tierras a sus súbditos mediante pago; pero vuelve y se hace capitán de bandoleros. Sus antiguos vasallos acaban por matarle y su fortaleza, encaramada en un pico de la comarca de Bellver, va arruinándose. La armadura, «colgada de uno de los negros pilares de la sala del festín», sala donde ha perecido el malvado, se anima y toma el mando de una nueva tropa de bandidos. Para acabar con esta armadura, que no protege a ningún cuerpo, los aldeanos, siguiendo el consejo de un eremita, invocan a San Bartolomé, se apoderan de ella, la funden y la convierten, no sin dificultades, en una cruz ante la cual está prohibido orar bajo pena de atraer sobre sí las desgracias más grandes, lo que por poco hace el narrador principal, que recoge luego la leyenda de boca de uno de sus guías.

Bécquer ha realizado aquí una obra de arte de la que la vida personal parece ausente, con la salvedad de que se encuentran en el texto la dramatización, las imágenes y el vocabulario característicos de la época 1858-1860. El relato está construido con el auxilio de materiales tomados de varias leyendas populares. Por su ambiente esta creación se relaciona con la corriente que pasa por Walter Scott, Nodier, Merimée. Bécquer ha procurado mezclar finamente la ficción del reportaje (un viajero es quien recoge, en el sitio mismo de la acción, según sugiere el autor, el relato de un guía durante una velada en una posada de Bellver) a la ficción de la leyenda piadosa y fantástica a que el narrador presta fe y que tiene por consiguiente el valor de un mito religioso eficaz. Sin embargo, el autor ha creído útil subrayar el aspecto de mero entretenimiento del relato mítico, venido a profano, poniendo al frente de la obra un epígrafe en que se lee: «Que lo creas o no, me importa bien poco. Mi abuelo se lo narró a mi padre, mi padre me lo ha referido a mí, y yo te lo cuento ahora, siquiera no sea más que por pasar el rato.» Creo que, con estas palabras, Gustavo Adolfo da satisfacción a su espíritu crítico en lucha contra sus tendencias poéticas al par que trata con miramientos las convicciones racionalistas de numerosos lectores.

La transposición del lenguaje popular queda poco realista; descarta la incorrección y está conforme con la idea que el lector madrileño se formaría del modo de expresarse de un hombre del pueblo bien educado.

La zarzuela *La cruz del valle* y la leyenda *La cruz del diablo* tienen algunos elementos comunes: la oración ante la cruz, la evocación del temporal (imagen final de la leyenda) y el príncipe o el señor de malas pasiones.

La presencia de Augusto Ferrán pudo favorecer la redacción de esta leyenda. Puede suponerse también que las pláticas con Ferrán o Janer, así como los libros o referencias que poseían, hayan proporcionado a la imaginación de Bécquer los alimentos necesarios. «La Fuente de Montal. Leyenda alcoyana», que publicaría Ferrán en *El Museo de las Familias* durante el año 1866, refiere la historia de un señor de vil conducta, Enrique de Margall. Sensible en demasía y de fantasía imprecisa, Ferrán no consigue elaborar un relato vigoroso, pero lo que dice de su afición a las leyendas populares es revelador de la influencia que pudo ejercer sobre su amigo ya familiarizado con este campo de estudios por sus investigaciones históricas para realizar *Historia de los templos de España*. Se lee en efecto en el preámbulo de *La Fuente de Montal,* que ofrece alguna semejanza con el de *La cruz del diablo* (localización de la fuente, paisaje, narrador que habla en primera persona): «... siempre he tenido especial predilección a las leyendas populares... Antes de entrar en materia sólo quiero rogaros que seáis indulgentes y me perdonéis si mi pobre y desaliñado relato no responde al asunto: escribir leyendas es más difícil de lo que parece, si han de recordar siquiera el estilo sencillo y brillante a la par que emplea el pueblo en sus poéticas y melancólicas tradiciones: el pueblo, que es el verdadero poeta.»

Manifiesta el narrador principal de *La cruz del diablo* un estado de ánimo ferraniano cuando alude a la «vaga melancolía» de su espíritu en la exposición siguiente que es, desde el punto de vista de la reflexión artística y de la forma, un reflejo puro de las armonías becquerianas: «Ideas ligerísimas sin forma determinada, que unían entre sí, como un invisible hilo de luz, la profunda soledad de aquellos lugares, el alto silencio de la naciente noche y la vaga melancolía de mi espíritu.»

La cruz del diablo me parece de una expresividad a menudo excesiva, demasiado efectista; pero me gustan los cuadros bien compuestos que contiene esta leyenda. La idea de la maldad gratuita como posible y temible efecto del tedio, me parece tratada aquí con delicadeza.

48. La fundación de *El Contemporáneo* (20 de diciembre de 1860). La entrada de Bécquer en el periodismo político

Desde junio de 1858 hasta marzo de 1863, las fuerzas agrupadas bajo el nombre de Unión Liberal alrededor del general Leopoldo O'Donell, duque de Tetuán (1860), y de Ríos Rosas, gobiernan a España.

En el otoño de 1860, González Bravo, cercano al general Narváez, quien acaudilla la oposición llamada moderada, juzga oportuna la creación de un nuevo diario. Obtiene el apoyo financiero del banquero Salamanca. Se escoge a José Luis Albareda para dirigir el periódico, el cual sustituye a *El León Español.* Albareda contrata con Juan Valera, quien actuará como redactor-jefe hasta enero de 1863, y con Rodríguez Correa. Éste obtiene que Bécquer sea admitido en el equipo de los redactores. José Luis Albareda y la mayor parte de los miembros de su equipo eran andaluces o se habían formado en Andalucía. La amenidad y gracia de *El Contemporáneo,* hasta en las luchas más severas, debe mucho a esta circunstancia.

He aquí el texto con que José Mañabal, que parece ser un simpatizante, da a conocer en París la creación de *El Contemporáneo* en el número de febrero 1861 de *La Revue des Races Latines* (su carta lleva la fecha «Madrid, 15 janvier 1861»): «Ce nouvel organe de la presse proclame la coalition de tous les partis contre la situation actuelle [O'Donnell dirige], une coalition qui ne soit pas un amalgame confus, mais bien une alliance où chacun combatte avec son drapeau et pour son drapeau, avec un certain accord et avec ensemble. Don José Luis Albareda est le directeur de ce nouveau journal, et les rédacteurs sont don Juan Valera, don Carlos de Pravia, don Francisco Botella, don Antonio Maria Fabié, don Gustavo Adolfo Bécquer, don Ramon Rodríguez Correa, don Felipe Carrasco de Molina et don Manuel Gutiérrez de la Vega. Le *Contemporaneo* veut que le parti modéré remplisse les devoirs que lui impose l'état des affaires publiques, non seulement à titre de conservateur, mais encore comme libéral; il veut que l'on étende le cercle dans lequel tourne la presse; il veut que le prestige du parlement soit relevé, que l'on donne des garanties á la liberté des électeurs, que l'on paye un tribut de respect á l'indépendance de l'administrateur municipal; il veut, en un mot, se mettre au niveau de l'époque, établir la pureté des doctrines, et se fortifier par l'appui des générations qu'éloigne seulement le spectacle de l'immobilité systématique. Dites-moi s'il est en opposition avec la conduite du cabinet actuel et avec le système de l'union èlectorale?»

(Traducción: «Este nuevo órgano de la prensa proclama la coalición de todos los partidos contra la situación actual, una coalición que no sea una amalgama confusa, sino antes bien una alianza en que cada cual combate con su bandera y para su bandera, con cierto orden y unanimidad. Don José Luis Albareda es el director de este nuevo diario, y los redactores son don Juan Valera, don Carlos de Pravia, don Francisco Botella, don Antonio María Fabié, don Gustavo Adolfo Bécquer, don Ramón Rodríguez Correa, don Felipe Carrasco de Molina y don Manuel Gutiérrez de la Vega. El *Contemporáneo* quiere que el partido moderado cumpla con los deberes que le impone el estado de los negocios públicos, no sólo como conservador, sino también como liberal; quiere que se extienda el círculo en que gira la prensa; quiere que el prestigio de las Cortes se realce, que se dé garantías a la libertad de los electores, que se pague un tributo de respeto a la independencia del administrador municipal; quiere, en una palabra, ponerse al nivel de la época, establecer la pureza de las doctrinas y fortalecerse con el apoyo de las generaciones a las que sólo aparta el espectáculo de la inmovilidad sistemática. ¿Dígame si está en oposición con la conducta del actual gabinete y con el sistema de la unión electoral?»)

Hasta febrero de 1865, época de su ruptura con González Bravo, *El Contemporáneo* es el órgano del ala liberal del partido moderado.

Por lo general, los textos de *El Contemporáneo* son anónimos. Los redactores colaboraban en todas las rúbricas. Valera escribe en una noticia biográfica dirigida a Ramírez de las Casas Deza en 1863 para su *Diccionario de cordobeses ilustres:* «En *El Contemporáneo* he escrito artículos de fondo, sueltos, gacetillas, crónicas parlamentarias, variedades literarias, y hasta alguna que otra copla, a pesar de la fecundidad de Correa.» Por su parte, Bécquer evoca su vida de periodista en *El Contemporáneo* en la segunda de las *Cartas desde mi celda.* Se ve en este texto que participaba en los trabajos ligados a la actividad política y parlamentaria así como en la redacción de toda clase de escritos, aunque sus leyendas, relatos y fantasías salieran más bien en la rúbrica «Variedades»: «... recuerdo el afán de las últimas horas de Redacción —escribe— cuando la noche va de vencida y el original escasea; recuerdo, en fin, las veces que nos ha sorprendido el día corrigiendo un artículo o escribiendo una noticia última...»

La crítica y la reseña literaria fueron principalmente tareas de Valera, los artículos de carácter jurídico, administrativo o económico eran con preferencia obra de Fabié. Éste presenció lo que llamó más tarde la «fiebre literaria» de Gustavo, cuyos manuscritos ilustrados conservaba con cuidado. Valera se interesaría por las creaciones de la fantasía de su joven colega; el lirismo ligero, aéreo, evanescente, de Bécquer le era bastante ajeno, pero no su melancolía, si bien, gracias a su potente vitalidad, Valera lograse superar la que le invadía a veces; además, la India y la civilización árabe seducían a ambos artistas.

Rodríguez Correa escribía con abundancia y su gracia animaba al equipo. Le deben mucho los textos cómicos y satíricos de *El Contemporáneo.* Sigue bromeando cuando, en el prólogo de 1871 a las *Obras,* narra la supuesta detención de los hermanos Bécquer, tomados por malhechores por la guardia civil de Toledo, al claro de la luna. En Toledo se conocía bien a Bécquer y un periodista de *El Contemporáneo* no podía ser víctima de una equivocación de parte de un responsable de las fuerzas del orden entre 1861 y 1865. Altas intervenciones hubieran puesto fin muy pronto a las consecuencias de tamaño error. Comparto totalmente la opinión de don Vidal

Benito Revuelta, quien considera como inverosímil el animado y entretenido relato de Correa. Tal vez se inspire en algún suceso de la época de *La Crónica* (1858).

Manuel Ossorio y Bernard fue también redactor de *El Contemporáneo*. No parece que le haya seducido el lirismo becqueriano. Leemos, en efecto, en *La República de las Letras* (1877), bajo el artículo 31 de su *Código de un maldiciente:* «Quedan abolidos para siempre los *suspirillos germánicos* de que habla Núñez de Arce.»

Algunos textos de variedades atribuidos a Bécquer en el siglo XX deben, creo, ser restituidos a otro colaborador de *El Contemporáneo,* de sensibilidad próxima, Arístides Pongilioni. Examinaré este problema más adelante.

¿Qué audiencia tenía *El Contemporáneo* en España? En 1862, este diario tendría entre 3.000 y 4.000 suscriptores. El conjunto de los cinco diarios de la prensa ministerial (a su cabeza estaban *La Época* y *El Diario Español*) podía contar con unos 30.000 suscriptores, los cuatro diarios neocatólicos *(La España, El Pensamiento Español, La Regeneración* y *La Esperanza)* con 13.000, los tres diarios de la oposición progresista *(El Clamor Público, Las Novedades* y *La Iberia)* con 15.000 y los dos principales diarios de la oposición democrática *(La Discusión* y *El Pueblo)* con 6.000.

Hasta la primavera de 1863, estuvo severa la lucha entre *El Contemporáneo* y el poder, es decir, la Unión Liberal. *El Contemporáneo* hostigaba cada día al gobierno con sus flechas y sus poesías satíricas que tomaban todas las formas, especialmente la teatral (comedia ligera y zarzuela). Los ministros de Gobernación y de Justicia contestaban con brutalidad. El 19 de noviembre de 1862, el diario anuncia a los lectores que su director, José Aguirre (¿Albareda? ¿Valera?) ha sido condenado a 27 meses de destierro y 150 duros de multa en primera instancia; se trata de la tercera acción que da lugar a condena y otras doce están entabladas. En la misma época, Manuel del Palacio, quien dirigía *El Pueblo,* recibía idénticos golpes. Las hostilidades entre *El Contemporáneo* y la censura gubernativa culminaron, según parece, en febrero de 1863, cuando el gobierno O'Donnell. De la Vega Armijo se acercaba a la caída.

Hablando de la tentación, de la necesidad casi, de la labor periodística para los jóvenes escritores, Amadeo de Beaufort había deplorado en la introducción de su libro *Légendes et traditions populaires de la France* (1840) un «amoindrissement des lettres qui leur ôte tous les jours quelque chose de leur valeur et de leur dignité» («menoscabo de las letras que les va quitando cada día algo de su valor y dignidad») y había emitido el deseo siguiente: «Si quelque grand talent échappe á cette mutilation, puisse-t-il raconter l'histoire des génies étouffés, histoire plus lamentable que celle des génies méconnus» («Si algún gran talento escapa a esta mutilación, ojalá narre la historia de los genios ahogados, historia más lamentable que la de los genios no comprendidos.») Gracias a las amistades que le rodeaban, escapó hasta cierta medida Gustavo Adolfo a esta asfixia. Pudo expresarse poéticamente en *El Contemporáneo* y resguardar su originalidad. Lo más singular en los textos literarios que publicó en él estriba sin duda en la importancia dada al acto no voluntario, a lo inconsciente. Sentía Bécquer que sólo una reducida parte de su realidad personal se inscribía en la pantalla de la conciencia; que lo inexpresable ocupaba un vasto campo reservado y maravilloso. Muchas veces consiguió sugerir este sentimiento, ora desalentador, ora excitante, en las columnas del periódico, familiarizando al lector con el universo artístico, simbólico, que cabe en la intimidad de cada ser.

La cadena del periodismo profesional le pesó, sin embargo. Su voz es la que creo oír en este pasaje de la presentación de la oda de Antonio Fernández Grilo, «Al siglo XIX», dedicada a Rodríguez Correa *(El Contemporáneo,* «Variedades», 19 de octubre de 1863), cuyo vocabulario es idéntico al de la última página de *La corza blanca,* leyenda publicada en *La América* cuatro meses antes: «Guarde (el periodista se dirige al poeta) el tesoro de su inspiración cuidadosamente, no desgarre en girones la blanca vestidura de su musa, enredándole entre los zarzales de las gacetillas, o entre los laberintos de la política, donde tantos y tantos hemos consumido años preciosos, entregando nuestro gusto o llenándonos de remordimientos literarios, entremezclados de vez en cuando, para mayor perdición nuestra, con elogios políticos o con aplausos de una reunión de amigos benévolos.»

4

la época
de «El Contemporáneo»

S E ha resignado Gustavo Adolfo a integrarse en un experimentado equipo de la prensa política que pertenece a la oposición conservadora con atisbos de liberalismo. Cinco meses más tarde, se casa. Tiene poco más de veinticinco años. Su encuentro con Casta Esteban data probablemente del segundo semestre de 1860. Según la tradición oral familiar, conoció a la joven al salir de la sala de consulta del doctor Esteban, médico.

49. Vida de familia, amistades, protecciones políticas y actividades literarias en la época de la colaboración en *El Contemporáneo*

El poema *A Casta,* cuya autenticidad no sufre duda, ya que Rodríguez Correa lo incorporó con la cuarta edición de las *Obras* el mismo año de la muerte de Casta (1885), refleja exactamente el estado de ánimo de Gustavo Adolfo al final de 1860 o principios de 1861. En este poema de amor, de tono bastante zarzuelesco si se prescinde de sus raíces biográficas, se presenta el autor como un hombre en quien todas las ilusiones están muertas. El amor que inspira Casta aparece como un fenómeno extraño, un poco contra la naturaleza, como una suerte de milagro realizado por la vida. Muy sensible, Gustavo Adolfo había sido herido duramente por el fracaso de *Historia de los templos de España,* por el prematuro fin de su colaboración en *La Época,* por el rechazo de Julia Espín, por la manera con que críticos como De la Rosa González habían enjuiciado sus colaboraciones teatro-musicales. Todo esto es lo que traducen las imágenes del desierto y del páramo en *A Casta*. El arte, simbolizado por la forma rigurosamente ordenada del poema, salva a Gustavo Adolfo al mismo tiempo que se impone a él un nuevo amor.

He aquí esta hábil octava italiana que presenta la doble originalidad formal de tener dos endecasílabos libres (1 y 5) y una asonancia aguda en 4 y 8:

A CASTA

Tu aliento es el aliento de las flores;
Tu voz es de los cisnes la armonía;
Es tu mirada el esplendor del día
Y el color de la rosa es tu color.
Tú prestas nueva vida y esperanza
A un corazón para el amor ya muerto;
Tú creces de mi vida en el desierto
Como crece en un páramo la flor.

Las hipérboles del primer cuarteto me parecen más próximas a la ingenuidad de *A quoi rêvent les jeunes filles (Con lo que sueñan las chicas)* de Musset que a la ironía heineana.

Casta Esteban Navarro había nacido en Torrubia del Campo (obispado de Osma, provincia de Soria) el 10 de septiembre de 1841. Su padre, Francisco Esteban, era médico cirujano y había ejercido en su comarca natal, en Noviercas, Torrubia y Yanguas, antes de venir a instalarse en Madrid al final de los años 1840. El doctor Esteban tenía competencia general pero dejó en Noviercas el recuerdo de un médico particularmente apreciado en el tratamiento de las enfermedades venéreas. Don Heliodoro Carpintero indica que Antonia Navarro, la madre de Casta, pertenecía a una familia honorable y acomodada. Los Esteban y los Navarro tenían antiguas raíces en la provincia de Soria.

Casta era bonita y tenía una voz agradable. Su personalidad estaba todavía frágil. Su juventud no hacía de ella la esposa ideal para un huérfano bohemio, inclinado a vivir en el mundo de los sueños. También podían recelarse choques entre dos seres educados en medios culturales tan diferentes como el mundo del arte sevillano y la burguesía rural de los confines Castilla-Aragón. Ocurrió, sin embargo, que a la familia de Casta le gustó la gracia andaluza de Gustavo Adolfo y que éste supo apreciar, como lo hizo Valeriano, la recia y noble sencillez del país de sus suegros. Creo que Gustavo Adolfo comprendió bien el papel desempeñado por la juventud y la ausencia de autodominio en los errores de Casta; las heridas de su honra no hicieron desaparecer ni su sentido del deber ni su ternura para con su mujer.

Dibujo del autor (R. Pageard) sobre *El Contemporáneo*

Se aceleraron bastante las diligencias matrimoniales. A principios del mes de abril 1861, los futuros esposos constituyeron un expediente de dispensa de amonestaciones. García Luna, Augusto Ferrán y Antonio Reparaz hicieron declaraciones poco exactas que ha analizado Rica Brown. En este expediente, el novio declara residir en el número 19 de la calle del Baño, en la misma casa que Casta. Los dos jóvenes precisan, sin duda contra la verdad, que se han dado palabra de matrimonio desde ya un año. Todo esto lleva a la suposición de que el casamiento fue precedido por algunos meses de vida común y que una urgente regularización fue juzgada necesaria.

El acto matrimonial se celebró sin testigos dignos de mención el 19 de mayo de 1861, en la parroquia de San Sebastián de Madrid. Los padrinos fueron Carlos Alcega y Carolina de Rigas. Encontramos otra vez aquí a la familia de Alcega, que no había cesado de ayudar a Gustavo Adolfo desde su llegada a Madrid. Parece que el otro gran apoyo del poeta, Rodríguez Correa, se haya quedado a distancia o haya sido dejado aparte del asunto matrimonial.

Tampoco aparece la familia Bécquer en la celebración. Por su parte, Valeriano había regularizado su situación con Winnefred Cogan el 8 de febrero, en presencia de los testigos Joaquín D. Bécquer, su «tío» y maestro, y Manuel Williams.

La situación de los Bécquer era excelente en los círculos artísticos. En octubre de 1862, menciona *El Porvenir* de Sevilla, entre las adquisiciones realizadas por la reina en ocasión de su visita a la exposición organizada por los pintores locales en la capital bética, la compra de un cuadro de costumbres andaluzas por Joaquín Bécquer (4.000 reales) y de seis dibujos de tema provincial por Valeriano (2.000 reales). Durante este mismo año 1862, Valeriano publica en la hermosa y nueva revista madrileña *El Arte en España* una ilustración de *Don Quijote* (pág. 197, dibujo de Valeriano litografiado por J. Donon).

Después de la publicación de sus *Poesías* (1858), Campillo había venido a ser uno de los representantes notables de la escuela sevillana. No se conoce ningún epistolario entre Bécquer y él. Quedaban sin embargo relacionados, sea de modo directo, sea por intermedio de sus comunes amigos andaluces. En agosto y noviembre de 1864, en momentos en que Gustavo Adolfo está por necesidad particularmente activo en el seno de la redacción de *El Contemporáneo,* publica el diario, en su «gacetilla», las noticias siguientes acerca de Campillo: de 6 de agosto de 1864: «Se ha encargado de la dirección del *Diario de Sevilla* nuestro amigo el distinguido poeta Don Narciso Campillo.» 9 de noviembre de 1864: «Nuestro querido amigo el distinguido poeta sevillano don Narciso Campillo ha sido nombrado individuo de la Academia Nacional de Francia. Damos a nuestro amigo la más cumplida enhorabuena por esta distinguida prueba de aprecio a que le ha hecho merecedor su claro talento.»

Entre el 6 de junio y el 7 de noviembre de 1861, Gustavo Adolfo no remite ningún texto de creación artística a *El Contemporáneo* ni a ninguna otra publicación. Sin duda dedicaría ese tiempo a tareas de redacción rutinarias y a una estancia en la región natal de Casta. Tal vez las relaciones con su familia política favorezcan nuevos lazos con su tío Francisco Domínguez Bécquer, instalado en Soria. *El monte de las ánimas,* publicado en *El Contemporáneo* el 7 de noviembre, hace mención de una reciente estancia en aquella ciudad. El 15 de diciembre sale la primera leyenda localizada en los alrededores del Moncayo, *Los ojos verdes. El Miserere* (17 de abril de 1862) sugiere una primera estancia en el balneario de Fitero durante el verano o el otoño de 1861.

Resulta posible que, en el transcurso del año 1861, Ferrán haya padecido una enfermedad seria y que el matrimonio Bécquer le haya invitado, o incitado para su convalecencia, a pasar algún tiempo en las cercanías del Moncayo. En efecto, se sitúa en esa región (Veruela-Trasmoz) la acción de la leyenda de Ferrán *El puñal,* publicada en *El Museo Universal* el 19 de abril de 1863 y que contiene la indicación siguiente: «Hace ya algunos años, durante mi corta estancia en Vera, solía bajar la mayor parte de las tardes al monasterio, donde permanecía hasta el anochecer.» El 17 de noviembre de 1861, Ferrán publica en *El Museo Universal* sus «Traducciones e imitaciones del poeta alemán Enrique Heine» mientras Bécquer publica en *El Contemporáneo,* con el acostumbrado anónimo, «¡Es raro!» en que reconozco un eco del poema 50 del *Lyrisches Intermezzo.* Bécquer sigue empapándose en la cultura germánica de Ferrán mientras éste experimenta el atractivo de la manera narrativa de su amigo. En 1862 difunde Ferrán sus cantares y publica muestras de la poesía alemana en *El Semanario Popular.* En 1862 ó 1863 traduce también el *Fausto* de Goethe, hecho de que da testimonio un eco del diario *El Pensamiento Español* fechado el 6 de diciembre de 1864: «Ha sido condenado en rebeldía el señor Durán, librero, en vista de la demanda entablada contra él por don Augusto Ferrán para el pago de 2.000 reales en que ajustó la traducción del *Fausto* de Goethe, cuya cantidad se ha negado a satisfacer dicho señor Durán.» *El puñal* (1863) y *Una inspiración alemana* (1872) hacen de Ferrán uno de los pocos representantes de la vaguedad de alma wertheriana en España: en *El puñal,* Juan es el héroe de un amor solitario y demente que simboliza el puñal que él mismo fragua.

Nombela sigue trabajando en París. Se cartea con Ferrán y, durante la enfermedad de éste, recibe noticias por Bécquer y Rodríguez Correa. El 14 de agosto de 1861, la gacetilla de *El Contemporáneo* reproduce su balada de estilo germánico «La niña enferma», que figura en el volumen *Horas de recreo* recientemente editado por la casa Rosa y Bouret.

Ferrán y Antonio Reparaz habían sido ambos testigos en el proceso de dispensa de amonestaciones para el matrimonio. Los esposos Bécquer y Reparaz siguieron frecuentándose hasta 1866, año en que los Reparaz se expatriaron a Cuba. Gonzalo Reparaz apuntará, en unos recuerdos publicados en 1936, que su madre le había hablado de las quejas de Casta acerca del «exceso de poesía y escasez de cocido» en el hogar.

El primer hijo, Gregorio Gustavo Adolfo, nace el 9 de mayo de 1862 en Noviercas, donde vivirían ya retirados los padres de Casta. Valeriano es el padrino, pero le representa en la celebración del bautismo un tal Cipriano Paul quien sería un amigo de la familia Esteban. En la fe de bautismo se califica con exactitud a Bécquer de «escritor periodístico».

Entre el 17 de abril *(El Miserere)* y el 16 de julio de 1862 *(El Cristo de la calavera)* se produce en la publicación de los textos becquerianos de creación artística en *El Contemporáneo* una interrupción que puede explicarse por una estancia en Noviercas y otra en Sevilla. A partir de julio se advierte una vuelta hacia la inspiración toledana con, además de *El Cristo de la calavera,* la obra maestra que representa *Tres fechas* y en septiembre una selección de los textos más poéticos de *Historia de los templos de España.* En esta época había Bécquer vuelto a la zarzuela ya que le permitía redondear notablemente sus ingresos; su nuevo colaborador era Rodríguez Correa y el nuevo pseudónimo Adolfo Rodríguez. La zarzuela en tres actos y en verso *El nuevo Fígaro* se estrenó en el Teatro de la Zarzuela el 19 de septiembre 1862. La segunda obra representada fue *Clara de Rosemberg,* estrenada en el mismo teatro el 10 de junio de 1863.

Probablemente solicitado por Valera, quien tenía en alta estima sus juicios artísticos, Gustavo Adolfo analiza en octubre y noviembre de 1862, para la información de los lectores de *El Contemporáneo,* algunos de los cuadros presentados en la Exposición nacional de Bellas Artes. Una viva agudeza de observación, la manifestación de una visión personal de las vías de la pintura, la delicadeza de la expresión y de la apreciación caracterizan aquellos artículos de crítica pictórica.

Según Campillo, Bécquer es, en unión con Felipe Vallarino, cofundador del semanario *La Gaceta Literaria* (diciembre de 1862-mayo de 1863). En él publica «Despierta, tiemblo al mirarte» (24 de enero de 1863, núm. 7), es decir la futura rima XXVII ya inscrita en el álbum de Josefina Espín, *Apólogo* y *La ridiculez* (14 de marzo de 1864, núm. 14). Todos estos trabajos, descubiertos por Franz Schneider, llevan la firma del autor.

Entre el 12 de enero y el 27 de julio de 1863, Gustavo Adolfo da a la luz, firmándolas, cuatro leyendas que van saliendo en el bimensual liberal *La América* dirigido por Eduardo Asquerino (1826-1892). Son *El gnomo, La promesa, La corza blanca* y *El beso;* las tres primeras tienen como marco el Moncayo o sus alrededores; las recientes estancias de Gustavo Adolfo

EL CONTEMPORANEO.

Edicion de Madrid.   Madrid.—Juéves 20 de Diciembre de 1860.   Año I.—Número 1.º

Cabecera de *El Contemporáneo* (20 de diciembre de 1860)

en esta región han dado frutos. Con aquellas colaboraciones en *La América,* el joven padre de familia se procura algunos ingresos complementarios al mismo tiempo que da a conocer sus calidades de prosista, lo que no permitía el anónimo al que habían decidido someterse, salvo caso excepcional, los periodistas de *El Contemporáneo,* incluso los que redactaban las «Variedades». La realización artística de todas las leyendas de Bécquer publicadas en *La América* refleja mucho esmero. *El gnomo* y *La corza blanca* contienen hermosos poemas en prosa (el diálogo del aire y del agua en *El gnomo,* el coro de las ondinas en *La corza blanca).* Los aspectos confidencia y confesión destacan mucho menos que en los textos anónimos de *El Contemporáneo;* en éstos es donde se manifiesta la expresión más directa de la subjetividad y del ensueño becquerianos con *Los ojos verdes* (15 de diciembre de 1861), *Tres fechas* (20-24 de julio de 1862) y sobre todo *El rayo de luna* (12-13 de febrero de 1862). *El Contemporáneo* fue también el periódico que recibió los dos himnos a la música: *Maese Pérez el organista* (27-29 de diciembre de 1861) y *El Miserere* (17 de abril de 1862). La hermosísima serie publicada en *La América* —obra de un discípulo de la escuela literaria andaluza, quien evoca la Sevilla mora en *La promesa*— contrasta con la pobreza de las dos últimas leyendas publicadas en *El Contemporáneo: La cueva de la mora* (16 de enero de 1863) y *La rosa de Pasión* (24 de marzo de 1864).

Al publicar leyendas en *La América,* Gustavo Adolfo seguía las huellas de su amigo García Luna quien, en 1862, había dado a luz en esta revista seis leyendas, bastante prosaicas a decir verdad, de las que varias tienen a Sevilla por escenario:

— *El diablo en Sevilla* (núm. 9 de 1862).
— *Historia de dos diamantes* (núm. 10).
— *La niña de cera* (núm. 11).
— *Don Miguel de Mañara* (núm. 12).
— *Fuego del cielo* (núm. 13).
— *El antiguo Fígaro* (núm. 16).

Aunque escribiera entonces zarzuelas o arreglos de comedias extranjeras con Rodríguez Correa, Gustavo Adolfo mantenía relaciones de amistad con García Luna. El pseudónimo «Adolfo García» reaparece en la firma de un artículo titulado «La crítica» que se publicó en una revista efímera llamada *Espíritu.* Rica Brown, que descubrió este texto, sólo indica el final de 1863 como época de la publicación. Podemos preguntarnos, con la investigadora inglesa, si «La crítica» no se redactó a finales del año 1860, en la época de la polémica en torno a *La cruz del valle.* Se encuentra en él un elogio de Larra. Su suavidad y ecuanimidad, angelismo y fe caracteri-

zan la posición de los autores. Tanto la poesía como la crítica se sacrali-
zan. La crítica literaria es un «santuario». El crítico tiene deberes casi
sacerdotales. En especial tiene que abstenerse de toda afirmación ligera
y de toda burla. Estas ideas elevadas lindan con las que se expresan en «Mi
conciencia y yo» (1855), «Crítica literaria» (1859), la carta a De la Rosa González (noviembre de 1860) y el comentario de *La Soledad* (enero de 1861).

A la par que publica en *La América* y *La Gaceta Literaria,* y que acaba
también la zarzuela *Clara de Rosemberg,* Gustavo Adolfo trabaja para *El
Contemporáneo,* al que da artículos de variedades llenos de vida a lo largo
del primer semestre de 1863. Proyecta obras más importantes, pues el día
19 de mayo de 1863, *La Época* menciona su nombre, ortografiado Becker, en la lista de los autores de la «Biblioteca hispano-americana», colección de novelas originales cuya creación anuncian los editores Fortanet y
Marzo; la misma información se lee en *El Semanario Popular* del 9 de julio.

El nombre de Gustavo A. Domínguez Bécquer figura entre los de los
colaboradores de *La España Literaria,* «revista científico-literaria» bimensual, fundada en Sevilla durante el verano de 1863, y que duró hasta el
mes de mayo de 1864. *El Contemporáneo* encomió el primer número de
la revista el 25 de noviembre de 1863 en su gacetilla; José Fernández Espino y Juan José Bueno figuraban entre los más importantes colaboradores
de este número. Parece que Bécquer se haya limitado a publicar en *La España Literaria,* en el número 18 del 30 de abril de 1864, el texto de *Apólogo* tomado de *La Gaceta Literaria* (febrero de 1863).

Nombela llega de Francia con su mujer y su hija el 1 de mayo de 1863.
Su vuelta se saluda como sigue en la gacetilla de *El Contemporáneo* el 3
de mayo: «Ha llegado a Madrid el apreciable poeta y publicista, nuestro
amigo el Sr. D. Julio Nombela, procedente de París, donde ha estado por
espacio de tres años estudiando la organización del teatro francés y de las
academias literarias y artísticas.» Durante el mismo mes, el público hace
fría acogida a su zarzuela *El colegial.* El 15 de septiembre, lanza *El Fomento de España,* revista universal enciclopédica. En enero de 1864, viene
a ser el colaborador literario de *La Época;* desempeñará esta tarea hasta
el 2 de noviembre de 1868. Redacta las revistas literarias y teatrales así como
la crónica «Misterios de Madrid»; al mismo tiempo escribe voluminosas
novelas de costumbres, tales como *El coche del diablo* (reseña elogiosa en
la gacetilla de *El Contemporáneo* el 15 de julio de 1864), *El bello ideal
del matrimonio, ¡Los 300.000 duros!* (1866). Sus relaciones con Gustavo
Adolfo parecen ser de nuevo bastante superficiales aunque los recuerdos
de tiempos más difíciles sigan uniendo a los dos hombres. Los dos hogares no se ligan. Nombela escribe mucho; pero el nombre de su amigo no
aparece en las revistas y periódicos a los que va colaborando.

De aquella época se conoce una carta de Gustavo Adolfo y Casta dirigida a los Esteban, que viven en Noviercas. Se redactaría entre el 14 y el 20 de junio de 1863, después de las dos primeras representaciones de *Clara de Rosemberg* y del día de la fiesta de San Antonio (13 de junio), época en que, desde 1861, los esposos Bécquer venían a Noviercas para felicitar a doña Antonia Navarro por su santo. Contestando a una carta de los Esteban, Gustavo Adolfo indica que la salud es buena en el hogar; precisa sin embargo «me suele incomodar bastante la cabeza algunos días». Da luego noticias de las representaciones de *Clara de Rosemberg*. La crítica ha sido más o menos benévola; pero ciertos periódicos han dicho que la zarzuela está perfectamente escrita. Gustavo Adolfo manifiesta, para este tipo de trabajo, un desprecio que parece un poco extraño cuando se conoce su acostumbrada consciencia artística: «A mí me importa un rábano tanto de los que alaban como de los que censuran. Lo que es menester es que vaya la gente y hasta ahora no falta.» A continuación felicita a su suegra por su santo y se excusa por su ausencia en ese día. Explica que «la cuestión de destinos» empieza a hacerse actual para él y que es mejor que se quede en Madrid para manifestarse y cuidar de que no le olviden.

A este respecto, la lectura de *El Contemporáneo* entre febrero y junio de 1863 permite darse cuenta de lo que habría ocurrido. En febrero, el periódico había sido tratado muy duramente por el ministerio O'Donnell-De la Vega Armijo (censuras cotidianas, recogidas frecuentes). Este ministerio había caído el 27 de febrero y había sido reemplazado el 3 de marzo por un gabinete presidido por el marqués de Miraflores. Desconfiando del general Concha, considerado como un «delegado de O'Donnell», *El Contemporáneo* había mantenido su actitud de oposición en un primer tiempo; pero a finales del mes de abril había empezado a traer su apoyo al nuevo gobierno ya que manifestaba éste el deseo de practicar una política «conservadora liberal». El 2 de mayo había expuesto *El Contemporáneo* que a sus ojos, el gabinete estaba formado por hombres «serios y formales, que miran la política con interés y respetan el sistema representativo». En junio, *La Época* y *El Contemporáneo,* enemigos hacía poco, se comportaban como aliados. Un importante movimiento iba preparándose en la alta función pública; se interesaba especialmente *El Contemporáneo* por los cargos de gobernadores provinciales, tan importantes para el dominio de las elecciones. El más «político» de sus ocho redactores, Francisco Botella, había aceptado un empleo de oficial de secretaría en el Ministerio de Gobernación, con el apreciable sueldo anual de 30.000 reales; había dimitido de *El Contemporáneo* según carta publicada el 12 de junio; este nombramiento suscitó ataques de la prensa fiel a O'Donnell, particularmente de *El Diario Español*.

La carta familiar de Gustavo Adolfo revela que otros redactores de *El Contemporáneo* deseaban beneficiarse de los favores gubernamentales. Estamos lejos, por lo que toca a su persona, del espíritu de independencia del año 1860; el «cocido» impone su ley. Gustavo Adolfo termina su carta prometiendo que la familia irá a pasar por lo menos quince días en casa de los Esteban, pero evita precisar el momento. El pequeño Gregorio, que tiene entonces trece meses, engorda y le están destetando.

Casta agrega a esta carta algunas líneas que manifiestan el interés que le inspiraba la actividad lucrativa de los libretos de zarzuela. Se muestra aquí como una hija afectuosa pero cuyo grado de instrucción es poco elevado. He aquí este texto revelador: «Queridos padres, ya Gustavo les dice lo de la Zarzuela que a salido perfectamente a mama que los tenga muy felices que la tengo echo un pañuelo de la mano con letras bordadas en oro que se usan bastante. Sin mas su hija; Casta.»

Es posible que, en el transcurso del verano de 1863, el matrimonio haya visitado a la familia sevillana. Lo afirma Julia Bécquer cuyo testimonio no puede considerarse como personal, ya que no tenía aún tres años en aquella época. Dice: «... En el (año) 63, el matrimonio fue una temporada a Sevilla con su hermano Valeriano. Y de esa época es el retrato al óleo que éste les hizo, y que actualmente se conserva en el Museo de Cádiz. En él aparecen las figuras de Casta, sentada y teniendo en los brazos al primer hijo, niño de un año, y Gustavo enfrente, sentado en un sillón, convaleciente, y a sus pies un perro de Terranova.

Cuando Gustavo se puso bien decidió mi padre venirse a Madrid a instancias de su hermano, creyendo que esto sería mejor para su porvenir.»

El cuadro de Valeriano lleva la fecha «1856», de modo que la declaración de Julia Bécquer ha sido considerada como dudosa, en particular por Rica Brown. Parece, sin embargo, que la fecha se retocó después de ejecutado el cuadro. Don Rafael Montesinos y otros investigadores tienen por verídico el testimonio de la sobrina del poeta. Me inclino a seguirles; pero me pregunto quién puede ser la niña de unos diez años de edad sentada al lado izquierdo de la joven madre.

Los ingresos procurados por las dos zarzuelas *El nuevo Fígaro* y *Clara de Rosemberg* pudieron favorecer el viaje a Sevilla.

Es cierto que la salud de Gustavo Adolfo se altera durante el segundo semestre de 1863 y que Valeriano, quien se ha separado de su esposa y tiene sus dos hijos consigo, llega a Madrid aquel año y que se va a Veruela con su hermano en diciembre. Sólo un texto de *El Contemporáneo,* «Teatro real. *El Barbero de Sevilla.-Semiramis»* (11 de octubre) se atribuye a Bécquer en ese segundo semestre; y hasta dudo de la atribución al considerar el vigor de las críticas emitidas, la extrema vivacidad del estilo y cierta desenvoltura final. Resulta, pues, posible que Gustavo Adolfo se haya ausentado largo tiempo de *El Contemporáneo* en una o varias épocas situadas entre julio y diciembre de 1863. La elección de Veruela como lugar de descanso para el invierno 1863-1864 parece revelar sospechas de enfermedad pulmonar.

Durante el primer semestre de 1864, Gustavo Adolfo vive en el monasterio secularizado de Veruela, donde Casta se reúne con él; pero pasa una o dos breves temporadas en Madrid. Entre el 3 de mayo y el 17 de julio colabora en *El Contemporáneo* con el envío de las *Cartas desde mi celda.* Estas cartas, tanto como los artículos del verano de 1864, dan prueba del excelente resultado de la estancia en esta parte alta de Aragón; todos estos textos reflejan una excepcional armonía; la melancolía y el desapego, siempre atenuados por el encanto que dimana de la naturaleza circundante, van dejando poco a poco sitio a la curiosidad artística y al humorismo.

La administración del monasterio, restaurado en 1846, alquilaba celdas para procurarse algunos ingresos. Así es como Valeriano y Gustavo Adolfo pudieron alojar a su familia en el edificio.

El álbum de Valeriano titulado «Expedición de Veruela», hoy conservado en la biblioteca de la Universidad de Columbia en Nueva York, contiene un dibujo que representa a Gustavo Adolfo envuelto en su capa y apoyado adormecido contra el tronco de un árbol; este dibujo ligero lleva las indicaciones «Vera (de Moncayo), 30 de diciembre de 1863». Otro dibujo, fechado del día siguiente, representa a Gustavo Adolfo delante de las ruinas del castillo de Trasmoz.

Durante el invierno 1863-1864, Gustavo Adolfo acompañó a su hermano por los pueblos y la montaña cada vez que lo permitiera el tiempo. La consulta de un médico, la reanudación de los contactos con los colegas de *El Contemporáneo,* y varias diligencias de orden político o administrativo hicieron necesaria la presencia de Gustavo Adolfo en Madrid durante un mes, quedándose Casta en Veruela con el pequeño Gregorio, como lo atestigua una carta de esta época mandada por los esposos Bécquer a los Esteban.

Tal vez la presencia de Gustavo Adolfo en Madrid esté relacionada con la formación del gobierno Alejandro Mon-Cánovas del Castillo que sucedió el 1 de marzo de 1864 al gobierno Lorenzo Arrazola-Benavides (constituido el último el 17 de enero anterior después de la caída del gabinete Miraflores). *El Contemporáneo* apoyó con fuerza a Cánovas, ministro de Gobernación.

Me parece que la carta conservada se escribió en abril de 1864. Gustavo Adolfo avisa que ha de quedarse en Verual hasta junio para ir luego a los baños de mar en la región de Bilbao con objeto de adquirir perfecta condición física con vistas al otoño, época en que la familia tendrá que instalarse de nuevo en Madrid. Casta añade: «Queridos padres, antes de ayer llegó a esta Gustavo mucho mejor que se fue las celdas nos las han dejado en veinte cinco duros al año ya todo tenemos pagado.» Estas líneas confirman el bajo nivel cultural de Casta y la importancia de las cuestiones de dinero en sus preocupaciones. A esta estancia de un mes en Madrid alude probablemente la primera de las *Cartas desde mi celda,* publicada el 3 de mayo de 1864: «Queridos amigos; Heme aquí transportado de la noche a la mañana a mi escondido valle de Veruela; heme aquí instalado de nuevo en el oscuro rincón del cual salí por un momento para tener el gusto de estrecharos la mano una vez más, fumar un cigarro juntos, charlar un poco y recordar las agradables, aunque inquietas, horas de mi antigua vida.» ¿Es esta antigua vida la anterior a diciembre de 1860 de que va a tratar la carta III o la del periodista de *El Contemporáneo?* Me inclino hacia la segunda hipótesis.

Don Rafael Montesinos nota que Gustavo conocía Trasmoz ya desde el 31 de diciembre de 1863. Ahora bien, en la carta III, publicada en *El Contemporáneo* el 5 de junio de 1864, el autor habla de este pueblo como de un descubrimiento muy reciente. Está claro para mí que Gustavo Adolfo transformó lo vivido por él, especialmente la cronología de los hechos, con fines poéticos.

Los dos hermanos salieron de Veruela, dejando su familia en el monasterio, hacia el 12 de julio. En el álbum «Expedición de Veruela» se hallan una acuarela pintada en Peñas de Herrera (Vizcaya) el 14 de julio y bocetos de personajes tomados en Bilbao el 16 y en Algorta los 19 y 20. Valeriano estaba ya de vuelta en Veruela el día 30, fecha de un dibujo, el último del álbum, que representa el interior de una celda del monasterio. Pienso que su hermano estaba con él.

Gustavo Adolfo llegó a Madrid el 3 de agosto. Por lo menos, eso es lo que indica muy exactamente en *El calor,* «variedad» publicada en *El Contemporáneo* el 16.

¿A qué debe atribuirse esta vuelta a Madrid en medio del verano? A necesidades políticas y técnicas, creo. Era crucial el momento. A pesar de las denegaciones de la prensa moderada se preveía una crisis ministerial ya desde finales del mes de julio. La vuelta del general Narváez a la presidencia del Consejo de Ministros se hizo después de laboriosas negociaciones en las que el reconocimiento del reino de Italia, a pesar de la oposición del Papa, ocupó un lugar importante. El desenlace se esperaba para septiembre. Mientras tanto, don Francisco de Asís, el rey consorte, verificaba un viaje oficial por Francia, donde se hallaron gran número de hombres políticos y periodistas españoles durante el mes de agosto. Entre los últimos figuraban algunos redactores de *El Contemporáneo.* Estas ausencias, junto con la inminencia de un movimiento político que había de afectar la situación personal de los viejos luchadores del periódico, explican la vuelta anticipada de Bécquer.

El calor nos ha conservado un recuerdo de la corta estancia de aquel verano en Algorta: «Hará cosa de unos quince o veinte días, cuando no sin haberme dado antes mi remojón de costumbre, y mientras respiraba la fresca brisa del mar en la deliciosa playa de Algorta, desdoblé un periódico de Madrid...» La semana anterior, la «variedad» *Los Campos Elíseos* había puesto en escena a un autor (anónimo según la costumbre de *El Contemporáneo)* que hojeaba Dante y Virgilio «a la sombra de los seculares bosques que cubren la falda del Moncayo, por entre cuyos laberintos de verdura corren esas aguas limpias y transparentes cuyo rumor convida al reposo y a la calma...». La serena potencia de la naturaleza representaba en este texto la antítesis de las secas creaciones artificiales de Madrid.

El 21 de agosto, *El Contemporáneo* publica el sabroso y animado reportaje «Caso de ablativo (en, con, por, sin, de, sobre la inauguración de la línea completa del ferrocarril del Norte de España)», relativo al viaje que ha conducido a Gustavo Adolfo hasta San Sebastián, donde se ha celebrado el 15 de agosto, en presencia de don Francisco de Asís, la inauguración de la línea Madrid-París, vía Irún. El nombre de Bécquer figura en la lista, divulgada por la prensa, de los periodistas que han acompañado a las personalidades.

La publicación de los textos artísticos cesa entonces en *El Contemporáneo,* a excepción de una breve prolongación de las *Cartas desde mi celda;* el 6 de octubre, una carta IX, dedicada a la leyenda de fundación del monasterio de Veruela, sale en el periódico.

Pienso que Valeriano se había quedado en Veruela con los niños. En la nota necrológica de 1870, Gustavo Adolfo indicará que Valeriano pintó en Veruela durante el año 1864 varios cuadros de costumbres aragonesas, entre los cuales están «La vendimia» y dos fantasías que deleitaron al poeta: «En busca del Diablo» y «La pecadora».

De aquí en adelante, Gustavo Adolfo se halla absorto por la política, dentro y fuera de *El Contemporáneo.* El 16 de septiembre, los inspiradores del periódico llegaron al poder. En el gabinete formado por el general Narváez, duque de Valencia, Luis González Bravo recibe la cartera de Gobernación y Antonio Alcalá Galiano, tío de Valera, la de Fomento. Después de cuatro años de difícil apoyo al partido moderado, los periodistas de *El Contemporáneo* aspiran a algunas compensaciones. Se nombra a José Luis Albareda embajador en La Haya. El 9 de noviembre, Gustavo Adolfo le sustituye en la dirección de *El Contemporáneo.* González Bravo se preocupa de procurar a Bécquer el destino de que se hablaba ya en la carta de junio de 1863. El caso de Gustavo Adolfo presenta una dificultad especial, pues a pesar de sus dotes literarias, este protegido no ha seguido ninguna carrera universitaria y no tiene ningún diploma. Una fiscalía de novelas parece compatible con tal situación. Por real orden del 19 de diciembre de 1864, se nombra, pues, a Bécquer fiscal de novelas de Madrid con el sueldo anual de 24.000 reales. Por poco se le escapaba el empleo puesto que, a mediados de diciembre, los ministros del gabinete Narváez habían dimitido; la reina había rechazado su dimisión el día 18.

El 2 de enero de 1865 certifica José Gutiérrez de la Vega, gobernador de la provincia de Madrid (literato y periodista, apoyo firme de los moderados, fundador de *El León Español* y de *El Horizonte)* que el nuevo censor se ha posesionado de su cargo.

Sin embargo, Bécquer desempeñará la dirección de *El Contemporáneo* hasta el 16 de febrero siguiente.

El primero de enero de 1865 publica el diario una carta que Juan Valera, Antonio María Fabié, Francisco Botella y Ramón Rodríguez Correa (que ya no pertenecen a la redacción; Rodríguez Correa había fundado el diario *Las Noticias* alrededor del primero de abril de 1864) dirigen a Bécquer, director, a quien califican de «muy querido y antiguo compañero nuestro», para explicar en qué circunstancias *El Contemporáneo,* del que Albareda era entonces responsable, ha publicado, modificándolos, diversos artículos redactados por Esteban Collantes, ministro de Comercio expulsado por el movimiento revolucionario de 1854. Durante todo el mes de enero de 1865, la redacción de *El Contemporáneo,* que combate contra la oposición «vicalvarista» (los partidarios de O'Donnell), parece seguir unida. Una separación se había iniciado sin embargo desde los primeros días de enero en el seno del partido moderado entre los conservadores más intransigentes y los conservadores liberales (lo anuncia *El Contemporáneo* del 8 de enero), los últimos teniendo al parecer la simpatía del periódico.

En esta época, Gustavo Adolfo consigue para Valeriano, de parte del Ministerio de Fomento, una pensión anual de 10.000 reales destinados a permitir que el pintor recorra las provincias españolas y produzca obras que dejen el recuerdo de los «trajes característicos, usos y costumbres». El 6 de febrero de 1865 es la fecha en que el ministerio informa al director general de Instrucción Pública de la real decisión. Valeriano tenía la obligación de entregar cada año dos cuadros al Museo Nacional de Pintura. Este museo había sido abierto en los locales del convento de la Trinidad de Madrid el 24 de julio de 1838 para recibir, como consecuencia de la desamortización, las obras procedentes de antiguos establecimientos religiosos de las provincias de Madrid, Toledo, Ávila y Segovia.

Sin perder tiempo, Valeriano salió para la provincia de León el 15 de febrero, avisando a la Dirección General de Instrucción Pública del hecho el mismo día. Como había de viajar por las provincias la mayor parte del tiempo, dio poder a Gustavo Adolfo para cobrar la pensión en Madrid.

A principios de febrero de 1865 se oficializa la escisión de los moderados en un grupo mayoritario duro y un grupo minoritario de espíritu liberal. El hecho revelador es el debate relativo a la legalidad del partido democrático de que Rivero es jefe, Castelar la estrella y *La Discusión* el órgano. Seguido por Albareda y Fabié, Valera protesta contra el proyecto de interdicción del partido democrático. El 8 de febrero, *El Contemporáneo* se coloca al lado de Valera para defender la opinión de que la acción del partido atacado se ejerce en el marco constitucional. Como sabe cada cual que *El Contemporáneo* ha sido fundado a iniciativa de González Bravo y queda cercano a su persona, los diarios controlados por los elementos más conservadores del partido moderado *(La Libertad, El Gobierno, El León Español* que sale de nuevo desde el 1 de enero de 1865, *El Crítico, El Independiente* y *La España)* dirigen un ultimátum a *El Contemporáneo,* que dice no haber nunca dejado de obrar en un sentido liberal y mantiene su apoyo a Valera. El 15, expone su doctrina; el problema de las monarquías constitucionales consiste en «enlazar fuertemente y sin odios peligrosos la tradición con la novedad, el pasado con el presente, y el presente con el porvenir»; el inmovilismo y la intransigencia conservadores no pueden aprobarse; hay que seguir el camino del liberalismo.

El 16 de febrero se cruzan en el Congreso explicaciones de excelente nivel entre Valera, quien pronuncia un discurso que merece figurar en sus *Obras;* Albareda, quien habla con más brevedad pero eficaz elocuencia, y González Bravo, quien, aunque respetuosos del porte y de las ideas de sus contradictores, expone con fuerza y concisión las razones que le hacen considerar que los fines a que tiende el partido democrático son contrarios a la legalidad. Está consumada la ruptura.

El mismo día repercute la escisión en el equipo de *El Contemporáneo.* Seguido por algunos periodistas (entre los cuales está, creo, Pongilioni, de quien *La Época* dirá en una noticia necrológica del 27 de marzo de 1882 que era «poeta, inseparable compañero de Bécquer»), Gustavo Adolfo abandona no sólo la dirección, sino también la redacción del diario. Se lee en primera plana la información siguiente que varios periódicos *(Las Novedades* y *El León Español,* entre ellos) reproducen el día siguiente, 17 de febrero: «Por motivo de salud, y pensando retirarse por ahora de las tareas periodísticas nuestro querido amigo y antiguo compañero D. Gustavo Adolfo Bécquer deja de dirigir y de tomar parte en los trabajos de nuestro periódico, encargándose de su dirección nuestro amigo don Joaquín González de la Peña, antiguo redactor del *Contemporáneo* y que ya en otras ocasiones ha desempeñado este cargo.»

En realidad, Gustavo Adolfo estima que no puede al mismo tiempo desempeñar la función de censor, que debe a González Bravo, y combatir el gobierno al que pertenece éste, tanto más cuanto que Valeriano acaba de beneficiarse de una generosa iniciativa de este mismo gobierno.

A este motivo moral se agregan consideraciones hogareñas. Hemos visto que desde hacía dos años se esperaba en la familia el relativo acomodo que un empleo administrativo había de procurar. El sueldo anual de 24.000 reales permitía a la familia ocupar un piso burgués (calle de Atocha, 80,

Gustavo Adolfo Bécquer, grabado por M. Luque, según modelo del retrato del fotógrafo
A. Alonso Martínez

según parece) y a Casta tener dos criadas. Se esperaba a un segundo niño. Por justificada que fuese la posición de los conservadores liberales al separarse de los conservadores moderados gubernamentales, no era nada fácil para Bécquer abandonar las ventajas que Valeriano y él acababan de recibir.

Dos Gustavo Adolfo Bécquer coexisten a partir de 1864 en la iconografía; por una parte, el artista y bohemio que se ve en algunos bosquejos de Valeriano trazados en Veruela y en el campo cercano; por otra, el burgués madrileño que lleva levita y sombrero de copa alta al hacerse retratar en los estudios fotográficos a la moda de J. Laurent y de A. Alonso Martínez.

Sale del estudio de Laurent una fotografía con escenario tropical, sacada entre 1864 y 1865 según don Dionisio Gamallo Fierros, que la ha publicado en sus *Páginas olvidadas* (1948). Esta fotografía figuraba hace poco en la colección de J. Pedro Criado Gallo, en Córdoba; pero *Azorín* la había visto a principios del siglo en Madrid al ojear un álbum de retratos realizados por Laurent *(La voluntad,* segunda parte, capítulo X).

Laurent estaba activo y era reputado ya en 1862, puesto que leo en un anuncio mercantil de *El Contemporáneo* a favor de la colección ilustrada *Escenas contemporáneas,* insertada en octubre de aquel año, que es el autor de los retratos fotográficos de hombres políticos, literatos, actores, actrices y cantatrices que reciben los suscriptores. Salvo evidencia material contraria, me inclinaría a fechar del año 1862 ó 1863 el retrato salido de este estudio por lo frágil y delicado de la apariencia.

Con procedencia del estudio de Ángel Alonso Martínez y Hermanos, se conoce otro retrato fotográfico de Bécquer con una decoración muy sobria caracterizada por la presencia de una colgadura rameada y de un sillón de estilo barroco. Según Montesinos, fue sacada esta fotografía entre 1865 y 1867.

Los bocetos y los retratos fotográficos tienen como rasgo común una postura descansada y fría. En las fotografías, la mirada, que permanece suave, parece irse hacia un sueño ya lejano.

Las fotografías madrileñas de Laurent y Alonso Martínez ilustran perfectamente el examen introspectivo que encierra la tercera de las *Cartas desde mi celda (El Contemporáneo,* 5 de junio de 1864):

«Todavía queda algo que arde allá en lo más profundo, pero rara vez sale a la superficie. Las palabras amor, gloria, poesía no me suenan al oído como me sonaban antes. ¡Vivir!... Seguramente que deseo vivir, porque la vida, tomándola tal como es, sin exageraciones ni engaños, no es tan mala como dicen algunos; pero vivir oscuro y dichoso en cuanto es posible, sin deseos, sin inquietudes, sin ambiciones, con esa facilidad de la planta que tiene a la mañana su gota de rocío y su rayo de sol...»

50. Exigüidad en la publicación de poemas

Sólo conocemos tres nuevas publicaciones poéticas durante los cuatro
años de la colaboración en *El Contemporáneo:*

— la rima XXIII («Por una mirada un mundo»);
— la rima LXII («Primero es un albor trémulo»);
— la rima XXVII («Despierta, tiemblo al mirarte»).

La rima XV («Cendal flotante de leve bruma») se publica de nuevo,
con algunas variantes, en *El Museo Literario* de Valencia el 6 de noviembre de 1864.

«Por una mirada, un mundo» fue deslizada sin firma, con el título «A
ella», en *El Contemporáneo* del 23 de abril de 1861, entre una breve crítica
de la comedia ligera *Marchar contra la corriente* y unas informaciones tau-
romáquicas. Firmada esta vez, la copla se reprodujo en *El Eco del País*
del 27 de marzo de 1865, simbólicamente acompañada de una interpretación del *lied* 89 de *Die Heimkehr* (Heine) por Ferrán. Por fin —y eso demuestra el cariño que Gustavo Adolfo tenía por esta rima— la publicó firmada, con el título «¡No sé!», en el número de *El Museo Universal* que
salió el 23 de septiembre de 1866. El poeta la copió en el registro «Libro
de los gorriones» en vigésimo primer lugar al reconstituir en 1869 la colección perdida de las *Rimas.*

«A ella» toma sitio en la línea de la revalorización del canto popular
emprendida por Ferrán. Los equivalentes populares de «Por una mirada,
un mundo» son numerosos. Sólo citaré aquí este cuarteto recogido en México (Carlos H. Magis, *La lírica popular contemporánea. España, Méji-
co, Argentina,* «El Colegio de México», 1969, pág. 108):

> Daría porque me dieras
> de tu linda boca el sí,
> las alfombras de Turquía
> y el oro de Potosí.

Bécquer afina el arte popular en su propia copla: por las elipsis, por
la gradación, por la sugestión de lo indecible, cuyo primer campo es aquí
la exaltación que crea la revelación del acuerdo amoroso. Y también
por la expresión de la nostalgia en la versión de 1861 pues la acción se sitúa
en el pasado:

Primero es un albor trémulo y vago
raya de inquieta luz que corta el mar
luego chispea y crece y se ~~difunde~~ dilata
en ~~ardiente~~ ~~siguiente~~ explosión de claridad.

La brilladora lumbre es la alegría,
la Temerosa sombra es el pesar.
¡Ay, en la oscura noche de mi alma
Cuándo amanecerá?

                    ✕
          ✕   ✕

Como la brisa que la sangre orea
sobre el oscuro campo de batalla,
Cargada de perfume y armonías
en el silencio de la noche vaga;

Símbolo del dolor y la Ternura,
del bardo inglés en el horrible drama,
la dulce Ofelia, la razón perdida,
cogiendo flores y cantando pasa.

Rima LXII: «Primero es un albor trémulo y vago». Rima VI: «Como la brisa que la sangre orea».

A ELLA

Por una mirada, un mundo;
por una sonrisa, un cielo;
por un beso... ¡Yo no sé
qué te daba por un beso!

Queda dudosa, para mí, la atribución a Bécquer por don Dionisio Gamallo Fierros de la quintilla

Fue la gota de rocío
que diera la aurora al suelo
para mayor atavío;
y al herirla el sol de estío
en vapor tornóse al cielo.

publicada en la gacetilla de *El Contemporáneo* el 11 de mayo de 1865 y
presentada como sigue: «En un álbum y alusivo al fallecimiento de una
criaturita de muy pocos meses hemos leído...» Las imágenes y los giros
de esta quintilla han podido ser combinados por cualquier hábil poeta de
salón de aquel tiempo. Es sin embargo innegable que la asociación de las
palabras «sol» y «herir» es corriente en los textos de Bécquer.

El espíritu heineano, con matices de agobio y agotamiento sentimentales, es el que domina en «Al amanecer» (futura rima LXII, «Primero es
un albor trémulo y vago»), rima publicada el 31 de julio de 1861 en el
Correo de la Moda. Esta publicación parece señalar el adiós de Gustavo
Adolfo a la revista femenina en que se expresó entre 1855 y 1861 la gama
entera de sus poemas, con excepción de los textos acusadores de la intimidad amorosa. El tono de esta rima no se armoniza de ningún modo con
la nueva situación del poeta, quien disfruta ahora de una posición social
estable y que está casado desde hace dos meses. El interés de la publicación parece de orden puramente artístico. En el estilo de las traducciones
heineanas de E. F. Sanz, combina aquí Bécquer un cuadro de naturaleza
idealizada con un monólogo de íntima vaguedad.

La predilección de Gustavo Adolfo por la delicadeza de forma unida
a la de sentimiento es la que también da cuenta de la publicación ya examinada de «¡Duerme!» en *La Gaceta Literaria* (núm. 7) el 21 de enero
de 1863.

Durante todo este período (1861-1865) queda en España una fuerte influencia de la poesía de Heine adaptada por Sanz. Entonces es cuando el
cubano Francisco Sellén escribe en la metrópoli su *Libro íntimo,* publicado

en 1865 en La Habana, que contiene reminiscencias del poeta alemán, con acentos que se parecen de vez en cuando a los de Bécquer. Estas reminiscencias se comprenden tanto más cuanto que Antonio y Francisco Sellén, dos hermanos, traducen varios poemas de Heine en esta misma época. Con la colaboración de los poetas hispano-americanos, *La América* sigue difundiendo por esos años la poesía de la corriente Heine-Sanz.

51. Bécquer en *El Contemporáneo*. Un grupo, un arte, una política. Problemas de identificación y examen de las obras

20 de diciembre de 1860, 8 de enero de 1861, 4 y 23 de abril de 1861: *Cartas literarias a una mujer.*

Estas cuatro cartas se publicaron anónimamente en la sección «Variedades». Hoy, al leerlas, nos imaginamos que fueron escritas en un cortísimo espacio de tiempo, ya que parecen encadenarse con naturalidad. Dan también la impresión de formar un todo, trayendo una hermosa conclusión al conjunto el texto sobre San Juan de los Reyes que ocupa la mayor parte de la carta IV. Sin embargo, su publicación se extiende sobre cuatro meses, y la última carta está seguida por la mención «Se continuará». Es probable que Bécquer redactara estos textos por ruego de sus amigos y que el asunto —una divagación sobre la naturaleza de la poesía— acabó por cansarle. El tema «¿Qué es poesía?» estaba de moda: Campillo *(Poesías,* 1858) y Trueba *(Cuentos campesinos,* 1860) ya lo habían tratado con enfoques propios.

Las *Cartas literarias* representan a mis ojos el agotamiento de la vena amorosa y mundana de los años 1858-1860. Su objeto es la exaltación de la mujer y del arte. El aspecto heineano, doliente, del nuevo arte de Bécquer, está desterrado de ellas, sin duda porque no se hubiese correspondido con la espera de las lectoras de *El Contemporáneo,* especialmente de las de la buena sociedad madrileña.

Las *Cartas literarias* contienen escenas y expresiones que vuelven a encontrarse en las rimas del arte (I a XIII) y en las de la serie de salón o de álbum (XVIII a XXIX). La primera carta puede leerse como una glosa de la rima XXI («"¿Qué es poesía?'' —dices mientras clavas»).

Como lo ha notado sagazmente don Francisco López Estrada, autor de *Poética para un poeta* (1972), estudio completísimo sobre las *Cartas literarias a una mujer,* Bécquer ha preferido encerrarse aquí en el platonismo de la tradición sevillana. No obstante, las *Cartas* presentan una doble originalidad: primero, Bécquer indica en ellas que sus propias creaciones resultan de un trabajo diferido sobre los estremecimientos de que su sensibilidad ha conservado las huellas, precisando que este trabajo se verifica con orden;

segundo, se encuentra aquí la afirmación según la cual el idioma poético no se confunde con el conjunto de la expresión poética, siendo ésta secreta y compleja. Por estas dos declaraciones se sitúa Bécquer entre los creadores de la poesía moderna de la intimidad.

El aspecto «encargo», encargo no totalmente satisfecho, explica que Rodríguez Correa omitiera incluir las *Cartas literarias* en la primera edición de las *Obras* (1871). Al ver el éxito de las *Rimas,* incorporó la serie inacabada de estas *Cartas* en la segunda edición de las *Obras* (1877).

28 de marzo de 1861: *La ajorca de oro.*

Este relato subtitulado «leyenda toledana» fue publicado anónimamente en la rúbrica «Variedades», donde lo descubrieron los amigos del poeta para insertarlo en la primera edición de las *Obras* con escasas e insignificantes correcciones.

En una época no precisada, pero posterior a 1590, un joven de la nobleza, Pedro Alfonso de Orellana, intenta robar, para satisfacer el ardiente deseo de la mujer a quien ama, doña María Antúnez, la ajorca de oro, adornada con piedras preciosas, que lleva en la catedral de Toledo la Virgen del Sagrario.

Pedro es «supersticioso y valiente, como todos los hombres de su época»; la ilustración de la angustia que acompaña al acto sacrílego es la que hace el principal valor del relato.

La ajorca de oro es la primera obra becqueriana publicada en que se acomete duramente la naturaleza femenina: «Ella era caprichosa, caprichosa y extravagante, como todas las mujeres del mundo.» María Antúnez es el instrumento del demonio. Se asemeja todo esto a una nueva versión del mito de Adán y Eva sugerido por la vista de la magnífica ajorca.

Bécquer se ha liberado aquí de la frustración de no haber tratado la catedral de Toledo en *Historia de los templos de España,* asunto confiado, como sabemos, a la competencia de Manuel de Assas. Numerosos elementos de la parte de *El genio del Cristianismo* (Chateaubriand) dedicada a las Bellas Artes (tercera parte, libro primero, capítulo VIII) se reconocen en la evocación del ambiente interior de la catedral. El tratamiento del claroscuro es propiamente becqueriano.

7 de septiembre de 1861: *El monte de las ánimas.*

Entre el 6 de junio (publicación de *La creación)* y noviembre se alimenta principalmente «Variedades» con artículos críticos y reseñas en que se reconoce a menudo el estilo de Valera. El 9 de septiembre empieza una «Revista dramática» semanal, que ocupa el folletín; creo que Valera escribe mucho en ella. También puede ser su obra (¿o la de Albareda?) el excelente artículo «Carreras de caballos» del 1 de septiembre de 1861, donde observo sutileza, esteticismo, interés apasionado por el encanto femenino.

En esta época, Gustavo Adolfo y Casta pasarían una temporada bastante larga en la región de Soria, visitando a la familia de Casta y al tío Francisco (Curro) Bécquer. El primer fruto de esta estancia es *El monte de las ánimas (leyenda soriana),* publicada anónimamente y recogida en las *Obras* de 1871.

Esta leyenda es hermana de *La ajorca de oro.* Como María Antúnez, Beatriz se vale del poder que ejerce sobre el hombre que la quiere para hacer que éste desafíe sus creencias e infrinja con peligro una interdicción —aquí la de estar o pasar durante la noche del 1 al 2 de noviembre por un monte que manchó antaño una sangrienta batalla entre la nobleza y los templarios—. Beatriz actúa por orgullo y voluntad dominadora. Su racionalismo, de origen francés explícito, contrapuesto al espíritu supersticioso de las «pobres gentes» de Soria, como ella dice, completa esos dos rasgos de carácter. Puede analizarse el relato como la destrucción de las certezas racionales en la mente de la protagonista, que muere de «horror», más cabalmente de terror. Los elementos auditivos, tal vez demasiado repetitivos en *El monte de las ánimas,* son los que vehiculan la intuición y el sentido del misterio. Los recuerdos shakespearianos y la inclinación de Gustavo Adolfo a los dibujos de esqueletos asoman en las partes finales (III y IV).

Además de las lecturas francesas que hiciera acerca de las tradiciones populares, Gustavo Adolfo se ha inspirado en la historia local (convento de San Juan de Duero, existencia de una cofradía de ánimas) para concebir *El monte de las ánimas.*

Esta leyenda pudiera contener también un eco de la traducción francesa por Alfredo Michiels (1839-1840) de la balada de Uhland, «Der nächtliche Ritter» («El caballero nocturno»).

17 de noviembre de 1861: *¡Es raro!*

Se reanudan entonces las rúbricas «Crónica parlamentaria» y «Cortes» que movilizan a toda la redacción de *El Contemporáneo,* incluso a Bécquer. El apoyo al general Narváez resulta importante.

Por aquellos tiempos de animación política, Gustavo Adolfo no teme inquietar las mentes con relatos como *El monte de las ánimas,* que acomete silenciosamente el positivismo del siglo, o, con más audacia, un relato de ambiente contemporáneo cual *¡Es raro!* que denuncia la insensibilidad de la buena sociedad española.

Publicado sin firma con un título cuya tipografía traduce un esfuerzo artístico, *¡Es raro!* se presenta de un modo explícito como un esbozo de novela («Esta historia parece un cuento, pero no lo es; de ella pudiera hacerse un libro; yo lo he hecho algunas veces en mi imaginación»). Se trata de uno de esos esquemas de que procede *Rosas y perros* (1871) de Rodríguez Correa, novelita que recuerda *¡Es raro!* y *Mi conciencia y yo* por el elogio de la sensibilidad y por la crítica de la sociedad madrileña contemporánea que encierra.

¡Es raro! comprende la novela de Andrés y un cuadro de costumbres burguesas. Éste consiste en la descripción del medio en que está narrada la novela y en el relato de las reacciones de los oyentes. Por lo que se refiere a la parte enmarcada (la novela), el narrador dirige la palabra a tres oyentes ficticios: un rico joven de modales franceses o ingleses, una joven del mismo medio a quien se compara con Ofelia, un hombre maduro que odia los dramas de toda clase y huye de las pasiones. So capa de racionalidad, estos personajes protegen sus comodidades materiales y morales con egoísmo. En la parte que sirve de marco u orla (es decir, en el cuadro de costumbres), el narrador se dirige a aquel lector de *El Contemporáneo* a quien, diez días antes, la introducción de *El monte de las ánimas* había presentado del modo siguiente: «A las doce de la mañana, después de almorzar bien, y con un cigarro en la boca...»

Andrés, joven sensible cuya niñez fue la de un huérfano triste, vence la soledad dando su cariño a seres que, por mala suerte o rigidez de carácter, han sido maltratados por el destino: un perrillo arrojado a la basura, un caballo que están a punto de sacrificar en el ruedo, una joven (Plácida) cuya familia está arruinada y que se queda sola. Engañado por su esposa, cuyo amante mata al perro y revienta al caballo en la huida de los dos cómplices, Andrés sucumbe. En toda la obra de Bécquer no existe relato más sombrío ni marcado con mayor misoginia.

El recuerdo de Heine se impone aquí no sólo por los rasgos afectivos que caracterizan la novela de Andrés, sino también por la atmósfera del salón burgués pintado en la parte que forma marco. La imagen de la vida burguesa a la hora del té y el tema de la insulsez del sentimiento en este medio vienen directamente del poema 50 de *Lyrisches Intermezzo* («Sie sassen und tranken am Teetisch» - «Estaban sentados y bebían alrededor de la mesilla del té»).

El interés por el corral y sus miserables caballos anuncia el que manifestarán los pintores impresionistas españoles (Regoyos por ejemplo).

¡Es raro! conmovió particularmente a Rodríguez Correa, quien cuidó de que este relato figurara en las *Obras* desde el primer momento (1871).

15 de diciembre de 1861: *Los ojos verdes.*

En este final de año, las rúbricas «Crónica parlamentaria» y «Cortes» ocupan mucho sitio. El nombre del general Narváez se pronuncia a menudo en las columnas de *El Contemporáneo,* que comenta con elogios una de sus intervenciones en el Congreso (22 de noviembre) y que relata el magnífico banquete dado en su honor por el banquero Salamanca y su esposa (26 de noviembre).

El abate Aubain y *El vaso etrusco* de Mérimée, obras que seducirían a Valera, salen en el folletín.

El idealismo de *Los ojos verdes* contrasta con esas mundanerías.

Esta leyenda, publicada de modo anónimo, es el fruto de antiguos ensueños personales como indica Bécquer: «Hace mucho tiempo que tenía ganas de escribir cualquier cosa con este título.» La estancia en la región del Moncayo durante el verano de 1861 favoreció la elaboración de la obra al proporcionar a la divagación feudal y dramática su marco natural.

La obra se compone de tres cortos cuadros:

Primer cuadro.—El joven Fernando de Argensola, primogénito de los señores de Almenar (localidad situada entre Soria y el Moncayo), acaba de herir su primer ciervo. La res va a expirar en un lugar prohibido a los cazadores, la fuente de los Álamos. A pesar de la advertencia de Íñigo, su viejo montero, Fernando penetra a caballo por entre los matorrales.

Segundo cuadro.—Diálogo de Fernando con Íñigo en una sala del castillo. El carácter del joven ha cambiado del todo. Sus pensamientos no tienen más objeto que la mujer cuyos ojos verdes ha columbrado en el fondo del agua al saltar con su caballo por encima de la fuente. Íñigo reconoce con espanto en el retrato que le pinta su amo al espíritu vengador, de forma femenina, que, según la tradición, mora en la fuente.

Tercer cuadro.—Entrevista solitaria de Fernando con la seductora de los ojos verdes. Se alza la voz musical de ésta: «No soy una mujer como las que existen en la tierra; soy una mujer digna de ti, que eres superior a los demás hombres. Yo vivo en el fondo de estas aguas, incorpórea como ellas, fugaz y transparente: hablo con sus rumores y ondulo con sus pliegues. Yo no castigo al que osa turbar la fuente donde moro; antes le premio con mi amor, como un mortal superior a las supersticiones del vulgo, como a un amante capaz de comprender mi cariño extraño y misterioso.» Mientras se extiende la noche, el beso de hielo del espejo de agua pone fin a la llamada reforzada y ritmada por el suave imperativo «ven» pronunciado simétricamente cuatro veces (aislado a cada extremidad de la declaración, redoblado en el centro). Reveladora de un sentido del efecto visual que hubiera hecho de Bécquer un excelente cineasta, la imagen de las ondas circulares que alcanzan la orilla concluye el cuadro y la narración.

Ya desde el segundo cuadro, Fernando no es más que la prefiguración del Manrique de *El rayo de luna,* el eterno buscador de ideal que no pueden cautivar las construcciones imaginativas ni las ilusiones de la humanidad común. Fernando paga con su vida, apasionadamente, el franqueo de las fronteras del mundo socializado del mismo modo que Manrique habrá de pagarlo con la pérdida de la razón práctica. Este esquema mítico domina y caracteriza toda la obra de Gustavo Adolfo.

El tema de los ojos verdes ha dado origen al tierno piropo, próximo a la poesía popular, de la rima XII («Porque son, niña, tus ojos / verdes como el mar, te quejas»). Este poema pertenece a un registro afectivo opuesto al de la leyenda. En cambio, *Los ojos verdes* prolonga e ilustra la rima XI («Yo soy ardiente, yo soy morena») y la rima XXIII («Por una mirada, un mundo») tan querida de Bécquer. Los cuadros II («Por una mirada, por una sola mirada de esos ojos...») y III («la mujer misteriosa lo llamaba al borde del abismo donde estaba suspendida, y parecía ofrecerle un beso..., un beso...») son desarrollos de la copla. Gustavo Adolfo ha puesto sutilmente en prosa los poemas usando la forma dramática de la novela corta.

Estos elementos personales tienen tanta importancia en *Los ojos verdes* que parece algo vano señalar que la obra entra a la vez en la tradición popular europea (las «damas del lago», genios seductores que viven en los lugares acuáticos, tales como el genio de *Die Nixe im Teich*, «El espíritu del lago» de los hermanos Grimm, cuento núm. 131), en la tradición literaria romántica («La ondina» de Marcelina Desbordes Valmore; la «Nixe» del prólogo de *Lyrisches Intermezzo*, 1822-1823; «Ondina» de Aloysius Bertrand, en *Gaspar de la Noche*, 1842) y también en la línea del mito de Pigmalión: la mujer de los ojos verdes es «hermosa y pálida como una estatua de alabastro» y representa ante todo una creación de la fantasía del joven protagonista. El segundo plano de esta «variedad», ya que *Los ojos verdes* salió en la rúbrica de este nombre para divertir a los lectores de *El Contemporáneo*, resulta amplio.

27 y 29 de diciembre de 1861: *Maese Pérez el organista (Leyenda sevillana)*.

Esta leyenda es circunstancial, ya que sus cuatro episodios se relacionan con la celebración de la misa del gallo. Su tema era muy atrayente para el equipo de *El Contemporáneo*. Resulta muy posible que tuviese sus ruegos por origen. Traía una nueva nota original a la colección de «Leyendas españolas» que Bécquer iba componiendo más o menos intencionalmente.

El interés de *Maese Pérez el organista* es triple. Estriba en la evocación de la Sevilla del Siglo de Oro adivinada a través de la ciudad de 1850; en la presencia, en el cuadro II, de una rima en prosa sobre la música de órgano, y, por fin, en la feliz transposición literaria del lenguaje popular sevillano de una espectadora-reportera. El conjunto resulta vivísimo y de un interés dramático constante, lo que explica el favor de que benefició siempre esta obra. En su artículo «Sevilla en la obra de Gustavo Adolfo Bécquer», don Antonio de la Banda y Vargas ha podido expresar el sentimiento siguiente: «Todo, en fin, es sevillano y aun, si se quiere, Sevilla misma en la narración, ambiente e inspiración de esta deliciosa página de nuestra mejor literatura romántica.»

Enero de 1862. ¿Quién es el autor de las *Cartas semi-políticas?*

Se publican estas cartas en la rúbrica «Variedades» los días 12, 19 y 31 de enero. Claridad, fluidez, humorismo las caracterizan. Los personajes ficticios que comunican son: Curro, poeta que ha dejado Andalucía para dedicarse al periodismo en Madrid, y Juan Cazalla de la Sierra, propietario rural, deseoso de procurarse los retratos fotográficos de las personalidades del gobierno O'Donnell.

La atribución a Valera es tentadora, pero existen expresiones becquerianas. Se habla en el segundo artículo de «planetas errantes» y de personajes que «voltean en el cielo vicalvarista». Se encuentra aquí lo que va a ser la idea central de *Doña Manuela* (1865): «El alma (de la situación) a pesar del artículo masculino que se le aplica para evitar un *hiatus,* es femenino.» Una frase como «Hoy por hoy, por muchas razones que yo me callo y tú no puedes comprender, no te digo más» tiene resonancias de humor becqueriano. En la tercera carta, el retrato de O'Donnell, con sus variaciones sobre los ojos azules y verdes y su cita de Rioja, no carece de sutileza; pero no veo bien a Gustavo Adolfo acusando a O'Donnell de incompetencia en materia de derecho, como lo hace el autor.

9 de febrero de 1863: ¿Quién es el autor de *El muerto al hoyo?*

Conforme con la costumbre de los redactores de *El Contemporáneo,* se publicó esta «variedad» en el anónimo.

Comparando este texto con el de la variedad «Cuarteto carnívoro amoroso» (20 de marzo de 1863), obra de Rodríguez Correa, quien lo insertó en su último libro, *Agua pasada* (1894), Gamallo Fierros se ha preguntado si los dos relatos no serían obra del amigo de Bécquer. Es posible.

Contrariamente a la opinión de Rica Brown, quien fue influida por los fragmentos epistolarios imaginados por Iglesias Figueroa, me parece dudosa la atribución a Bécquer.

12 y 13 de febrero de 1862: *El rayo de luna (Leyenda soriana).*

No es una leyenda este texto, sino una creación personal por la que se expresa el sentido de la vanidad del mundo frente al ideal poético al mismo tiempo que la imposibilidad para el soñador de vivir en sociedad.

La Soria medieval proporciona el marco, evocado por medio de delicadas impresiones visuales y auditivas, de una acción con personaje único. Manrique queda solo con su fantasía indomable que le arrastra hacia la sinrazón. Este guerrero-poeta decepcionado, encerrado en su ensueño, todavía deslumbrado por la iluminación de la adolescencia, es, en mi sentir, el más típico de los personajes becquerianos.

El rayo de luna es el primer texto en que se expresa claramente la poesía de los cuatro elementos (parte I).

La descripción —paseo nocturno que contienen las partes III y IV— queda como una de las más cautivadoras de toda la obra de Bécquer.

Los sentimientos del autor evolucionan en el curso de la narración. Mientras anuncia en el prólogo una suerte de relato moralizador en que se culparía la obstinación de Manrique («una verdad muy triste, de la que acaso yo seré uno de los últimos en aprovecharme, dadas mis condiciones de imaginación»), expresa en el último párrafo, en forma de paradoja, la idea de que la inmensa indiferencia de Manrique, consecutiva a su desilusión, y su apartamiento del mundo significan una vuelta a la cordura: «Manrique estaba loco; por lo menos, todo el mundo lo creía así. A mí, por el contrario, se me figura que lo que había hecho era recuperar el juicio.»

Don Gerardo Diego ha aludido bonitamente a este relato en el poema «Bécquer en Soria», incluido en la colección *Soria sucedida*. El aspecto confidencial del texto no se le ha escapado: «Pobre Gustavo Adolfo, héroe de tus leyendas, / enamorado de un rayo de luna verde / —¿mujer, esencia, sueño?— que te esquiva y se pierde / entre los troncos crédulos, por las cándidas sendas.»

La municipalidad de Soria dio oportunamente el nombre de «El rayo de luna» a una plazuela de la ciudad.

15 de febrero de 1862: La variedad *Los maniquíes* (atribución de Rica Brown).

No he podido leer este texto dedicado al poder de la imaginación en la vida afectiva.

Sale en la rúbrica «Variedades» dos días después de *El rayo de luna*. La idea, cercana a la de la «leyenda soriana», es becqueriana. Un ligero prosaísmo ligado con la índole didáctica del propósito deja una duda en mi espíritu acerca de la exactitud de la atribución.

23, 25 y 27 de febrero de 1862: *Creed en Dios* (cantiga provenzal).

Esta hermosa leyenda, publicada en la rúbrica «Variedades», es la cuarta de atmósfera medieval. Por su aspecto tradicional, se aproxima a *La cruz del diablo;* como ésta, tiene por marco los Pirineos catalanes. Sin embargo Bécquer no visitó nunca esa región.

Con razón, creo, ve don Rubén Benítez en *Creed en Dios* una fina reelaboración del tema popular del cazador maldito, «Mal cazador» o «Caçador negro» en Cataluña, combinado con el del mal caballero que ha dado origen a la historia del conde Arnau explotada por Bécquer en *La cruz del diablo.*

El sueño secular de Teobaldo de Montagut recuerda el de los «durmientes» de la tradición popular alemana tal como la refiere, por ejemplo, X. B. Saintine en su *Mythologie du Rhin* (Mitología del Rin) cuya primera edición data de 1862.

La forma de *Creed en Dios* está cercana a la de *El caudillo de las manos rojas.* La leyenda se compone de cuatro cantos que Bécquer no ha estimado necesario enumerar. El número de las estrofas de cada canto revela una voluntad de simetría: cuatro (prólogo), once, diez, cuatro (epílogo). Lleva la palabra un trovador que se dirige a los caballeros andantes, a los pastores y a las jóvenes (reminiscencias de *Don Quijote).*

El canto III, destinado a evocar el más allá y la caída de Teobaldo, constituye una deliciosa miniatura de *Divina Comedia* abreviada. La religiosidad tradicional que se expresa aquí es digna de la de *Historia de los templos de España* y del poema *A todos los santos.* Noto en la estrofa V de este canto III, que muestra el doble movimiento de las almas entre el cielo y la tierra, el recuerdo del poema de Campoamor, *Las dos almas* (poema anterior a 1843 incluido en las *Doloras).*

El movimiento narrativo y el sentido dramático hacen de *Creed en Dios* una obra cautivadora.

5 de marzo de 1862: *El Carnaval, «Pot-pourri» de pensamientos extraños* (atribución de Dionisio Gamallo Fierros).

Esta «variedad» pertenece a las encantadoras crónicas de la vida madrileña, especialmente de las fiestas, que contiene *El Contemporáneo.* Varios redactores que tenían en común la gracia y destreza andaluza colaboraron a estas crónicas.

Me seduce mucho este *Pot-pourri* (olla podrida, «un poco de todo»). Predominan la melancolía y los elementos lúgubres, pero la suavidad y el humorismo los hacen amenos. La observación de los ambientes, a veces clara, otras vaporosa, resulta siempre delicada. Varias imágenes apuntadas por Gamallo Fierros están a favor de la atribución a Bécquer, así como la presencia de los brujos que cabalgan en su escoba y la evocación de las «Wilis» que bailan alrededor de su tumba al claro de la luna, entre diversos elementos macabros.

Sin embargo, los dos últimos párrafos evocan más bien la vida de un soltero que ya se aleja de los años de juventud; de Valera, por ejemplo. No excluyo la hipótesis de una colaboración entre éste y Bécquer.

16 de marzo de 1862: *Un drama. Hojas arrancadas de un libro de memorias.*

Este texto fue seleccionado por los amigos de Bécquer para figurar en las *Obras.*

Se trata de un corto drama de celos en seis escenas. El epígrafe dice sencillamente: «El mayor monstruo, los celos. Calderón.» La inocente heroína se llama Julia, nombre querido de Bécquer. La acción se desarrolla con vivacidad; pero queda dentro del marco del melodrama.

Venecia y los bailes de máscaras, ya presentes en *El Carnaval.* «*Potpourri» de pensamientos extraños,* proporcionan el marco. Tal vez se trate de una mera coincidencia que se aprovechó para alimentar la rúbrica «Variedades» en época de Carnaval.

El texto refleja cierta madurez, especialmente en el diálogo de la escena II entre Jacobo y Rafael. La indicación «Hojas arrancadas de un libro de memorias», hace, no obstante, pensar en una redacción remota.

Veo *Un drama* como un juego dramático único en la obra de Bécquer; escrito en una época indeterminada y con un fin que se ignora sirvió al cabo para divertir a los lectores de *El Contemporáneo.*

23 de marzo de 1862: *El aderezo de esmeraldas.*

Esta fantasía galante sobre un corto paseo por las calles de Madrid salió en las «Variedades» a continuación del texto del discurso de ingreso de Valera en la Real Academia Española pronunciado el 16 de marzo. Se recogió en las *Obras.*

Como en la rima XII, como en *Los ojos verdes,* el color verde se une aquí con la hermosura femenina ideal. El objeto lírico es ahora el aderezo de esmeraldas: «... aquel collar, rodeando a su garganta de nieve, hubiera parecido una guirnalda de tempranas hojas de almendro, salpicadas de rocío; aquel alfiler sobre su seno, una flor de loto cuando se mece sobre su movible onda, coronada de espuma.» Este texto tenía todos los requisitos para seducir a las elegantes señoras de la alta sociedad madrileña, lectoras de *El Contemporáneo,* a quienes, por su parte, mimaba Valera.

Sin embargo, *El aderezo de esmeraldas* no es mero pretexto para divagaciones líricas; ilustra también la potencia del arte del cuentista con quien, según se sugiere, el narrador va dialogando. Parece que el título de la fantasía de Méry, *Histoire de ce qui n'est pas arrivé (Historia de lo que no ha sucedido)* (1859) haya proporcionado la idea. El narrador pretende no conocer el asunto de aquel libro. Tenido en cuenta el interés de Gustavo Adolfo por la India, sorprende tal declaración: Méry imagina la conquista de la India por el general Bonaparte, que parte de San Juan de Acre y atraviesa todo el Próximo Oriente.

30 de marzo de 1862: *La Nena* (atribución de don Dionisio Gamallo Fierros).

Tenemos aquí deliciosas reflexiones sobre el espectáculo que desde pocos días antes daba en el Teatro del Circo de Madrid la bailarina andaluza Manuela Perea, llamada «La Nena».

Me parece justificada la atribución a Bécquer. Nada en el texto permite descartarla. Por el contrario, la descripción de las calles de Sevilla (con las campanillas azules características de los cuadros becquerianos), la alusión a Toledo y a los tiempos feudales, la oposición entre pensador y filósofo por un lado, pintor y poeta por otro, son indicios que dan mucha fuerza a la atribución.

La defensa de la tradición española amenazada por la potente influencia de las costumbres francesas se encontrará más tarde en las *Cartas desde mi celda,* en *La feria de Sevilla (El Museo Universal,* 1869), en la misma idea que motivará la fundación de *La Ilustración de Madrid* (1870). *La Nena* inaugura, pues, la serie de los textos que militan a favor de la tradición artística nacional. Se trata de un folletín dominical y no de un artículo de la rúbrica «Variedades», lo que subraya su importancia.

Tal vez porque, en el terreno de las ideas, se hubiera producido una repetición con la cuarta de las *Cartas desde mi celda,* no incluyeron Rodríguez Correa y Ferrán *La Nena* en las *Obras.*

La defensa de las singularidades nacionales que figura en *La Nena* se vuelve a encontrar en la cuarta crónica de la serie «Las corridas de toros» publicada en las «Variedades» el 2 de mayo de 1862, espléndido texto atribuido a Valera por Cyrus C. de Coster, quien lo reproduce en el libro *Juan Valera. Artículos de «El Contemporáneo»* (Castalia, Madrid, 1966) en las páginas 271-274. Valera, que defiende los recios comportamientos tradicionales, menciona como Bécquer «el rasero de la civilización» que nivela y uniforma las costumbres. Me parece probable que Valera y Bécquer se hayan recíprocamente influido en materia de ideas como de imágenes.

6 de abril de 1862: *La belleza* (atribución de Rica Brown).

La atmósfera de esta variedad, que trata de las relaciones de la poesía con el amor, es bastante becqueriana; pero la atribución me parece dudosa, pues no veo bien a Bécquer tener «una gran envidia a los poetas» ni calificarse de «viejo y feo» como hace el autor.

17 de abril de 1862: *El Miserere (Leyenda religiosa).*

La Semana Santa, más precisamente el Jueves Santo, inspiró a Gustavo Adolfo esta leyenda, una de las más macabras y de las más populares. Se incluyó en las *Obras* de 1871.

El Miserere contiene un poema en prosa dedicado al canto coral religioso, como *Maese Pérez el organista* ilustra con un poema en prosa la música de órgano. Gustavo Adolfo expresa aquí sin énfasis su pesar de no haber estudiado música. La historia de ese músico alemán que se vuelve loco es una ilustración de la potencia del deseo de perfección artística, de ese deseo que hace resaltar a menudo la vanidad de los medios humanos de expresión. Gustavo Adolfo explota el tema del remordimiento donjuanesco para sazonar un poco la intriga. El protagonista confiesa haberse valido de sus dotes musicales para seducir; su búsqueda de un Miserere ideal tiene el significado de una expiación.

La misa que celebran los monjes muertos cuyos hábitos sólo cubren esqueletos, y su vuelta a la vida en el momento de abrirse el paraíso ante ellos, hacen inolvidable la lectura de *El Miserere*. Esta ilustración de un tema legendario cristiano tiene probablemente por origen la vista de un documento musical examinado en el monasterio de Santa María la Real de Fitero. El texto puede leerse como el guión de un espectáculo «sonido y luz» fantástico, digno de inspirar a un creador cinematográfico. Un aficionado francés, E. D. Castel, lo convirtió ya en tragedia en dos actos (París, ediciones de la *Revue Litteraire et Artistique,* 1925). La información científica del periodista asoma con la mención del «gas fosfórico que brilla y humea en la oscuridad con una luz azulada inquieta y medrosa»; se ve que la modernización podía alimentar el interés especial que tenía Gustavo Adolfo por la luz y las iluminaciones.

Fernando Iglesias Figueroa sacó hábil provecho de las indicaciones biográficas que contiene *El Miserere,* reforzando con ellas la impresión de autenticidad del relato *La fe salva,* compuesto por él y atribuido a Bécquer.

10 de julio de 1862: artículo sobre el cuadro de Casado del Alisal *Instalación de las Cortes de Cádiz.*

Resulta de un artículo del 25 de octubre siguiente atribuido por mí a Bécquer, que es también el autor de éste. El cuadro de Casado estaba expuesto desde hacía poco tiempo en el palacio de las Cortes, lo que motivó este comentario en las «Variedades».

16 y 17 de julio de 1862: *El Cristo de la calavera (leyenda toledana).*

Publicada anónimamente en la rúbrica «Variedades», esta leyenda se incluyó en las *Obras* de 1871.

Habla un único narrador omnisciente, lo que vincula la obra con la tradición de la novela histórica scottiana. *El Cristo de la calavera* contiene uno de los mejores de esos cuadros de multitud animada que son uno de los encantos de la obra en prosa de Bécquer; se trata de la evocación nocturna de los patios y del salón de fiestas del alcázar de Toledo en el siglo XIII o XIV, en la víspera de la salida de la nobleza para una campaña contra los moros. Don Rubén Benítez ha puesto de relieve lo que, en esta leyenda, pertenece por una parte a la tradición romántica española (Espronceda y Zorrilla) y por otra a la tradición popular cristiana. Como afirma el poeta, pudo ver el retablo cerca del que, en el relato, tiene lugar el duelo entre Alonso de Carrillo y Lope de Sandoval; las investigaciones de don Vidal Benito Revuelta han mostrado que la calle del Cristo de la Calavera seguía existiendo en 1890.

El elemento motor de la leyenda fue sin embargo el deseo de ilustrar el tema de los daños causados por la coquetería femenina. Una lista de proyectos descubierta en los papeles del autor después de su muerte menciona, en efecto, «II. El Cristo de la Calavera. La Coqueta». No cabe duda que Inés de Tordesillas es el personaje central del relato y, junto con la Beatriz de *El monte de las ánimas,* uno de los más antipáticos de toda la galería de retratos femeninos becquerianos.

La publicación de *El Cristo de la calavera* permite situar antes de mediados de julio 1862 la lista de proyectos susodicha. Ésta se publicó por primera vez en *América Latina* (agosto de 1920, fascículo 8, volumen VI) a iniciativa del poeta chileno Vicente Huidobro; sin duda llegó a Chile traída por Ferrán.

Esta lista nos presenta a un Bécquer tentado por el teatro y la zarzuela. En el grupo de las leyendas toledanas se distingue «El beso, los sepulcros» que Gustavo Adolfo va a redactar y publicar en *La América* el 27 de julio de 1863. Tenemos aquí la prueba de que las leyendas se escribían después de una larga maduración. En esta lista es donde Fernando Iglesias Figueroa halló el título «La fe salva» que le inspiró un texto atractivo en que sobresale su arte de la imitación; sólo tuvo la culpa de atribuir esta obra personal a Bécquer. Éste había apuntado el asunto siguiente: «La fe salva. Las fundadoras del convento.» Sin embargo, Iglesias Figueroa no localizó la acción en Toledo, apartándose, pues, del proyecto de Bécquer.

La inspiración funeraria resulta fuerte en la lista establecida por Bécquer. Entre las obras de «Filosofía y Crítica» figuran los títulos *Las tumbas* (obra artística y poética) y *Meditaciones sobre las tumbas célebres: buscar la Historia en los sepulcros.* Esta inspiración funeraria se asociaba al culto de los genios artísticos injustamente tratados. Dos obras habían de titularse *Los mártires del genio* y *Los grandes dolores de los artistas célebres.*

En materia de arquitectura, Gustavo Adolfo pensaba en dos lujosos álbumes dedicados uno a la catedral de Toledo y otro al Alcázar de Sevilla.

Los gustos femeninos, singularmente los de las elegantes de la aristocracia, debían de quedar satisfechos con una «Biblioteca del tocador», concebida con mucha precisión, y una «Biblioteca del bello sexo». Nos es forzoso comprobar que el poeta de las mujeres se inclinaba fuertemente a explotarlas, como lo revelan algunas expresiones empleadas por él: «La cuestión es hacer (los libros) objetos de moda y lujo», «Halagar las vanidades de las mujeres», «... mucho oropel. Debe tener aceptación escribiendo un gran prospecto adulando a las mujeres y suscitando la curiosidad de las lectoras con un gran número de nombres.»

Tal sentido de la publicidad comercial dirigida hacia las clases más acomodadas estaba puesto también al servicio de la poesía. El *Canto a Teresa* había de editarse en lujosísimo «monumento bibliográfico a la memoria de Espronceda». Una obra titulada *El álbum* recogería «obras buenas y originales» de los mejores poetas contemporáneos españoles. Hasta proyectaba Bécquer extender esta fórmula a todas las grandes figuras de la política y del arte, pero partiendo de una oficina parisina.

Estos proyectos demuestran que el redactor de *El Contemporáneo* tenía las calidades de un innovador realista en materia de edición. Ya no era un puro soñador que padeciera dificultades para adaptarse a las circunstancias humanas. De vivir más tiempo hubiera ocupado probablemente un lugar importante en el libro y la prensa de España.

20, 22 y 24 de julio de 1862: *Tres fechas.*

Publicada anónimamente, esta larga «variedad» fue incorporada ya desde 1871 a las *Obras*. Se insertó entre *La cruz del diablo* y *El Cristo de la calavera,* entre las leyendas, pero se trata en realidad de un ensueño comparable con *El rayo de luna*. Es, como este texto, una composición delicada que combina la pintura de ambiente con los sueños amorosos e idealizadores. *Tres fechas* forma un destacado eslabón del ciclo de la religiosa, al que pertenecen también las rimas LXX («¡Cuántas veces al pie de las musgosas / paredes que la guardan...!»), LXXI («No dormía; vagaba en ese limbo») y LXXIV («Las ropas desceñidas / desnudas las espadas...»). La religiosa reúne simbólicamente en su persona la feminidad, la poesía y el misterio.

Tres fechas es el gran poema del Toledo noble, lleno de ruinas y escombros, de los años 1850. Esta obra gusta especialmente a los toledanos, que encuentran en ella la atmósfera de su ciudad antes de las demoliciones y de los trabajos de urbanización de los años 1860 y siguientes. El estado de abandono de muchas antigüedades de la ciudad había obligado a José Amador de los Ríos a denunciar en su libro *Toledo pintoresco* (1847) «el presente siglo con su espíritu de especulación y con su bárbaro positivismo, capaces de demoler los más preciosos monumentos, aguijoneados por el incentivo de las ganancias».

Al redactar *Tres fechas* realizó sin duda Bécquer un antiguo proyecto materializado por dibujos y apuntes. Pudo vivir por segunda vez la aventura artística de *Historia de los templos de España,* completando los cuadros líricos de 1858 con algunas páginas de diario poético y con la evocación de la plaza de Santa Isabel de los Reyes, en la que se veían los vestigios del palacio de don Pedro el Cruel y una parte del hermosísimo convento mudéjar que ha dado su nombre a la plaza.

Un agradable dibujo anónimo trazado delante de la plaza de Santa Isabel de los Reyes, notable por su iluminación contrastada, figura en *Historia de los templos de España.* Todo este barrio ha sufrido hondas transformaciones después de 1864; se trasladaron los escasos vestigios conservados de los monumentos que encantaron a Bécquer.

Agosto y septiembre de 1862: nuevo empleo de algunos textos de *Historia de los templos de España.*

En agosto de 1862, las «Variedades» se alimentan principalmente con textos sacados de la prensa y publicaciones francesas. Parte de la redacción está de vacaciones y falta el «original». Novelas cortas de Musset ocupan el folletín: *Federico y Bernarita (Frédéric et Bernerette), El lunar (La mouche), Emelina (Emmeline).*

El 22 de agosto sale en las «Variedades» un texto titulado «Los tuaregs». Refiere la venganza atroz de los hijos del sheik Badda asesinado, los cuales capturan al criminal, le adormecen y llenan su estómago de piedras. El estilo es puro y bastante musical. Expresiones como «aquellas llanuras sin límite», «telegrafía misteriosa», «ocultándose en los pliegues de las extensas sabanas de arena que arremolina el viento» tienen una resonancia becqueriana, pero no bastan para fundar la atribución.

Septiembre de 1862 es el mes de la representación de *El nuevo Fígaro.* Tal vez no disponga Bécquer de la libertad de espíritu que necesitaría para nuevas creaciones. Puede ser también que reserve éstas para otro público o escoja deliberadamente hacer revivir sus entusiasmos toledanos, prosiguiendo así en la línea inaugurada en julio con *El Cristo de la calavera.* Sea lo que fuere, algunos de los más hermosos textos de *Historia de los templos de España* vienen a alimentar las «Variedades»:

— 3 de septiembre: «Recuerdos de un viaje artístico.»
— 9 de septiembre: «Arquitectura árabe.»
— 20 de septiembre: «San Juan de los Reyes.»

Un ambiente vagamente becqueriano se vuelve a notar en las siguientes «Variedades» de septiembre:

— 4 de septiembre: la conmovedora historia de Rosa B... enamorada de un cantor de ópera en cuya vida no cesa de manifestarse de modo secreto como un ángel de la guarda.

— 10 de septiembre: «Profecía. España tal cual será el año 1866», fantasía política en la manera de Larra, con esqueletos que salen de las tumbas y fuegos fatuos.

El 24 de septiembre, en la «variedad» «Las mujeres de las Antillas francesas», reaparece la expresión del disgusto común a Bécquer *(La Nena)* y a Valera *(Las corridas de toros),* que inspira en los medios representados por *El Contemporáneo* la uniformidad que va acompañando el progreso de las ciencias y técnicas. El autor de este artículo lamenta «desde el punto de vista del arte y de la originalidad» el frecuente reemplazo de los trajes locales por el modo de vestir europeo. Desde el punto de vista social, se flexibiliza la reflexión: se critica el prejuicio de impureza racial que afecta a las mulatas.

Octubre de 1862: una crónica deslumbradora, «Cualquier cosa». ¿Valera, Bécquer o un grupo de redactores?

Esta nueva rúbrica se abre el 2 de octubre. Se concibe como una amena y libre charla diaria alrededor de la actualidad (teatro, ópera, toros, carreras de caballos, libros, costumbres, etc.).

Según mis informaciones, ningún escritor ha reivindicado la calidad de autor de esta deliciosa crónica. Lo explico por las alusiones políticas que de trecho en trecho aparecen en ella. La vida española estuvo muy movediza entre 1860 y 1880; muchos escritores prefirieron dejar en la sombra las luchas sostenidas antaño en la prensa, las cuales no correspondían siempre con las posiciones finales.

Don Dionisio Gamallo Fierros propuso el primero la atribución a Bécquer (1948), pero hizo cuerdamente constar sus dudas. Entre las diecisiete crónicas, la más becqueriana le parecía ser la cuarta. Rica Brown no dudaba de que estas crónicas fuesen de Bécquer. Por mi parte no tengo ninguna certeza; Bécquer, Valera o cualquiera de sus amigos andaluces de excelente pluma pudo ser el autor de esos textos; tampoco puede excluirse la participación de varios redactores.

Sea lo que fuere, «Cualquier cosa» merece una publicación íntegra por la seducción que ejerce la vivacidad del testimonio y del decir.

Octubre-noviembre de 1862: «La Exposición de Bellas Artes.»

La Exposición Nacional de Bellas Artes, cuyo ritmo era aproximadamente bienal, abrió sus puertas en la Casa de la Moneda a principios de octubre. Fue el gran acontecimiento de la temporada madrileña; apasionó al público.

El Contemporáneo dedicó algunas páginas humorísticas a la organización material en la rúbrica «Cualquier cosa» del 12 de octubre. Estas páginas anunciaban la próxima publicación de media docena de artículos sobre las obras expuestas. La serie «La Exposición de Bellas Artes» comprendió finalmente los siete artículos siguientes:

- 16 de octubre: «I. Viaje de la Virgen y de San Juan a Éfeso después de la muerte del Salvador, obra de don Germán Hernández, señalada con el número 135.»
- 19 de octubre: «II. Episodio de Trafalgar, obra de don Joaquín Sans, señalada con el número 247.»
- 22 de octubre: «III. Primer desembarco de Cristóbal Colón en América, obra de don Dióscoro Puebla, señalada con el número 228.»
- 25 de octubre: «IV. Juramento de las Cortes de Cádiz de 1810, obra de don José Casado del Alisal, señalada con el número 41, y propiedad del Congreso de señores diputados.»
- 30 de octubre: «V. El entierro de San Lorenzo, obra de don Alejo Vera, señalada con el número 271.»
- 5 de noviembre: «VI. Santiago, Santa Isabel, San Francisco y San Pío V interceden con San Ildefonso, arzobispo de Toledo y santo titular del príncipe de Asturias, para que lo bendiga y guíe, obra de don Vicente Palmaroli, señalada con el número 200.»
- 9 de noviembre: «VII. El presidente del Consejo de Castilla, Rodrigo Vázquez, visitando la cárcel donde estaba encerrada la familia de Antonio Pérez, obra de don Víctor Manzano, señalada con el número 166.»

Todos estos artículos revelan un íntimo conocimiento de la pintura. No veo quién pudo escribirlos en el equipo de *El Contemporáneo* excepto Bécquer, que experimentaba entonces cierta nostalgia tanto por su actividad pasada de dibujante como por su formación de pintor, como lo muestran *Tres fechas* (julio), *La venta de los gatos* (final de noviembre) y la reimpresión del capítulo introductivo de *La basílica de Santa Leocadia* (septiembre).

La referencia al mito de Faetón, querido de Bécquer; el empleo del *Fiat lux* bíblico en el artículo 3, varios giros e imágenes, y más aún las mezclas de racionalismo y poesía, de libertad y de amor al orden, me determinan a atribuir con firmeza a Gustavo Adolfo estos artículos de crítica de arte que destacan por la autoridad y la exactitud a la par que por el deseo de justicia y de moderación. En *Cuadernos contemporáneos* (Madrid, 1871),

José de Castro Serrano se acuerda de que su amigo había escrito «críticas excelentes de arte». A pesar de la rapidez de la labor periodística, traducen en efecto estos siete artículos un dominio poco común de la materia y siguen formando hoy una excelente guía para quien desee analizar un cuadro figurativo.

La vocación pedagógica y crítica de Gustavo Adolfo, ya visible en los artículos de 1859, ha encontrado aquí una oportunidad de emplearse plenamente y con delicadeza.

28 y 29 de noviembre de 1862: *La venta de los gatos.*

En las obras de Bécquer, esta novela corta representa el más caluroso testimonio artístico sobre la Sevilla de los años 1850. Se trata de un díptico cuyas dos hojas (alegría, fiesta, amor compartido, por un lado; tristeza, luto, amor perdido, por otro) contrastan con violencia. Los elementos pictóricos son numerosos y muy estudiados en cada parte. Como en *Tres fechas,* el narrador es un dibujante, pero éste se dedica aquí al retrato o al cuadro de costumbres mientras el artista de *Tres fechas* se interesaba por los sitios y monumentos; son dos ramas del dibujo en que se ejercitó Gustavo Adolfo.

Más aún que *Maese Pérez el organista,* porque es de asunto moderno, *La venta de los gatos* suscita entre los sevillanos la misma afición que *Tres fechas* entre los toledanos. Sigue visible hoy el edificio que dataría del siglo XVII. En 1970 se pensaba instalar en la casa un pequeño museo becqueriano (véase «Crónica de un centenario», en *Archivo Hispalense,* 1971, tomo LIV, núm. 165, pág. 161).

En 1936, el sitio de la venta de los gatos, entre la puerta de la Macarena y las ruinas del convento de San Jerónimo, ofrecía el aspecto siguiente según J. Muñoz San Román: «Rodean el caserío otras estancias al mismo agrupadas: el taller de un marmolista y la morada de una familia de hortelanos, pudiendo desde él observarse a lo lejos la ruinosa torre de los Jerónimos; más cerca, el Hospital de San Lázaro y el Cementerio, florido como un jardín; al naciente extensas sementeras, ventorrillos y viejos arrabales de la ciudad; y al poniente el camino de hierro del ferrocarril y la corriente tranquila y sonorosa del río, entre naranjos.» El edificio llevaba ya una lápida que mencionaba el relato artístico de Bécquer.

El relato tiene el acento melodramático de los ecos periodísticos sensacionales. El narrador-dibujante es testigo de un drama doble. En un primer tiempo, describe la alegría que imperaba en el ventorrillo frecuentado por la juventud y numerosos clientes; el hijo del propietario estaba enamoradísimo de una muchacha criada en la familia, Amparo, y era correspondido. Esta primera parte se cierra con el cantar

Compañerillo del alma,
mira que bonita era
que se parecía a la Virgen
de Consolación de Utrera.

Accediendo a un ruego del joven, el dibujante le ha remitido el retrato de Amparo realizado en el jardín.

El segundo tiempo del relato se sitúa unos diez años más tarde. El cementerio de San Fernando ha sido abierto en las cercanías de la venta. La tristeza se manifiesta por todas partes. Los dos únicos clientes de que hace mención el narrador son enterradores (Bécquer tiene para con ellos un verdadero odio que se expresa aquí por algunos rasgos satíricos). Ha huido la prosperidad. Amparo, que era una niña recogida por caridad, ha sido reivindicada por la familia burguesa que la había abandonado; pero, separada del medio en que se había criado, ha muerto poco después. Guiado por un presentimiento, el hijo del ventero ha seguido el entierro y ha reconocido a la joven muerta. Demente, pasa los días encerrado en una habitación, los ojos clavados en el viejo dibujo que representa a la joven, sin abrir la boca sino para cantar la siguiente copla que Gustavo Adolfo ha modificado según su audaz métrica personal (8-5-11-5):

El carrito de los muertos
pasó por aquí,
como llevaba la manita fuera
yo le conocí.

La copla se lee como sigue en los cantares del pueblo de *La Soledad* (Ferrán, 1860):

LX

El carrito de los muertos
ha pasado por aquí,
llevaba una mano fuera
por eso la conocí.

Al insertar *La venta de los gatos* en las *Obras* (1871), Ferrán devolvió al cantar su forma popular; lo hizo de memoria, lo que explica algunas variantes de poca importancia («En el carro...», «una mano», «por ella la conocí»).

El dibujo del narrador es el elemento poético que enlaza los dos tableros opuestos del díptico.

Creo que los dos cantares citados, colocados igualmente en el final de cada una de las partes, originaron la redacción. La idea motora debía remontarse sin embargo a un tiempo ya lejano. La apertura del cementerio de San Fernando el 1 de enero de 1853, en un sitio que el joven Bécquer, entonces aprendiz de pintor, apreciaba mucho, heriría su imaginación con vivacidad. Reminiscencias de *Pablo y Virginia* (Bernardin de Saint-Pierre), una nueva estimación del canto popular bajo la influencia de Ferrán, una gacetilla relativa al drama familiar de una niña abandonada debieron de combinarse con ese recuerdo de juventud para engendrar la obra. Me pregunto si Gustavo Adolfo no habría hecho el viaje de Sevilla en junio de 1862, poco después del nacimiento de su hijo, aunque Julia Bécquer no hable más que de una estancia que tuvo lugar en 1863. Don Rafael Montesinos duda, por su parte, del valor autobiográfico de las siguientes líneas de *La venta de los gatos:*

> Yo dejé una ciudad grande, hermosa sin afectación, tal vez con abandono, llena de un encanto propio, con un aspecto y una fisonomía originales y característicos, y la hallé tan mudada que sólo puedo comparar el efecto que me hizo al verla con el que experimentaría un entusiasta de nuestras costumbres y nuestros trajes típicos al tropezar una cigarrera del barrio de Triana con una crinolina *a la emperatriz,* un sombrero de tope alto y el pelo *a la Fuoco.* Tan extraño, tan antiarmónico, y perdóneme la civilización, encontré la mezcla de carácter andaluz y barniz francés que veía en todo lo que me rodeaba.

¿Pero cómo el autor pudiera escribir estas líneas a finales de noviembre de 1862 sin haber vuelto a ver su ciudad natal? La ficción en tal materia resultaba peligrosa. Una crítica de esta índole tenía que fundarse normalmente en la experiencia personal.

Esta defensa de la originalidad regional se inserta perfectamente en la línea de las ideas expresadas repetidas veces por el equipo de *El Contemporáneo,* especialmente en *La Nena, Las corridas de toros, Las mujeres de las Antillas francesas.*

Cuando, en 1871, Rodríguez Correa, Campillo y Ferrán resolvieron incluir *La venta de los gatos* en las *Obras,* les molestó esta posición conservadora. Por eso es por lo que suavizaron el texto, introduciendo en él las líneas siguientes que se parecen a un elogio del progreso templado por sentimientos de artista (posición que fue finalmente la de Bécquer en las *Cartas desde mi celda,* carta IV): «Edificios, manzanas de casas y barrios enteros habían surgido al contacto mágico de la industria y el capital. Por todas partes fábricas, jardines, posesiones de recreo, frondosas alamedas; pero, por desgracia, muchas venerables antiguallas habían desaparecido.»

El Contemporáneo en la tormenta: diciembre de 1862-febrero de 1863. «La Pascua de Reyes» (7 de enero de 1863).

Hasta la caída del gabinete O'Donnell-De la Vega Armijo (27 de febrero de 1863), *El Contemporáneo* tiene que sostener serios asaltos de parte del ministerio de Gobernación.

He aquí algunos de los golpes que recibe, revelados por la lectura del periódico:

— 21 de enero: se recogen los 1.000 ejemplares de la edición de Madrid.
— 12 de febrero: un humorista de la redacción escribe: «Advertencia: Mirad nuestro pobre *Contemporáneo,* cómo ha salido de la sangrienta mano del Sr. fiscal» y, en efecto, hay mucho blanco en la primera plana.
— 17 de febrero: idéntico humorismo, con copla esta vez: «El señor fiscal ha mutilado nuestro número. En este hueco sólo se nos ocurre poner el cantar siguiente:

> Cuando yo callo y tú callas
> y se encuentran nuestros ojos
> ni tú dices ni yo digo
> pues nos lo sabemos todo»,

— 20 de febrero: la censura visita tres veces la imprenta durante la mañana y acaba por suprimir un artículo entero;
— 24 de febrero: 900 ejemplares de la edición de Madrid se recogen, lo que motiva la declaración siguiente de la redacción: «Lo que se está haciendo con nosotros no tiene ejemplo en la historia de las más escandalosas arbitrariedades.»

En esta época son rarísimos los artículos de *El Contemporáneo* que no contengan chistes indirectos contra el equipo en el poder. Todos los redactores participan en el combate, incluso Bécquer.

Una serie de crónicas primero semanales y luego más distantes suceden a «Cualquier cosa» a partir del 2 de diciembre. Bajo los pseudónimos de «Calleja» y un poco más tarde de «La Señora de Calleja», creo reconocer a Valera y su sabrosa gracia. Las persecuciones que sufre *El Contemporáneo* parecen divertirle más bien que entristecerle. Entre las cartas más atractivas de esta serie llamada «Cartas confidenciales», selecciono la del 16 de diciembre, que trata en particular de las novelas mercantiles; la del 6 de enero de 1863, sobre los bailes, la política, la literatura y el teatro (Calleja contesta aquí a una pseudocarta de una lectora anónima, «Sofronia», publicada el 3 de enero, tras la cual me parece ocultarse Rodríguez Correa);

la del 14 de enero sobre el baile de salón y los que bailan; la del 21 de enero, llena de lamentaciones cómicas sobre las pruebas que experimenta el periódico, y que encomia *Deudas de la honra,* de Núñez de Arce, sin callar que éste pertenece al partido adverso; la del 5 de febrero, sobre dos bailes, preciosísima y de un estilo muy suelto; la del 10 de febrero, firmada «La Señora de Calleja», relativa a numerosos bailes y una de las más humorísticas. La última carta de Calleja es del 10 de marzo. El 19 aparece un notorio pseudónimo de Valera, «Eleuterio Agoretes», al pie de la variedad «Carta en defensa del Teatro Real».

Bécquer escribe con menos ligereza y desapego. Creo que la «variedad» «La Pascua de Reyes» publicada el 7 de enero de 1863 es obra suya. Leo en efecto en este artículo moral y político que denuncia las ilusiones hacia las que corren tantos humanos: «... mientras, creamos, por último, como creemos todos, que vamos por un camino que tiene fin, y por consiguiente, que nuestros trabajos presentes, nuestros afanes, nuestras inquietudes, *esta impaciencia nerviosa* que nos consume, este deseo no saciado que nos devora y *este afán incesante de algo mejor que no llega nunca,* son cosas pasajeras y accidentales.» Ahora bien, éstos son los mismos términos del comentario de *La Soledad* (enero de 1861), parte V, donde se lee: «Esa impaciencia nerviosa que siempre espera algo que nunca llega...», después de una alusión a «esa amargura que corroe el corazón, ansioso de goces, goces que pasan a su lado y huyen lanzándole una carcajada...»

«La Pascua de Reyes» contiene también melancólicos acentos personales que volverán a encontrarse dos años más tarde, ligeramente amplificados, en la tercera de las *Cartas desde mi celda:* «... esas ideas concebidas en la juventud, que poco a poco van perdiendo terreno en nuestra cabeza, pero que se refugian en el corazón y aunque encubiertas nos acompañan, engañándonos, hasta el sepulcro, en la vida ordinaria, en la vida pedestre, por decirlo así, ¡cuántas y cuántas ilusiones no conservamos aún, que hoy se desvanecen para tornar mañana!... Para nosotros todo el año es Pascuas.»

16 de enero de 1863: *La cueva de la mora.*

El Miserere había sido el primer testimonio o fruto literario de las temporadas curativas en las aguas de Fitero, estación balnearia situada en los confines de Navarra y Aragón. *La cueva de la mora,* más sencilla porque es imitación del cuento popular, forma el segundo. El narrador dice conocer la historia de boca de un viñador a quien ha interrogado acerca de una gruta descubierta en la proximidad del río, al pie de una altura que lleva a las ruinas de una antigua fortaleza árabe. La historia, sencillísima, es la de un caballero cristiano que se enamora de la hija de un caudillo árabe.

Mortalmente herido al defender el castillo que ha conquistado, bautiza *in extremis* a su amante, también herida de muerte, valiéndose del agua que ha traído ella del río en un casco para aliviarle. El subterráneo del castillo y la cueva son los lugares que sirven de marco a esta escena final.

Los elementos pintorescos escasean en este relato de tipo edificante que se desarrolla rápidamente. Se limita la fantasía a la evocación del gusto del narrador por los lugares secretos y por la búsqueda de tesoros y antigüedades.

Se escribiría con rapidez esta leyenda para satisfacer un pedido del director de *El Contemporáneo*. Existe una ligera contradicción, que resulta probablemente de un descuido, entre la introducción donde se ve el solo fantasma de la hermosa mora que viene a sacar el agua del río y la conclusión que alude al vagar nocturno de ambos amantes. Tampoco hay concordancia entre los recipientes mencionados: «jarrica» en la introducción, casco en la conclusión.

18 de enero de 1863: Variedad sin título ulteriormente denominada «Historia de una mariposa y de una araña».

Este texto fue atribuido a Bécquer, primero por Franz Schneider (1914), luego por Gamallo Fierros (1948). La presencia de las «azules campanillas» y de la expresión «cosa sin nombre», la actividad del narrador, a quien se ve dibujando sucesivamente delante de una pintoresca fuente campesina y frente a un bajo relieve que representa una fila de monjes, la referencia al pensamiento indio (metempsícosis), me parecen justificar esta atribución.

Pocos textos becquerianos tienen un aspecto tan confidencial e introducen tan directamente al lector en el mundo de las impulsiones inconscientes. Esta obra nos muestra a un Gustavo Adolfo propenso a breves movimientos de violencia bajo la influencia de una pasión; el coqueteo de una mujer provoca la muerte de la mariposa; queda misteriosa la causa de la muerte de la araña, pero se compara el insecto con una mujer desechada.

Esta confesión psicológica bastante austera me deja perplejo dado el momento de su publicación. El año 1862 es una maravilla de creación becqueriana. Algunas leyendas muy poéticas van a salir pronto en *La América,* dando a conocer el nombre de Bécquer a un vasto público literario. La atmósfera familiar parece excelente: desde hace ocho meses Gustavo Adolfo es padre.

Parece liberarse de una antigua obsesión, como indica el epígrafe: «Después de tanto escribir para los demás permitidme que un día escriba para mí.» El arte tendría, pues, en este caso, una función catártica, o sea depurativa. Resulta vivo el contraste entre esta variedad de vanguardia y *La cueva de la mora,* texto bastante clásico publicado dos días antes.

Lo más novedoso del texto estriba en su primera parte, donde Gustavo Adolfo señala la importancia que tienen algunas percepciones fugitivas, a veces involuntarias.

Febrero de 1863: Escasez de los textos becquerianos. *Las perlas.*

Es probable que, durante las primeras semanas de febrero, Bécquer esté indispuesto o acaparado por las informaciones políticas puesto que su manera no aparece en las «Variedades». Los ataques gubernamentales contra *El Contemporáneo* alcanzan su punto culminante, lo que, como hemos visto, no impide que Valera se divierta en las «Cartas confidenciales»; el 20 de febrero describe, con todo lujo de pormenores y su elegancia acostumbrada, el palacio de los duques de Fernán-Núñez en el que se dan brillantes bailes.

El 21 de febrero es un gran día para la buena sociedad madrileña. Se representa por primera vez en la capital española la ópera *La fuerza del destino,* inspirada en el drama del duque de Rivas; Verdi está en la sala; cae una lluvia de flores; una dama distinguida entrega al maestro una corona de plata. Aunque Rossini, Bellini y Donizetti se beneficien por lo general de la preferencia de los críticos de *El Contemporáneo,* se alaba la ópera de Verdi así como la presentación realizada por el Teatro Real (también tal elogio es excepcional). Sin duda asistiría Bécquer a esta representación memorable.

El día siguiente, la gacetilla contiene la noticia del descubrimiento en la India de una gigantesca «pagoda» subterránea de tres kilómetros de largo. Hay en el texto referencias al *Rig Veda* y a las artes de la India. Fuese o no de Bécquer, éste debió de hallar en la noticia las curiosidades manifestadas por él en *El caudillo de las manos rojas* y divertirse con ello.

Los días 24 y 25 de febrero, las «Variedades» están ocupadas por una reseña anónima de las obras de Mauricio de Guérin y de su hermana Eugenia (edición Trébutien). Esta reseña refleja el espíritu de los textos de Bécquer sin que pueda asegurarse que es obra suya.

El 27, día de la caída del gabinete O'Donnell-De la Vega Armijo, sale la «variedad» *Las perlas,* incluida en las *Obras* en 1871. Este artículo no contiene ninguna alusión política, lo que explica su presencia en las *Obras.* Huele a trabajo de encargo. Bécquer parte de una información comercial reciente (la aparición de perlas de un tamaño extraordinario en el mercado de Leipzig) y concluye con una anécdota (una hermosa princesa vienesa destruye por celos la magnífica perla con la cual había adornado por primera vez su cabellera); entre estas dos partes inserta una compendiada historia anecdótica de la perla desde la Antigüedad. Salpicado de palabras francesas usadas en los salones, este texto se destina esencialmente a satisfacer los gustos de las suscriptoras.

La serie de artículos que forma una especie de historia divertida de los usos y costumbres había sido inaugurada por «La Pascua de Reyes», escrito mucho más subjetivo. El solo rasgo personal en *Las perlas* es la irritación que produce en el ánimo del autor el mero hecho de imaginar el crujido de los dientes que muelen una perla.

El lirismo de la perla se evoca rápidamente, con referencia a las metáforas orientales («la perla, esa *gota de rocío cuajado,* como la llaman los poetas indios, esa *lágrima de la aurora perdida en el fondo del mar,* como ha dicho un célebre orientalista»). Este interés poético por la perla recuerda esa rima poco conocida, que reprodujo Pedro de Répide el 7 de mayo de 1936 en *Informaciones* (Madrid) y más recientemente don Rafael Montesinos en *Nueva Estafeta* (núm. 19, junio de 1980):

> En el fondo del mar nace la perla;
> en verde roca, la violeta azul;
> en la nube, la gota de rocío;
> en mi memoria, tú.
>
> Muere la perla en imperial diadema;
> en búcaro gentil muere la flor;
> en el aire, la gota de rocío;
> en tu memoria, yo.

No es seguro que esta rima y *Las perlas* se escribieran en la misma época pero, ya que la rima XXVII («¡Duerme!») se había publicado de nuevo en *La Gaceta Literaria* el 24 de enero y había recordado necesariamente al poeta el salón de los Espín, queda como posible que «En el fondo del mar nace la perla», poema del recuerdo, represente una última seña dirigida a la cantatriz Julia Espín en circunstancias hoy ignoradas.

1 de marzo de 1863: *La pereza.*

Mientras los más bellos textos objetivos se publican, firmados en *La América (El gnomo* en enero, *La promesa* en febrero) recoge *El Contemporáneo* páginas de confesión cuya aparente ligereza encubre una honda reflexión.

Adelantando en el camino abierto con la historia de la mariposa y de la araña, Gustavo Adolfo sigue en la exploración de las zonas íntimas de su conciencia: «Yo quisiera pensar para mí —escribe en *La pereza*— y gozar con mis alegrías, y llorar con mis dolores, adormido en los brazos de la pereza, y no tener necesidad de divertir a nadie con la relación de mis pensamientos y mis sensaciones más secretas y escondidas.»

La nostalgia de los años de pobreza y de libertad es la que se expresa aquí; pero va acompañada de un programa de vida fundado en una estimación personal de las actividades humanas. La pereza pertenece al campo del espíritu y del ideal mientras la actividad («el mundo de la actividad, en que tan mal me encuentro») depende del campo de la materia y de la tosquedad. La pereza es anunciadora y condición de la contemplación mística: «La verdadera oración, esa oración sin palabras que nos pone en contacto con el Ser supremo, por medio de la idea mística, no puede existir sin tener a la pereza por base.» Sigue un examen, raras veces efectuado en la literatura, de la noción de paraíso; para el poeta consiste ante todo el paraíso en la «quietud absoluta», en el destierro del movimiento representado por aquellas facultades del espíritu que son la voluntad y la memoria. Esta concepción de la felicidad suprema es eminentemente clásica y no hay que extrañarse al ver a Gustavo Adolfo ironizar sobre los «poetas elegíacos y llorones» al par que sobre las «almas superiores no *comprendidas*» (él subraya el lugar común); designan estas palabras una agitación que no merece mayor aprecio que la de los mercaderes de ideas y sueños. El ensueño becqueriano quiere separarse radicalmente del romanticismo caracterizado por el expresionismo afectivo.

La pereza contiene el manifiesto de aquel estoicismo que admiraban tanto los íntimos del poeta: «Vamos de una eternidad de reposo pasado a otra eternidad futura por un puente, que no otra cosa es la vida: a qué agitarnos en él con la ilusión de que hacemos algo agitándonos!»

Busqué en vano la procedencia del texto francés «Heureux les morts, éternels paresseux!» que se lee

> Flereux les morts
> éternels paresseux.

en *El Contemporáneo*. La forma «Heureux les...» es frecuentísima en los poetas del siglo XVI, pero Bécquer pudo encontrarla entre sus émulos de la época romántica.

Sólo expresa *La pereza* uno de los aspectos de la personalidad de Gustavo Adolfo. Este texto no debe hacer olvidar ni al artista exigente, ni al hombre práctico que dirigió varias publicaciones, ni al militante político (si bien de segundo rango), ni al ser ultrasensible propenso a violentas impulsiones.

Como esta variedad se avenía a la imagen que se deseaba dar del poeta, los editores de 1871 pusieron *La pereza* a la cabeza de los textos diversos en el tomo II de las *Obras*.

4 de marzo de 1863. Publicación del discurso de recepción de González Bravo en la Real Academia Española pronunciado el 1 de marzo. Una fuente de la ideología becqueriana.

La Academia recibe al jefe de los moderados en el momento en que se constituye un gabinete presidido por el marqués de Miraflores. Viendo en el general Concha, segunda personalidad de este gobierno, como a un delegado de O'Donnell, *El Contemporáneo* guarda las distancias.

Las ideas que se expresan en el discurso de González Bravo son de conciliación entre el liberalismo y la tradición, entre el progreso y la fe. Hallándose entonces en la oposición, González Bravo no teme colocar la libertad en el primer rango de los valores.

He aquí lo que se recomienda y que dejará firmes huellas en la ideología política de Bécquer:

> La libertad y armonía para la fe... Libertad y equilibrio para el pensar... Libertad para el trabajo, para la riqueza en su acepción más alta y espiritual, o lo que es idéntico, cambio y asociación también libres; finalmente unidad política, permanente, responsable, austera y sobria; gobierno vario y a la par uno; monarquía de derecho humano, limitada y sintética, que resuma y anude en justa relación estas tres direcciones de los actos del hombre.

Una declaración del discurso de González Bravo resurge, en cuanto a la idea, en la cuarta de las *Cartas desde mi celda:*

— Discurso: «No ha de volver lo que pasó según fue, diga lo que quiera el poeta latino.»
— Carta IV (12 de junio de 1864): «Lo que ha sido no tiene razón de ser nuevamente, y no será.»

8 de marzo de 1863: *La mujer a la moda* (atribución de Franz Schneider).

Mientras la valeresca crónica mundana de las *Cartas confidenciales* sigue su carrera, Bécquer produce en las «Variedades» un animado cuadro de costumbres relativo al mismo alto medio social: después de una genial introducción que nos muestra, tomado del natural, el ambiente de una sala de ópera madrileña al principiar una representación de *Martha* (Friedrich von Flotow), Gustavo Adolfo define lo que es una estrella en los salones de la época y traza luego la trayectoria de la «mujer a la moda» desde su ascensión hasta su retirada. El tema dominante es el de la fugacidad y vanidad de las cosas del mundo, tema que relaciona este texto con la rima LXXII («Las ondas tienen vaga armonía»), *El rayo de luna* y la segunda de las *Cartas desde mi celda.*

Ya habíamos visto a Gustavo Adolfo en el teatro al leer la historia de la mariposa y de la araña (28 de enero); en aquel texto había expresado el secreto miedo que le inspiraba el manejo de los gemelos en el antepecho de un palco.

La mujer a la moda es una obra maestra del sabroso costumbrismo mundano de la época isabelina, cuya antología queda por hacer. Sorprende que los amigos del poeta, especialmente R. Rodríguez Correa, no hayan insertado este texto en las *Obras*. Tal vez pensarían que Valera fuese el autor. La atribución a Bécquer se hace hoy por unanimidad. Se estima que sólo él podía decir, por ejemplo, del talento femenino: «... ese talento múltiple, ese talento que aguijonea la vanidad, que es frívolo y profundo a la vez, pronto en la percepción, más rápido aún en la síntesis, brillante y fugaz, que siente aunque no razona, que comprende aunque no define...»

15 de marzo de 1863: Examen de varios artículos de variedades. *Un lance pesado* (atribución de Franz Schneider y de Gamallo Fierros).

Según averiguación de Gamallo Fierros, la variedad «Cuarteto carnívoro amoroso» (20 de marzo) que ilustra la ferocidad de la naturaleza (un gato que coge un canario y lo devora), la cual hace contraste con ciertas amenidades de la vida burguesa (dos amantes que pasan agradables momentos en un restaurante), es obra de Correa, quien la recogió en su libro *Agua pasada* (1894). Es posible que la variedad «Trinidad y Polca», publicada exactamente siete días antes (13 de marzo) y que pone en escena a un joven aristócrata desgarrado entre los sentimientos que le inspiran una bonita mujer y el cariño que tiene por su perra cazadora, sea igualmente de Correa.

Valera se manifiesta en la rúbrica «Variedades» del 19 bajo el pseudónimo de «Eleuterio Agoretes» y Luis Eguilaz le contesta el 21.

Nada se opone a que el relato *Un lance pesado,* publicado el 15 de marzo, se atribuya a Bécquer. Bajo la influencia del vino y de una reminiscencia de *Rigoletto* (acto III), el narrador, quien, yendo de Soria a Veruela, ha tenido que refugiarse por tiempo de tormenta en una pobre venta situada en la carretera de Ágreda a Tarazona, se imagina que asesinan a su compañero de viaje y provoca un incidente nocturno que le pone en ridículo. El movimiento y el interés dramático creciente son dignos del arte de Bécquer; los sobrios elementos descriptivos se insertan funcionalmente en la relación.

Por vez primera aparece aquí el monasterio de Veruela en los escritos de Bécquer. Las indicaciones «Ya hace de esto bastantes años... Salimos al amanecer de un pequeño lugar próximo a Soria, donde me encontraba entonces» quedan enigmáticas pues no tenemos la prueba de ninguna estancia de Gustavo Adolfo en dicha comarca anteriormente a 1861. No se puede descartar la hipótesis de una antigua visita al tío Francisco Domínguez Bécquer ni la de una pura ficción.

Ha comprobado don Heliodoro Carpintero que una venta llamada «La venta del Sevillano» figura en el sitio indicado por Bécquer sobre el mapa de Francisco Coello (1860).

Si *Rigoletto* proporcionó elementos ambientales, la historia se inspira sobre todo en los relatos de *auberges sanglantes* (ventas sangrientas) entre los cuales algunos recordaban causas criminales célebres, como la de la venta de Peyrebeille, en el sur del Macizo central francés, durante los años 1830.

27 de marzo de 1863: «Los bailes de trajes».

Esta variedad anónima no ha llamado hasta la fecha la atención de los investigadores que han examinado *El Contemporáneo*. El lugar ocupado por la danza macabra, el ritmo de la frase y la relativa gravedad de tono me hacen pensar que pudiera ser obra de Bécquer, a pesar de algunos descuidos que pueden explicarse por la prisa del periodista.

Se trata de una revista histórica de los bailes de trajes con relación especial del baile dado en Florencia en el año 1311 sobre el tema «La danza de la muerte». Los bailes de este tipo se componían en realidad de una sucesión de verdaderas escenas teatrales en las que tomaban parte la aristocracia y los ricos burgueses.

Cito a continuación dos extractos bastante característicos del estilo de esta «variedad»:

> La idea de la danza de la muerte, que antes y después de la época a que nos referimos ha abierto ancho campo a la imaginación de poetas, pintores y escultores, estaba, por decirlo así, tan profundamente grabada en el espíritu de la Edad Media, que esta representación fue una de las más justamente celebradas y populares de que se guarda memoria...
>
> Como un maestro de baile, la muerte va arreglando las cuadrillas de la danza de los muertos; al que toca con su guadaña, que es la varilla con que marca la mesura, debe seguirla y abandonarlo todo; sus afecciones, su ambición, sus proyectos, el báculo, la espada, la corona, la mandolina, el cincel, la balanza, el martillo, y seguirla y mezclarse en la gigantesca ronda de danzantes que ella guía, y donde voltean confundidos para ir a hundirse en la nada chicos y grandes, hambrientos y ahitos, nobles y villanos, niños y viejos, clérigos y seglares, pobres y poderosos. He aquí el pensamiento de la *danza macabra* o de la Muerte, pensamiento que el escultor tradujo en largos festones de esqueletos que rodean como una guirnalda de osamentas descarnadas el muro de los templos bizantinos y ojivales, que Orcagna reprodujo en el cementerio de Pira (Pisa), que Holbein pintó en el claustro de Bâle, que mil y mil artistas ignorados dibujaron en las orlas de colores de los códices, cincelaron en los puños y las hojas de las espadas, y cantaron los maestros de la gaya ciencia y parodian los mismos y sacaron a la plaza los histriones.

2 de abril de 1863: La leyenda del judío errante (atribución de don Rubén Benítez).

Se trata de un estudio histórico-religioso de circunstancia. Salió en las «Variedades» el Jueves Santo bajo el anónimo habitual.

Don Rubén Benítez dio a conocer el texto en la revista *Ínsula* en abril de 1974. Los cotejos con *Memorias de un pavo* (24 de diciembre de 1865) y con la rima LVI («Hoy como ayer, mañana como hoy») permiten, con otras comparaciones verificadas por Benítez, admitir la atribución.

Pudo encontrar Gustavo Adolfo una rica documentación en el libro de Pedro Dupont, *La légende du Juif errant,* ilustrado por Gustavo Doré (Michel Lévy hermanos, 1856, 1859, 1862). La versión del mito que le sirvió de modelo es la de *La complainte du Juif errant (La lamentación del Judío errante)* por Ernesto Doré, cuyos versos acompañan los doce grabados de Gustavo. Estas ilustraciones mismas parecen haberle inspirado.

Sin embargo, nada asoma en el texto de Bécquer de la ideología progresista y universalista que expresa la conclusión del poema de Dupont en que se lee:

> *Le sang du Christ au front du Juif s'efface.*
> *Plus de combats de caste ni de race!*
> *Alleluia pendant l'éternité!*

[La sangre de Cristo se borra en la frente del Judío. ¡Se acaban los combates de casta y de raza! ¡Aleluya durante la eternidad!]

Sin duda hubiera sorprendido tal lenguaje a los suscriptores tradicionalistas de *El Contemporáneo.*

Abril de 1863: Los bailes en *El Contemporáneo.* Un artículo satírico misterioso: «Baile de disfraces vicalvaristas que tendrá lugar en el día 8 de abril de 1863.»

Pienso que la preciosa «variedad» «Representación dramática en casa de los Excmos. Sres. duques de Medinaceli» (14 de abril) es de Valera. Tendría la misma opinión acerca de «Baile de disfraces en el palacio de los excelentísimos señores duques de Fernán-Núñez» (19 de abril) si no leyera en el texto «… no hemos hecho un verso jamás», declaración que me deja perplejo ya que sí, Valera escribió versos, aunque pocos y a menudo como traductor o imitador.

El artículo susodicho del 8 de abril me turba más aún. Se trata de una fantasía satírica relativa a la reunión de 113 diputados del partido de O'Donnell en el domicilio de uno de ellos, González Serrano; el objeto de esta reunión era fijar la posición del grupo para con el gabinete presidido por el marqués de Miraflores.

El Contemporáneo se aprovecha del calendario de las fiestas en la buena sociedad madrileña para convertir esta reunión política en el baile de trajes. El artículo decepciona un poco en la medida en que, habiéndose extendido demasiado el redactor sobre los personajes, falta un epílogo o un digno remate. La fantasía brilla, el vocabulario llama la atención por su riqueza. Contrariamente a lo que escribieron *La Época* y *El Diario Español,* no se trata de ningún modo de un artículo mal escrito. El movimiento de la introducción presenta una vivacidad que sería digna del arte de Bécquer. Me hacen también pensar en él:

— El empleo del vocabulario de la arquitectura.
— Una alusión a los «fastos de los cabalistas».
— La presencia del epitafio del sepulcro de Faetón, «Si no acabó grandes empresas, murió por acometerlas», a pesar de que tenga aquí una significación peyorativa que no suele tener en Bécquer, muy apegado a este símbolo del entusiasmo juvenil.
— El cuarteto satírio que comienza por «¿Quién se embarca? ¿Quién se muá? ¿quién se embarca en mi velero?» (cf. rima LXXII).
— Los elementos poéticos en pasajes como los siguientes: «Los expedientes duermen el sueño del olvido», «los extraños cachibaches (sic) sin forma ni nombre», «el más joven conservará aún el dedo en los labios como la estatua del silencio que vela el reposo de sus señores» (cf. rima LXXVI, «Dos ángeles, el dedo sobre el labio / Imponían silencio en el recinto»).

Este último detalle y la presencia del epitafio de Faetón me inclinan a favor de la atribución a Bécquer, pero la destreza verbal de este texto lleno de travesura política (y que las alusiones personales hacen hoy de difícil descifre) me deja atónito.

30 de abril de 1863: *Entre sueños* (atribución de Franz Schneider, 1914).

A finales del mes de abril, *El Contemporáneo* anuncia su apoyo al gobierno del marqués de Miraflores, dejando, pues, de comportarse como diario de oposición.

Por fin puede la redacción dejarse llevar por el optimismo; en cuanto al humorismo no le había faltado nunca.

Entre sueños sale en las «Variedades» del 30 de abril. Es un entretenimiento que tiene por asunto la irritación que provocaba en el ánimo de Gustavo Adolfo la monotonía del compás de los relojes, especialmente durante la noche. El tema está tratado con humor, pero se vuelve a encontrar aquí la confesión de cierta propensión a violentas descargas nerviosas, ya indicada en la historia de la mariposa y de la araña. Lo más nuevo de este texto reside, en mi sentir, en los tres cuadros oníricos que hace surgir el ritmo aborrecido:

— Una mujer que deshoja sin cesar una margarita en una inmensa llanura bajo un cielo sin nubes.
— Un viajero sentado en el borde de un camino infinito y que, paradójicamente, oye el mecánico y regular sonido de sus tacones de hierro sobre una carretera de cristal.
— Una barca que se desliza de noche sobre un mar de plata al cadencioso golpe de remos.

Este último cuadro se acaba con un desencadenamiento musical («todo mi repertorio musical marítimo, que no es pequeño», dice Bécquer).

Se percibe en esta reflexión poética, que es una exploración de las márgenes de la conciencia, una tendencia doble a la rebelión: contra el rigor de todo mecanismo por una parte, contra la disciplina social por otra. La violenta destrucción del reloj (cuando bastaba parar la péndola) representa para mí esta rebelión, cargada de no expresado. Podemos calificar a Bécquer de poeta antiutopista ya que el reloj es el objeto más imprescindible, casi el símbolo, de toda utopía.

28, 29 y 30 de mayo de 1863. *Un boceto del natural* (atribución de Franz Schneider, 1914).

Este relato publicado anónimamente en las «Variedades» no debe de ser la única colaboración artística de Bécquer en *El Contemporáneo* durante el mes de mayo. El 13, se había dedicado una variedad al funámbulo Blondin, célebre por haber pasado encima de las cataratas del Niágara. Me pregunto si este bonito texto, lleno de efectos de luz, no es obra de Gustavo Adolfo; tiene sin embargo tanta gracia y galantería que me inclino a atribuirlo a Valera o a otro redactor andaluz. Valera sigue colaborando en el periódico, ya que la firma de Eleuterio Agoretes aparece el 24 de mayo bajo el extenso estudio «Del fundamento filosófico de los partidos en España» que contesta a un artículo publicado por Pascual Mazonequí en *La Época*.

Los amigos de Bécquer no seleccionaron *Un boceto del natural* en 1871 y apartaron siempre este texto de las *Obras* aunque la atribución no sea dudosa. La idea central y el vocabulario del relato se hallan en la rima XXXIV («Cruza callada, y son sus movimientos...») y en la rima XIV («Te vi un punto, y, flotando ante mis ojos...»); la expresión «... el mar, el cielo y las pupilas sin fondo de Julia» aparece de nuevo en *Las dos olas* (1870).

Después de haber tratado extensamente de cierta tiranía ejercida por la belleza femenina, Gustavo Adolfo se refiere aquí, un poco a modo de revancha, a las fascinaciones que pueden cegar acerca de la ininteligencia de la mujer amada. En este texto de recuerdos ficticios se enlaza el sueño, especialmente marino, con finas observaciones psicológicas.

El retrato de Julia, la protagonista, ofrece puntos comunes con el que nos han dejado las fotografías de Julia Espín, pero cuando el personaje confiesa «Entiendo muy poco de música» se abre un abismo entre la cantatriz y él.

Entre el 30 de mayo de 1863 y el 24 de marzo de 1864.

Durante unos diez meses, ningún texto de arte que pueda atribuirse a Bécquer con certidumbre se publica en *El Contemporáneo*.

Junio de 1863 es el mes de las representaciones de la zarzuela *Clara de Rosemberg*. Es posible que, después de dejar Botella la redacción de *El Contemporáneo* para ocupar un alto empleo público, Gustavo Adolfo tuviese que encargarse de la actualidad política. Siguen con mucha probabilidad una visita a los suegros en Noviercas y la reunión con Valeriano y sus hijos a favor de un viaje a Sevilla. En el otoño Gustavo Adolfo cae enfermo y le hallamos, acompañado de Valeriano, en Veruela a finales de diciembre.

A partir del 23 de julio, las «Variedades» contienen principalmente el importante estudio de Capmany y Montpalau, *El origen histórico y etimológico de las calles de Madrid,* cuya publicación por entregas (cuatro volúmenes en octavo) emprende *El Contemporáneo* a finales de agosto.

El 30 de julio sale en las «Variedades» un relato delicado y muy triste, *Las dos ruedas.* Se debe a la pluma de un nuevo colaborador de *El Contemporáneo* que dice vivir en Madrid desde hace sólo un mes.

El 13 de agosto se anuncia la disolución de las Cortes y elecciones en noviembre. Todas las miradas se vuelven hacia la política y los cargos públicos.

El 31 de agosto aparece en las «Variedades» una divertida carta procedente de Bagnères-de-Luchon que pudiera ser obra de Rodríguez Correa.

El 1 de septiembre, la variedad titulada «Zoología y fotografía» contiene interesantes observaciones sobre los retratos fotográficos y los fotógrafos Alonso Martínez, Hébert, Toledo, siendo éste el especialista de los retratos femeninos de cuerpo entero.

El 4 de septiembre, la rúbrica «Variedades» está ocupada por el relato de Antonio Fernández Grilo *Es curioso*. Este nuevo colaborador de *El Contemporáneo* firma sus obras (seguirán *Después de los baños* el 8 de septiembre y *El alma de la casa* el 28 de octubre). El 19 de octubre, su oda *Al siglo XIX,* dedicada «A mi amigo y compañero D. Ramón Rodríguez Correa», se publica en las «Variedades» con una representación que pudiera ser de Bécquer a juzgar por la extensión que ocupan en ella las consideraciones sobre el combate que tienen que sostener los jóvenes poetas y sobre los peligros que les amenazan en el periodismo y la política. Cité ya el fragmento más becqueriano de este texto. Desde el punto de vista del léxico, «la blanca vestidura» recuerda «la cándida, flotante vestidura» de los *Trozos* de la juventud de Bécquer; en cuanto a los zarzales y laberintos, desempeñaban un notable papel en la escena final de *La corza blanca* (27 de junio de 1863) como lo mostraré al tratar de esta leyenda.

A partir de octubre, las «Variedades» encierran algunos artículos históricos de interés, cercanos a los gustos de Bécquer, pero que, aunque de agradable estilo, no llevan su sello poético: «Los doce linajes de Soria» (5 de octubre), «Vísperas de difuntos en los siglos pasados» (2 de noviembre, artículo de actualidad), «Antiguo y suntuoso panteón de los duques del Infantado en Guadalajara» (30 de noviembre).

Don Dionisio Gamallo Fierros ha atribuido a Bécquer el folletín «Teatro Real. *El barbero de Sevilla. Semiramis*» del 12 de octubre. Me pregunto si Valera no seguiría escribiendo este tipo de crónica para *El Contemporáneo.* El tono es el de las «Cartas confidenciales». La ironía dirigida contra Bagier, director del Teatro Real, me parece más conforme con el temperamento de Valera que con el de Bécquer. La duda queda, pues, permitida sobre la paternidad de este texto. Las mismas observaciones valen para la variedad «Teatro Real Bellini. *La Sonámbula.* La señora Patti» del 28 de diciembre, en que se opone el arte de Bellini al de Verdi, éste juzgado con poco favor. ¿Puede ser Gustavo Adolfo, quien se encontraba en Veruela ya desde el 30 de diciembre, el autor de esta variedad, de todo punto semejante al folletín del 12 de octubre? No es imposible, pero la cuestión queda abierta. Lo cierto es que se trata de textos armoniosos y llenos de delicadas imágenes.

Me parece que, en fecha de 22 de diciembre, Valera es quien reaparece en las «Variedades» usando el pseudónimo de Arturo de las Torres Bermejas. Un ancho espacio está ocupado por los espectáculos, especialmente los musicales. Lamenta el autor la ausencia de un «Pedro Fernández junior» en el equipo de *El Contemporáneo.*

Un texto de crítica pictórica enviado a *El Contemporáneo* y publicado el 18 de noviembre en las «Variedades» refleja las ideas de Gustavo Adolfo en esta materia. Se trata de *Bellas artes. Pintura. Doña María de Molina presentando su hijo el infante don Fernando a las Cortes de Castilla, reunidas en Valladolid (Cuadro del señor don Antonio Gisbert).* Compárese:

— «Vemos en el estilo del Sr. Gisbert originalidad y un conato marcado de huir de las bellezas convencionales, para buscar su bello ideal en la naturaleza» *(Doña María de Molina).*
— Y «Hoy que nos encontramos tan lejos de ambas exageraciones, huyendo de las ideas de plantilla, no vamos a buscar la fuente de la inspiración en los libros sino en la naturaleza» (comentario que acompaña el dibujo de Valeriano, «La pastora», *El Museo Universal,* 29 de octubre de 1865).

En la gacetilla, las noticias siguientes tienen acentos o imágenes becquerianas sin que pueda asegurarse que las redactó el mismo Bécquer:

— El 1 de octubre, un bonito cuadro de costumbres que empieza por estas palabras: «Anoche llegó a nuestras manos, sin saber cómo, un precioso librito, titulado *El secreto del tocador...*»
— El 10 de octubre, un texto sobre las chimeneas en los pisos madrileños.

El 15 de enero, mientras Gustavo Adolfo está en Veruela, sale la variedad *Un baile chico,* que relata una fiesta en los salones de los duques de Fernán-Núñez. Este lindísimo artículo, que tiene mucha gracia, me parece ser obra de Valera.

El 17 de enero aparece un nuevo redactor de «variedades» con el artículo *Cajón de sastre o sea Revista de Madrid.* Este periodista se presenta como sigue: «... provinciano *pur sang...* poeta por añadidura, y dado por largos años a los estudios científicos.» Se infiere de otro pasaje que se trata de un gaditano que ha estudiado derecho. Todos estos datos me parecen aplicarse a Arístides Pongilioni, poeta gaditano (1835-1882), quien había seguido la carrera de derecho en Sevilla, cuyas colaboraciones a *El Contemporáneo, Las Noticias* (diario de Rodríguez Correa, 1864) y *Los Tiempos* (diario al que Bécquer entregó textos, 1865) están conocidas.

El 2 de febrero, el nuevo autor de variedades escribe «Revista de salones». Describe sutilmente los tres tipos de salones (salón de los jóvenes, salón de la gente seria y política, «coteries» o camarillas) que se hallan en toda casa en que se recibe.

El 9 de febrero sale en las «Variedades» el artículo *Bailes y bailes* que don Dionisio Gamallo Fierros ha atribuido a Bécquer y que yo atribuyo a Valera por los motivos siguientes: 1.°, la proximidad de los cuarenta años, que infunde cierta melancolía en el alma del redactor, no corresponde a la de Gustavo Adolfo sino a la de Valera (nacido en octubre de 1824); 2.°, el recuerdo entre admirativo e irónico de los méritos del cronista de salón «Pedro Fernández» (Ramón Navarrete y Fernández Landa, 1818-1897, fue largo tiempo cronista de *La Época)* se encuentra con frecuencia en las crónicas mundanas de Valera; 3.°, durante los meses de enero y febrero de 1864, Bécquer no asiste a los bailes madrileños ya que vive en Veruela (un dibujo de Valeriano prueba la presencia de su hermano en Veruela el 12 de febrero).

Asimismo, *Haciendo tiempo,* publicado en las «Variedades» del 28 de febrero, parece no ser de Bécquer, a pesar de la atribución de Gamallo Fierros. Resulta, en efecto, del texto del artículo que ha sido escrito por alguien que vive entonces en Madrid.

El artículo de «Variedades» del 2 de marzo, *Primer concierto de la sociedad artística musical de socorros mutuos,* está bien escrito. La cita de *El lago* de Lamartine, muy admirado, corresponde a lo que se sabe de la formación poética de Pongilioni. El artículo del 8 de marzo, *Un día musical,* forma la continuación de *Primer concierto.* Son textos bonitos, íntimos, ligeros, y puede admitirse que su autor sea también el de *Haciendo tiempo.* La fugitiva mención de «trabajos de bufete» me confirma en el sentimiento que todo esto se debe a Pongilioni.

Los aspectos científicos del artículo *A la claridad de la luna* («variedad» del 10 de marzo) corresponden también a las curiosidades del poeta gaditano.

Por fin, el nuevo cronista comenta los espectáculos dados en los salones de los condes de Selafani (23 de febrero, 9 de marzo) donde los aficionados de la buena sociedad representan en un escenario improvisado cuadros vivientes de los grandes maestros de la pintura (Murillo, Rafael, por ejemplo).

24 de marzo de 1864: *La rosa de Pasión (Leyenda religiosa).*

Esta leyenda es, indudablemente, de Bécquer. Sus amigos la incluyeron en las *Obras* de 1871. Se trata de un trabajo de encargo que se publicó el Jueves Santo, no saliendo ningún diario el Viernes Santo. *La leyenda del Judío errante* se había publicado en las mismas condiciones el año anterior.

Esta obra de circunstancia contiene algunos hermosos cuadros: evocación de las callejuelas de Toledo, nocturnos (la ciudad, el río, las ruinas de la iglesia con un potente efecto de claroscuro), medallón de Sara al alféizar (que hace pareja con el de la religiosa de *Tres fechas).* Al lado de estos logros, existen flaquezas. La intriga queda poco verosímil. El discurso de Sara a los judíos peca, por otra parte, de toda la rigidez y de todo el énfasis de los textos de propaganda.

El antisemitismo de esta leyenda se manifiesta claramente en la frase siguiente cuyas agresivas generalizaciones podían omitirse sin dificultad:

«Era este judío rencoroso y vengativo, como todos los de su raza, pero más que ninguno engañador e hipócrita.»

Tal lenguaje era familiar a los lectores conservadores de *El Contemporáneo* y permite a don Rubén Benítez escribir en *Bécquer tradicionalista* (pág. 183): «El antisemitismo de Bécquer es un aspecto más de su tradicionalismo católico.»

3 de mayo-17 de julio de 1864: las ocho primeras *Cartas desde mi celda*.

En su retiro de Veruela, Gustavo Adolfo puede leer en *El Contemporáneo*:

— El 29 de marzo y el 5 de abril, algunas «revistas de toros» que valorizan mucho la fiesta.

— El 6 de abril, la reseña que firma Canalejas, en las «Variedades», del libro de Rosalía de Castro *Cantares gallegos* (Vigo, Companel, 1863), reseña en la que el crítico asiente a la vuelta hacia la poesía espontánea y sencilla, denunciando la afectación y el «neocultismo» de la poesía española contemporánea (Canalejas parece ignorar entonces la corriente heineana).

— En abril y mayo, numerosas informaciones sobre los principios del ancho complejo de atracciones y espectáculos que estaba a punto de abrirse (1 de junio) en el Retiro bajo el nombre de «Campos Elíseos».

— Elogiosas noticias relativas a la publicación de los *Estudios críticos sobre literatura, política y costumbres de nuestros días* de Valera (16 de abril) y de un tomo de poesías de Fernández Grilo (7 de mayo).

— En la rúbrica «Provincias» del 27 de abriil, una interesante crónica sevillana donde se deploraba la desaparición de los trajes, coches y arreos antiguos, y, el 28 de mayo, una carta sobre Ronda.

— En junio y julio, las revistas de espectáculos, especialmente de los bailes artísticos y de las óperas dadas en el Teatro Rossini de los Campos Elíseos.

— Las descripciones de manifestaciones mundanas como «Reunión en casa de los señores barón y baronesa de Hortega» (19 de mayo) cuya manera elegante pudiera ser la de Pongilioni.

El 9 de julio estalla sobre Madrid, agobiado por «un calor verdaderamente tropical» (gacetilla del 6), una violentísima tormenta durante la cual se ve caer granizos del tamaño de una naranja. El 19, la gacetilla de *El Contemporáneo* informa que la temperatura se ha vuelto ideal en Madrid después de la tormenta; la temperatura oscila entre 18 y 25 grados, bajando hasta 12 grados algunas mañanas. A esas noticias agradables pero un tanto prematuras es a las que aludirá Bécquer, vuelto a Madrid para liberar a sus colegas, en su artículo humorístico del 16 de agosto, *El calor*.

Durante todo este tiempo, Gustavo Adolfo colabora en *El Contemporáneo* con el envío de las *Cartas desde mi celda*. Contrariamente a lo que la lectura de éstas sugiere, se trata de trabajos cuidadosamente elaborados en la parte final de la estancia en Veruela y que descansan a menudo en impresiones y experiencias que, más bien que reflejos de la vida inmediata, son recuerdos del reciente pasado.

Carta I (3 de mayo)

Esta carta se publica sin comentario alguno en la rúbrica «Variedades» con el simple título «Desde mi celda».

Es una hermosa composición literaria en que se combinan la fantasía y varios recuerdos de viajes entre Madrid y Veruela, vía Tudela y Tarazona. El interés psicológico manifestado por el sueño y el vagabundeo mental, el costumbrismo a la vez alegre y delicado, el amor a la pintura de paisaje y de ambiente hacen el encanto diversificado de esta primera carta que nos presenta sucesivamente:

— El viajero que, llevando un único saco por equipaje, deja a sus amigos de la redacción.
— La atmósfera de la estación madrileña admirablemente asimilada y restituida.
— El viaje Madrid-Tudela en ferrocarril con una primera galería de retratos (el regidor aragonés, pariente del «castellano viejo» de Larra, la ingenua aristocrática y su aya francesa, el turista inglés).
— El viaje Tudela-Tarazona, en diligencia, con una segunda galería de retratos (la joven campesina con su madre, el seminarista, el clérigo y su ama, el regidor otra vez) y una escena de comida animadísima en el coche.
— La descripción de la posada de Tarazona, que forma la pareja aragonesa del cuadro andaluz con que se abre *La venta de los gatos* (puede suponerse que este vestigio medieval dio lugar a algunos bocetos a lápiz).
— El viaje Tarazona-Veruela, montado en una mula, parte en que dominan la fantasía errática y lo pintoresco paisajista.

Bécquer traduce admirablemente el contraste entre el modo de vivir madrileño, intenso, y los que corresponden a los varios niveles de aislamiento de la provincia. Este viaje a través de las sociedades españolas también resulta un viaje a través del tiempo: España moderna (la estación y el tren), España del siglo pasado (la diligencia), España sin edad (los mulateros-carboneros de la montaña).

Esta carta encierra también elementos de confesión: se hallan en ella la conciencia de una fácil acomodación a todas las situaciones y el reconocimiento de cierta propensión a la vagancia. Por fin se nota que Gustavo Adolfo no desdeñaba la caza, aunque fuera principalmente para él una ocasión de pasear y fantasear por el campo.

Carta II (12 de mayo)

En esta espléndida composición literaria abundan sutiles observaciones psicológicas, especialmente en materia de sensaciones y memoria olfativa. Forma el eje del discurso la oposición entre la vida del periodista madrileño y la del artista retirado en un monasterio vacío y aislado. Sin ninguna severidad sugiere Bécquer con sumo arte la vanidad de la primera y de cuanto gravita alrededor de la información periodística. La «danza de los vivos» evocada en la última página tiene semejanza con la danza macabra a la cual *El Contemporáneo* había dedicado una variedad el 27 de marzo de 1863; asimismo resurge la idea de las ilusiones como motores de la vida social expresada extensamente en «La Pascua de Reyes».

La materia del artículo es un paseo al que sirve de marco la reflexión filosófico-moral, aquella «nota desacorde», como la califica con razón Gustavo Adolfo en la última línea del texto. El paseo es el del poeta, quien va a esperar el correo (traído a caballo) al pie de la Cruz Negra, en medio de la avenida de álamos que conduce al monasterio. Ha mostrado don Rafael Montesinos que el itinerario de regreso hacia las habitaciones ocupadas por la familia Bécquer resulta una construcción intelectual y no corresponde con la realidad de los lugares; se trata de una síntesis artística, de la reelaboración de una atmósfera.

Azorín y Rica Brown han subrayado que esta carta marca la primera penetración cordial y original del sentimiento de la naturaleza —diré preferentemente del sentimiento del ambiente— en la prosa española. Todo cuanto atañe aquí a la luz sobre o entre la vegetación así como a la luminosidad del crepúsculo es fruto de una seductora y singular sensibilidad.

Carta III (5 de junio de 1864)

Se publica esta carta más de cuatro semanas después de la anterior. Tal vez se haya producido un nuevo percance de salud. Denota el texto una imaginación magníficamente despertada, pero una honda tristeza impregna la conclusión. Los compañeros de redacción del poeta creen oportuno hacer preceder la carta de algunas palabras muy alentadoras que sitúan al autor aunque callando su nombre:

> Publicamos hoy la tercera carta que nos dirige desde su celda uno de nuestros más queridos amigos, antiguo y constante redactor de *El Contemporáneo,* alejado temporalmente de nuestra redacción por el delicado estado de su salud.
>
> Las producciones con que nuestro amigo y compañero ha honrado las columnas de nuestra publicación, especialmente sus bellísimas leyendas tan aplaudidas en Madrid y reproducidas en la mayor parte de los periódicos de provincia, han permitido ya al público apreciar debidamente las relevantes cualidades de talento y de imaginación que resplandecen en todos los escritos de su elegante pluma, y son también las que más realzan la serie de cartas que en la actualidad nos está dirigiendo.
>
> No hacemos, pues, su elogio, porque no lo necesitan. Nos limitamos a llamar sobre ella la atención de nuestros suscriptores, felicitándonos de estas frecuentes y originales correspondencias, por el placer que disfrutamos al leerlas y singularmente porque en su repetición vemos un indicio de alivio en la delicada salud de nuestro querido amigo, cuyo completo restablecimiento deseamos ardientemente.

Tenemos aquí otra diestra composición artística. El autor narra su descubrimiento de un pueblo del monte para luego pintar los sentimientos que experimenta al visitar el rústico cementerio. Desarrolla después un sueño funerario que le conduce a evocar su adolescencia sevillana y la época de *Historia de los templos de España* antes de tratar con rapidez el momento presente y de pronosticar el próximo embotamiento de su sensibilidad.

Esta carta no refleja exactamente lo vivido. El cementerio tan bonitamente descrito es el de Trasmoz, pero este pueblo no era un descubrimiento reciente para Gustavo Adolfo; lo había visitado ya desde el 31 de diciembre pasado como da prueba un dibujo de Valeriano. En cuanto a la biografía funeraria, queda muda sobre la experiencia de la poesía heineana, sobre los salones madrileños, sobre la pasión de la música, sobre la formación de pintor. Lo que más llama la atención aquí es la apariencia de soledad. Gustavo Adolfo se aísla frente al lector; da la impresión de estar solo en el mundo y de resignarse a la impersonalidad que resume la expresión «mi papel de hacer bulto». Sin embargo estaban alrededor suyo Valeriano, sus sobrinos, Casta, el pequeño Gregorio probablemente; sus amigos madrileños le tributaban una afección y una estima de que dan elocuente testimonio las líneas anteriormente citadas.

Un trozo de la carta III evoca, por su vocabulario, un poema muy triste publicado a finales de 1882 en *Almanaque de «El Mercantil Valenciano»*, exhumado por Rafael de Balbín en 1964, inicialmente escrito por Bécquer en el álbum de una casa que frecuentaba:

> Solitario, triste y mudo
> hállase aquel cementerio;
> sus habitantes no lloran...
> ¡Qué felices son los muertos!

La poesía del camposanto campesino no estaba agotada en España por los años 1860. Por ejemplo, *La América* había publicado todavía el 8 de junio de 1860, la traducción castellana de la elegía de Tomás Gray por H. L. de Vedía. Bécquer renueva esta corriente poética expresando su horror de la muerte citadina y del orden arquitectónico que está ligado con ella; además se deja llevar por un ensueño funerario que reanima sus antiguos entusiasmos literarios y artísticos.

Carta IV (12 de junio)

Esta carta marca una nueva orientación tanto en la serie de las *Cartas desde mi celda* como en la actividad literaria de Bécquer en general.

Primero, se manifiesta un cambio de tono en las *Cartas*. Las tres primeras, principalmente la segunda y la tercera, se caracterizaban por un fuerte subjetivismo, matizado de melancolía. Eran el reflejo de una encantadora vagancia personal. Con la cuarta carta se ilumina y estabiliza todo. El ambiente físico se ha modificado: «un tiempo constante, sereno y templado» ha sucedido al tiempo incierto que incomodaba al poeta. Se ha mejorado su salud y ha podido reanudar con las largas caminatas. De pronto se organiza y toma forma un conjunto de reflexiones antiguas ya expresadas en *El Contemporáneo* (particularmente en *La Nena* y en los artículos sobre la exposición de Bellas Artes de 1862); así nace ante los ojos del lector un escrito que milita a favor del estudio y de la conservación artística de cuanto sigue reflejando las costumbres locales y el espíritu de las comunidades o pequeñas sociedades provinciales. La unión del pintor, del arquitecto y del literato está sentida como constituyendo la base de las necesarias campañas de protección.

Este aspecto concreto de la reflexión becqueriana, nacida de un conocimiento íntimo de las tres artes (Gustavo Adolfo hubiera podido agregar la música), es el que forma la novedad. El romanticismo schlegeliano, o sea historicista, no había tenido en España más que efectos superficiales; notando de paso «Verdad que nuestro fuerte no es la historia», Bécquer aboga para una renovación de los estudios históricos.

En esta carta cuarta expresa el poeta sentimientos que eran los de muchos de sus contemporáneos deseosos de conciliar el amor a la tradición con la confianza en el progreso nacido de los modos de proceder racionalistas. Ya se ha visto más arriba que tal deseo se había expresado en el discurso de recepción de González Bravo en la Real Academia Española. Antonio de Trueba había adoptado una posición semejante en el prólogo de 1861 (2.ª edición) de sus *Cuentos de color de rosa;* protestando sin acrimonia contra el calificativo de «neocatólico» que le había aplicado Juan Mañé y Flaquer en *El Diario de Barcelona,* Trueba había recordado aquellos versos de *El libro de los cantares:*

> Porque los hombres no nacen
> para atravesar el mundo
> sin impelerle adelante.

Pero, amigo del equilibrio, había expresado también la melancólica afición a las cosas del pasado que Bécquer experimenta y procura delinear en la carta IV.

Compárese:

— *Trueba (prólogo, pág. VIII):* «Lo que hay de cierto, es que las almas del temple de la mía simpatizan profundamente con todo lo lejano, con todo lo que se va, con todo lo que muere, con todo lo que es triste, con el sol que declina, con la flor que se agosta y con la hoja que se desprende del árbol.»

— *Bécquer (carta IV):* «No obstante, sea cuestión de poesía, sea que es inherente a la naturaleza frágil del hombre simpatizar con lo que perece y volver los ojos con cierta triste complacencia hacia lo que ya no existe, ello es que en el fondo de mi alma consagro como una especie de culto, una veneración profunda a todo lo que pertenece al pasado; y las poéticas tradiciones, las derruidas fortalezas, los antiguos usos de nuestra vieja España, tienen para mí todo ese indefinible encanto, esa vaguedad misteriosa de la puesta de sol de un día espléndido, cuyas horas, llenas de emociones, vuelven a pasar por la memoria vestida de colores y de luz, antes de sepultarse en las tinieblas en que se han de perder para siempre.»

Desde 1858 ya, Carlos de Mazade había distinguido en su estudio «Le roman de moeurs en Espagne. Fernán Caballero et ses récits» («La novela de costumbres en España. Fernán Caballero y sus relatos»), publicado en la *Revue des Deux Mondes* del 15 de noviembre, tres categorías de españoles: los que se apegaban ciegamente al pasado y a la nación, los que no veían valores sino en la modernidad y lo extranjero, y los, en fin —y el Bécquer de la carta IV pertenece claramente a este tercer grupo—, «que aman al pasado sin ilusión, que tienen la inteligencia de todo lo que se cumple de grande en el mundo moderno sin querer someterse de modo absoluto a la dominación de un pensamiento extranjero» (pág. 380 del tomo).

La carta IV señala el principio de una acción que Bécquer continuará hasta su muerte a favor de las artes de inspiración nacional. Se relacionarán con esta acción los comentarios de los dibujos de Valeriano, los conjuntos dibujo-texto destinados a ilustrar las supervivencias de las antiguas costumbres, los cuadros modernos de costumbres españolas, los textos que pongan en paralelo la tradición y la modernidad. Esta inspiración hallará una suerte de consagración al crearse *La Ilustración de Madrid* en enero de 1870.

El mismo día en que sale impresa la carta IV, Valeriano realiza un boceto al carbón en que se representa pintando en Veruela el retrato de una joven y elegante aldeana aragonesa de noble porte (Montesinos, *Bécquer. Biografía e imagen,* lámina 88). En la misma fecha dibuja a un Gustavo Adolfo relajado, los brazos cruzados y apoyados en una mesa, quien mira a Casta ocupada en un juego de naipes con otros moradores del monasterio.

Carta V (26 de junio)

Bécquer inicia su ilustración de la defensa de las costumbres provinciales españolas evocando o esbozando (pues se declara incapaz de reproducir toda la complejidad y atracción del cuadro) la vida de la plaza del mercado en Tarazona. Encontramos aquí una de las más encantadoras escenas animadas de toda la obra de Bécquer, maestro en el arte de traducir el movimiento de los lugares públicos y de las reuniones de sociedad.

La segunda parte de la carta está constituida por la presentación de la vida de las jóvenes leñadoras clandestinas de Añón. Se encuentra en este trozo una pasmosa instantánea en que se comparan las actividades y emociones de estas montañesas con las de las mujeres de mundo madrileñas a la misma hora de la noche. Gustavo Adolfo manifiesta aquí un sentido fortísimo de las desigualdades sociales aunque quedándose en el marco de la concepción cristiana tradicional dominada por la idea de providencia.

Un dibujo de Valeriano titulado «Después de la comida. Fuente del prado. Añón», fechado 7 de julio de 1864, nos muestra a toda la familia Bécquer (Gustavo Adolfo, Casta, los niños) que hace la siesta en una arboleda con ocasión de una gira a Añón.

Cartas VI a VIII (3, 10 y 17 de julio)

A partir del 26 de junio, las cartas «Desde mi celda» salen con regularidad cada siete días. El 17 de julio, los hermanos Bécquer están ya en la costa vascongada.

Las tres últimas cartas están dedicadas a Trasmoz.

La carta VI nos presenta a un Gustavo Adolfo que, montado en una mula, recorre el camino de Lítago a Trasmoz por malas sendas, se extravía y se hace narrar por un pastor que le guía hasta la localidad y ha sido testimonio de los acontecimientos, la historia del asesinato de una mujer reputada bruja, la «tía Casca», suceso ocurrido algunos años antes. La composición es bastante lograda, pero el estilo del cuentista popular difiere poco de la manera del narrador principal, quedando muy artístico. Don Rubén Benítez *(Bécquer tradicionalista,* pág. 98) ha señalado la influencia posible sobre Bécquer de las *Cartas de España* de Mérimée, especialmente de la carta IV relativa a las hechiceras españolas, publicadas en 1833 en la colección de textos cortos llamada *Mosaïque.*

La carta se concluye con una posdata que, a la par que trata de la permanencia de las prácticas rurales de lucha contra las ocultas fuerzas del mal, anuncia el relato de la historia de la descendencia de las brujas de Trasmoz por una joven criada, nacida en una aldea cercana a este pueblo.

En la carta VII, el autor reconstruye con esplendidez la leyenda de la fundación del castillo de Trasmoz, en cuyas ruinas era fama que se celebraban grandes aquelarres de brujas. Da Bécquer en estas líneas una visión bastante erudita del campo aragonés en tiempo de los reinos moros. Expone conocimientos que revelan lecturas de aficionado a la cábala, a la gnosis y también a la alquimia. Testimonio del poder verbal de un mago árabe, la edificación en una noche tempestuosa de la fortaleza de Trasmoz forma una de las más hermosas evocaciones, numerosas en la obra de Bécquer, de la acción de los espíritus que emplean la energía de los cuatro elementos de la naturaleza. El interés de Gustavo Adolfo por la alquimia se había manifestado ya señaladamente en *La creación,* publicado el 6 de junio de 1861 (estrofas 6, 10 y 11). La poesía becqueriana se emparenta aquí con la de Francisco Aloysius Bertrand (1807-1841), quien había sido alentado por Carlos Nodier (1781-1844), ardiente defensor del relato popular occidental como se ve en la presentación de la *Leyenda de Sor Beatriz* cuyos vocablos están próximos a aquellos con que Bécquer intenta reforzar el interés por las costumbres rurales, verdaderos conservatorios del pasado nacional.

La carta VIII narra la historia de Dorotea, la sobrina del buen cura mosén Gil el limosnero, la que, vencida por la coquetería y el amor propio, acepta el auxilio de las fuerzas del mal para enriquecerse, convirtiéndose así en la primera de las brujas de Trasmoz. La última página nos muestra al autor, quien observa por un tragaluz a la anciana, hermana de la tía Casca asesinada, en quien los lugareños ven a la nueva hechicera. Se cierra el cuadro con una referencia a las brujas de *Macbeth*. Aunque guarde las distancias respecto de las creencias populares, Bécquer subraya que el medio ambiente, incluso físico, favorece su génesis y permanencia. Caracteriza la atmósfera de Trasmoz y su comarca, que le ha personalmente impresionado, con los adjetivos «agreste, misterioso y grande».

Se termina de este modo la presentación de los tipos y costumbres populares destinada a ilustrar las ideas expresadas en la carta IV.

El mes de agosto de 1864: Dispersión del equipo de *El Contemporáneo*.

Gustavo Adolfo tuvo que volver a Madrid a finales de julio para reforzar la redacción de *El Contemporáneo,* quizá para tomar la dirección interina. José Luis Albareda veraneó en Bagnéres-de-Luchon parte del mes de agosto. ¿Será él quien escribe *En Luchon,* «variedad» publicada el 23 de agosto? El autor de este artículo estaba en Sevilla en la primavera y menciona Jerez. Otro redactor visita París por primera vez y manda sus impresiones, que se publican el 14 de agosto *(En París)*. Una gacetilla del 20 de agosto da a conocer que muchísimas personalidades españolas se encuentran en París. El 1 de septiembre, *El Contemporáneo* publica el artículo de su enviado sobre el viaje del rey consorte a Francia; se titula *París. La Revista, Saint Cloud. Versailles. Bayona. La exposición. Biarritz.* Otro redactor, el que acostumbra a redactar la crónica teatral, se ha marchado a Cádiz para las vacaciones; su carta del 11 se publica el 17. Aunque poco favorable a Verdi va a tributar homenaje a la Penco, que asume en Cádiz el papel de Violeta en *La Traviata.* Se interesa por las polémicas relativas a la administración de los fondos públicos que agitan entonces a los gaditanos. Creo que este redactor es Pongilioni.

7 de agosto de 1864: *Los Campos Elíseos* (atribución de Franz Shneider).

Llamado por *El Contemporáneo,* Gustavo Adolfo regresa a Madrid sin mucho agrado. Sin embargo, las variedades de actualidad que va a escribir durante el mes de agosto se cuentan entre las mejores de su obra. Lo explico por la vitalidad recuperada, el ambiente de vacaciones que reinaba en Madrid y que satisfacía su amor a la libertad, y en fin, por la esperanza que suscitarían entre los periodistas de *El Contemporáneo* los trámites relativos a la vuelta de Narváez al poder, de los cuales no podían dejar de tener conocimiento.

La creación de los Campos Elíseos había ocupado mucho sitio en

El Contemporáneo durante la estancia en Veruela. El 4 de mayo, el diario lo había descrito con cierto lujo de detalles: Habían de abarcar el Teatro Rossini (por el nombre pintado en el telón), una fonda, una sala de bailes, un redondel, un canal con puente rústico y góndola de vapor, un tiovivo, un castillo fuerte con caseta de tiro, un gimnasio, una pajarera, una pequeña granja con vacas, los edificios de la administración. Una gacetilla del 19 de junio había dado cuenta de la inauguración del conjunto y de la representación del ballet de *Gisela* en el Teatro Rossini. Alguna decepción se había manifestado. El 28 de junio, un favorable y documentado artículo había sido publicado acerca de la representación de *Guillermo Tell* en el mismo teatro. El 12 de julio, la variedad *Corrida de novillos,* redactada en un estilo vagamente becqueriano que me parece ser el de Pongilioni, había relatado la inauguración de la plaza de toros en miniatura; se trataba de un espectáculo de beneficencia organizado por miembros de la buena sociedad y reservado a invitados.

Gustavo Adolfo descubre los Campos Elíseos poco después de su llegada a Madrid en los últimos días de julio. El artículo lleva huellas de un doble malestar a pesar de la fluidez del estilo; el que produce el calor, especialmente penoso para quien acaba de pasar algunos meses en altitud y ha tenido que dejar precipitadamente las playas del Norte. Y el que provoca, después de la larga estancia en Veruela, el espectáculo de un mundo de placeres muy artificiales. Este paso del mundo de la naturaleza al mundo de la industria da lugar a reflexiones bastante melancólicas, pero templadas por la cordura y la inteligencia.

Los Campos Elíseos prolonga, incluso en el estilo, las *Cartas desde mi celda* y forma el verdadero epílogo de éstas.

Esta variedad confirma la larga frecuentación de las salas de ópera por parte de Gustavo Adolfo y su práctica habitual de la crítica musical que, según precisión suya, era antaño bastante puntillosa pero se ha ido suavizando.

Hasta ahora, *Los Campos Elíseos* han llamado poco la atención de los becqueristas. Por eso creo útil poner a disposición inmediata del lector un pasaje que traduce felizmente tanto el ambiente de los lugares como la pasión musical del autor:

> Aquel ir y venir con las sillas al hombro, aquellas conversaciones *sotto voce* que ahogan los pianos de la orquesta y hacen que pasen desapercibidos ciertos primores de ejecución, acabaron por hacer necesaria en estas reuniones la adopción de esas tandas de valses, única música posible para oír y hablar a un tiempo. ¡Oh! ¡Si en una de las solitarias alamedas del valle en que vivo o en un rincón de mi silencioso claustro hubiese silbado para mí la más insignificante melodía del Perdón de Ploermel, de qué diferente manera me hubiera sonado

en el oído, qué eco tan profundo no hubiese encontrado en mi alma! Pero para oír música es preciso venir aquí y oírla al par de la multitud indiferente, que ríe, habla y aplaude estrepitosamente. ¿Cuándo seré tan rico que pueda hacer que toquen para mí solo?...

16 de agosto de 1864: *El calor.*

Esta «variedad», cuyo tema director es la reflexión humorística sobre los efectos del calor madrileño en agosto, deleita por su soltura y alacridad, que consiguen transformar en elemento seductor el mal humor que inspiran al autor los espectáculos de que tiene que dar cuenta. Se encuentran en este texto encantadores bordados imaginativos sobre la sensación física de frescura. Este tema conduce al autor a evocar dos veces su adolescencia sevillana, primero con un ligero cuadro de los jardines del Alcázar, luego con aquella alusión a su fecundidad de poeta clásico: «¡Ah! ¡Detestable estío! Conque ¿ésa me tenías guardado? Así me pagas los innumerables versos de arte mayor y menor con que en mi adolescencia, y cuando yo hacía versos a porrillo a cuanto se me ponía por delante, he cantado tus engañosos placeres?»

Sin embargo, se han esfumado un poco los recuerdos literarios de la juventud, como lo manifiesta la cita aproximada que se da en el texto de las quintillas de Gil Polo: «Cogiendo flores y conchas pintadas», en vez de «Entre la arena cogiendo / Conchas y perlas pintadas.»

La salida de Madrid mencionada al final del texto es en gran parte obra de la fantasía literaria; no era cuestión que Bécquer dejase otra vez la capital por largo tiempo, pero el cronista no miente cuando indica que tiene un billete de ferrocarril en el bolsillo. Es el del reportero que está por hacer el viaje de San Sebastián en el tren oficial para asistir a las festividades de la inauguración de la línea del Norte.

21 de agosto de 1864: *Caso de ablativo. En, con, por, sin, de, sobre la inauguración de la línea completa del ferrocarril del Norte de España.*

Las noticias de prensa de la época descubiertas por don Dionisio Gamallo Fierros, prueban que Bécquer fue quien representó *El Contemporáneo* para dar cuenta del viaje oficial y de las ceremonias que marcaron la inauguración de la relación ferroviaria Madrid-Irún. La paternidad del texto resulta, pues, indiscutible. Hicieron también el viaje, entre otros numerosos periodistas, Rodríguez Correa como director de *Las Noticias* y Manuel del Palacio como colaborador de *El Pueblo.*

Caso de ablativo es el único reportaje de Bécquer que se conozca (aunque las *Cartas desde mi celda* presenten el carácter de un reportaje privado, en ciertos aspectos). Tuvo por objeto un suceso importante del reinado de Isabel II, pues el desarrollo de la red ferroviaria, en el que los medios financieros e industriales franceses desempeñaron un gran papel, fue una de las preocupaciones mayores de los gobernantes y señaló el principio de la transformación íntima de la vida española; favoreció una más amplia apertura de la nación hacia el norte e inició la modernización de la vida en las provincias interiores; la elección de una red en estrella cuyo punto central fue Madrid reforzó por fin la acción directora de la capital.

Los periodistas salieron de Madrid en la noche del 14 de agosto. La ceremonia se celebró al día siguiente, a las trece, en San Sebastián.

El reportaje se compone de apuntes tomados, según se sugiere, en el tren y redactados con un sabroso desaliño. Cosa rara en Bécquer, se trata de un texto que une gravedad y alacridad, con excelente equilibrio.

He aquí el panorama de El Escorial: «... con su atrevido cimborrio, sus torres cuadradas y macizas, y sus extensas alas de construcción uniforme e imponente. ¡El Escorial! que parece grande aun comparado con la inmensa mole de granito a cuyo pie se descubre. Un mar de verdura compacta y sombría presta su color melancólico y severo al paisaje.»

Tres masas. Un tinte. La esquematización del cuadro resulta atrevida y eficaz. La antipatía de Bécquer para con la arquitectura clásica se transparenta apenas.

He aquí «casi perdida entre la niebla del crepúsculo y encerrada dentro de sus dentellados murallones, la antigua ciudad, patria de Santa Teresa, Ávila, la de las calles oscuras, estrechas y torcidas, la de los balcones con guardapolvo, las esquinas con retablos y los aleros salientes. Allí está la población, hoy como en el siglo XVI, silénciosa y estancada».

Bécquer observa que todas las ciudades empiezan a despertar y que su primer acto consiste en romper sus murallas. Profetiza la cercana extensión de Ávila fuera de su recinto. Esta visión se aplica a un importante fenómeno histórico; la modernizacióon pasaba por la demolición de las murallas que estorbaban las comunicaciones y engendraban gastos de conservación; la mayor parte de las ciudades francesas habían verificado ya estas destrucciones (que los artistas lamentan hoy) en 1864. Las líneas citadas resumen en pocas palabras todo el encanto de Ávila.

He aquí Medina del Campo que anuncian altas hileras de árboles, con los vestigios ruinosos de algunos magníficos edificios. La feria ya no es más que una tradición. Y Bécquer anota melancólicamente: «Es triste en medio de la noche esta línea de ciudades que parecen otros tantos sepulcros donde yacen nuestras glorias, nuestro poder y nuestras tradiciones de grandeza.»

He aquí Valladolid, cuya proximidad desata el humorismo de Gustavo Adolfo: «¡Valladolid, la espléndida corte de los antiguos monarcas caste llanos! ¡Valladolid! da...», pero la cena solicita al periodista hambriento que, después de haber comido de pie delante del bufet especialmente instalado en la estación, y llamado en vano los tercetos de Jorge Manrique en ayuda de la inspiración, apunta: «Tratemos de recoger nuestras ideas ¿qué se hizo el rey don Juan? Eso es: ¿qué se hizo ese buen hombre?... Creo que las he recogido tan bien que me he quedado sin ninguna», y se duerme en esta búsqueda formulada de modo tan estropajoso. Valladolid no pasará de ser la luz que se acerca, la estación iluminada.

A las dos de la mañana se adivina Burgos en la oscuridad: «Burgos debe ser, porque entre esa mata compacta y oscura de techos puntiagudos, de torres almenadas y altos miradores, he visto destacarse, como dos fantasmas negros, las gigantescas agujas de su catedral.» Sigue un largo monólogo cadencioso sobre la Edad Media vista como «el magnífico prólogo lleno de símbolos y misterios de este gigante poema que poco a poco va desarrollando la Humanidad a través de los siglos». Las agujas de la catedral suscitan una imagen más filosófica que religiosa: representan el movimiento hacia lo infinito («ansia de prolongar hasta lo infinito el último punto del triángulo») que Bécquer opone aquí al genio matemático, pesado, frío y monótono de la época que se encarnó en Felipe II y que tuvo por modelo visible la arquitectura de El Escorial. En el pensamiento de Gustavo Adolfo, el genio verdaderamente creador es el de la Edad Media, tiempo rico en fantasías e interrogaciones; eslabones secretos enlazan aquella época con la era científica de la que la locomotora es a la vez el producto y el símbolo. La idea cristiana —ésta es la expresión que emplea— dio impulso a este movimiento considerado en su totalidad. Bécquer no hubiera aceptado que se le aplicase el calificativo «romántico» que, según su concepción, no se disociaba del escepticismo. Si, conforme al análisis que domina actualmente, puede ser colocado entre los representantes del romanticismo tradicionalista en España, no debemos olvidarnos de la atención que dedicaba al presente ni de las miradas que dirigía hacia el porvenir.

La continuación del viaje, entre Miranda de Ebro y San Sebastián, es para Gustavo Adolfo la ocasión de desarrollar reflexiones sobre algunos de los problemas con que los lectores de *El Contemporáneo* estaban familiarizados: papel que desempeña el libre cambio en la penetración de las costumbres e ideas extranjeras, potencia de la industria que ha permitido que la vía férrea atravesara las montañas del país vasco; alusión a los preparativos militares de Prusia, defensa de la idea latina estrechamente ligada con el catolicismo, esperanza en una unión de las naciones latinas bajo la dirección del Papa.

Remata el reportaje el hermoso cuadro del puerto de San Sebastián adornado para la fiesta. La imposibilidad de fijar la riqueza de lo vivido, esto es la impresión experimentada, se expresa aquí, con mayor soltura tal vez, en una lengua análoga a la que se encuentra en la descripción del mercado de Tarazona, redactada dos meses antes: «Heme aquí en San Sebastián, traído y llevado por las oleadas de la multitud, sin saber de qué forma valerme para proseguir apuntando mis impresiones. ¡Son tantas las cosas que a la vez reclaman mi atención!» Las impresiones visuales, sonoras, olfativas, cinéticas, están sin embargo juiciosamente seleccionadas conforme a las particularidades del momento (una ceremonia de bendición y gratitud hacia Dios) y teniendo en cuenta el tipo de información esperado por los lectores de un diario. Van presentadas con una precisión decreciente desde el altar donde se oficia hasta el horizonte marino. He aquí este texto denso, formado de una sucesión de vistas apenas interrumpida por una comparación breve y oportuna: «Aquí un altar, con un sacerdote revestido de las capas pluviales; sus cantos religiosos y sus incensarios, que despiden columnas de humo perfumado y azul. Allí un dosel de oro y terciopelo, grandes uniformes, bandas rojas y azules, placas de brillantes, todos los esplendores de la monarquía, y la *Marcha real*, que llena el viento de sus acordes majestuosos. En medio, la locomotora empavesada que bufa, contenida como un corcel fogoso sujeto por el jinete. Luego, una multitud inmensa de colores abigarrados que acude por todas partes y se apiña en torno al lugar de la ceremonia. Al fondo, el puerto con su bosque de mástiles empavesados con banderas de todas las naciones; el castillo que saludó a las majestades del cielo y de la tierra con sus formidables bocas de bronce; la ciudad, que se extiende al pie de la montaña; las campanas que voltean ruidosas y alegres, y, por último, el mar inmenso que se prolonga en lontananza hasta confundirse con el cielo en el horizonte.»

Muchas de las representaciones favoritas del futuro movimiento pictórico impresionista están en este texto: humos ligeros y vapores, banderas y banderolas, colores de muchedumbre y de uniformes, mástiles, puerto, mar y cielo. Los nombres de Boudin y de Monet acuden a la mente. Coincidencia: 1864-1865 es el período en que nace, en las playas de Deauville y de Trouville, el estilo aéreo de Boudin.

6 de octubre de 1864: Novena *Carta desde mi celda*.

Con esta carta vuelve el lector de *El Contemporáneo* a Veruela, aunque, según toda probabilidad, el texto no se escribiera allí. Da prueba del éxito de la serie publicada de mayo a julio entre los suscriptores.

Está dedicada la obra a una señorita M. L. A., quien pudo ver los cuadros de Murillo en la catedral de Sevilla. Me pregunto si no se trata de una señorita Alcega perteneciente a la familia con la que Gustavo Adolfo estuvo estrechamente ligado toda su vida. El texto acompaña un dibujo que representa a la Virgen de Veruela, obra de Valeriano o del mismo Gustavo, «copia exacta, quizás la única que de ella se ha sacado hasta hoy» precisa el autor.

En la introducción llama la atención una defensa de las tradiciones religiosas populares y de la fe contra la «crítica filosófica» cuyo «frío y severo análisis» se teme.

El texto propiamente dicho abarca, primero, una fresquísima descripción silvestre del sitio llamado «La Aparecida»; después, la leyenda de la fundación del monasterio por Pedro de Atarés, señor de Borja, leyenda que ya había evocado Augusto Ferrán en «El puñal» *(El Museo Universal,* 1863); y, finalmente, una segunda presentación de la abadía cisterciense de Santa María de Veruela.

Esta carta IX se diferencia de la carta II por su carácter de artículo histórico, religioso y turístico. El aspecto subjetivo, confidencial, se esfuma. Gustavo Adolfo se aproxima a la manera que va a ser la suya en adelante, tanto en *El Museo Universal* como en *La Ilustración de Madrid.* Entre los mejores trozos destacan los dedicados a la evocación del ambiente de la iglesia abacial abierta al viento, y a la modestia con la que el pueblo sigue honrando la imagen de Nuestra Señora de Veruela en aquella época de secularización y abandono.

Gustavo Adolfo manifiesta su sentido de lo inefable de manera particularmente lograda en la escena de la aparición de la Virgen. Se inspira expresamente en la pintura de Murillo. Como lo indiqué ya, las líneas dedicadas al traslado de la pequeña estatua milagrosa hasta Borja y la construcción del santuario constituyen pareja con las que, en *El caudillo de las manos rojas,* describen las circunstancias de la edificación del templo de Jaganata.

El movimiento de la rima LIII («Volverán las oscuras golondrinas») se vuelve a encontrar en el párrafo con el cual Gustavo Adolfo traduce la melancolía que le ha invadido («Pero aquella otra gran puerta del templo... no volverá a abrirse...»).

Los últimos tiempos de la colaboración en *El Contemporáneo.*

Entre octubre de 1864 y el momento en que Bécquer deja *El Contemporáneo* (16 de febrero de 1865), los artículos de índole artística escasean en el periódico. No se le puede atribuir ninguno de ellos con suficiente probabilidad. Visiblemente le absorben los escritos políticos, las tareas de dirección (a partir del 9 de noviembre) y, por fin, la toma de posesión del cargo de censor de novelas.

El 11 de diciembre, leo en la gacetilla textos humorísticos sobre los garbanzos cuyo vocabulario puede traducir la autoironía de Bécquer o de Pongilioni: «Hay algo más poético que la mariposa sobre la flor, que la gota de rocío en las hojas de los árboles, que la perla en el fondo del mar, y es el garbanzo perdido en las profundidades de la olla doméstica...»

Se sabe que Gustavo Adolfo era el amigo de Manuel del Palacio y de Luis Rivera. Después de su accesión a la responsabilidad de director de *El Contemporáneo,* la gacetilla del 19 de noviembre anuncia con los términos siguientes el nacimiento del hebdomadario político humorístico *Gil Blas,* que ha de salir todos los sábados a partir de diciembre y acogerá en el segundo semestre de 1865 la colaboración de los hermanos Bécquer: «Ha aparecido el primer número prospecto del nuevo periódico político satírico *Gil Blas.* En él hallamos las firmas de los conocidos escritores Palacio y Rivera... estará al lado de la democracia.» *El Contemporáneo* aprecia muy favorablemente la calidad material y artística de la nueva publicación.

El Contemporáneo trata ampliamente de la exposición de Bellas Artes inaugurada el 13 de diciembre por la reina, rodeada de numerosos ministros, entre quienes está González Bravo. El diario indica que, con sus 550 cuadros, la exposición es la más importante de las que se han organizado en Madrid hasta la fecha. Tres columnas van dedicadas a la exposición en el número 14 de diciembre. Se publica el 14 de enero la lista de las distinciones otorgadas por el jurado; el 26 siguiente señala *El Contemporáneo* las compras de cuadros más notables; otras noticias sobre varias obras aparecen todavía el 7 de febrero. La gacetilla había comunicado a los lectores todos los informes relativos a esta manifestación artística. El silencio de la familia Bécquer decepciona un tanto; los nombres de Joaquín y de Valeriano no figuran en las listas; Gustavo Adolfo no escribe ningún artículo acerca de la exposición; en *El Museo Universal,* Alarcón es quien pasa revista de las obras durante la primera quincena de enero.

Creo ver una tímida reaparición de Valera en la «variedad» del 11 de febrero de 1865, «Una fiesta en el palacio de los señores duques de Fernán-Núñez». El ardor, la alegría, la libertad de antaño tienden a desaparecer. El autor se da perfectamente cuenta de ello y nota con lucidez: «No podemos decir si es que la falta de costumbre ha engendrado en nosotros la timidez, o si en el año que ha pasado ha tenido espacio el tiempo para borrar algunos colores de nuestra paleta; pero ello es lo cierto que, al pretender hoy bosquejar el primer canto de nuestro poema anual, sentimos una vacilación y un temor que no nos permiten lanzarnos en nuestra tarea, como antes lo hemos hecho, *á corps perdu...*»

52. Gustavo Adolfo y *La Gaceta Literaria*

Fechando erróneamente la fundación de *La Gaceta Literaria* en 1864, error discupable ya que no llegó a Madrid antes de 1869, Narciso Campillo da las informaciones siguientes sobre esta publicación semanal: «Al año siguiente regresó a la corte, donde comenzó a publicar, en unión de su buen amigo D. Felipe Vallarino, la *Gaceta literaria,* cuya breve, pero provechosa existencia, bastó para darnos a conocer excelentes artículos y poesías, y el primer tomo de la *Historia de la literatura y del arte dramático en España,* por Adolfo Federico de Schack, traducida del alemán con sumo acierto por D. Eduardo de Mier.»

De las indicaciones proporcionadas por Franz Schneider, deduzco que el primer número de *La Gaceta Literaria* salió el 13 de diciembre de 1862, lo que tiende a confirmar un largo anuncio insertado en la gacetilla de *El Contemporáneo* el 14 de diciembre que reproduce el sumario del número inaugural. Este sumario menciona una revista de las obras de teatro por Manuel Cañete, un artículo de Hartzenbusch sobre Lope de Vega y Cervantes, el principio de una novela original de Luis Escudero, una miscelánea literaria. El cosmopolitismo de la revista está subrayado por la presencia de una rúbrica «anuncios de las últimas publicaciones alemanas, inglesas, francesas, italianas y españolas». Como se ve, Alemania ocupa el primer rango. *La Gaceta Literaria* contiene también la primera entrega de la traducción de *Historia de la literatura y del arte dramático en España,* de Schack. La traducción de esta obra está presentada como un «asunto de honra nacional». Ya desde el 9 de diciembre, la gacetilla de *El Contemporáneo* había anunciado con mucho elogio la publicación de la obra de Schack y tributado homenaje a la erudición alemana en tal materia, observando que, con excepción de Agustín Durán (recientemente fallecido) y de algunos otros sabios, España no alcanzaba este nivel de ciencia. Creo reconocer aquí, así como en una nota del 5 de diciembre donde se citaba el testimonio de Fernando Wolf sobre los méritos de Agustín Durán, aficiones y aperturas propias de Valera.

De Gustavo Adolfo se ha descubierto en *La Gaceta Literaria:* «¡Duerme!» (rima XXVII), publicada en el número 7 (24 de enero de 1863); *Apólogo,* irónica réplica en prosa de la rima LXXII («Las ondas tienen vaga armonía»), publicada en el número 12 (28 de febrero de 1863), y *La ridiculez,* publicado en el número 14 (14 de marzo de 1863). Creo que un atento examen de esta revista revelaría otros trabajos suyos, particularmente entre las recensiones y las noticias artísticas.

La ridiculez lleva la firma completa «Gustavo Adolfo Bécquer». Este corto ensayo se compone de unas sesenta frases que forman otros tantos párrafos, comprendiendo sólo 42 palabras el más largo. Es un modo de escribir sorprendente, pues más de una vez Gustavo Adolfo se ha alzado contra esta moda estilística que tendía a imitar el pensamiento aforístico francés. Esta forma, rarísima y tal vez única en la obra de Bécquer, me parece intencional y ligada al objeto mismo de la reflexión, que es una crítica de la misteriosa noción de ridículo, la cual hace referencia a los sutiles

Gustavo Adolfo Bécquer retratado por J. Laurent

matices de que se compone el buen tono de cada sociedad nacional. La acumulación de proposiciones sueltas expresa felizmente la desorientación de la razón que no consigue delimitar el objeto de su busca. Se siente que es grande la repugnancia del autor frente a la ridiculización, proceso de «muerte social, dolorosa y cómica por añadidura». Esta aversión debe compararse con la condena del sarcasmo y de la ligereza, tal como ya se expresaba en *Crítica literaria* (1859).

Los sentimientos expuestos en *La ridiculez* inspirarían también el proyecto teatral «El ridículo (filosofía social)» que figura en la lista de los pensamientos de obras originales anterior a julio de 1862 de que ya hablé a propósito de *El Cristo de la calavera*.

53. Las leyendas publicadas en *La América* (febrero-julio de 1863)

El gnomo, leyenda aragonesa (12 de enero de 1863)

La estructura de este relato es compleja. El narrador, omnisciente e invisible, presenta primero una escena de aldea: un anciano, el tío Gregorio, sentado cerca de la portada de la iglesia, al pie de un enebro, cuenta a un grupo de muchachas que regresaban de la fuente con su cántaro la sencillísima leyenda que motiva la prohibición de quedarse cerca del agua cuando entra la noche. El relato se fija luego en dos hermanas, dos huérfanas, apartadas del grupo, Marta (veinte años), morena y decidida, y Magdalena (dieciséis años), rubia y tímida, que son secretamente rivales pues quieren a un mismo joven que no se nombra ni aparece en la narración. A ocasión de la presentación de los personajes, el autor relata de paso la leyenda popular del rey de Aragón salvado durante una guerra contra los moros por una pastorcita que le indica los caminos subterráneos del Moncayo. Violando la interdicción, Marta y Magdalena van separadamente de noche a la fuente, cuya agua viene de las cavernas del Moncayo, llenas de tesoros. Durante la noche se hacen oír las voces del agua y del viento; Marta se reconoce en la primera mientras Magdalena se deja guiar por la segunda que la va alejando poco a poco de la fuente y la salva. Marta sigue al gnomo-fuego fatuo que aparece a proximidad del agua; se interna en la montaña y desaparece para siempre. A la mañana siguiente se descubre su cántaro roto al borde de la fuente. El autor se manifiesta al final del relato para indicar que ha oído contar la historia por jóvenes aldeanas las cuales aseguran que, de noche, se oye el llanto de Marta, cuyo espíritu queda prisionero de la fuente. «Yo no sé qué crédito dar a esta última parte de la histora —concluye el escritor— porque la verdad es que desde entonces ninguno se ha atrevido a penetrar para oírlo en la alameda despúes del toque del avemaría».

El gnomo seduce por la atmósfera poética, por la arquitectura de los símbolos y por la evocación de la vida popular alrededor del Moncayo.

El fausto de las imágenes forma un rasgo común a *El gnomo* y a *El caudillo de las manos rojas.* Esto se nota especialmente en la descripción de las riquezas de la montaña (oro, plata, piedras preciosas) y en la de los gnomos proteiformes que se adornan con todos los reflejos de la luz sobre el agua y la piedra. Genios de la montaña, los gnomos se relacionan con la tierra, el agua y el fuego juntamente. Ya desde ese momento está familiarizado Bécquer con el simbolismo popular de los cuatro elementos, presente en la tradición medieval, y para completar lo que indiqué ya al tratar de las últimas *Cartas desde mi celda,* utilizado en Francia durante los años 1820 por Nodier y Hugo antes de que Aloysius Bertrand *(Gaspard de la noche,* 1842) hiciera de él el fundamento de la prosa poética.

Esta poesía se encuentra también en el paisaje que Bécquer pinta de modo

— realista: «Véis —prosiguió el viejo, señalando con el palo que le servía de apoyo la cumbre del Moncayo, que se levantaba a su derecha, destacándose oscuro y gigantesco sobre el cielo violado y brumoso del crepúsculo»;
— o idealizador: «Yo (el viento) amontono en el Occidente las nubes que ofrecen al sol un lecho de púrpura y traigo al amanecer, con las neblinas que se deshacen en gotas, una lluvia de perlas sobre las flores.»

La leyenda principal, la de las dos hermanas, es una creación becqueriana inspirada en una oposición que se ha observado en los relatos populares de numerosas culturas. Descansa en dos series antagonistas de asociaciones:

Marta	*Magdalena*
Ojos negros.	Ojos azules.
Orgullo.	Modestia.
Voluntad de poder.	Sumisión.
Resolución.	Vacilación.
Razón y ciencia.	Intuición y arte.
La materia.	El espíritu.
El agua.	El viento.
La montaña.	La llanura.

Me inclino a pensar además que Marta representa el espíritu positivista del mundo moderno y Magdalena la resistencia de la tradición idealista. El viento desempeña para con la hermana menor el papel de la Virgen para con el pastor tentado de quien el tío Gregorio narra la historia a las jóvenes campesinas. El cántaro roto simboliza el atrevimiento culpable, fracasado, y también, me lo temo, la represión del no-conformismo y de la libertad. Un siglo antes, sólo había aludido Greuze a la inocencia perdida en su famoso cuadro del Louvre.

Como lo vio sagazmente Rica Brown , *El gnomo* representa un traslado a la prosa poética de la rima XI («Yo soy ardiente, yo soy morena») y del tema «El Espíritu y la Materia» tratado en 1853 por Larrea.

Bécquer ha entrelazado el mensaje simbólico con algunos elementos sacados de la realidad de una vida campesina que había podido observar durante los veranos de 1861 y 1862. La escena que representa a las jóvenes sentadas alrededor del viejo cuentista pudiera haber sido dibujada por Valeriano quien, en 1867, dará a *El Museo Universal* el magnífico grabado «El cuento del abuelo» en que dos niños, una muchacha y una mujer joven forman el auditorio. El costumbrismo queda sin embargo reducido en *El gnomo;* la indicación «leyenda aragonesa», que figura en *La América,* pero que abandonaron los editores de las *Obras,* resulta un poco engañosa; trajes, arquitectura rural (salvo el portal), instrumentos, ceremonias típicas y habla campesina están ausentes de la obra.

El gnomo debe parte de su ambiente a las colecciones de cuentos populares, tales como las de Perrault y sobre todo de los hermanos Grimm (cuento núm. 182, «Los regalos del pueblo de los pequeños», por ejemplo). Bajo la influencia de Ferrán, *El Semanario Popular,* del que *El Contemporáneo* publicaba de cuando en cuando el sumario, da a conocer en la misma época numerosas traducciones de cuentos de Grimm, pero esta aportación me parece relativamente ligera en la obra concebida por Bécquer.

La promesa, leyenda castellana (12 de febrero de 1863)

En este hermosísimo texto une Bécquer los sentimientos que le inspiran Sevilla y la provincia de Soria. Asocia también aquí su gusto de la evocación histórica, especialmente medieval, con su afición al cuento popular.

La obra se compone esencialmente de cinco escenas que tienen todas una gran fuerza dramática.

Los lugares de la acción son Gómara, localidad situada a unos veinte kilómetros al sudeste de Noviercas, y los alrededores orientales de la Sevilla sitiada por los cristianos (1248).

El conde de Gómara, ricohombre, ha seducido a la joven Margarita haciéndose pasar por escudero y prometiéndole el matrimonio. Tiene pronto que dejar su castillo para contestar al llamamiento del rey don Fernando III, quien emprende la cruzada contra los moros de Andalucía. Al momento en que sale del castillo con sus tropas le reconoce y se desmaya su amante. La matan sus hermanos por haber infringido las leyes del honor familiar. Protegido por una mano misteriosa cuya visión se impone a su turbada mente, el conde de Gómara alcanza sano y salvo Sevilla. Un curioso personaje, a la vez peregrino, juglar y vendedor ambulante, canta en medio del campamento el «romance de la mano muerta» que informa al conde de la muerte de Margarita y del hecho milagroso siguiente: queda imposible enterrar la mano que lleva el anillo puesto por su amante al dedo de la joven. De vuelta en su feudo, el conde hace celebrar por un sacerdote el casamiento sobre la tumba; estrecha la mano de la muerta; cesa el prodigio. Como en *El gnomo*, el autor aparece en el breve epílogo: «En un lugarejo miserable y que se encuentra a un lado del camino que conduce a Gómara he visto no hace mucho el sitio en donde se asegura tuvo lugar la extraña ceremonia del casamiento del conde... Al pie de unos árboles añosos y corpulentos hay un pedacito de prado que al llegar la primavera se cubre espontáneamente de flores. La gente del país dice que allí está enterrada Margarita.»

La promesa encierra tres hermosas evocaciones de la Edad Media: el desfile de la mesnada del conde de Gómara que deja el señorío para la cruzada, el animadísimo campamento real frente a Sevilla, el retrato del juglar. Revisado o no por Bécquer, el romance de la mano muerta con asonancia *i-a* es una obra maestra del género. La exactitud que se nota en los cuadros de costumbres —el propio Bécquer califica de «cuadro de costumbres guerreras» la evocación del campamento del ejército cristiano— revela la importancia de los conocimientos adquiridos tanto con ocasión de las lecturas realizadas para la redacción de *Historia de los templos de España* como por los contactos con eruditos especializados en las costumbres y artes decorativas de la España antigua tales como Manuel de Assas y Florencio Janer, el activísimo hermano político de Ferrán.

El panorama de la Sevilla medieval tendrá por pareja moderna en 1869 el que se halla en el cuadro de costumbres *La feria de Sevilla (El Museo Universal,* 25 de abril). En *La promesa,* la descripción de la torre de la gran mezquita (la futura Giralda) coronada con sus bolas de bronce dorado y la alusión a las murallas que cercaban la ciudad corresponden a la verdad histórica.

La inserción de un romance, el tema de la mano que no puede enterrarse y el prodigio natural (aquí el florecimiento primaveral) en la tumba de la inocente son, en *La promesa,* aspectos del relato popular. En el cuento de los hermanos Grimm titulado *Das eigensinnige Kind* (El niño obstinado), el brazo del niño rebelde no se hunde en la tierra antes que la madre no lo haya tocado con su palo.

La corza blanca (27 de junio de 1863)

La acción de esta tercera obra maestra se desarrolla en el siglo XIV en la comarca que se extiende al pie de las faldas meridionales del Moncayo, en Beratón y sus alrededores, muy cerca del límite entre Castilla la Vieja y Aragón.

Constanza, hija de don Dionís, el señor local, y de una madre desconocida que pudiera ser una gitana, es secretamente la reina de las ondinas y, como sus compañeras, tiene el poder de transformarse en corza cuando llega la noche. La llaman «la azucena del Moncayo», por la palidez de su tez; su capa de corza es también blanquísima. Practicando la burla hasta la crueldad, provoca su propia pérdida. En su forma de corza blanca, ignorada del joven montero Garcés quien la adora, Constanza pica el orgullo del mozo, cuya ballesta la hiere mortalmente en el fondo del soto a donde ha huido después de haber lanzado una última y fatal carcajada.

La corza blanca me parece ser, con *El monte de las ánimas,* la más dramática de todas las leyendas de Bécquer.

Sin embargo vuélvense a encontrar en ella el lirismo y la mitología popular de *El gnomo.* El personaje de la ondina reemplaza al del gnomo-salamandra. Los silfos se evocan por medio de algunas brillantes imágenes. El cuadro de las muchachas-corzas que se bañan al claro de la luna en un remanso del río, abrigadas por una arboleda, constituye una obra maestra en prosa de la pintura mitológica, las ondinas sustituyendo aquí a las ninfas y a las náyades de los siglos XVI y XVII.

El tema aparente pertenece a la poesía popular. Algunos elementos de atmósfera recuerdan *Die Gänsehirtin am Brunnen* (La guardadora de gansos en la fuente) de los hermanos Grimm (núm. 179).

El costumbrismo queda presente en *La corza blanca* con la sutil descripción del aspecto físico, del carácter, de la actitud, de las prácticas y de los ademanes, bien observados (el manejo de la honda en particular) del pastor pelirrojo Esteban, cuyo personaje, por el nombre y la devoción a San Bartolomé, pudiera representar, conscientemente o no, un homenaje al príncipe de los pintores sevillanos, Esteban Bartolomé Murillo.

El interés mayor de *La corza blanca* me parece no obstante estribar en el valor simbólico de Constanza. Este personaje no es la simple «muchacha-corza» del folclore occidental. Físicamente une Constanza en su persona los retratos de Marta y de Magdalena, las muchachas alegóricas de *El gnomo,* lo que significa que representa a un tiempo la materia y el espíritu, la voluntad y la contemplación, lo real y lo ideal: «El carácter, tan pronto retraído y melancólico como bullicioso y alegre, de Constanza; la extraña exaltación de sus ideas, sus extravagantes caprichos, sus nunca vistas costumbres, hasta la particularidad de tener los ojos y las cejas negros como la noche, siendo blanca y rubia como el oro, habían contribuido a dar pábulo a las hablillas...» Esta dualidad se observa también en la doble forma de Constanza: animal cazado, beldad inaccesible. Llevado del amor propio y de la ira, Garcés destruye al ser ideal que vive bajo la apariencia del ágil y elegante animal nocturno. El joven e impulsivo poeta viene a ser víctima de la cruel burla de la vida universal. Igual que *El gnomo* puede leerse *La corza blanca* como un relato iniciático.

El aspecto ideal —la azucena— del personaje de Constanza se expresa con suma perfección en la rima XIX («Cuando sobre el pecho inclinas»).

Las asociaciones metafóricas del final de *La corza blanca* reaparecen en la presentación de la oda «Al siglo XIX» de Antonio Fernández Grilo *(El Contemporáneo,* 19 de octubre de 1863) para caracterizar el malestar del poeta, que tiene que vivir en el mundo de la prensa y la política: «... La corza blanca, deseando escapar por el soto se había lanzado entre el laberinto de sus árboles, y enredándose en una red de madreselvas, pugnaba en vano por desasirse... Constanza, herida por su mano, expiraba allí... entre las agudas zarzas del monte» *(La corza blanca).*

«... No desgarre en girones la blanca vestidura de su musa, enredándose entre los zarzales de las gacetillas, o entre los laberintos de la política...» («Variedades». Oda «Al siglo XIX».)

El beso, leyenda toledana (27 de julio de 1863)

La fuerza de visión es tan potente en esta leyenda como en las tres precedentes. Aplícase aquí al Toledo de la época napoleónica y al vandalismo de las tropas de ocupación.

Apoyándose en la tradición toledana de la profanación de los sepulcros de los condes de Fuensalida en la iglesia del Carmen Calzado, que fue incendiada, Bécquer cuenta la historia de un joven capitán de dragones francés, quien se enamora de la estatua de Elvira de Castañeda. En el momento en que, bajo el influjo de la embriaguez, acerca sus labios a las de la imagen de la muerta, cae mortalmente golpeado por el guantelete de piedra del orante, el marido de doña Elvira, Pedro López de Ayala, primer conde de Fuensalida (fallecido en 1444). La acción final, fantástica, parece inspirada en otra tradición relativa al monasterio de Poblet (Cataluña) a la que alude uno de los personajes.

Dos ligeros errores se notan en el plano histórico. Aunque conociese perfectamente la historia de las estatuas de los condes de Fuensalida, muy admiradas por él, como se advierte en las líneas de *Historia de los templos de España* dedicadas al convento de San Pedro Mártir, Bécquer localizó la acción en este último monumento donde vio las estatuas en 1857-1858 y no en la iglesia del convento del Carmen Calzado en que se hallaban en 1808-1809. En segundo lugar, los soldados de Napoleón no cantaban canciones de Ronsard, poeta que rehabilitaron los románticos, en particular Sainte-Beuve, a partir de 1828; en cambio, Ronsard estaba de moda en Francia mientras Bécquer producía sus leyendas; por ejemplo, Teodoro de Banville había publicado «poemas compuestos sobre ritmos de Ronsard» en su libro *Ametistas* (1862).

El beso ofrece dos grandes encantos:

— Hermosos cuadros nocturnos de Toledo, especialmente los del interior de los monumentos ocupados por las tropas.
— La valoración lírica de la estatuaria por la voz del joven oficial francés.

En esas descripciones que restituyen intensa vida a la arqueología, los ruidos desempeñan respecto del silencio el mismo papel de revelador que los puntos luminosos (linternas, farolillos y hogueras) respecto de la oscuridad. Aquí ejerce plenamente Gustavo Adolfo su arte del claroscuro.

Soñador predispuesto a la melancolía, el capitán francés sin nombre personifica ante todo al poeta y al artista. El champaña —un vino que fascinaba a Bécquer, a cuyos ojos simbolizaba el espíritu francés— le hace perder el dominio de sus actos y provoca su muerte, sanción ésta del franqueo de la frontera que separa el sueño del acto. Este lirismo es el de la rima LXXVI («En la imponente nave») y también, de manera más secreta, el de la rima LV («Entre el discorde estruendo de la orgía»).

El beso representa, en la obra de Bécquer, la más bonita versión del mito de Pigmalión (o de Galatea), de aquel mito de la piedra viviente al que tenía tanta afición y que ocupa lugar tan destacado en sus escritos:

— «De tal modo te explicas, que acabarás por probarnos la verosimilitud de la fábula de Galatea.»
— «Por mi parte, puedo deciros que siempre la creía una locura: mas desde anoche comienzo a comprender la pasión del escultor griego.»

La mujer de piedra, la rima LXXVI y la rima XXXIX («¿A qué me lo decís? Lo sé; es mudable»), con su final

> Que es una estatua inanimada; pero...
> ¡Es tan hermosa!

son algunas de las demás huellas dejadas por el mito antiguo en la obra de Bécquer.

La imagen de la sílfide («un espíritu que, revistiendo por un instante la forma humana, había descendido en el rayo de la luna») une *El beso* con *El gnomo* y con *La corza blanca.* Las mitologías se mezclan y se armonizan.

54. Vuelta al teatro

El nuevo Fígaro (20 de septiembre de 1862)

Esta zarzuela en tres actos de Adolfo Rodríguez (Gustavo *Adolfo* Béc-quer y Ramón *Rodríguez* Correa) no vale sino por la destreza técnica de ambos adaptadores, quienes transformaron para la escena española la ópera bufa en dos actos largos del compositor italiano Luigi Ricci.

Esta obra no tiene ni la vivacidad ni los logros líricos de *La venta en-cantada* o de *La cruz del valle*.

La acción, que se desarrolla en la Cintra del siglo XVIII, tiene como tema los amores de dos jóvenes que deben vencer el recelo de un barón diplomático cuya oposición no tiene claros motivos. Los caracteres no pre-sentan mayor consistencia que la intriga.

Bécquer y Correa han efectuado en este caso un trabajo puramente re-munerador. No es, pues, de extrañar que la prensa, *El Contemporáneo* incluso (21 de septiembre de 1862), haya ignorado a los libretistas. Gustó el espectáculo musical. Los cantantes se granjearon elogios, en especial el barítono Modesto Landa, que hacía el papel de Marcelino, el astuto inter-mediario. *La Iberia,* cuyo parecer reprodujo sin más comentarios *El Con-temporáneo,* alabó igualmente la orquesta y su director Oudrid. En su re-vista de la semana del 5 de octubre, Nemesio Fernández Cuesta apuntó en *El Museo Universal,* que la zarzuela había sido muy bien representada.

Bécquer y Rodríguez Correa cedieron sus derechos de autor a una so-ciedad denominada Centro General de Administración que editó el texto a finales de 1862 en la colección «Galería lírico-dramática».

Clara de Rosemberg (10 de junio de 1863)

Esta zarzuela en dos actos fue escrita por «Adolfo Rodríguez» para dar su pleno valor a la música de la ópera de Luigi Ricci que llevaba el mismo título.

Se trata de un melodrama refundido, bastante pesado, cuya intriga se resume en la pregunta: ¿debe una muchacha honrada (Clara) dejar que se crea que ha matado al hijo del hombre a quien ama (Valmor) o denun-ciar al homicida, quien resulta ser el hombre de quien se cree la hija (Mon-talván)? Este último personaje es, en la zarzuela, el «malo» absoluto.

El asunto daba motivos algo mejores a la inspiración lírica de Bécquer que *El nuevo Fígaro*. Por eso encuéntranse en este libreto algunos versos armoniosos como los del coro final:

Como en Oriente fúlgido
tras de la noche oscura
brilla del alba pura
el nítido arrebol,
de la calumnia pérfida
pronta a rasgar el velo
brilla en mitad del cielo
de la inocencia el sol.

El libreto fue visado favorablemente por la censura el 30 de mayo de 1863 y la obra fue representada en el Teatro de la Zarzuela once días más tarde. Sabemos por una carta a sus suegros, ya citada, que si Gustavo Adolfo no se desinteresaba de la opinión que sus colegas de la prensa emitieran acerca de su versificación, veía esencialmente en este tipo de trabajo un medio de mejorar su situación económica.

Hubo en total cinco representaciones (10, 13, 22, 23 junio de 1863). Además se cantó el trío del primer acto el 19 de junio en una representación de gala organizada a provecho de la señora Rivas, miembro de la tropa del Teatro de la Zarzuela, y el primer acto entero fue representado el 25 en otra función de gala dada a beneficio de otro actor, Francisco Calvet. La temporada teatral se acabó el 30. *Clara de Rosemberg* recibió, pues, favorable acogida.

Como lo indica Gustavo Adolfo en la carta que mandó a sus suegros, emitieron críticas algunos diarios. Una de las más ásperas vino de *El Diario Español,* adversario de *El Contemporáneo,* que, conociendo a los autores del libreto, escribió, sin negar el encanto de la música de Ricci ni el mérito de los cantantes Salas y Obregón (inversamente se criticaba con severidad a la señorita Isturiz en el papel de Clara): «Anoche asistimos a la segunda representación de la ópera del maestro Ricci, *Clara de Rosemberg,* convertida en zarzuela por dos escritores, cuyo nombre no quiso saber el público. Conocida es ya de antiguo nuestra opinión sobre estos arreglos, verdaderas profanaciones con las cuales se desnaturalizan y adulteran las más bellas creaciones musicales. El libro, que en estos casos no es más que un pretexto para dejarnos percibir las bellezas de la música, tiene poquísimo interés y está escrito además con gran descuido.»

El Contemporáneo reprodujo el texto íntegro de esta crítica en su gacetilla del 13 y añadió: «Ahora bien, sepan nuestros lectores que no ha habido *segunda* representación de *Clara de Rosemberg,* a menos que para el crítico de *El Diario* hayan dado una a puerta cerrada. ¡Qué datos para la historia de la crítica en España!»

Esta observación será de Gustavo o de Correa.

No se conoce ninguna publicación del libreto de la zarzuela de «Adolfo Rodríguez».

Otros posibles trabajos de carácter teatral

Ha descubierto Geoffrey W. Ribbans que un cierto «A. Rodríguez» es el autor de las obras siguientes, publicadas en la colección «Museo dramático ilustrado, comedias escogidas escritas para los principales autores antiguos y modernos, nacionales y extranjeros» (Barcelona, Vidal y Compañía editores, 1863-64, 2 tomos):

— Tomo I: *La educación de un canario,* pieza en un acto arreglada para la escena española, y *Páguese a la orden,* de la misma designación.
— Tomo II: *El diplomático,* comedia en dos actos, escrita en francés por M. M. E. Scribe y G. Delavigne.

Puede ser que estas obras se deban a la pluma de Bécquer y de Rodríguez Correa pero no hay prueba de ello. En todo caso ofrecen todavía menos interés literario que *El nuevo Fígaro* y *Clara de Rosemberg.*

5

censor de novelas

BÉCQUER, FISCAL DE NOVELAS Y PERIODISTA MINISTERIAL
(16 DE FEBRERO-23 DE JUNIO DE 1865)

ESTOS pocos meses se marcan, en Gustavo Adolfo, por el acomodo material y una participación más activa en la lucha política. Como tuvo que censurar la conducta de antiguos compañeros de *El Contemporáneo* que se pasaron progresivamente a la oposición frente al gobierno Narváez mientras gozaba él del favor de los gobernantes, creo que vivió entonces en cierto desasosiego psicológico. Desde el punto de vista literario, este período prolonga el vacío que se observa desde el mes de octubre de 1864.

55. El final del primer período de fiscalía

La retirada de Narváez el 21 de junio de 1865 se debió a varias causas: disturbios suscitados en Madrid por su intolerancia para con la oposición democrática y más aún con la libertad de expresión universitaria; tentativa de sublevación (Prim) en Valencia; decisión tomada por la reina de confiar la educación del príncipe de Asturias al conde de Ezpeleta, senador oponente.

O'Donnell fue llamado en seguida.

Bécquer remitió su dimisión de censor sin fechar el documento. Alguien escribió la fecha del 21 de junio, lo que corresponde a la realidad, puesto que *El León Español,* órgano de Narváez, anunció esta renuncia el 22, al mismo tiempo que la de los directores del Ministerio de Gobernación: Cardenal, Botella, Nacarino Brabo, Ródenas y Sanz. Posada Herrera, nuevo ministro de Gobernación, presentó sin retraso a la firma de la reina el decreto por el cual se aceptaba la dimisión de Gustavo Adolfo Becker (sic) y se le declaraba cesante. Marcaba la reina su satisfacción por el celo y lealtad con que había desempeñado su cargo. Este acto lleva la fecha del 23 de junio.

De manera extraña, la prensa *(La Época, El Español, Las Novedades)* no dio noticia de este decreto antes del 18 de julio. Gustavo Adolfo guardó consigo los documentos administrativos, el registro y el sello de la fiscalía. Se los reclamaron el 2 de octubre y los entregó el 7. Es de creer que la censura de novelas no actuaba mucho durante el verano.

56.   El principio de la colaboración de Bécquer en *Los Tiempos*

Después de la escisión del 16 de febrero, Albareda, Valera y Fabié reanudaron, o acrecentaron, su colaboración en *El Contemporáneo.* Creo reconocer la manera de Valera en la variedad «Una fiesta aristocrática» del 28 de febrero, que relata la representación en los salones de los duques de Medinaceli de la pieza de Scribe arreglada por Ventura de la Vega, *Perder y cobrar el cetro.* Valera firma «J. V.» dos cartas sobre «Lo absoluto de Campoamor» (29 de marzo y 16 de abril) y «E. A.» (Eleuterio Agorete) la variedad «De la fiesta del Dante» (28 de mayo). La interesante serie de variedades titulada «De paseo» y firmada «Sigma» (marzo-julio de 1865) es obra de una persona cercana a Antonio Alcalá Galiano pero no parece que se trate de Valera, que era su sobrino; pues Sigma alude el 16 de abril a la «amistad afectuosa» que le ligaba con el ministro, fallecido el 11.

El 15 de marzo, *El Contemporáneo* participa en una manifestación de la prensa contra el proyecto de nueva ley de imprenta, bastante retrógrada. *El Contemporáneo* se halla así al lado de Luis Rivera *(Gil Blas),* Sagasta *(La Iberia),* Eduardo Asquerino *(La América),* Castelar *(La Democracia),* Frontaura *(El Cascabel),* etc.

González Bravo juzga entonces necesaria la creación de un nuevo diario destinado a remediar la defección de *El Contemporáneo;* este nuevo diario será *Los Tiempos,* cuyo primer número saldrá a luz el 30 de marzo. El 29, *El Contemporáneo* examina el prospecto de *Los Tiempos,* reconociendo los méritos literarios de González Bravo y de sus jóvenes amigos pero ironizando sobre el «liberalismo práctico» que la nueva publicación hacía alarde de defender.

La participación de Bécquer en la redacción de *Los Tiempos* queda probada por una información publicada el 8 de abril en *La España,* diario gubernamental, así como por el testimonio de Francisco de Laiglesia, que indica expresamente en *Bécquer. Sus retratos* (pág. 7) que Gustavo Adolfo fue el autor del artículo «El partido angélico» publicado en *Los Tiempos* y dirigido contra los animadores de *El Contemporáneo.*

En mi conocimiento, ninguna colección de *Los Tiempos* ha sido estudiada ni aun localizada hasta la fecha. Es lástima. Se encontrarían probablemente en ella varios textos de Bécquer, en particular escritos de índole
política, lo que permitiría conocer de modo más completo este aspecto de
su obra. Se conocerían también un poco mejor las relaciones que tenía en
esta época. Parece que Botella haya desempeñado un importante papel en
Los Tiempos. El director del diario era Manuel Pérez y Molina, quien fue
elegido diputado por el distrito de Segorbe (Castellón) a finales de mayo
de 1865.

Los Tiempos empezó su carrera en época de violentos remolinos en el
medio intelectual madrileño y luego en la calle. El 8 de abril, el jurista
Juan Manuel Montalván, rector de la Universidad Central, fue declarado
cesante; al mismo tiempo se suspendía a Castelar de su cátedra. El 10, la
instalación del nuevo rector, el marqués de Zafra, se hizo en condiciones
difíciles. En la misma noche de ese día (San Daniel), las tropas rompieron
el fuego sobre grupos de manifestantes. «A la una de la noche, hora en
que cerramos nuestro periódico, Madrid presenta un aspecto verdaderamente imponente —se lee en *El Contemporáneo* del 11—, en la calle de
Sevilla se veían rastros de sangre y de balas; se recogían y cuidaban a heri-
dos en muchos sitios.»

El 15 de abril, hizo saber *El Contemporáneo* que se había unido a una
veintena de diarios o periódicos para protestar contra la conducta de la
fuerza pública durante la noche del 10. Este comunicado nos recuerda que
el sucesor de Bécquer en la dirección de *El Contemporáneo* era Joaquín
González de la Peña, y nos informa de que los redactores eran desde hacía
algún tiempo Juan Valera, Antonio María Fabié, Manuel Fernández Martín,
José Ferreras, Felipe Navarro, J. Miralles y José Luis Albareda. Se notan,
entre los firmantes de la protesta, a García Luna, redactor de *El Eco del
País;* Julio Nombela, redactor de *La Política;* J. A. Viedma, redactor de
La Razón Española, y Eusebio Blasco, redactor de *Gil Blas*. Dada su fidelidad a Narváez y a González Bravo se encuentra Bécquer separado de muchos de sus amigos en el plano ideológico. Aunque políticos, los acontecimientos de abril de 1865 afectaban la sensibilidad profunda de cada uno.

Después de la noche de San Daniel, *El Contemporáneo* se aproximó
un poco más a la Unión Liberal de O'Donnell y a su órgano *El Diario
Español*.

La polémica con *Los Tiempos* se inició el 16 de mayo. El artículo «El
partido angélico» se publicó sin duda en *Los Tiempos* el día siguiente. En
él echaba Bécquer en cara a sus antiguos camaradas de redacción su ingra-
titud con Narváez y González Bravo. *El Contemporáneo* contestó el 18
con el artículo «El partido terrenal», subrayando que, a diferencia tanto
del elemento «interno» (esto es, los redactores de *Los Tiempos* procedentes

de *El Contemporáneo*, fundadores) como del elemento «externo» (esto es, los periodistas recientemente empleados) de *Los Tiempos,* él vivía de modo difícil en la oposición por haber dado la preeminencia a los principios sobre la obediencia a los jefes aunque respetando a éstos: «A esta luz deben mirarse las relaciones políticas cuando se entra en un partido a servir a los principios y no a seguir a las personas... Nos hemos limitado a lo absolutamente necesario para definir nuestra actitud y para defenderla; ni más ni menos.»

En cuanto a las decisiones políticas del momento, las discrepancias atañían principalmente a un punto de política extranjera: la oportunidad de reconocer el reino de Italia, y a un punto de política interior: el restablecimiento de la censura previa.

El 20 de mayo, *El Contemporáneo* publicó un resumen de su polémica con *Los Tiempos* así como una carta de Valera, quien declaraba sentir haber escrito que no se atreverían a tocar a la cátedra de Castelar y que el gobierno estaba compuesto de hombres de juicio.

No es seguro que Francisco de Laiglesia haya tratado con imparcialidad este momento de la vida de Gustavo Adolfo. Sólo permitirá hacerse una opinión valedera sobre este punto el descubrimiento de una colección de *Los Tiempos*. He aquí lo que escribió Laiglesia en 1920: «... En la única ocasión en que (Bécquer) quiso manifestar sus aptitudes para defender a González Bravo de los ataques e insultos de Albareda, Valera y Fabié convertidos al liberalismo, después de cinco años de campaña contra sus modernos correligionarios, escribió en *Los Tiempos* el artículo célebre *Los Angélicos* en que la sátira clásica y literaria del joven y del poeta recordó a sus antiguos compañeros los deberes y los respetos que imponían la dignidad, la consecuencia y la vergüenza.»

En junio, una verdadera batalla tuvo lugar en el Congreso entre González Bravo y Botella por un lado, y Albareda, Valera, Fabié y sus amigos por otro. Después de la caída de Narváez el 21, *El Contemporáneo* enumeró como sigue, a intención de O'Donnell, los actos y las reformas que deseaba:

— Retirada del proyecto de la ley sobre la imprenta.
— Creación del jurado criminal popular.
— Disminución por mitad del censo y elecciones a escala de la provincia.
— Amnistía para los delitos de prensa.
— Restablecimiento de la municipalidad de Madrid, disuelta como consecuencia de los disturbios del 10 de abril.
— Entablación de negociaciones con objeto de reconocer al reino de Italia.

La vuelta de O'Donnell al poder convirtió *Los Tiempos* en diario de oposición.

57. Las apariciones culturales

El 27 de marzo, antes que se inicie su colaboración en *Los Tiempos,* Gustavo Adolfo ve publicar en el semanario *El Eco del País* (núm. 4) el cuarteto ya publicado anónimamente en *El Contemporáneo* el 23 de abril de 1861, futura rima XXIII, «Por una mirada, un mundo», asociado con una interpretación por Ferrán del canto 89 del libro de Heine *Die Heimkehr* (El regreso), cuyo primer verso es «Das Tod, das ist die kühle Nacht» («La muerte, esto es, la noche fría»). Este poema lleva la firma de Bécquer por primera vez. Los dos cuartetos de octosílabos de Ferrán preceden al de Bécquer. La asonancia *e-o* de la copla becqueriana figura dos veces en la «Traducción de Enrique Heine», enlazando ambas composiciones breves cuya yuxtaposición simboliza el encuentro en Madrid de la poesía de Heine con la poesía popular española.

La rima «Yo soy ardiente, yo soy morena», futura rima XI, hubiera sido publicada por primera vez, según nota de la edición Aguilar de las *Obras,* en el diario o en el semanario *El Eco del País* el 26 de febrero de 1865; pero no pude conseguir confirmación del hecho.

La amistad de García Luna, redactor de *El Eco del País,* sería para algo en estas publicaciones.

Mientras Gustavo Adolfo participa en las contiendas políticas en Madrid, Valeriano recorre las provincias de León, Castilla, Aragón, para dibujar y pintar. La idea de una colaboración entre ambos hermanos, dibujando el uno, comentando los grabados el otro para poner de relieve el valor moral y artístico de las costumbres antiguas que reflejan, viene a plasmarse en la publicación por *El Museo Universal,* el 11 de junio de 1865, del dibujo «El hogar, costumbres de Aragón», que representa con realismo a una pareja de jóvenes campesinos tiernamente sentados juntos delante del hogar; unos gatos y varios objetos (jarros, utensilios colocados en el revellín, cebollas colgadas) se ven en el dibujo grabado por Rico. No está firmado el texto de acompañamiento; pero su estilo y las ideas expresadas corresponden a lo que se había podido leer en la cuarta de las *Cartas desde mi celda.* El dibujo está presentado como el primero de una serie que tendrá como fin dejar una huella de la pintoresca originalidad de los vestigios de la cultura pasada, amenazada por un movimiento que engendra «la más prosaica monotonía». Queda poco dudoso que el autor de este texto sea Gustavo Adolfo, quien así inaugura de la manera más atractiva su colaboración en *El Museo Universal.*

6

vuelta al periodismo

BÉCQUER CESANTE. NUEVAS ACTIVIDADES EN LA PRENSA
MADRILEÑA (24 DE JUNIO DE 1865-23 DE JULIO DE 1866)

ES de suponer que el segundo semestre de 1865 fuera bastante difícil
para el matrimonio Gustavo Adolfo-Casta. Había desaparecido el
sueldo de censor de novelas. Los solos ingresos conocidos procedieron de
la colaboración en *Los Tiempos* hasta octubre, de trabajos puntuales en
El Museo Universal, y, a partir del 28 de octubre, de las ilustraciones satíricas que los hermanos Bécquer dieron a *Gil Blas,* poco numerosas al fin
de cuentas.

Se han acrecentado las cargas, ya que un segundo hijo ha nacido en
septiembre. Habrá que resignarse a ocupar un piso menos costoso.

Colaborador ocasional de *El Museo Univesal* desde el 11 de junio, Gustavo Adolfo se granjea la confianza de Gaspar y Roig, propietarios de la
revista, viniendo a suceder a principios de enero de 1866 a León Galindo
y de Vera como director literario. Se trata de un empleo estable y codicia-
do, aunque Gaspar no tenga reputación de generoso. Vivir de su pluma
en Madrid queda difícil.

Las tareas del director literario de *El Museo Universal* son: buscar colaboradores, redactar textos para acompañar las ilustraciones sueltas, escribir cada semana la revista de la actualidad que abarca una notable parte
política, tan neutral como posible dado el carácter de semanario de simple
información con vocación cultural de la revista. Es probable que, por aquel
tiempo, Bécquer empiece a componer la primera colección de las *Rimas;*
ofrece algunas de ellas, inéditas o ya publicadas, pero aquí revisadas, a
los lectores de *El Museo Universal.*

La vuelta al poder de Narváez y de González Bravo el 12 de julio de

1866 no interrumpe en seguida esta actividad pero, ya desde el 23, Gustavo Adolfo recobra su empleo de fiscal de novelas.

Durante este período, se ha degradado un poco más la vida pública española. Ha quedado fuerte la hostilidad entre los partidarios de O'Donnell, que han gobernado con dificultades cada vez mayores, y las diversas oposiciones, en particular la de los moderados de Narváez y la de los demócratas. A principios de octubre de 1865, ha sido reprimida una sublevación militar dirigida por Prim, nacida en Aranjuez y Ocaña; se ha prolongado el estado de sitio hasta principios de marzo de 1866. El 22 de junio, bajo la influencia de Prim, refugiado en el extranjero, los suboficiales de la caserna de San Gil en Madrid se han sublevado a su vez, amenazando seriamente a Posada Herrera, el ministro de Gobernación de O'Donnell; ha sido severa la represión; han sido fusilados setenta y seis suboficiales y caporales. Narváez ha sido herido en los combates contra los sediciosos.

Los observadores desapasionados no dudan de que España se encamina hacia la revolución. He aquí el testimonio de Eugenio Poitou, un magistrado francés que viaja por España en el mes de abril de 1866: «La reine vient de partir pour Aranjuez. Les esprits sont inquiets et agités dans Madrid. La situation politique et financiére du pays est de plus en plus menaçante. On me dit qu'on a craint, il y a quelques semaines, un mouvement insurrectionnel dans Madrid même. L'armée n'est pas sûre; on déplace sans cesse les régiments. Pour tout le monde, l'avenir est gros d'orages; le mal est immense, la corruption générale, le gouvernement méprisé, la dynastie même dépopularisée. Les choses ne peuvent aller longtemps ainsi: une révolution nouvelle prochaine est inévitable, et tout le monde s'accorde á croire qu'elle sera plus grave et plus profonde que les précédentes» *(Voyage en Espagne, Tours, Mame, 1869, pág. 386).* (Traducción: «La reina acaba de salir para Aranjuez. Los ánimos están inquietos y agitados en Madrid. La situación política y financiera del país está cada vez más amenazadora. Me dicen que se ha temido, hace algunas semanas, un movimiento insurreccional en el mismo Madrid. No está seguro el ejército; sin cesar se cambia de sitio a los regimientos. Para todo el mundo, el porvenir está cargado de tormentas; el mal es inmenso, la corrupción generalizada, el gobierno despreciado; la misma dinastía, impopular. Las cosas no pueden ir así mucho tiempo; una nueva y próxima revolución es inevitable, y todo el mundo está de acuerdo para creer que ha de resultar más grave y profunda que las precedentes» - *Viaje por España,* Tours, Ediciones Mame, 1869, pág. 386).

Dudo de que Gustavo Adolfo, que seguía ciegamente a González Bravo y a Narváez, a quienes le ligaban gratitud y admiración, haya percibido claramente la llegada de la tempestad.

58. La vida familiar. Las dificultades de Valeriano

Parece que, a pesar del embarazo de Casta, el matrimonio no modifica sus costumbres en el verano de 1865. Según Rica Brown, quien cita una carta de agosto de 1865 conservada en la Biblioteca Nacional de Madrid, Rodríguez Correa escribe a Campillo: «Gustavo está en los baños de Fitero con su esposa. ¡Horror, horror, horror!» Dado su estado, la presencia de Casta en Fitero me sorprende. La exclamación de Correa confirma que apreciaba poco a la mujer de su amigo pero las causas del sentimiento expresado quedan desconocidas.

Jorge Luis Isidoro nace en Madrid el 17 de septiembre de 1865 y recibe el bautismo el 19, morando entonces los padres en la calle del Fúcar, parroquia de San Sebastián. Asiste al bautismo como padrino el tío Francisco Domínguez Bécquer e Insausti, el decano de la familia, quien vive en Soria. La madrina es la señora doña Isidora Arnaiz.

Posteriormente, los esposos se fueron a vivir en un piso sombrío de la calle de las Huertas, que habitó posteriormente Eusebio Blasco al ser reintegrado Bécquer en su cargo de censor durante el verano de 1866.

Estos pisos, ambos próximos a la iglesia San Sebastián, se hallaban en el centro de Madrid y convenían perfectamente para una actividad periodística.

Mientras tanto, Valeriano, acompañado por sus dos hijos, alternaba las estancias en Madrid y Veruela, lugares en que pintaba las obras importantes, con los viajes en provincia para dibujar y pintar del natural. Gracias a un álbum guardado en la biblioteca de la fundación Lázaro Galdiano, de Madrid, sabemos que pasó unos diez días en Burgos a finales de julio de 1865 antes de irse a Algorta (Bilbao) donde dibujó durante los diez primeros días de agosto. Se fue luego a Veruela pasando por el monasterio jerónimo de la Estrella, cercano a San Asensio en La Rioja. Resulta posible que Gustavo Adolfo le haya acompañado y se haya reunido con Casta en Fitero, a la vuelta. Durante el otoño de 1865 y el invierno siguiente pasaría Valeriano algunas temporadas en Madrid ya que, en aquella época, dibuja para *Gil Blas*. Para Navidad se encontraba con sus hijos en un hotel de Ávila donde Gustavo y Casta vinieron a visitarles. En este momento tenía Julia cinco años; guardó el recuerdo del teatro de marionetas, con decoraciones de cartón, que Gustavo Adolfo montó, pintó y animó.

Sin embargo, un año había pasado desde que se había otorgado a Valeriano una pensión anual de 10.000 reales sin que el pintor hubiese entregado al Museo Nacional los dos cuadros debidos cada año ni se hubiese excusado. Por ello, y sobre informe establecido por José Caveda, director del museo, el director general de Instrucción Pública ordenó, el 23 de febrero de 1866 que se suspendiese el pago de la pensión; además intimó a Valeriano a que entregase los dos cuadros o devolviese las cantidades recibidas.

En aquella época, Valeriano estaba trabajando en la comarca de Ocaña después de una breve estancia en Calatayud; un hermosísimo dibujo que representa la cocina gótica de una mansión señorial de Ocaña y que hizo conocer más tarde *La Ilustración de Madrid* lleva la fecha del 28 de febrero de 1866.

Valeriano dio explicaciones por carta del 23 de marzo de 1866, redactada en Vera del Moncayo. Se encontraba, pues, entonces en el monasterio de Veruela, que le ofrecía comodidades para pintar y alojar a los niños.

Expuso que había tenido que suspender sus trabajos a consecuencia de dificultades de salud y de desgracias de familia debidas a la epidemia de cólera del segundo trimestre de 1865. Añadió que sus trabajos en el campo habían sido retrasados por la dificultad de abastecerse en material de pintura.

Una entrega, la del cuadro «El presente», acompañaba a esta carta. Un retrato que había servido para componer la obra fue publicado en *El Museo Universal* del 12 de agosto de 1866 con el título «El alcalde, tipo aragonés»; en un ambiente gótico exhibe un personaje vestido de negro una vara y un jarro.

En su carta del 23 de marzo, Valeriano solicitaba un plazo de respiro para entregar el segundo lienzo. Este plazo le fue otorgado a partir del 10 de abril. Cumplió su compromiso. Por carta del 2 de julio, el subdirector del Museo Nacional, Benito Soriano Murillo, informó al director general de Instrucción Pública que Valeriano había satisfecho su obligación. El segundo cuadro remitido era «El chocolate», escena de costumbres aragonesas, que es como la pareja de «Las jugadoras». El subdirector hizo, en su informe, el elogio de los dos cuadros recibidos, «de un mérito nada común —escribió— especialmente el último que acaba de entregar, que reúne a la verdad de los tipos de aquella provincia muy buenas cualidades de dibujo y colorido».

El pago de la pensión estaba suspendido desde el 24 de febrero. La situación se arregló más fácilmente con la vuelta al poder de Narváez. El nuevo ministro de Fomento, Orovio, notificó el 1 de agosto de 1866 al director general de Instrucción Pública la retractación, con efecto retroactivo al 24 de febrero, de la medida de suspensión de pago.

Podemos conjeturar que Gustavo Adolfo tuvo que ayudar a su hermano durante el difícil período de marzo-julio de 1866.

Las tareas de ilustración de *Los trabajadores del mar* de Víctor Hugo, en la traducción de Antonio Ribot publicada por Gaspar y Roig, procuraron a Valeriano algunos recursos. Seis de los retratos de personajes nove-

Veruela 12 de Junio 1862

Escena en el monasterio de Veruela, pintada por Valeriano Bécquer ¿Gustavo y Casta?
Álbum de la Expedición de Veruela

lescos fueron reproducidos por pareja, como muestras publicitarias, en *El Museo Universal,* los días 13 de mayo, 27 de mayo y 22 de julio de 1866. *Los trabajadores del mar* se reeditaron muchas veces durante los años siguientes. En 1870 todavía, *Gil Blas* anunciaba con elogio una de las reediciones, haciendo mención especial de los dibujos de Valeriano, que algo debían a las estancias a orillas del mar Cantábrico.

59. Amigos y relaciones

El matrimonio Bécquer frecuenta la casa de Antonio de Reparaz, donde Gustavo Adolfo puede gozar del ambiente musical al que tiene tanta afición. Las conversaciones en este salón le ayudan sin duda para presentar la actividad musical madrileña a los lectores de *El Museo Universal* durante los siete primeros meses de 1866. De vez en cuando Gustavo Adolfo encuentra aquí a De la Puerta Vizcaíno y a Nombela.

Este último queda como el principal colaborador musical y literario de *La Época.* Su acción merece la estima de los medios políticos a los cuales pertenece Bécquer. El 21 de enero de 1866, *El Español* le califica de «conocido y apreciable escritor», mencionando con favor su idea, formulada en *La Época,* de reunir de modo habitual a los autores, actores y empresarios con objeto de «fijar los verdaderos intereses morales y materiales de la literatura dramática y del arte escénico». Trabaja mucho Nombela; en 1866, traduce unas *Confidencias* de Lamartine (probablemente *Les nouvelles confidences),* bajo el título *Últimas confidencias,* y publica dos novelas de costumbres: *El bello ideal del matrimonio* y *Los 300.000 duros.*

Se beneficia también Luis García Luna de la simpatía de *El Español,* órgano de Narváez y González Bravo. El 2 de mayo de 1866 recomienda calurosamente este diario las publicaciones de la casa editorial «La Propaganda», que García Luna acaba de fundar. La nueva empresa da a la luz dos novelas de su director, *El diablo en Sevilla* y *Fuego del cielo,* así como una biografía de Prim y una obra sobre el *Dos de Mayo;* se anuncia el 18 de mayo una biografía de sor Patrocinio. «La Propaganda» se proponía editar cuatro series de obras. La primera iba dedicada a las novelas así como a las leyendas y tradiciones populares; las leyendas de Bécquer hubieran podido fácilmente tener acogida en ella; pero su reproducción anónima en la prensa, como hacía *El Español* en el mismo momento, hubiera resultado tal vez más difícil (además, ciertas leyendas necesitaban algunas mejoras de detalle y al poeta le repugnaba este trabajo).

Siendo Bécquer el director literario, publica *El Museo Universal* el 18 de marzo de 1866 un ameno relato de García Luna, de espíritu cercano al de la «comedia de boulevard» y de concepción semejante a *Memorias de un pavo,* titulado «Aventuras sentimentales de una horquilla».

Por su parte, Campillo ocupa la cátedra de retórica del instituto de Cádiz desde 1865. Sus tendencias políticas se hacen revolucionarias y contrarias a las de su amigo de niñez y de adolescencia; en 1865, funda *El Demócrata Andaluz* con Roque Barcía.

El 24 de septiembre de 1865, Campillo prologa en Cádiz la colección de poesías de su antiguo camarada Arístides Pongilioni, quien trabaja, o trabajaba hacía poco, con Bécquer en Madrid. Señala en esta colección las influencias reunidas de la escuela sevillana y de Heine, a quien califica de «genio» aunque no se haya acercado mucho a su manera ligera. Este precedente permite comprender que Campillo haya podido interesarse por las *Rimas,* que procedían de la misma confluencia que *Ráfagas poéticas,* pero que, gracias a la «poderosa intuición artística» que Campillo reconocía en Gustavo Adolfo (carta I a Eduardo de la Barra), trastornaban, en la estela de Eulogio Florentino Sanz, las ideas admitidas en materia poética, y validaban el arte de la musicalidad breve y de las vibraciones secretas. La renovación de la forma que da lugar a ejercicios rigurosos y variados en las *Rimas* falta en *Ráfagas poéticas.* Sin embargo, Bécquer y Pongilioni están próximos por la sensibilidad y el vocabulario, lo que se nota tanto en su prosa como en sus versos. Varios becquerianos, entre otros don José María de Cossío, don Dionisio Gamallo Fierros y don Rafael Montesinos, han podido, con razón, señalar analogías entre *La niña pálida* de Pongilioni y la rima XII («Porque son, niña, tus ojos»), y entre *Piensa en mí (Ráfagas poéticas)* y la rima XXV («Cuando en la noche te envuelven»). De modo general, Bécquer y Pongilioni son, en su época, los nuevos poetas de las emociones percibidas en la mujer. Esto seducía poco a un crítico como Luis Vidart, atento observador del movimiento poético andaluz, que examinando *Ráfagas poéticas* en *El Museo Universal* del 28 de septiembre de 1867, censura cortésmente a Pongilioni por cierta debilidad respecto del primero de los tres criterios de la buena poesía, así enunciados:

Pensar alto,
sentir hondo
y hablar claro.

Aunque, en este año 1865, milita Juan Antonio Viedma con Cánovas al lado de O'Donnell, es decir, en el partido contrario al que está ligado Bécquer, sus relaciones con éste permanecen buenas. Bajo la dirección literaria de Bécquer, *El Museo Universal* publica el poema de Viedma *La fe.*

Rodríguez Correa, diputado desde 1865, milita también en el campo liberal, si bien el diario que dirige en esta época, *Las Noticias,* creado con el auxilio del banquero José de Salamanca, se manifiesta poco en el plano político.

Ferrán está en Alcoy. En 1866, el *Museo de las Familias* publica en el tomo XXIV (págs. 163-164, 179-193) *La fuente de Montal, leyenda alcoyana,* relato cuya acción se desarrolla en el siglo XIV y que narra el asesinato de la hija de un labrador, María Pérez, a orden del joven conde Enrique de Margall, de vida disoluta; crimen luego milagrosamente revelado por una fuente sobre cuyas aguas flota una cinta acusadora. El tema de la fuente que brota debajo del cuerpo de la virgen asesinada es de origen popular (lo utilizó Ingmar Bergmann en la película *El manantial de la doncella)* como el del señor feudal tiránico. Ésa es la ocasión para Ferrán de evocar «el estilo sencillo y brillante a la par que emplea el pueblo en sus poéticas y melancólicas tradiciones; el pueblo que es el verdadero poeta». Estas líneas recordarían a Gustavo Adolfo su comentario de *La soledad* escrito seis años antes. Concordaban con su nueva preocupación de salvar el arte oral popular. Desgraciadamente, la prosa de Ferrán manifestaba aquí bastante pesadez, con empleo de un vocabulario de convención, y la coherencia faltaba en la construcción del relato. Dominaban el propósito moralizador y la melancolía. El narrador parecía finalmente asustarse ante la crueldad de su propio cuento. He aquí algunos extractos que reflejan este ambiente:

> Triste cosa es el mundo, puesto que en el mundo el dolor es como la sombra que proyecta la alegría; siempre la sigue de cerca.

> Nada hay sobre la tierra más variable, nada más inconstante que la fortuna.

> Profunda tristeza ha de guiar ya mi pluma hasta concluir este penoso relato. Sígueme, lector amigo, hasta el fin y no nos detengamos antes de llegar al término, a fin de no prolongar la honda pena que se ha apoderado de nuestras almas en las últimas horas de la desdichada María.

Sus deberes de director literario hicieron que Bécquer entablase o reanudase relaciones con numerosos escritores, entre quienes encontramos a Ruiz Aguilera, Fermín González Morón, Moreno Godino, Pedro Antonio de Alarcón.

La novela *Las ruinas,* de Rosalía de Castro, salió en *El Museo Universal* durante el tiempo de la dirección literaria de Bécquer; se extendió la publicación sobre once números, es decir duró cerca de tres meses. El cuadro que bosquejó Ventura Ruiz Aguilera (que había de tomar la dirección de *El Museo Universal* dos meses más tarde) de las prácticas profesionales de Bécquer en una carta dirigida a los Murguía, que vivían entonces fuera de Madrid, denota hostilidad; imaginamos difícilmente a Gustavo Adolfo explotando a sus colegas. Ruiz Aguilera escribe lo siguiente: «Bécquer le dirige el *Museo* (a Gaspar Maristany), recibe el sueldo y hace lo que Olivarría para *La América,* esto es, saca el original que puede a sus amigos y conocidos, vive él y los demás ayunan.»

Este texto es, sobre todo, revelador del marasmo de la edición en Madrid. Ruiz Aguilera acababa de escribir en la misma carta: «Aquí todo está muerto.» Bécquer nota en sus crónicas de *El Museo Universal* la extensión creciente de las dificultades económicas en Europa. El cólera, las sublevaciones militares y el estado de sitio habían agravado la situación en el caso particular de España. La buena calidad de *El Museo Universal* en 1866 resulta tanto más estimable.

Bécquer tuvo, pues, relaciones directas o indirectas con Murguía y Rosalía de Castro (en 1867, otorgaría además el visado favorable de *El caballero de las botas azules* como fiscal de novelas de Madrid). Según una información proporcionada por Augusto González Besada y mencionada por Alejo Hernández en su librito *Bécquer y Heine,* una traducción francesa de poemas de Heine habría circulado entre E. F. Sanz, Rosalía y Bécquer. Estamos aquí en presencia de una incomprobable tradición oral. La lectura de las *Rimas* parece haber dejado algunas huellas en el libro *Follas novas* (1880) principalmente; pero la honda melancolía de Rosalía de Castro, solamente aliviada de vez en cuando por la fe, no se aviene sino excepcionalmente con el fugaz movimiento becqueriano.

60. Regreso a la oposición política. El enigma de *Doña Manuela*. La sátira en *Gil Blas*. Bécquer y *El Español*. Bécquer y la actualidad política en *El Museo Universal*

La colaboración de Bécquer en *Los Tiempos* continúa sin duda hasta el 6 de octubre de 1865, fecha en que se fusiona este diario con *El Gobierno* para dar a luz *El Español,* que se publicará hasta 1868.

Después de la vuelta al poder de O'Donnell *El Contemporáneo* se hace más favorable a la acción gubernamental. Los ataques de *Los Tiempos,* que tiene todas facilidades para recordar los duros juicios que *El Contemporáneo* emitía contra la Unión Liberal poco antes, se hacen más hirientes. Pertenecen al grupo de los «angélicos», así denominados por *Los Tiempos* desde que este término ha sido empleado por Bécquer en el artículo del 17 de mayo, Valera, Fernández de la Hoz, Albareda, el marqués de Zafra y el marqués de Molins que es el más representativo de todos; el gobierno O'Donnell les otorga altos empleos, especialmente en la diplomacia. Valera, nombrado ministro plenipotenciario encargado de las relaciones con la Dieta del Imperio en Frankfurt, ocupa su puesto el 20 de agosto; sigue mandando textos a *El Contemporáneo.* Albareda es nombrado embajador cerca del rey de Holanda; entrega sus credenciales a principios del mes de octubre. Se lee en *Las Novedades* del 1 de septiembre: «*Los Tiempos* dispara con metralla contra los angélicos, es decir contra los contemporáneos y compañía, amigos y compadres del Sr. Alonso Martínez...»

En los últimos días de septiembre de 1865, el 29 probablemente, sale el número 1 de un nuevo periódico satírico cuyo título, *Doña Manuela,* así como la ilustración del frontispicio (obra de Ortego, dibujante de *El Museo Universal),* designa claramente a la esposa de O'Donnell. No ignora el director de *Doña Manuela* que se recogerá el número, que no podrá venderse en las calles de Madrid; avisa de ello a los lectores.

Se leen en el artículo inaugural, en primera plana, declaraciones como éstas:

> Doña Manuela es el verbo vicalvarista hecho mujer.
>
> Es el punto del *círculo* del cual parten, y al cual convergen todas sus irradiaciones.
>
> Es el principio y el fin; el *alpha* y el *omega.*
>
> Su espíritu flotaba en el caos de la política sobre el haz de las aguas sin nombre...
>
> ... Doña Manuela no es una mujer; es una idea.
>
> Esto parecerá a nuestros lectores ininteligible; por nuestra parte fuerza es confesar que también se nos antoja algo confuso, y sin embargo, abrigamos la esperanza de que nos hemos de entender sin comprendernos...
>
> Doña Manuela dijimos que era una idea; es más que una idea, es un símbolo.
>
> El pueblo castellano, entusiasta del valor heroico, sintetizó una época en un hombre, y tuvo al Cid con el Romancero en que se reflejan sus glorias.
>
> El pueblo alemán, en su ansia de ciencia y de maravillas, creó a Fausto, que tuvo por cantor a Goethe.
>
> El vicalvarismo, que tenía algo de mujer por la índole de su carácter, sus defectos y sus pasiones, deseoso de encontrar una fórmula, subió al Tabor del presupuesto, y ante sus doce apóstoles de espada, se transfiguró en *Doña Manuela* que tuvo a la *Correspondencia* por órgano.
>
> Y nació la Unión Liberal, partido hembra con sus infidelidades de *boudoir,* sus caprichos de *toilette,* sus coqueterías de salón y sus pequeños odios femeninos...

El estilo es digno de quien, en el comentario de *La soledad*, había escrito: «Nadie mejor que (el pueblo) sabe sintetizar en sus obras las creencias, las aspiraciones y el sentimiento de una época (...). Él soñó a Fausto.»

La expresión «cosa sin nombre», hallada en *Macbeth,* se explica en la carta VIII de la serie «Desde mi celda».

En cuanto al Cid, Bécquer lo calificará de «el más caballeresco de nuestros hérores» y defenderá la verdad de su leyenda en el artículo de *La Ilustración de Madrid* (1870), «Solar de la casa del Cid en Burgos».

Resulta, pues, verosímil la atribución a Bécquer del texto de presentación de *Doña Manuela* que hicieron los medios políticos de la época. Investigadores tales como don Dionisio Gamallo Fierros y don Heliodoro Carpintero la dan por cierta. Sin embargo, *Los Tiempos* publicó el 30 de septiembre un comunicado que aseguraba que ninguno de sus colaboradores había participado en la publicación de *Doña Manuela,* al par que deploraba que se hubiesen proferido amenazas de violencias físicas contra el director de este periódico. El 13 de octubre, Rodríguez Correa insertó en *Las Noticias* un comunicado de Bécquer que negaba toda participación del firmante en *Doña Manuela* y tenía por conclusión las líneas siguientes: «Abrigo la esperanza de que ninguna de las personas que me conocen darán crédito a un falso rumor que me perjudica cargándome con la responsabilidad moral de escritos cuya índole condeno y cuyo género repugna a mi carácter.»

Me gustaría prestar fe a esta declaración, pero no puedo olvidar que, poco después, Gustavo Adolfo colaboró, por el texto y también tal vez por el dibujo, a las ilustraciones satíricas dirigidas contra O'Donnell en *Gil Blas.*

Era serio el asunto. La lectura de *El León Español,* órgano de los moderados, como *Los Tiempos,* que reprobaba la publicación de *Doña Manuela,* nos informa en su número del 1 de octubre que Aurelio Vignals, yerno de O'Donnell, era quien trataba de identificar al responsable del periódico incriminado (recogido y perseguido por la justicia) para obtener una satisfacción personal o, más claramente, batirse en duelo. La emoción de la prensa y la de Bécquer no eran vanas.

Se hallaba en la página 2 de *Doña Manuela* una acometida poco apoyada pero transparente contra Albareda y *El Contemporáneo,* y, en la página 4, esta quintilla burlona lanzada a los intrigantes unionistas defraudados, bastante becqueriana aunque parodia de Espronceda.

> Hojas del árbol caídas
> juguetes del viento son:
> las credenciales perdidas
> ¡ay! son brevas desprendidas
> de la higuera de la Unión.

La desaparición de *El Contemporáneo* ocurrió poco tiempo después de la fusión de *Los Tiempos* con *El Gobierno.* El 31 de octubre, *El Contemporáneo* se fusionó con *La Política,* diario gubernamental. *El Español,* sucesor de *Los Tiempos,* hizo, con grano de ironía, el elogio fúnebre de *El Contemporáneo* en su número del 1 de noviembre, destacando el papel del diario difunto en la lucha contra la Unión Liberal hasta febrero de 1865 y declarando conservar con veneración la colección de los números de ese primer período.

A finales de octubre de 1865 es cuando los hermanos Bécquer empiezan a publicar en *Gil Blas* páginas de dibujos políticos satíricos que firman con el pseudónimo Sem o con una simple «S». Este periódico era de tendencia democrática; peleaba, pues, tanto a los unionistas de O'Donnell como a los moderados de Narváez; fundado por Luis Rivera, tenía como principales colaboradores a Manuel del Palacio, Eusebio Blasco y Roberto Robert. Aunque nadie ignorase que Bécquer pertenecía al círculo de González Bravo, el grupo de *Gil Blas* le conservó siempre su estima y simpatía. Por una noticia necrológica publicada en *Gil Blas,* dada a conocer por don Rubén Benítez, a quien se debe la mayor parte de los conocimientos que tenemos sobre las relaciones de Bécquer con este periódico, es como disponemos de la prueba de que los hermanos Bécquer se disimulaban bajo el pseudónimo de Sem. Se lee en efecto en dicha noticia: «Contra su costumbre, *Gil Blas* no puede hoy menos de consagrar un recuerdo a la memoria de quienes, en la primera época de esta publicación, ilustraron columnas con dibujos que llevaban la firma de Sem.»

Los hermanos Bécquer colaboraron no sólo en *Gil Blas,* sino también en su almanaque para el año 1866. Ya desde el 28 de octubre de 1865, *Gil Blas* publicó muestras de los dibujos de Sem por aparecer en el *Almanaque.* Uno de los dibujos está en estrecha relación con *Fausto;* otro, titulado «Testamento del año», alude a la mala situación financiera del Estado y representa de modo excelente dos nigromantes o astrólogos con su alto tocado cónico; no cabe duda que el primero ha sido trazado por Valeriano pero el texto parece obra de su hermano; el propio Gustavo Adolfo pudiera haber dibujado el segundo. Es seguro que las seis ilustraciones reproducidas se realizaron en un tiempo muy próximo al de la salida de *Doña Manuela,* lo que hace del todo admisible la participación de Gustavo Adolfo a esta publicación.

Una primera «Revista cómica» de Sem apareció en *Gil Blas* el 2 de diciembre. Un dibujo fue suprimido por la censura. Una caricatura que representa a O'Donnell y a la muerte (el cólera) recuerda una obra de Valeriano publicada el 26 de septiembre en *El Museo Universal,* «El viajero maldito». Dominaban los problemas económicos; una de las caricaturas representa al ministro de Hacienda, Alonso Martínez.

La «Revista cómica» siguiente, publicada el 30 de diciembre, tomó como principales blancos a O'Donnell y a Ríos Rosas. El texto de uno de los dibujos explicaba: «Pero el Mefistófeles de la unión se consuela cantando al pie de la reja de los angélicos la serenata del *Fausto,* acompañada de su correspondiente risita.» La relación establecida entre el *Fausto* (de Gounod) y los «angélicos» me parece propia de Gustavo Adolfo.

Las otras dos colaboraciones de los hermanos Bécquer en *Gil Blas* fueron «Itinerario del próximo carnaval» (26 de enero de 1866) y «El discurso de la corona» (24 de febrero). Los ataques cómicos contra O'Donnell, muy divertidos, son particularmente atrevidos en esta última página; fue preciso suprimir tardíamente uno de los dibujos ocultándolo con un rectángulo negro.

A pesar del anónimo, estos dibujos satíricos pudieron influir en la decisión de suspender la pensión de Valeriano a finales de febrero de 1866, si bien la falta de entrega de los dos cuadros prometidos bastaba por sí sola para justificar la decisión del director general de Instrucción Pública. Lo cierto es que, al producir en *Gil Blas* obras tan agresivas, los hermanos Bécquer arriesgaron la situación de Valeriano.

El diario *El Español* tuvo primero el mismo director que *Los Tiempos:* Juan Ramos. No sé si Bécquer perteneció al equipo redaccional de *El Español.* Lo seguro es que la rúbrica «Variedades» de este periódico reprodujo siete de las leyendas anteriormente publicadas en *El Contemporáneo.* Las cuatro primeras salieron en el orden inicial de publicación:

— 29 de marzo de 1866: *La ajorca de oro.*
— 31 de marzo: *El monte de las ánimas.*
— 1 de abril: *Los ojos verdes.*
— 3 y 4 de abril: *Maese Pérez el organista.*

Fue invertido el orden de las tres últimas leyendas:

— 5 y 6 de abril: *El cristo de la calavera* (núm. 7 en *El Contemporáneo).*
— 20 de abril: *El Miserere* (núm. 6 en *El Contemporáneo).*
— 5 y 10 de mayo: *El rayo de luna* (núm. 5 en *El Contemporáneo).*

Como en *El Contemporáneo,* las siete leyendas fueron publicadas de modo anónimo.

En sus «Variedades» del 24 de abril, *El Español* copió un artículo de *El Pabellón Nacional* del 21 titulado «Una fiesta en loor del arte», que relataba una fiesta musical y teatral dada en casa de González Bravo. Bécquer asiste a ella; su nombre figura entre los de López Serrano y del conde de Heredia-Spinola. Julián Romea supervisa la parte teatral. Entre los políticos, noto los nombres de Botella y de Gutiérrez de la Vega; entre los literatos los de Dacarrete, Campoamor, Los Santos Álvarez. El autor del artículo, quien firma «Fausto», cita versos de Espronceda y Arolas; hace mención de Schlegel, Fichte, Schelling y Hegel.

En sus «Revistas de la semana», de *El Museo Universal* consigue Bécquer eliminar casi toda la política interior. Ninguna palabra sobre el estado de sitio del primer trimestre de 1866 si se exceptúa una rápida mención en la crónica del 4 de marzo de la condenación de Prim a consecuencia de los movimientos insurreccionales de Aranjuez y Ocaña; ninguna palabra sobre la sublevación de la caserna de San Gil de Madrid el 22 de junio; la vuelta al poder de Narváez se menciona secamente el 15 de julio. Tengo la impresión de que había una convención de silencio acerca de esta materia entre Bécquer y los directores de Gaspar y Roig. Las «Revistas» se limitan casi a la política extranjera, a los espectáculos, a la literatura y a las artes. Esta opción se había anunciado a los lectores desde los primeros momentos de la actuación de Bécquer como director literario. Léese en la «Revista de la semana» del 7 de enero de 1866: «Ageno en un todo a las luchas y a las pasiones políticas *(El Museo Universal),* procurará seguir ese movimiento de adelanto que nota a su alrededor difundiendo el gusto hacia el estudio de las ciencias y las artes, delicadas flores del ingenio humano, cuyo cultivo inclina a los hombres al amor de la paz y de los saludables progresos.»

Hasta finales de febrero 1866, Gustavo Adolfo se desahogó en *Gil Blas*. Después se quedó silencioso. Bajo su responsabilidad publicó *El Museo Universal* en junio las biografías de Alonso Martínez y de Ríos Rosas, dos de los hombres públicos maltratados algunos meses antes por los hermanos Bécquer en *Gil Blas*. Esto no se hacía sin motivo; estas dos notabilidades se estaban alejando entonces de O'Donnell. Anónimo, el artículo del 3 de junio sobre Manuel Alonso Martínez, acompañado de un notable retrato dibujado por Perea y grabado por París, es teóricamente de Bécquer por efecto de la mención acostumbrada que sigue a la «Revista de la semana»: «Por la revista y la parte no firmada de este número, Gustavo Adolfo Bécquer»; Alonso Martínez está presentado como un jurista de espíritu independiente que por poco entraba en un gobierno Narváez y que acaba de dimitir de su cargo de ministro de Hacienda por razones de salud. El artículo del 10 de junio 1866 sobre Antonio de los Ríos Rosas, ilustrado por un retrato lleno de energía de los mismos artistas, lleva el sello evidente del estilo de Bécquer en el pasaje siguiente, relativo a la evolución de «La Unión Liberal», de la que Ríos Rosas había sido el creador ideológico: «La forma que revistió más tarde el pensamiento debió sin duda falsearlo, pues al contrario de lo que al Supremo Hacedor del mundo cuando hubo concluido su obra, *vio que era mala*.» Encontramos aquí una de las pocas acometidas contra O'Donnell que Bécquer dejó escapar de su pluma en *El Museo Universal*. Subraya que Ríos Rosas, quien se había distanciado de O'Donnell a principios de abril, guarda «una estudiada reserva en que se ha encerrado».

La posición política de Gustavo Adolfo se manifiesta más claramente en el artículo necrológico dedicado a Francisco Armero, quien había sido, entre otras eminentes funciones, ministro de Marina en el gobierno Narváez de 1864. Este artículo pertenece al último número compuesto bajo la dirección de Bécquer. Se lee en él: «Con la muerte de este distinguido marino, modelo de virtud, de lealtad y de amor a la patria, el partido que se gloriaba de contarlo en sus filas ha perdido uno de sus más constantes y firmes apoyos, y España toda uno de sus hijos más ilustres.»

61. El desarrollo de la actividad de los hermanos Bécquer en *El Museo Universal*

Los trabajos realizados para *El Museo Universal* pueden dividirse como sigue:

— Las «Revistas de la semana», debidas a la pluma de Gustavo Adolfo.
— Las colaboraciones entre Valeriano y Gustavo Adolfo en los cuadros de costumbres rurales y madrileñas así como en tres grandes frescos filosófico-sociales de final del año 1865.
— El artículo de costumbres de Gustavo Adolfo dedicado al carnaval de 1866.
— Los textos de acompañamiento para diversas ilustraciones.
— Los artículos biográficos firmados por Gustavo Adolfo.
— «Un tesoro», fantasía publicada en el *Almanaque de El Museo Universal para 1866*.
— Las rimas publicadas.

61.1. *Las revistas semanales*

La primera «revista de la semana» firmada por Bécquer es del 7 de enero de 1866, la última del 12 de agosto.

En esos tiempos difíciles, el cronista procurará más bien divertir y desdramatizar los acontecimientos, lo que favorece su temperamento estoico. El conjunto de estos textos se caracteriza por la sonrisa, el escape, una amena ligereza.

A partir del 21 de enero, la guerra marítima con Chile da materia a numerosos párrafos. Los grabados que representan las naves y los retratos de los oficiales de la marina adornan agradablemente las páginas de *El Museo Universal*. De manera bastante ordinaria domina el espíritu nacionalista en los textos. Más cargada de peligros, la guerra austro-prusiana en la que participa Italia forma otra fuente sustancial de comentarios a partir de la «revista» del 24 de junio; da también pábulo a la iconografía; ésta comentada con más curiosidad que pasión.

Hay noticias del teatro y de las letras en la mayor parte de las crónicas. El 4 de febrero, la crítica favorable de *El abogado de los pobres* de Bretón de los Herreros muestra la habilidad con que Gustavo Adolfo podía presentar velozmente una obra teatral. El 11 de febrero, menciona *Inspiraciones* de Ruiz Aguilera de que *El Museo Universal* ha de ocuparse en otra parte y anuncia que en otra ocasión él mismo examinará la colección de poesías *Horas crepusculares* de Isabel Villamartín. Ignoro si cumplió esta promesa; no fue en *El Museo Universal,* según parece. Bécquer indica de paso, el 25 de febrero, que el teatro moderno no se fija otro objeto que «enseñar y distraer»; fines eminentemente clásicos, añadiremos nosotros. El 4 de marzo, la reseña de *La muerte de César* de Ventura de la Vega, que acaba de morir, no escatima el elogio pero queda de tono oficial. La misma observación se aplica a lo dicho acerca de las ceremonias destinadas a honrar la memoria del duque de Rivas (4 y 11 de marzo). El 29 de abril, al mismo tiempo que alude a la difícil situación económica de la nación, Gustavo Adolfo se hace eco de la controversia nacida alrededor de *La vida de los apóstoles* de Renan, continuación de *La vida de Jesús;* presenta una breve reseña del drama de Larra hijo, *En brazos de la muerte.*

El primero de junio afloran los recuerdos de la juventud sevillana cuando, al ocuparse de los trabajos de la Sociedad de Bibliófilos, Gustavo Adolfo habla de Rioja, «inmortal poeta de las flores y las ruinas».

El interés del cronista por la música resulta más intenso que por el teatro. El tenor Tamberlick es una de sus admiraciones; le dedica un artículo para acompañar su retrato en el número del 4 de marzo; alaba otra vez a Tamberlick con ocasión de las representaciones de *La africana* de Meyerbeer («revista» del 11 de marzo) y de *El trovador* de Verdi («revista» del 13 de mayo). Opina sin embargo el 4 de febrero que la ópera va decayendo en Madrid; ofrecen alguna consolación los conciertos dados en el conservatorio, donde se puede escuchar música de Mozart, Haydn, Mendelsohn y Haendel.

En cuanto a las artes, Gustavo Adolfo indica de paso, el 14 de enero, que la fotografía no le parece hallarse en el campo de la actividad artística; no obstante, comenta muy favorablemente la unión de la fotografía y de la pintura en el artículo «Bellas artes, fotografía coloreada», dedicado a los trabajos madrileños de un artista llamado Robert, colaborador de un taller fotográfico de la capital. Los días 8 y 15 de abril hace campaña a favor de la compra por el Museo Nacional de Pintura de tablas pintadas presentadas al público en el castillo de Curiel que le recuerdan unos frisos de estilo mozárabe vistos en Toledo. El 27 de mayo expresa la satisfacción de su amor propio de ciudadano al comprobar que España ocupa un sitio destacado en el Salón de Pintura parisiense de 1866. El 22 de julio nota que se está buscando un local de coste moderado para la exposición de Bellas Artes de Madrid, de la que los organizadores empezarán a ocuparse más activamente después del verano.

Varios fragmentos pintorescos o líricos se pueden extraer de las «Revistas de la semana». Agrupados, formarían una pequeña antología de la vida madrileña de 1866. Los más atractivos son, en mi sentir, los siguientes:

— La introducción del 7 de enero de 1866 sobre la sucesión de los años.

— La conclusión de la crónica del 4 de marzo (un número deslumbrador con «La vuelta del campo», la rima XV, el artículo sobre Tamberlick) que nos presenta a un Bécquer quien, junto a la chimenea, recorre la novela en verso de Arnao, *El caudillo de los ciento* (otra obra de la que promete hablar más tarde, sin hacer la promesa efectiva, según parece), mientras un aguacero azota los vidrios del balcón.

— La evocación de la Semana de Dolores en la «revista» del 25 de marzo seguida por la de la primavera, con referencia al *Fausto* de Goethe, y de la Semana Santa madrileña en el número del primero de abril.

— Las reflexiones introductorias sobre los lazos entre la primavera, los negocios y la política en la «revista» del 6 de mayo.

— Las últimas líneas del artículo final (12 de agosto), que ponen en escena a un Gustavo Adolfo que une, en tono humorístico, su amor a la música con la poesía estival de la costa cantábrica, evocadora de brisas frescas y de espacios libres.

Doy aquí este último texto, raras veces reproducido, que se redactaría poco antes de una salida para la costa de Vizcaya (la «tierra de promisión» mencionada):

> En balde los conciertos de Apolo intentan ofrecer una compensación a las fatigas y malos ratos de los que permanecemos firmes en la brecha desafiando los abrasadores rayos de la enojosa deidad que presta nombre al jardín, punto de cita de los filarmónicos madrileños. Barbieri es un gran maestro: su batuta, como la vara mágica de un encantador, parece que tiene encadenada a su movimiento la voluntad de los ochenta profesores que le secundan. No seremos nosotros los que escaseemos nuestros aplausos al inteligente maestro español; pero (perdónenos la blasfemia musical, así el simpático director de orquesta como los augustos manes de los grandes músicos clásicos, cuyas obras nos da a conocer tan divinamente interpretadas) sea que el calor nos embota los sentidos, sea que el ansia de una tierra de promisión distante nos obliga a tener fijos los ojos fuera de este abrasado recinto, en estas circunstancias y a la altura en que se encuentra el termómetro, preferiríamos la indefinible música de la ola

que se tiende perezosa en la playa o se rompe en las peñas llenando el ambiente de menudo rocío, prefiriríamos la música de la brisa cantábrica que viene en la tarde a orear el sudor de la frente o a agitar con su fresco soplo el estremo de las flotantes cintas del lazo que prende el cabello de las hermosas, a las combinaciones armónicas más profundas, y a las melodías más bellas de todos los genios del mundo.

61.2. *La colaboración entre Valeriano y Gustavo Adolfo: el dibujo comentado*

2 de julio de 1865: «La misa del alba.»

Mientras la estrella de González Bravo está a su más bajo nivel (tiene que escaparse de la plaza de Madrid entre gritos y chifla este mismo 2 de julio), Valeriano intensifica su producción o sus entregas para *El Museo Universal*.

Grabado por Severini, «La misa del alba» es un gran dibujo que representa la celebración de la misa en la iglesia del pueblo al romper el día, antes que empiecen los imprescindibles trabajos veraniegos del campo. Las actividades de los segadores y segadoras, arrodillados o sentados, son muy libres. Hay charlas en los rincones. Un perro acompaña a sus dueños. Se titula el comentario «La misa del alba. Tipos del alto Aragón. Dibujo de don Valeriano Bécquer». Los elementos de este dibujo han sido reunidos probablemente durante el mes de agosto de 1864 cerca de Veruela.

A juzgar por el ritmo, el texto, anónimo, es obra de Gustavo Adolfo, quien lo entregaría al director literario, Galindo y de Vera. La idea de la superioridad del buen dibujo sobre la descripción literaria, formulada al final, es becqueriana.

9 de julio de 1865: «La sardinera, tipo vascongado de la costa.»

Tenemos aquí un primer recuerdo gráfico de la segunda quincena de julio de 1864 pasada en la región de Bilbao.

Precisos indicios permiten atribuir a Gustavo Adolfo el texto no firmado. El pasaje «... al romper el día, algunos puntos oscuros que aparecen en la inquieta raya de luz que dibuja el horizonte anuncian al vigía del puerto la aproximación de las lanchas pescadoras» se reconoce en la versión que el «Libro de los gorriones» (1869) contiene de la rima LXII:

> Primero es un albor trémulo y vago
> raya de inquieta luz que corta el mar.

mientras el texto del 31 de julio de 1861 decía:

> brocha de luz que el cielo une a la mar.

La sensibilidad de Gustavo Adolfo para los espectáculos marítimos es también la que se expresa en esta observación de movimientos: «... las pequeñas embarcaciones se balancean ya suavemente sobre las olas siguiendo su compás, alternado y candencioso.»

El dibujo de Valeriano representa a una joven sardinera que va corriendo por una playa llevando en la cabeza una canasta baja cargada de pescados.

El comentario de Gustavo Adolfo figura entre los mejores de sus escritos en este género. El texto está construido según un progresivo acortamiento del campo visual en tres fases. He aquí el párrafo final, más especialmente dedicado al personaje dibujado:

> El dibujo que ofrecemos hoy a los suscriptores de *El Museo Universal* puede dar una idea de esas muchachas, tipo acabado de agilidad y gallardía, en que se reúnen la hermosura de la forma a la fuerza y elasticidad de los movimientos, las cuales, con el canasto sobre la cabeza, las ropas flotantes y los pies desnudos, que van dejando una ligera huella en la arena de la playa, corren a lo largo de la costa, trepan con una pasmosa seguridad por los peñascos que bate el oleaje, y antes del mediodía van a vender a la plaza de Bilbao, después de haber recorrido una distancia de dos o tres leguas, las sardinas que han llegado horas antes a los puertecillos de Algorta, Lequeitio y Portugalete.

La joven sardinera de Algorta es hermana de la leñadora de Añón. Ambas encarnan la vida natural, un poco salvaje, que atraía a Gustavo Adolfo.

La ágil sardinera pertenece al imaginario burgués del siglo XIX. Se la ve aparecer en los recuerdos de Achille Fouquier en 1875 *(De todo un poco. Caracteres, siluetas, paisajes).* Figura en los atractivos carteles con los cuales las compañías de ferrocarriles invitaban a los veraneantes a visitar los puertos de mar: en Francia, carteles de los ferrocarriles del Oeste para Bretaña, de los ferrocarriles del Estado para Les Sables d'Olonne, por ejemplo. En Batz (Bretaña del Sur) puede verse una estatua de la sardinera andando que simboliza la fuerza de la comarca.

23 de julio de 1865: «Las jugadoras, escena de costumbres de Aragón, dibujo de don Valeriano Bécquer.»

Encontramos aquí un hermoso dibujo que ocupa la página entera, grabado por Rico, representativo de la acción de los hermanos Bécquer en pro de la antigua España provincial. Esta vez se manifiesta Gustavo Adolfo y firma su texto empleando su usual nombre de pila, «Gustavo Bécquer».

Estamos en una callejuela de población aragonesa. La recia arquitectura de las casas de piedra evoca la época románica. En el primer plano juega a los naipes un grupo de mujeres dibujadas en sus posturas familiares, sentadas en el suelo entre dos umbrales. Alrededor del grupo charlan los asistentes en un tranquilo ambiente.

En su texto, Gustavo Adolfo compara primero la pasión de los naipes en Madrid, fenómeno principalmente masculino, con la misma pasión en el Alto Aragón, más bien característica de los entretenimientos femeninos; evoca luego el ambiente de una tarde dominical en una población aragonesa, distinguiendo entre la clase de los notables, la de los labradores acomodados, la del vulgo. Hace especial mención de las diversiones de los jóvenes, pasando luego a examinar la afición a los naipes de las mujeres y de las niñas. Llega así a la escena reconstituida por Valeriano delante de la cual se eclipsa: «El dibujo que ofrecemos a nuestros suscriptores, notable por la exactitud de los tipos y el carácter de localidad del fondo, puede dar una idea más aproximada de estas escenas, que cuanto nosotros pudiéramos añadir sobre el asunto.»

Los amigos de los hermanos Bécquer en *Gil Blas* les prestaron auxilio en esos tiempos de dificultades nacientes. *Gil Blas* llamó la atención sobre los «magníficos dibujos» de Valeriano publicados en *El Museo Universal,* alabando especialmente «Las jugadoras», calificado de «cuadro perfectamente concebido y detallado con inteligencia».

3 de septiembre de 1865: «El pescador. Tipo vascongado de la costa.»

El dibujo de Valeriano representa a un pescador que arroja su red al mar, no lejos de la costa que se divisa en el fondo.

El dibujo así como el comentario forman pareja con «La sardinera». Bernardo Rico grabó ambas obras.

El texto no tiene la poesía del de «La sardinera», al que hace expresa referencia el comentarista, Gustavo Adolfo sin duda alguna. Se relata con brevedad la carrera normal de un hombre de la costa, enfocándose las diversas posibilidades que se ofrecen a los marinos pasada la juventud. El tercero y último párrafo saluda la serenidad y la energía de los hombres del mar.

8 de octubre de 1865: «El tiro de barra. Costumbres de Aragón.»

Grabado por Rico, este gran dibujo de Valeriano forma la pareja en masculino de «Las jugadoras». La escena está a orillas del lugar, cerca de una casa que amenaza ruina. Unos jóvenes se ejercitan en lanzar una barra de hierro que hace oficio de jabalina olímpica. El calzón apretado debajo de la rodilla y la manta que envuelve a los hombres a la manera árabe caracterizan el traje masculino.

Lleno de energía patriótica, el texto enumera los principales juegos de

Las Jugadoras. Escenas de costumbres de Aragón. Dibujo de Valeriano Bécquer en *El Museo Universal,* publicado el 23 de julio de 1865

portivos que se practican en los pueblos del Alto Aragón próximos al Moncayo: carrera, pelota, tiro de barra o arrojar de peñascos.

15 de octubre de 1865: «La salida de la escuela.»

Continúa la serie «Costumbres de Aragón». El dibujo de Valeriano, grabado por Severini, más pequeño que los anteriores, muestra a dos niños que se pelean delante de la puerta de una modesta escuela campesina; el maestro observa la escena desde una ventanilla alta. El humorismo domina en este dibujo un poco caricaturesco.

Es anónimo el breve comentario. Refleja el estilo y las ideas de Gustavo Adolfo, quien se contenta con evocar el arte del pintor y dibujante que sale a visitar las comarcas poco frecuentadas en las provincias. He aquí cómo se describe el trabajo de Valeriano: «Cuatro líneas en la cartera de apuntes, un rasgo que fija el carácter especial de las figuras o una mancha que recuerda el juego de luz o la disposición del fondo son el punto de partida basado en el natural, que sirve más tarde para la concienzuda composición de un cuadro.»

29 de octubre de 1865: «La pastora. Tipo aragonés.»

No aparece el nombre del dibujante y el comentario queda anónimo. Rico es el grabador. La localización (el Moncayo) y las ideas expresadas justifican la atribución a los hermanos Bécquer.

La pastora, potente Minerva campesina, está de pie, apoyada con la mano derecha en una roca, con la mano izquierda en un palo; un imponente perro duerme junto a ella; la falda de una magnífica montaña forma el fondo del retrato. La robustez del personaje se armoniza con el clasicismo de las líneas, lo que corresponde al estilo habitual de Valeriano.

En su comentario, Gustavo Adolfo condena las ideas convencionales sobre los campesinos y sus consecuencias en materia artística. Hace mención expresa del bucolismo del siglo XVIII y de las deformaciones románticas; tal vez piense más especialmente en la novela de Balzac, *Les Chouans*. Se declara adepto de un realismo guiado por la búsqueda de la belleza: «Hoy que nos encontramos tan lejos de ambas exageraciones, huyendo de las ideas de plantilla, no vamos a buscar la fuente de la inspiración en los libros, sino en la Naturaleza.» «Cruzando fuera de camino los intrincados laberintos del Moncayo, internándose en sus hondas cañadas o subiendo a sus escarpadas alturas es como únicamente puede encontrarse un tipo bello dentro de la verdad como el que hoy ofrecemos a nuestros suscriptores en el dibujo que lleva el mismo epígrafe que estas líneas.»

12 de noviembre de 1865: «El pregonero. Costumbres de Aragón.»

Grabado por Rico, el dibujo de Valeriano nos introduce en el corazón de un pueblo aragonés. Se ven el pregonero con su tambor, una lavandera en la fuente, cerdos, chiquillos.

Llevado por el movimiento característico del estilo de Gustavo Adolfo, el texto anónimo recuerda la importancia del pregonero en una sociedad donde los analfabetos eran numerosos, evocando luego la ronda del modesto funcionario que va «recitando con un tono especial el contenido de la cédula que de antemano le ha escrito o le ha hecho tomar de memoria el fiel de fechos».

14 de enero de 1866: «Las gallinejas.»

Este dibujo grande de Valeriano grabado por Rico representa a hombres, mujeres y niños que están escogiendo su porción de tripas o de menudillos en una tabla de carnicería al aire libre, o ya la están hundiendo en el aceite hirviente de una vasija colocada en un hornillo de corto cañón, para comérselo aquí con un mendrugo.

Ya director literario de *El Museo Universal,* Gustavo Adolfo es teóricamente el autor del texto de acompañamiento. Lo es verdaderamente, pues las referencias a Goya y a Ramón de la Cruz vuelven a encontrarse en sus «Revistas de la semana». Primero expone las consecuencias del movimiento de población que se verifica desde la provincia hacia Madrid y al que se debe el encuentro en la capital de todas clases de tipos regionales, trajes y costumbres que acaban por amalgamarse. Con simpatía describe luego los grupos de menesterosos que acuden a alimentarse en los despachos ambulantes de los «desperdicios de las reses sin forma ni nombre» comprados en los mataderos o en las tiendas de carnicería. El dibujo y el texto hubieron de conmover a amantes del Madrid popular como Antonio de Trueba; dan testimonio de un sentido acentuado de los movimientos sociales y de los problemas humanos del momento.

4 de marzo de 1866: «La vuelta del campo.»

Este dibujo grande y hermoso de Valeriano ha sido grabado como los anteriores por Bernardo Rico. Representa el encierro nocturno de un modesto hato compuesto de un macho cabrío, algunas ovejas y un cordero en el local que sirve de establo; un perro con collar de puntas (protección contra las fieras, sin duda) ayuda para la operación, que se verifica a la luz de una lámpara de aceite levantada por un vigoroso anciano. Los efectos de luz y sombra son excelentes. De todas las pastoras de quienes Valeriano hizo el retrato, ésta es acaso la más linda.

El comentario, uno de los más poéticos de la serie, no lleva firma. Se habla apenas del dibujo, cabalmente calificado de «último verso de una égloga», ya que el autor, Gustavo Adolfo sin duda alguna, se ha dedicado en los dos párrafos anteriores a comparar la vida madrileña y la vida campesina al ocaso del sol. El tiempo se para mientras el lector deja los ruidosos y agitados alrededores de la Puerta del Sol para contemplar mentalmente horizontes a los cuales «la civilización no ha llevado aún sus costumbres perturbadoras de las leyes de la Naturaleza». La descripción campestre tiene como elementos esenciales:

1. El cielo de sol poniente en otoño: «El cielo violado del crepúsculo, que guarda aún las armoniosas tintas de la luz que desaparece; la niebla azulada de la noche, que borra poco a poco los colores y los contornos de los objetos...»
2. Los sonidos, esparcidos, que sugieren silencio y paz.

18 de marzo de 1866: «Monasterio de Santa María de Veruela (Aragón).»

Se trata de un dibujo grande y hermosísimo de Valeriano grabado por Rico. Las torres y las murallas del monasterio aparecen en un marco de densa y sombría frondosidad. La cruz con gradas se yergue a contraluz en el primer plano. Dos personajes están sentados en los peldaños.

El texto de Gustavo Adolfo, no firmado, pide auxilio para la restauración del monumento, muy deteriorado; unos créditos habían sido inscritos recientemente en el presupuesto del Ministerio de Fomento para que se realizaran los trabajos de reparación más urgentes. Gustavo Adolfo anuncia que *El Museo Universal* publicará otros dibujos tomados del natural como éste; piensa particularmente en escenas de romerías o fiestas populares de que la Virgen de Veruela sigue siendo el objeto; no parece que este último proyecto se haya hecho efectivo. Como acostumbra a hacer y siguiendo una de sus ideas más queridas, Gustavo Adolfo recurre tanto a la imaginación de los poetas como a la curiosidad de los arqueólogos y de los historiadores; Valeriano, el artista, acababa, por su parte, de realizar su tarea.

8 de abril de 1866: «Costumbres españolas. El mercado de Bilbao.»

Este dibujo de Valeriano, grabado por Severini, abarca numerosos personajes hábilmente dispuestos. El marco urbano es típico. Se podía fácilmente sacar un cuadro de esta obra (del mismo modo que de las escenas aragonesas mayores, «Las jugadoras», «El tiro de barra», «El pregonero»). Anónimo, el comentario es de tipo realista con orientaciones sociales y económicas. Se encomian el modernismo y la limpieza de Bilbao. Se insiste en dos rasgos peculiares de su mercado: la ausencia de intermediarios (que hacen duplicar los precios en Madrid) y el monopolio de las mujeres en la venta de los productos locales: pescado fresco, volatería, frutas y legumbres. Se reconoce la pluma de Gustavo Adolfo en las tres breves descripciones que amenizan este texto relativo a los intereses materiales, como se decía desde Chateaubriand (1816). La animación del mercado está evocada como sigue: «Nada puede concebirse, por tanto, más animado y pintoresco que el golpe de vista que ofrece el Mercado de Bilbao cuando bajan las aldeanas trayendo ésta un cesto de frutas, aquélla un par de gallinas, la de más allá un brazado de legumbres, y van y vienen, cruzando en todas direcciones, por el ámbito de la plaza, donde se mezclan y confunden con las vendedoras de sardinas que llegan en las primeras horas del día de Santurce, Portugalete y Algorta.»

12 de agosto de 1866: «El alcalde.»

Este dibujo, origen del cuadro «El presente», fue grabado por París, estando, sin duda, Rico de vacaciones.

El comentario que lo acompaña constituye un cuadro de costumbres rurales de los más animados, evocador de un pasado considerado con nostalgia («mejores tiempos», se nos dice). A punto de recobrar su empleo de censor de novelas y de dejar la dirección de *El Museo Universal*, Gustavo Adolfo experimenta un nuevo impulso de vida y describe con gran soltura la actividad doble del alcalde al modo antiguo, ora magistrado, ora labrador.

«El alcalde» representa un nuevo elemento de las memorias gráficas que procuran reunir los hermanos Bécquer. Gustavo Adolfo tiene conciencia de asistir a los principios de una vasta mudanza destructora: «Las nuevas formas políticas de nuestro país, el espíritu propio de la época de transición que alcanzamos y la tendencia a mudar de manera de ser que se advierte en cuanto nos rodea, van concluyendo poco a poco con los tipos más especiales y característicos de España...»

Vista de conjunto sobre la colaboración
de los dos hermanos durante este período

Los asuntos tratados atañen a las observaciones que Valeriano y Gustavo Adolfo han verificado juntos en las cercanías de Veruela y luego en Bilbao y su región durante el año 1864. Asimismo refleja la escena madrileña «Las gallinejas» paseos de los dos hermanos por los barrios excéntricos de la capital; otras huellas de tales caminatas urbanas se encuentran en el primer párrafo de «Las jugadoras»; la primera parte de «La vuelta del campo» se relaciona más bien con la experiencia diaria que Gustavo Adolfo tenía de la vida vesperal en el centro de la villa y corte.

En la mayoría de los textos llama la atención el interés que Gustavo Adolfo manifiesta por los fenómenos sociales y económicos. El poeta permanecía cercano a la vida verdadera de su tiempo, y condensaba a menudo lo que ésta tenía de más sustancial, en las pocas palabras de una reflexión o de una evocación panorámica.

Como era de esperar después de las *Cartas desde mi celda,* cada comentario tiende a la valorización de todos los aspectos del patrimonio nacional: tipos físicos, caracteres, usos, trajes, viviendas y monumentos.

61.3. *Otra colaboración entre los hermanos Bécquer: los tres grandes frescos de finales del año 1865 («La noche de difuntos», «La caridad», «Memorias de un pavo»)*

Aquí se invierte la colaboración entre Valeriano y Gustavo Adolfo. El poeta deja primero correr su fantasía; el pintor ilustra luego el texto con un conjunto de escenas independientes agrupadas en un cuadro que viene a ocupar una página entera.

Los tres textos llevan la firma completa «Gustavo Adolfo D. Bécquer». Bernardo Rico grabó las tres láminas.

29 de octubre de 1865: «La noche de difuntos.»

Resultó probablemente este texto de un encargo del director literario de entonces, León Galindo y de Vera, para la fiesta de Todos los Santos.

La obra, bellísima, está centrada en la relación sonido-pensamiento tal como la sentía Gustavo Adolfo al oír tocar las campanas: «Yo no puedo oír sonar las campanas, aunque repiquen volteando alegres como anuncio de una fiesta, sin que se apodere de mi alma un sentimiento de tristeza inexplicable e involuntario.»

Como las rimas XI («Yo soy ardiente, yo soy morena»), XIII («Tu pupila es azul, y cuando ríes»), XVI («Si al mecer las azules campanillas»), XXV («Cuando en la noche te envuelven»), LII («Olas gigantes, que os rompéis bramando») y LIII («Volverán las oscuras golondrinas»), que cuentan entre las más célebres, está construido el cuadro «La noche de difuntos» según un esquema tripartito.

Se hacen sucesivamente oír en aquella noche de los muertos que recuerda muchos funerales:

— La campana de la iglesia moderna de las ciudades, campana de los honores y de las vanidades, campana burguesa.

La noche de difuntos. Dibujo de Valeriano Bécquer grabado por Bernardo Rico para ilustrar un texto de Gustavo

— La campana de la iglesilla del lugar, campana del trabajo oscuro y modesto, campana del corazón y del pueblo.

— La campana de la catedral gótica, campana de la tradición, de la leyenda y del misterio, movida por una mano invisible; campana que, por el espanto que difunde, simboliza el romanticismo tal como lo concebía Gustavo Adolfo.

La sonoridad de cada una de las dos primeras campanas tiene significados múltiples. Se distinguen las oposiciones siguientes:

— ciudad y campo;
— civilización y naturaleza;
— poesía oficial y poesía íntima;
— poesía de composición, estudiada, y poesía de acordes musicales sueltos, espontánea;
— poesía culta y poesía popular.

A primera lectura, la sucesión de las imágenes y el encanto del ritmo ocultan por completo este sustrato teórico.

Siendo «La noche de difuntos» un texto poético desatendido por los estudiosos de Bécquer, copio a continuación tres fragmentos típicos y de seductora originalidad que corresponden a las tres voces o campanas:

— *Primera voz:* «Yo soy el dolor de las lágrimas de talco, de las flores de papel y los dísticos en la letra de oro.»

— *Segunda voz:* «... hoy lloro por los que duermen olvidados en la tierra, sin otro monumento que una tosca cruz de palo que casi ocultan las ortigas y cardos silvestres, por entre cuyas hojas descuellan estas humildes flores de pétalo amarillo que los ángeles dejan caer del halda sobre la fosa de los justos.»

— *Tercera voz:* «Cuando mi imponente clamor sorprende a la crédula vieja al pie del antiguo retablo cuyas luces cuida, cree ver por un momento a las ánimas del cuadro danzar entre las llamas de bermellón y ocre al escaso resplandor del moribundo farolillo.»

Con razón, pero tardíamente, mandó incluir Rodríguez Correa esta obra en la cuarta edición de las *Obras* (1885).

19 de noviembre de 1865: «La caridad.»

Se trata de un homenaje, demasiado altisonante y hueco en algunos pasajes, rendido al valor y a la abnegación de muchos madrileños durante la epidemia de cólera que acababa de herir la capital. Después de observar que *El Museo Universal* no es una publicación política y que, si lo fuera, su propio propósito no sería en la actualidad emitir críticas, el oponente político conocido que es entonces Bécquer se limita a apuntar: «Pero no es posible poner en duda que al recrudecerse la epidemia que ha afligido a la capital de la monarquía, hemos atravesado por momentos críticos y horribles, cuya prolongación amenazaba una gran catástrofe.»

El interés principal de este texto estriba en la denuncia de la miseria del pueblo bajo madrileño —miseria que se ha manifestado claramente a los ojos de las personas encargadas de las intervenciones sanitarias o que han contribuido voluntariamente a ellas—. La sensibilidad de Bécquer ha sido herida vivamente por esta situación. Su contestación al llamamiento de la caridad cristiana queda en el marco de la tradición, dejándole escéptico los socorros esperados de la ciencia y del Estado: «Los cálculos de la ciencia económica, los desvelos de la Administración, los esfuerzos de los gobernantes, han sido y seguirán siendo impotentes para la resolución del pavoroso problema de la miseria social que, como la esfinge de Edipo, amenaza devorar a las naciones que no acierten a descifrar su oscuro enigma. Sólo queda un camino abierto, sólo queda una doctrina: el camino que nos trazó el Divino Maestro, que sobre la piedra de la caridad echó los sólidos cimientos de la civilización moderna; la doctrina que Él mismo predicó a sus discípulos por medio de un hermoso símbolo cuando para hacerles comprender hasta qué punto la caridad puede realizar imposibles, dio de comer con cinco panes y cinco peces a millares de hombres.»

Además de la lámina de «La caridad», el cólera inspiró a Valeriano un impresionante dibujo grabado por Rico que salió en *El Museo Universal* el 26 de noviembre. Titulado «El viajero maldito», este grabado representaba a la muerte con levita y sombrero de copa, a la muerte aburguesada pues, que lleva su hoz protegida con un trapo y a la que va empujando el viento del Guadarrama. Ningún comentario acompaña este dibujo; es verdad que la alegoría basta por sí sola.

24 de diciembre de 1865: «Memorias de un pavo.»

Especialmente escrito para las fiestas de final de año, este texto está adornado con una lámina de Valeriano compuesta de una serie de imágenes titulada «Historia del pavo». La nota dominante es la cómica. Igualando a este respecto al mes de agosto de 1864, el mes de diciembre de 1865 es el de mayor vigor del humorismo de Gustavo Adolfo (en *Gil Blas* y en este relato).

Se descubre en la cavidad de las entrañas de un pavo servido en la mesa un rollo de papeles manuscritos en los que la infeliz ave da un compendio de su tranquila vida campesina, de su salida, de su pedestre viaje en manada hasta Madrid y de sus últimos momentos en una buhardilla de la capital.

El conjunto está concebido a la manera de un reportaje y más de una vez recuerda el tono de *La inauguración de la línea del Norte*. Una sátira de la sensibilidad romántica, que se confunde a veces con una irónica introspección, se columbra en el texto. El estilo del pavo es el de un poeta:

EL PAVO

«Para mí no existe pasado ni porvenir; de lo que fue no me acuerdo; de lo que seré no me preocupo.»

Rima II, estrofa 5
(publicada en *El Museo Universal* el 8 de abril de 1866)

> Eso soy yo, que al acaso
> Cruzo el mundo, sin pensar
> De dónde vengo, ni a dónde
> Mis pasos me llevarán.

Sin embargo, la ignorancia en que descansa la felicidad del pavo no es aceptada por el poeta de las *Rimas*. La oposición resulta total, desde este punto de vista, entre el ambiente de *Memorias de un pavo* y el de la rima II. El ave vive feliz en un mundo que cree innoble; el poeta de la rima II se sabe arrastrado por un movimiento que no comprende y que le angustia.

La misma oposición se nota entre este pasaje de *Memorias de un pavo*: «*Tal es mi vida; hoy como ayer, probablemente mañana como hoy*», expresión de la calma felicidad de vivir días que se suceden idénticamente, y los versos siguientes de la rima LVI, publicada en 1871:

> Hoy como ayer, mañana como hoy,
>   Y ¡siempre igual!
> Un cielo gris, un horizonte eterno,
>   Y ¡andar... andar!

que reflejan la melancolía de la conciencia inquieta o herida, llevada de un movimiento mecánico insoportable.

Bajo el aspecto de diversión asoma en *Memorias de un pavo* la fría condena de la vida pasiva; bajo la sonrisa, un vislumbre de sadismo.

Algunas pinceladas realistas aumentan la vida que dimana del texto.

Los amigos del poeta prefirieron no incluir en las *Obras* este texto humorístico. Se aunaba poco con la imagen de suavidad y ternura que se quería difundir de la personalidad de Gustavo Adolfo. Franz Schneider fue el primero que lo dio a conocer (1914).

61.4. *El carnaval de 1866*

Con ocasión de las diversiones de Carnaval, siempre acompañadas de bailes que alimentaban las gacetillas y «revistas» de los periódicos, Bécquer publica el 11 de febrero de 1866 el artículo «El Carnaval», ilustrado con un dibujo grande de Daniel Perea y Rojas, «El Carnaval en Madrid». Por su parte, Valeriano realizó para este número de *El Museo Universal* cuatro dibujos humorísticos de tamaño menor sobre el tema «Peripecias del carnaval».

El artículo está dividido hábilmente en tres partes: confidencias que sirven de prólogo, tesis, ilustración de la tesis.

El texto introductor (I) nos presenta a un Gustavo Adolfo que se ha vuelto indiferente al tiempo que pasa pero queda sensible a los signos de las estaciones, y a dos de los de las manifestaciones de la vida social, el Día de Difuntos y el Carnaval.

La tesis (II) es la siguiente: el carnaval tenía su utilidad en una sociedad disciplinada de costumbres severas; permitía escaparse durante algunos días de las pesadas sujeciones diarias. Ha perdido esta utilidad en la sociedad madrileña de 1866, donde la libertad de costumbres ha llegado a ser de las más extensas. El carnaval madrileño ya no interesa más que a tres categorías de personas: la sociedad mundana, que encuentra en él una oportunidad de satisfacer nuevos caprichos; algunos elementos de las bajas clases del pueblo, que sacan de él algunos provechos; los calaveras de la pradera de San Isidro, que toman ocasión de la fiesta para emborracharse públicamente.

La ilustración (III) comprende la descripción de esos tres grupos con, además, una breve alusión a los «tontos con diploma que se pasean vestidos de mujer con cierta coquetería», esto en el Prado.

Este cuadro de costumbres tiene la amargura de algunos de los de Larra. El sentimiento de la miseria popular resulta tan fuerte como el de la vanidad de las clases dirigentes. Reconozco aquí al Bécquer de «Mi conciencia y yo» (1855). El carnaval de Madrid ya no es sino un hábito falto de gracia: «... el Carnaval sale todos los años de su tumba envuelto de su haraposo sudario, hace media docena de piruetas en Capellanes, en el Prado y el Canal, y desaparece» (II).

A pesar de su tristeza, el texto está escrito con viveza y arrebata el ánimo. Por sus múltiples toques de colores y de luz, los cuadros de salones valen tanto como las escenas populares, llenas de pormenores escogidos y típicos. Con mucha razón, aunque tardíamente, se incluyó «El Carnaval» en la cuarta edición de las *Obras* (1885).

Los dibujos satíricos de Valeriano están conformes con los sentimientos expresados en el texto de su hermano, aunque independientes del artículo.

61.5. *La colaboración de Gustavo Adolfo con Federico Ruiz*

Entre los veranos de 1865 y de 1866, Bécquer y el dibujante Federico Ruiz produjeron cuatro obras que combinan el texto con el dibujo.

27 de agosto de 1865: «El Retiro.»

Firmado «Gustavo Bécquer», este texto contiene una metódica y sutil revista de los paseos madrileños de la época. El lazo entre el dibujo de Ruiz, que representa una avenida sombreada y una fuente en la parte luminosa del fondo, y el texto de Bécquer, queda establecido por los dos últimos párrafos en que la visión interior del poeta embellece con delicadeza el dibujo grabado por Rico; el texto que precede a esta conclusión se compone de una sucesión de cuadros dividida en dos partes: primero la evocación de los sitios de paseo dominical por un espectador situado en un punto central de la villa y corte; luego, el bosquejo de la vida del parque del Buen Retiro en sus varios lugares cuyo aspecto cambia con las horas y las estaciones, cerrando este bosquejo una descripción-paseo primaveral.

A mi ver, «El Retiro» es una de las obras maestras del costumbrismo español y de la prosa fugitiva. En un rápido movimiento se mezclan las imágenes con sugestivas anotaciones sobre la vida de las diversas clases sociales. En este texto es probablemente donde mejor puede observarse la vocación psicosociológica del poeta.

11 de marzo de 1866: «El castillo real de Olite. Notas de un viaje por Navarra.»

Firmado «G. A. B.», este texto se asemeja a los de *Historia de los templos de España,* con una mezcla de observación realista, de poesía, de información histórica y de presentación arquitectónica, pero no tiene su bello orden. Dedicada a la iglesia Santa María la Real, la tercera parte es brevísima y deja una impresión de inconclusa.

El cuadro de la llegada a Olite y la indicación de un alojamiento en la ciudad, sobre la cual se emite un juicio bastante favorable, me inclina a creer que Gustavo Adolfo haya visitado la población, tal vez aprovechando la estancia en Fitero del verano de 1865: sólo dista Olite de Fitero unos setenta kilómetros. El poeta empezaría a redactar un texto de impresiones y recuerdos completado por una breve información histórica, lo dejaría sin acabar y lo sacaría luego del cartapacio para traer materia a *El Museo Universal* pidiendo una ilustración a Federico Ruiz. Este dibujo, grabado por Rico, representa el castillo con la ciudad en el fondo. El subtítulo «Notas de un viaje por Navarra» conviene para un texto incompleto.

He aquí el pintoresco cuadro nocturno de la llegada a la ciudad: «Cuando llegamos a la población, la noche había cerrado por completo, y las grandes masas verticales en sus bastiones, que se destacaban oscuros sobre el cielo estrellado y de un azul intenso, parecían los gigantes guardianes de la antigua e imponente puerta ojival que da paso a su recinto. A la luz de un pequeño farolillo que colgaba delante de un retablo empotrado en el grueso del muro, pudimos distinguir algunas figuras típicas de jornaleros del país que volvían a sus hogares con los instrumentos de la labranza al hombro, y que al entrar saludaban devotamente a la imagen.»

Característico de una prosa poética que se repite ya un poco, *El castillo real de Olite* ingresó en 1885 en la cuarta edición de las *Obras*.

Primero de abril de 1866: «La procesión del Viernes Santo en León.»

El Museo Universal celebra la Semana Santa de 1866 dejando las sendas trilladas. Ha escogido presentar por la imagen y el texto el tradicional encuentro de los pasos de Jesús y de la Virgen en la plaza del Ayuntamiento de León, verdadero espectáculo dramático que anima y explica un predicador instalado bajo un dosel colocado en medio del balcón de la Casa Consistorial.

El dibujo de Ruiz, grabado por Rico, representa una vista panorámica de la plaza con los pasos que se han reunido. Viveza y sobriedad caracterizan el texto que, no firmado, puede atribuirse a Bécquer, director literario.

15 de julio de 1866: «Sepulcro de Raimundo Berenguer en la catedral de Gerona.»

En el curso de los siete primeros meses de 1866, *El Museo Universal* publica una serie de dibujos comentados que tratan de varios monumentos catalanes. La mayor parte de los textos están firmados y no son obras de Bécquer. De modo excepcional, el del 15 de julio, anónimo, lleva su sello en la frase siguiente, relativa a una catedral que no había visitado: «Recorriendo sus extensas naves bañadas por la claridad tenue y misteriosa que penetra al través de las caladas ojivas, deteniéndose a contemplar los objetos de arte acumulados en su recinto, o repasando en la imaginación las antiguas memorias que despiertan los nombres de los ilustres personajes que duermen el eterno sueño de la muerte bajo sus santas bóvedas, el artista, el arqueólogo y el historiador encuentran ancho campo para sentir y estudiar.»

Debió de gustar a Bécquer la tradición relativa al asesinato de Raimundo Berenguer y al lugar llamado «La percha del azor»; presenta de ella en final de texto un compendio lleno de fuerza dramática.

El dibujo de Ruiz grabado por Rico representa el sepulcro colocado encima de una portada: dos personajes están de pie bajo este dosel de piedra.

El texto y el dibujo no tienen relación directa.

61.6.   *La colaboración con otros dos dibujantes:*
Jaime Serra y Francisco Ortego

28 de enero de 1866: «Roncesvalles.»

Este texto hubiera podido formar un capítulo de *Historia de los templos de España.* Se divide en tres partes que se equilibran:

— I.   La llegada del excursionista a la cruz de los peregrinos y una reflexión acerca de la emoción que suscitan los sitios hechos famosos por las leyendas.

— II.   La presentación de la población y la visita de la colegiata Nuestra Señora (historia, arquitectura, obras de arte), con la reiteración del *leitmotiv* compendiado como sigue: «La atmósfera de la tradición, que aún se respira allí en átomos impalpables, comenzaba a embriagar mi alma, cada vez más dispuesta a sentir sin razonar, a creer sin discutir», en que se definen perfectamente el mito y el ambiente mítico.

— III.   La montaña y la evocación de las luchas épicas relatadas por los cantares de gesta, con aquel desarrollo final relativo a la poderosa influencia que ejercen los sitios de leyenda sobre la imaginación: «¿Qué extraño es, pues, si de tal modo impresionan los sitios que guardan la memoria de las tradiciones, que los habitantes de aquellas comarcas, cuando la tempestad rueda por la falda del Pirineo y ensordece los angostos valles, creen ver en los jirones de niebla que flotan sobre los precipicios ejércitos de blancos fantasmas que combaten y piensan oír en el zumbido del viento y el fragor del trueno el eco de la encantada trompa de Roldán, que aún pide socorro en su agonía?»

Este texto piloto lleva la firma completa «Gustavo Adolfo Bécquer», hecho singular, puesto que el autor ya dirigía la revista.

La visita de Roncesvalles está redactada en primera persona y ningún pormenor permite descartar la hipótesis de un auténtico recuerdo. Es posible que, en agosto de 1865, Bécquer haya viajado hasta Olite, Pamplona y Roncesvalles. Pero tampoco puede excluirse que haya sacado un admirable provecho de la documentación y de los dibujos de que disponía, reconstituyendo el ambiente del sitio con una asombrosa sensación de presencia.

Los hermosos dibujos de la colegiata y del desfiladero de Roldán han sido tomados sobre el terreno por Jaime Serra y grabados por Rico. Valeriano no habría participado, pues, en el viaje de Roncesvalles. *El Museo Universal* reproduce también las mazas de Roldán y el zapato de Turpín conservados en la sacristía de la colegiata.

«Roncesvalles» representa uno de los ataques más inspirados de Bécquer contra lo que llama la «historia crítica» y que llamamos hoy la ciencia histórica. De modo más general son blancos de esta reflexión el escepticismo y la indiferencia de las clases intelectuales, más o menos conscientes de la debilitación de su fe.

Esta obra fue incorporada a la tercera edición de las *Obras,* publicada en 1881. La enriquecen muchos toques y esbozos que componen cuadros de aspecto impresionista, como aquella vista global de Roncesvalles: «Roncesvalles tiene un aspecto original. Sus casas, de forma irregular y pintoresca, con cubiertas de pizarras puntiagudas, con pisos volados al exterior, torcidas escaleras que rodean los muros y dan paso a las galerías altas, barandales, postes y cobertizos por donde se enredan, suben y caen las plantas trepadoras en largos festones de verdura, ofrecen agrupándose en torno a la Colegiata, un conjunto de líneas y de color sumamente extraño y pintoresco.»

22 de abril de 1866: «La sopa de los conventos.»

Es poco conocido este texto. Primorosamente escrito, merece ser divulgado. Con Rica Brown, creo que se trata de una obra de Bécquer, quien concibió la idea de ilustrar con el dibujo y el texto, a intención de los lectores de *El Museo Universal,* una costumbre nacional extinguida. Lo creo tanto más cuanto que el «sopista» aparece en el texto-manifiesto «El pordiosero» publicado el 12 de enero de 1870 en *La Ilustración de Madrid.* El carácter histórico del asunto y el número elevado de los personajes que era preciso dibujar explican la intervención de Ortego, uno de los más empleados ilustradores del *Museo* para los retratos, las escenas de costumbres y las caricaturas. Marcelo París, polivalente pero particularmente solicitado para los retratos, fue el grabador.

El texto encierra la defensa, formulada desde el doble punto de vista de la moral y del arte, de una antigua costumbre religiosa. Llama la atención la referencia elogiosa a una escena de *Don Álvaro:* «... el ilustre duque de Rivas ha hecho de la repartición de la sopa una de las escenas más animadas y cómicas de su inmortal drama *Don Álvaro.»* Lo más importante reside en el párrafo reproducido a continuación, que da la ventaja a la caridad religiosa (compatible con la libertad del individuo) respecto de la asistencia permanente (causa de dependencia) que practicaba ya el Estado moderno en medio del siglo XIX: «Sin embargo, como fórmula de caridad, siempre ha debido ser una costumbre loable. En el día, el Estado que nos tiene en tutela como a menores, se encarga de ser benéfico por nosotros. En otras épocas, la compasión hacia el pobre se traducía en instituciones caprichosas e individuales. Estudiando el libre sistema de ejercer la caridad de nuestros mayores, desde la guiropa claustral hasta la *ronda de pan y huevo,* encontraríamos una multitud de prácticas y costumbres a cual más original, encaminadas todas al bien de los menesterosos. Estos esfuerzos filantrópicos, al parecer aislados, tenían, sin embargo, su unidad especialísima. La religión era el lazo que los identificaba unos con otros.»

61.7. *Algunos artículos biográficos. El duque de Rivas visto por Bécquer. Bécquer y Zorrilla en 1866*

Examiné ya algunas biografías de hombres políticos que pueden atribuirse a Bécquer. Agrego aquí a esa serie el artículo necrológico dedicado al ingeniero general Antonio Ramón Zarco del Valle, publicado el 29 de abril de 1866 y firmado «B». Este ingeniero había sido ministro de Guerra, senador y presidente de la Academia de las Ciencias. Este texto breve se distingue por la exaltación de los sentimientos nacionalistas: «... (esta pérdida) priva a España —estima Bécquer— de uno de esos pocos hombres que aún pueden considerarse como monumentos de su grande epopeya nacional.» Acompaña la noticia necrológica un noble retrato que es obra del dibujante Perea y del grabador París.

La necrología del duque de Rivas publicada el 2 de julio de 1865, firmada «Gustavo Bécquer», no es totalmente apolítica, pues el autor cuida de recordar que el difunto había sido favorecido por importantes nombramientos mientras gobernaban González Bravo y Narváez. Sabemos por otros conductos que el duque era amigo personal de González Bravo. La noticia necrológica carece de inspiración y parece de puro encargo. Noto, sin embargo, en ella una alusión a las «enojosas trabas de la poesía de academia» que contribuyó Rivas a aflojar así como una apreciación sobre las relaciones de la vocación poética y de la política: «El duque de Rivas había nacido para poeta; como poeta pudo ser soldado, pero no hombre político.»

El libro de Gabriel Boussagol, *Ángel de Saavedra, duc de Rivas. Essai de bibliographie critique* (Bordeaux, Féret, 1926), parece ignorar el artículo de Bécquer.

Se hallaría muy debilitado el interés de Bécquer por el arte de Zorrilla en el verano de 1866 ya que, mientras dirige todavía la redacción de

El Museo Universal, no escribe ninguna contribución personal para el homenaje que la revista tributa al poeta de Valladolid en el número del 5
de agosto. Este homenaje comprende:

— un retrato dibujado por Perea y grabado por París;
— «Regreso de Zorrilla a España», carta de Pedro Antonio de Alarcón;
— «Don José Zorrilla», texto sin novedad, de Antonio Ferrer del
  Río (1846);
— «El reloj», poema de Zorrilla.

61.8.   *«Un tesoro» (Almanaque de El Museo Universal para 1866)*

Este relato satisfizo con prontitud un pedido. La ironía crítica y hasta
autocrítica de Gustavo Adolfo ocupa en él un lugar importante. Lo ilus-
tró Valeriano con un modesto dibujo.
   La intriga se resume como sigue. Dos viajeros, un arqueológo sin nombre
y don Restituto, llegan, montados en mulas, después de una penosa ascensión por una comarca montuosa, al pueblo de Cebollitos que, según
el arqueólogo, ocupa un sitio antiguo en que los vestigios han de abundar
a flor de tierra (parte I). Una excavación hecha de prisa cerca de los restos
de un abandonado horno de ladrillos conduce al descubrimiento de una
vasija de cerámica altamente alabada por el arqueólogo; pero que se revela ser una chata estropeada, echada antaño en este sitio por el mesonero
del lugar (parte II).
   Es una crítica caricaturesca, quijotesca (el mesonero es una copia de
Sancho) del ensueño arqueológico y de los buscadores de tesoros. No tiene
más méritos que los que Gustavo Adolfo atribuía a su producción teatral
y zarzuelesca: divertir al público y proporcionar algún dinero al autor. Veo
sin embargo en esta obrita un rasgo propio de la curiosidad de Gustavo
Adolfo: la atracción de las escombreras o depósitos de desechos, que vuelve
a encontrarse por ejemplo en *Tres fechas* y en *Memorias de un pavo.*
   Franz Schneider fue quien exhumó este texto y dio de él un resumen
en su tesis de 1914. En 1948, lo reprodujo y lo comentó en sus *Páginas
abandonadas* don Dionisio Gamallo Fierros.

61.9.   *Los poemas publicados. Parodias*

Gustavo Adolfo se vale de *El Museo Universal* para dar a conocer, antes
de la publicación del libro que proyecta, algunas muestras de su nueva poesía. Escoge ocho textos que han de llevar cada uno la firma completa «Gustavo Adolfo Bécquer». Esta selección descarta tanto la inspiración intimista como la poesía irónica o acusadora de tipo heineano, sea que Gustavo

Adolfo haya deseado quedarse próximo a la sensibilidad de los lectores, sea que haya preferido evitar toda interrogación acerca de su vida sentimental.

En seis casos de ocho, estas rimas se publican en números de la revista que contienen también un texto en prosa firmado por el poeta o un dibujo de Valeriano comentado por su hermano, como si Gustavo Adolfo hubiera querido hacer de esos fascículos verdaderas fiestas de las artes.

Obsérvase que esas publicaciones se prolongan en septiembre de 1866, cuando Gustavo Adolfo ha abandonado ya la dirección literaria de *El Museo Universal*. Tal vez se conforme su sucesor, Ventura Ruiz Aguilera, en este punto, con los planes ya fijados. Examinaré brevemente estas rimas según el orden de su publicación.

28 de enero de 1866: «Espíritu sin nombre» (futura rima V).

Ésta es la primera publicación de la rima V, que sufrirá sensibles modificaciones hasta que figure en las *Obras* de 1871. La acompañan aquí un poema de Luis Rivera y otro de Luis González Bravo, lo que traduce el mayor eclecticismo y el reconocimiento de la autonomía de la poesía respecto de las ideologías sociales.

Debemos suponer que la primera elaboración del texto es antigua, ya que se inspira en el poema de José María de Larrea «El espíritu y la materia» *(El Semanario Pintoresco Español,* 8 de mayo de 1853).

Como exploración del espacio poético, la rima V refleja el espíritu de una sociedad cuya visión del mundo estaba experimentando una rápida transformación. Se concibe la poesía como último camino de esperanza en un mundo fascinado por las posibilidades que parece ofrecer el dominio del hombre sobre la materia. Ello es lo que resumen los versos que elegirá el poeta para componer la estrofa 17 del texto que se lee en el «Libro de los Gorriones»:

> Yo soy sobre el abismo
> el puente que atraviesa,
> yo soy la ignota escala
> que el cielo une a la tierra.

El mismo número de *El Museo Universal* contiene el hermoso texto de «Roncesvalles» en defensa de la poesía legendaria.

11 de febrero de 1866: «Yo soy ardiente, yo soy morena» (futura rima XI).

La entrega al ensueño se evoca aquí por medio de la búsqueda de la mujer ideal, sublimando Bécquer un tema de época muy utilizado por Musset.

La palabra «imposible» de la última estrofa se relaciona a la vez con la tradición calderoniana y con el vocabulario del romanticismo latino.

El texto fue trabajado de nuevo entre esta publicación y el final de 1869.

Las exigencias del poeta se expresan de modo similar, al tratar de la imitación vana de las tradiciones agotadas, en el artículo «El carnaval» del mismo número. Las dos obras confirman el malestar que experimenta Gustavo Adolfo al penetrar en la vida contemporánea y tener que adaptarse a los aspectos superficiales de la realidad social. Próxima a la rima XV, la rima XI nació probablemente en la misma época (1860).

4 de marzo de 1866: «Tú y yo» (futura rima XV).

Con perfecta lógica la rima XV sigue a la rima XI en *El Museo Universal*. En ambos poemas, la lengua del lirismo amoroso envuelve el drama de la pasión artística; en la rima XV aparecen además resonancias filosóficas y religiosas. Con el mismo título, «Tú y yo», se había publicado ya dos veces el poema (1860, 1864); Gustavo Adolfo lo retocará de nuevo antes de consignarlo en el «Libro de los gorriones». Pienso que veía en este poema la expresión más exacta de su personalidad y de su experiencia.

Este número de *El Museo Universal* es uno de los más preciosos porque contiene, además de «Tú y yo», los deliciosos cuadros de «La vuelta del campo» con el hermoso dibujo de Valeriano.

18 de marzo de 1866: «Dos y uno» (futura rima XXIV).

Es la primera publicación conocida, y la única que lleva un título, de la rima «Dos rojas lenguas de fuego». Bécquer modificó la estructura y algunas palabras al confeccionar la colección del «Libro de los gorriones».

Esta rima del amor ideal forma parte de la línea poética salida del poema «Souvenir» («Recuerdo») de las *Meditaciones poéticas* de Lamartine.

Con esta rima y con el dibujo de Valeriano que representa el monasterio de Veruela, cuya entrada aparece en la extremidad de una avenida limitada por altos árboles, este número de *El Museo Universal* tenía todo lo deseable para dar vida a los sueños.

8 de abril de 1866: «Saeta que voladora» (futura rima II).

Romanticismo de ensueño otra vez con esta rima de la interrogación y de la vaguedad que se inserta en la continuación de la lírica de Espronceda.

Según mis informaciones, se trata de la primera publicación. El texto fue modificado ulteriormente por Bécquer y sus amigos, de modo que la rima II puede pasar por una obra colectiva que expresa con fuerza el *mal du siècle*.

El mismo número de *El Museo Universal* contiene el dibujo de costumbres de Valeriano «El mercado de Bilbao» con el comentario de Gustavo Adolfo. Vemos reunirse aquí las corrientes romántica y realista; se templan mutuamente.

13 de mayo de 1866: «Serenata» (futura rima XVI).

Es la primera publicación hoy conocida, oportunamente primaveral, de una de las rimas más gustadas, «Si al merecer las azules campanillas». Ni el tema ni la forma eran nuevos; pero Bécquer, impulsado sin duda por una potente reminiscencia de su juventud sevillana, transmite aquí una peculiar intensidad a la flexible lírica de que Eulogio Florentino Sanz había presentado el modelo. Tal intensidad se debe juntamente a la condensación de las imágenes, a la depuración del decir poético y a la ordenación estructural. Gustavo Adolfo siguió perfeccionando este poema; copió en 1869 una versión notablemente mejorada en el «Libro de los gorriones».

9 de septiembre de 1866: «¡La vida es sueño!» (Calderón) (futura rima LXIX).

Publicado por primera vez en *El Museo Universal,* expresa este poema un agudo sentido de la fugacidad de las cosas humanas.
Los versos

> La gloria y el amor tras que corremos,
> Sombras de un sueño son que perseguimos.

son de una «dolora» campoamoriana típica (véase, por ejemplo, *Doloras,* XVI, «Corta es la vida»).
La originalidad de la rima reside en la aserción, poéticamente formulada, según la cual las ilusiones entretenidas por la vida social desempeñan una función de entorpecimiento respecto de la conciencia personal: «¡Despertar es morir!»
Bécquer retocó los dos primeros versos antes de transcribir el texto en el «Libro de los gorriones».
El texto publicado en *El Museo Universal* fue reproducido sin modificaciones tres días más tarde (12 de septiembre de 1866), con la firma «G. A. Bécquer», en la gacetilla de uno de los diarios del partido moderado, *El Pabellón Nacional*. En la misma época publicó este periódico numerosos poemas de Zorrilla, algunos poemas de Campoamor y «A Dios» de Rodríguez Zapata, este último poema el 1 de noviembre de 1866. Parece que los redactores de *El Pabellón Nacional* hayan tenido buenas relacio-

nes con *Gil Blas,* que volvió a publicarse (fue el principio de su segunda época), el 6 de octubre de 1866.

23 de septiembre de 1866: «¡No sé!» (futura rima XXIII).

Con «Cendal flotante de leve bruma», fue este poema el más publicado por el propio Bécquer y probablemente el más querido también. Evocaba para él Sevilla y la poesía popular andaluza del amor mientras la rima XV pertenece a la poesía culta. Esta publicación es por lo menos la tercera, pero es la única que lleva el título expresivo «¡No sé!».

El mismo número de *El Museo Universal* contiene un dibujo de costumbres populares de Valeriano, «La fiesta de los ciegos en las provincias vascongadas».

Las «Gilblasianas»

Una suerte de intimidad poética existía entre Bécquer y los redactores de *Gil Blas.* Tenemos una prueba de ello con la publicación de un poema de Luis Rivera en *El Museo Universal* el 28 de enero de 1866, y un poco más tarde, en el mismo lugar, de un poema de Manuel del Palacio, «Los vientos. Boceto de un poema». Manuel del Palacio tendría conocimiento de muchas rimas de Gustavo Adolfo inéditas o sepultadas hoy en la prensa menos explorada puesto que, en mayo de 1866, varias parodias publicadas en *Gil Blas* parecen relacionarse con ellas como lo ha demostrado don Rubén Benítez, quien cita:

— Un poema alusivo a la rima XXXVIII («Los suspiros son aire y van al aire») cuya primera estrofa dice (recordemos que Prim y sus compañeros habían huido a Portugal):

> ¡Ay! ¡Los suspiros que mi pecho exhala
> Dios sabe dónde irán!
> Irán, si es que el gobierno lo permite
> volando a Portugal.

— Y aquella estrofa que combina en estilo cómico elementos de las rimas XLI («Tú eras el huracán, y yo la alta») y XXX («Asomaba a sus ojos una lágrima»):

> Yo tengo la cabeza delicada,
> tú tienes relajado el corazón,
> cada cual vamos por distinta senda,
> olvídame ¡Y adiós!

La gracia no hacía falta, a pesar de la relativa adversidad ambiental, en algunos de los círculos que frecuentaba Bécquer.

He encontrado, por mi parte, una letrilla cuyo estribillo «No puede ser» recuerda el de la rima XLI («Tú eras el huracán, y yo la alta»), «No pudo ser», en *El Pabellón Nacional,* con fecha de 11 de noviembre de 1866. He aquí la quinta y última estrofa de ese excelente trozo humorístico, digno de *Gil Blas:*

> Y escribir la gacetilla
> semana tras de semana
> con mucha o con poca gana,
> sin saltar alguna grilla
> que en un candil pueda arder,
> no puede ser.

7

segundo período
de fiscalía

EL SEGUNDO PERÍODO DE FISCALÍA
(AGOSTO DE 1866-OCTUBRE DE 1868)

CON un sueldo anual de 24.000 reales y un empleo público que le deja mucha libertad, Gustavo Adolfo lleva una vida agradable. Por su parte, Valeriano se sigue beneficiando de su pensión anual de 10.000 reales; reparte su tiempo entre Madrid y la provincia (Castilla o Aragón), entregando puntualmente al Museo Nacional los cuadros que le debe.

62. Panorámica

Cada vez más ligado con un gobierno que logra difícilmente dominar la agitación interna, Gustavo Adolfo se halla política o físicamente separado de la mayor parte de sus amigos. Rodríguez Correa se coloca con resolución al lado de los progresistas: asistirá a la batalla de Alcolea el 28 de septiembre de 1868 como observador revolucionario. Campillo, quien sigue ocupando durante todo este período la cátedra de retórica en el instituto de Cádiz, ciudad en que publica sus *Nuevas poesías,* pertenece también a la oposición; en septiembre de 1868, será miembro de la junta revolucionaria de Cádiz, ciudad de la que ha salido el movimiento insurreccional victorioso. No se sabe exactamente lo que es la vida de Ferrán durante estos dos años, lo más probable es que siga viviendo en Alcoy donde trabaja para el librero Martí, quien publica en 1868 un diario regional titulado *El Parte Diario.*

Muere Luis García Luna en diciembre de 1867. Según *Gil Blas,* «compartía las tareas periodísticas con esa animosa juventud que desde las columnas de *El Imparcial* defiende las doctrinas liberales». Es decir que militaba en las filas de la oposición a Narváez salida de la antigua Unión Liberal.

Políticamente, Nombela es tal vez el más cercano a Gustavo Adolfo entre todos sus amigos de la adolescencia. Como González Bravo y sus familiares, evolucionará hacia el carlismo después de la revolución. Hasta el 2 de noviembre de 1868, sigue ocupándose de los asuntos literarios, teatrales y musicales en *La Época*. Desde las columnas de este periódico lanza, en el curso del primer semestre de 1868, la idea de la Asociación de Escritores y Artistas Españoles, de la que será uno de los fundadores. Al mismo tiempo prosigue su producción novelística. Por motivos poco claros pero entre los cuales creo que el más importante fue su intensa y metódica labor literaria, parece que Nombela no tuvo relaciones continuas con Bécquer durante ese período, pero su amigo le había dado libre acceso al sello del fiscal de novelas.

En un tiempo (1867-1868) en que las condiciones de trabajo se habían puesto muy favorables para él, parece que Gustavo Adolfo haya producido muy poco. Acabó la composición del primer manuscrito de las *Rimas,* publicó poquísimos poemas y redactó los textos de acompañamiento de una docena de dibujos que publicó Valeriano en *El Museo Universal.* Probables problemas de salud, indolencia y evasión poéticas pueden explicar este relativo vacío; pero es igualmente posible que lo que Gustavo Adolfo publicó en la prensa progubernamental nos quede desconocido. En efecto, es lícito pensar que entre los animadores de la publicación de las *Obras* de 1871, Rodríguez Correa y Campillo se preocuparon poco de buscar lo que saliera en aquella prensa que habían combatido; en cuanto a Ferrán, fue sobre todo un ejecutante y estaba ausente de Madrid en la época considerada. Por su parte, Nombela no trabajó de ningún modo para la publicación de las *Obras,* ni en 1871 ni más tarde.

Otro misterio existe para este período. No se sabe exactamente cuándo se produjo la ruptura entre Gustavo Adolfo y su esposa. La única certeza es que el hecho tuvo lugar al final de dos años de prosperidad familiar que fueron seguidos, después de la revolución, de un tiempo de apremiante estrechez, reveladora de una ausencia de ahorro anterior.

Gustavo Adolfo dimitió de su empleo de censor en cuanto se instaló el gobierno provisional, a principios de octubre de 1868. No tuvo sucesor; la nueva ley de imprenta votada a finales del mismo mes suprimió la fiscalía de novelas. Tiempos difíciles empezaban para el poeta; temía en Madrid la hostilidad de las fuerzas revolucionarias; pero tenía que sustentar su familia. Con Gregorio y Jorge, sus dos hijos, se refugió en Toledo, no demasiado distante de Madrid, y reanudó allí su trabajo.

63. La vida pública. La revolución de 1868

En su calidad de fiscal de novelas de Madrid, empleo bastante elevado en la jerarquía administrativa, Bécquer se hallaba en relaciones con todos los editores de la corte y también con todos los directores de periódicos, pues debían someterse a su visado las novelas publicadas en los folletines, las cuales constituían un importante factor de venta para el diario y una fuente suplementaria de ingresos para los novelistas. Desde el decreto del 24 de noviembre de 1864, la misión del censor de novelas era cuidar de la protección de las «instituciones sagradas para los españoles» y de la salvaguardia de las «buenas costumbres». No se sabe exactamente de qué modo Gustavo Adolfo cumplió con su tarea, porque están extraviados o perdidos los registros de entrada y salida de los manuscritos sometidos a su examen así como los expedientes.

Demos una ojeada a lo poco que se sabe de su breve carrera administrativa y de su actividad en este campo.

Poco después del nombramiento de Bécquer, los servicios financieros del Estado juzgaron oportuno levantar objeciones sobre la regularidad de la real orden del 12 de julio de 1866. El 8 de agosto, el ordenador general de pagos de Gobernación comunicó al ministro que, no siendo Bécquer licenciado en jurisprudencia, no podía considerarse como regular su nombramiento sin una resolución que precisase que este diploma no era necesario para desempeñar legalmente la fiscalía de novelas. La decisión solicitada fue firmada el 18 de agosto; precisaba que la única condición de competencia exigida para un nombramiento al empleo de fiscal de novelas era, en virtud del artículo 2.º del real decreto de 24 de noviembre de 1864, la «notoria idoneidad» dejada a la apreciación del gobierno. Al recibir esta real orden, el ordenador general participó que, salvo si se estimara (y se sospecha aquí alguna ironía) que la fiscalía de novelas pertenecía a los servicios de vigilancia, el artículo 10 de la ley de 15 de julio de 1865 (votada en el último período gubernamental de O'Donnell), la cual había reglamentado provisionalmente el ingreso y ascenso en los ramos de la Administración civil y económica, se oponía a que Bécquer fuese nombrado a un empleo de la clase de jefe de negociado. Una real orden de 29 de agosto resolvió que el artículo 10 de la ley de julio de 1865 sólo se aplicaba a los nombramientos posteriores a su fecha de promulgación y no podía regir el nombramiento de Bécquer, quien había sido nombrado por primera vez fiscal de novelas el 19 de diciembre de 1864. Se disponía, pues, que el ordenador general acreditase su sueldo al nuevo fiscal, lo que se verificó sin duda en septiembre. Rafael de Balbín ha notado que la decisión de 29 de agosto no tenía base legal ya que el artículo 14 de la ley de 15 de julio de

1865 establecía que únicamente los funcionarios que habían obtenido sus plazas por oposición se beneficiarían de los derechos adquiridos, caso en que no se encontraba Bécquer.

Todo esto deja una penosa impresión de arbitrariedad. Gustavo Adolfo, quien no había recibido ninguna formación jurídica, no estaría muy consciente de que su nombramiento resultaba de procedimientos que desacreditaban al régimen.

El 12 de septiembre de 1866, Gustavo Adolfo solicitó una licencia de seis semanas por motivo de salud, proponiendo que Enrique Márquez, fiscal de imprenta, estuviera encargado interinamente del despacho de los asuntos durante su ausencia. Esta licencia le fue concedida por real orden del 13. El día 24, informó al ministro que, haciendo uso de la licencia, salía de Madrid el mismo día. La última colaboración de los hermanos Bécquer en *El Museo Universal,* es del 23; hay que esperar al 9 de diciembre para encontrar en la revista un nuevo dibujo de Valeriano, con el monasterio de Veruela por asunto. Durante la licencia se representó de nuevo *La cruz del valle,* con gran éxito, en el Teatro del Circo el 28 de septiembre.

En otra solicitud de licencia, fechada el 26 de agosto de 1867, Gustavo Adolfo dio la precisión: «Habiéndome prescrito varios facultativos los baños de mar como único medio de restablecer mi quebrantada salud...» Por real orden firmada el día siguiente, se le concedió una licencia de cuarenta y cinco días y fue encargado del ínterin Luis Fernández Guerra, oficial del Ministerio de Gobernación. Es de presumir que Gustavo Adolfo pasó el mes de septiembre en la costa cantábrica.

Gracias a un descubrimiento de Rubén Benítez se sabe que Bécquer fue atacado a finales de diciembre de 1867 o principios de enero de 1868 por el diario neocatólico *La Lealtad* con motivo de haber dejado publicar en el folletín de *La Correspondencia,* diario de la oposición liberal, la novela de Octavio Feuillet *Monsieur de Camors,* juzgada inmoral. En su número del 12 de enero de 1868, *Gil Blas* defendió a Bécquer en los términos siguientes: «La reputación de este joven escritor, su buen gusto literario, su misma instrucción le ponen al abrigo de todo lo que puedan decir los amantes del oscurantismo. ¿Dónde iríamos a parar si se diera el gusto a esos señores?» Esto demuestra que, a pesar de su fidelidad a González Bravo y a Narváez, Gustavo Adolfo seguía gozando de la confianza de sus amigos de la oposición democráctica; tal apoyo moral tenía utilidad frente a las presiones que pudiere ejercer sobre el gobierno el tradicionalismo representado tanto por el partido neocatólico como por el ala más conservadora del partido moderado.

Varios testimonios, especialmente los de Julia Bécquer y de Francisco de Laiglesia, establecen que Bécquer frecuentó con regularidad las reuniones que se celebraban en casa de González Bravo. Según la sobrina del poeta, Gustavo tenía en casa los retratos de las hijas del ministro, Leonor y Blanca. Fue también admitido en el círculo de los familiares de Narváez. El general murió el 23 de abril de 1868 en Madrid poco tiempo después de O'Donnell (5 de noviembre de 1867, Biarritz). Bécquer asistió a los últimos momentos del jefe del gobierno y acompañó el féretro en rango honorífico y con visible emoción. A pesar de la larga amistad que le ligaba con Manuel del Palacio reprochó con viveza a éste el epigrama siguiente (un telegrama satírico procedente del infierno):

> Llegó el duque de Valencia;
> se le está poniendo el rabo.
> Se espera con impaciencia
> a don Luis González Bravo.

Manuel del Palacio, que había conocido o había de conocer pronto los sinsabores de un destierro en Puerto Rico, no hacía más que desempeñar su papel de escritor satírico de oposición. Según una tradición familiar transmitida por Eduardo del Palacio, hijo de Manuel, terció Eulogio Florentino Sanz entre ambos amigos y se borró el incidente.

Manuel del Palacio y Eusebio Blasco se beneficiaron de la revolución de septiembre; pero tanto el antiguo equipo de *Gil Blas* como el nuevo mantuvieron cordialísimas relaciones con los hermanos Bécquer durante los años 1869 y 1870.

En vista del testimonio de Julia Bécquer, que no tenía aún ocho años de edad al estallar la revolución, suele admitirse que Gustavo Adolfo acompañó a González Bravo hasta París cuando el presidente del consejo caído se refugió en Francia al mismo tiempo que la reina. Luego habría regresado a Madrid el poeta para ocuparse de los niños que estaban a su cuidado, viviendo los esposos ya separados.

En esta época había entregado ya Gustavo Adolfo a González Bravo una colección de las *Rimas*. Sobre este hecho y sobre la pérdida del manuscrito, los testimonios valiosos son los de Campillo y de Laiglesia. Dicen:

— Campillo (noticia necrológica sobre Bécquer publicada en *La Ilustración de Madrid* el 15 de enero de 1871, en vida de González Bravo):

> Don Luis González Bravo, ministro entonces, y particular amigo del poeta, se encargó espontáneamente de poner (a las *Rimas)* un prólogo e imprimirlas a sus expensas; tal fue la originalidad, la frescura y el sentimiento que encontró en ellas, como encuentran hoy cuantos las conocen y conocen la vida del autor.

> Estalló y triunfó el movimiento revolucionario de 1868; cayó para siempre el trono de doña Isabel; ésta y sus ministros buscaron preci-

pitadamente refugio en país extranjero; Gustavo presentó dimisión
de su empleo; volvió los ojos a la poesía; pero no pudo recobrar su
volumen manuscrito, extraviado en aquellos días por efecto de las circunstancias de quien lo conservaba entre los papeles y libros.

— Francisco de Laiglesia *(Bécquer. Sus retratos,* 1922, págs. 6 y 7):

> ... Sólo González Bravo conoció desde luego su ingenio, le hizo
> censor de novelas, para que atendiese a las necesidades de su familia
> sin la fatiga de las traducciones que hacía para la casa de Gaspar y
> Roig, le llevó a la intimidad de su familia, acomodada y culta, y le
> pidió para publicarlas, con un prólogo suyo, la colección de sus rimas;
> Bécquer las reunió en un cuaderno, que se perdió en la visita tumul-
> tuaria que hicieron las turbas al domicilio del Ministro caído; pesqui-
> sas posteriores no lograron hallar unas cuartillas que se buscaron con
> interés al publicar las obras.

No estoy seguro de que Gustavo Adolfo acompañase a González Bravo
hasta Francia; si lo hizo, me parece probable que no viajó más allá de Biarritz. En cuanto a la desaparición del manuscrito, es cierta; pero su pérdida no lo es tanto, pues los muebles, libros y papeles de González Bravo
se beneficiaron de una protección judicial.

En efecto, las informaciones recogidas sobre la historia de aquellos días
revelan los hechos siguientes:

Ya desde principios del mes de septiembre de 1868 está Napoleón III
en Biarritz, adonde le llegan todos los despachos sobre la situación en España. Dirige personalmente la política extranjera. Todo el mundo sabe entonces que un movimiento revolucionario está preparándose. González
Bravo, quien preside el gobierno desde la muerte de Narváez, que ha desterrado a varios jefes militares, en particular a los generales Dulce y Serrano, quien también ha mandado detener a algunos dirigentes de la oposición política, deja Madrid el 8 de septiembre para Lequeitio, en la costa
vascongada, donde se encuentra la corte. Tiene que informar a la reina
de que Napoleón III estima inoportuno un encuentro y que urge regresar
a Madrid para convocar las Cortes. Todavía se halla en Lequeitio cuando
Prim y el almirante Topete inician el movimiento insurreccional en Cádiz
el 18. Dimite al día siguiente mientras la reina llama al general José de
la Concha, con quien se había establecido contacto ya desde agosto, al objeto de confiarle el cargo de primer ministro. Alrededor del 22, González
Bravo cruza la frontera con algunos otros miembros del gobierno. Napoleón III viene a saludar a la reina cuando, a su vez, traspasa la frontera;
la entrevista es brevísima. En los días que siguen, la reina se retira con

sus familiares al castillo de Pau mientras los antiguos gobernantes, y en primer lugar González Bravo acompañado de sus hijas, se instalan en Biarritz. El 28 de septiembre, la batalla del puente de Alcolea había puesto fin a las esperanzas gubernamentales, ya bastante flojas.

Dadas sus perturbadas circunstancias familiares y la situación política llena de notorias amenazas, resulta dudoso que Gustavo Adolfo se haya ido a los baños de mar en aquel mes de septiembre. Si acompañó a González Bravo entre el 8 de septiembre y el final del mes, no debió de alejarse mucho de la frontera franco-española. Lo cierto es que su dimisión como fiscal de novelas se hallaba entre las manos de Sagasta antes del 10 de octubre.

Allegado a González Bravo, tuvo motivos para dudar de su propia seguridad en Madrid. En un despacho del embajador de Francia al ministro de Asuntos Exteriores fechada de 10 de octubre, leo: «Hier, au milieu du jour, le secrétaire particulier de Mr. González Bravo, Mr. Pérez Anis, a été reconnu á la Puerta del Sol par des hommes armés qui l'ont horriblement blessé et il était mourant quand il a pu atteindre son domicile, poursuivi par la foule.» (Traducción: «Ayer, hacia mediodía, el secretario particular del Sr. González Bravo, Sr. Pérez Anís, fue reconocido en la Puerta del Sol por hombres armados que le hirieron horriblemente y estaba gravísimo cuando consiguió alcanzar su domicilio, perseguido por la multitud.») Prim, quien había entrado con solemnidad en Madrid el 7, tuvo que ir ante la casa del herido para razonar al pueblo «avec beaucoup d'énergie et de noblesse» (con mucha energía y nobleza), precisa el despacho. Acontecimientos de esta índole fueron causa de que los hermanos Bécquer decidieran instalarse en Toledo con sus hijos, y creo que este traslado se verificó en octubre de 1868.

No considero como cierto que el primer manuscrito de las *Rimas* se halle definitivamente perdido. Los objetos preciosos y los papeles de González Bravo habían sido recogidos y vigilados por su cuñado Mariano Romea y por José Nacarino Bravo. La obra *El cronista de la revolución española de 1868* (Barcelona, 1889) contiene en la página 190 la información siguiente para el día 5 de octubre de 1868:

> ... se presentaron anoche dos honrados ciudadanos manifestando la seguridad en que estaban de que en el número 20 de la calle de Serrano (antes boulevard Narváez), cuarto tercero, se hallaban encerradas una porción de cajas pertenecientes a D. Luis González Bravo.
>
> Sin pérdida de tiempo, D. Mariano Rolas se presentó a la Junta central del distrito a dar noticia del asunto, mientras D. Eduardo Bustello oficiaba al alcalde de barrio para que se presentase inmediatamente a ayudar como autoridad local, a la mayor vigilancia, para el caso en que se procediese, como se procedió, a tomar todas las sali-

das de la expresada casa, en que se colocaron centinelas de la fuerza popular del barrio. Poco después llegaron en representación de la Junta central revolucionaria, D. Miguel Morayta; el Sr. Serrano, secretario de la Junta de distrito; el Sr. Rojas, jefe de la fuerza del barrio, un juez y un escribano, que sellaron las puertas del cuarto, ocupado sólo por las cajas expresadas, y cuyas llaves entregó el Sr. D. Mariano Romea, cuñado de González Bravo. A dicho Sr. Romea trataron los citados señores con la mayor finura y atención, lo mismo que al Sr. D. José Nacarino Bravo, a quien se detuvo en los primeros momentos, declarándole en seguida libre la Junta revolucionaria.

Por la mañana se presentaron los mismos señores con el señor gobernador, el juez y el escribano, haciéndose el inventario de lo que contenían los cincuenta y tantos bultos, entre los cuales, hasta la hora en que escribimos estas líneas, se han encontrado muchas alhajas, ropas, armas de caza, cajas de tabaco, muebles de lujo, libros y papeles. Hoy ha continuado el inventario.

Puede razonablemente conjeturarse que el cuaderno de las *Rimas* se hallaba entre estos libros y papeles que fueron colocados bajo custodia judicial. Sagasta mandó abrir una información contra su predecesor. ¿Tal vez se presente algún día la oportunidad de examinar el inventario de los bienes embargados y de averiguar su destino? ¿Quién sabe si el manuscrito de Bécquer no volvió, entre otros documentos, a las manos de los herederos de González Bravo (fallecido en Biarritz el 1 de septiembre de 1871 y cuyas exequias fueron presididas por Cándido Nocedal y Nacarino Bravo) y si no se guarda hoy, ignorado, en la biblioteca o el archivo de uno de sus descendientes?

Habiendo entregado Bécquer su dimisión del empleo de fiscal de novelas, ésta fue aceptada por decreto de 10 de octubre de 1868 firmado por Sagasta, que actuaba como miembro del gobierno provisional y ministro de Gobernación. La prensa (en particular *La Época)* mencionó este decreto el 11. El 6 de noviembre se notificó oficialmente el decreto al gobernador de la provincia de Madrid; este aviso precisaba que el decreto sobre la libertad de imprenta tomado el 23 de octubre había suprimido el cargo de fiscal de novelas.

El Museo Universal guardó prudente silencio sobre los disturbios internos hasta el combate del puente de Alcolea. Su mutismo se mantenía todavía el 26 de septiembre. El 4 de octubre, Ventura Ruiz Aguilera saludó la revolución victoriosa en su «Revista de la semana». El 18 fue sustituido en la dirección literaria del *Museo* por Francisco Giner de los Ríos, demócrata entusiasta cuyo agudo interés por las reformas en materia de educación se manifestó varias veces en la revista. Al inaugurar su dirección, Giner tributó homenaje a Ruiz Aguilera, considerado como poeta

y como patriota. Durante su corto período de dirección (18 de octubre-27
de diciembre de 1868) benefició Giner dos colaboraciones de los hermanos Bécquer.

64. Jurado en la Exposición Nacional de Bellas Artes de 1866

Esta exposición tuvo lugar en Madrid con algún retraso durante los
meses de enero y febrero de 1867.

Gustavo Adolfo fue nombrado miembro del jurado de pintura el 16
de enero. Figura en octavo rango en la lista de los diez jurados, entre los
pintores José Vallejo (decorador de salones y salas de espectáculos) y José
Carlos Méndez (decoración de iglesias). Presidía el jurado Severo Catalina, director de Instrucción Pública (de quien publicó *El Español* un texto
muy becqueriano el 1 de noviembre de 1865). Uno de los dos vicepresidentes
era Federico de Madrazo, maestro del retrato aristocrático; el otro José
Caveda, el director del Museo Nacional de Pintura que recibía los cuadros
de costumbres provinciales de Valeriano.

Según José de Castro y Serrano representaba Bécquer en este jurado
a los jóvenes artistas que le habían elegido.

La lectura de periódicos como *El Pabellón Nacional* demuestra que los
miembros del jurado desplegaron mucha actividad tan pronto como fueron nombrados.

Las propuestas de recompensa fueron publicadas el 17 de febrero. Los
más famosos pintores del momento habían participado a la exposición.
Gisbert, Mercadé, Palmaroli, Vera, Eduardo Cano, Casado del Alisal, Hernández y Puebla fueron principalmente distinguidos en el género más noble,
el de la historia y del genio histórico.

La calidad de los análisis de Bécquer en la serie «La Exposición Nacional de Bellas Artes de 1862» *(El Contemporáneo)* debió de lucir en sus observaciones orales. Aclara su presencia en el jurado de la exposición de 1866.

Juez artístico a la par que censor de novelas, antiguo director de *El
Museo Universal,* ya no era Bécquer un literato oscuro en el Madrid de 1867.

Es de suponer que los hermanos Bécquer recibieran o volvieran a ver
a su primo y maestro Joaquín durante el verano de 1866. Éste, elegido en
marzo académico de San Fernando, había visitado Castilla la Nueva en
el mes de julio. El 28 de dicho mes había mandado desde Guadalajara una
carta a Antoine de Latour en la que relataba sus impresiones artísticas.
Aunque no se manifestase en las exposiciones madrileñas, Joaquín gozaba indudablemente de la estima de los mayores pintores de su tiempo.

65. La vida privada. Muerte de un artista (Federico Ruiz). Primeros escritos en el «Libro de los gorriones». Drama conyugal

Liberado de sus funciones de director literario de *El Museo Universal* a mediados de agosto de 1866, Gustavo Adolfo se iría en un primer tiempo a Noviercas para visitar a sus suegros.

Tal vez se reuniera allí con Valeriano, que parece haber repartido su tiempo durante el segundo semestre de 1866 entre Noviercas —donde hizo en particular el retrato de la madre de Casta, Antonia Navarro— y Soria, donde residía su tío y padrino Francisco (Curro), quien vivía con un hijo mentalmente disminuido. En Soria pintó Valeriano el retrato de una prima de Casta, Rafaela Navarro, casada con el ingeniero de Montes Alejandro Izquierdo. Parecen, pues, excelentes en esa época sus relaciones con las familias Esteban y Navarro.

El 23 de febrero de 1867, Valeriano entregó al Museo Nacional de Pintura el cuadro de costumbres «El baile» así como dos retratos, «La hilandera» y «El leñador». El primero de estos cuadros parece asociar elementos apuntados en Villaciervos, cerca de Soria (paisaje de las eras, pormenores de trajes) y en Noviercas (retratos). Gustavo Adolfo designa esta obra con el título «Las carretas de los Pinares» (noticia necrológica). José Caveda dio cuenta de la entrega al director general de Instrucción Pública el 23 de febrero. En su informe, el director del museo hace constar los progresos de la técnica de Valeriano y alaba especialmente «El baile», «cuya verdad en los tipos y bellezas de su colorido —escribe— colocan al autor a una altura envidiable entre nuestros mejores pintores de género». La hilandera parece vestida del traje característico de las aldeanas de la comarca de Villaciervos (14 kilómetros al oeste de Soria). El leñador lleva la dalmática con capucha de El Burgo de Osma. Todos estos cuadros llevan la fecha «1866», así como un boceto titulado «Vista de Villaciervos» que figura en un álbum de Valeriano conservado en el Museo Lázaro Galdiano. Me parece probable que, durante el otoño de 1866 y el invierno 1866-1867, Valeriano trabajase en Soria y en varios puntos del trayecto que conduce de Soria a El Burgo de Osma.

Gustavo Adolfo pasaría también una o varias temporadas en Soria durante el segundo semestre de 1866. En 1892, en la revista *Recuerdo de Soria* (núm. 3, segunda época, págs. 35-37), Antonio Pérez Rioja atestigua lo que sigue: «No puedo olvidar la insistencia con que Gustavo Adolfo me solicitaba, allá por el año 1866, para obligarme a ser auxiliar y cómplice de sus generosos propósitos de adquirir y restaurar ese trozo de feudo o encomienda, patrimonio un día de los caballeros de San Juan de Jerusalén.

El baile. Óleo de Valeriano Bécquer entregado al Museo Nacional de Pintura
el 23 de febrero de 1867

Su imaginación le hacía a veces ver ya con la enumeración consiguiente, instalados dentro del museo, fragmentos de estatuas, sepulcros e inscripciones, monetarios y otros objetos.»

Soria y su comarca están representados en la obra de Gustavo Adolfo con *El monte de las ánimas, El rayo de luna* y los comentarios de diversos dibujos de Valeriano. Sin embargo, los hermanos Bécquer no hicieron, ni con mucho, una explotación exhaustiva del patrimonio arquitectónico e histórico de las cercanías del Moncayo, como ha demostrado Federico Bordejé. Puede en particular echarse de menos que no presentasen ni el hermoso alminar de la época califal que ha venido a ser el campanario de la iglesia de Noviercas ni el claustro mudéjar de Tarazona.

Puede suponerse que Gustavo Adolfo usaría de la licencia de cuarenta y cinco días que se hizo efectiva el 24 de septiembre de 1866 para irse a las playas del norte (si no para tomar verdaderos baños de mar, dada la fecha) ya que dio expresamente este motivo de salud en apoyo de la solicitud análoga presentada en agosto de 1867. De uno de estos dos años se conserva una carta suya, sin fecha, enviada sin duda desde Bilbao y dirigida a Ramón Sagastizabal, de la que se colige que los esposos se habían instalado en Portugalete con el pequeño Jorge, de quien se dice: «El chiquitín nos da bastante que hacer, pero él parece animado y bueno. En escribir poesías no hay para qué pensar, porque las musas se asustan de los niños llorones.» De cuatro años de edad, Gregorio Gustavo había quedado en Madrid o en casa de sus abuelos maternos. Se sabe por los recuerdos de Julia Bécquer que Ramón y Marcelino Sagastizabal moraban en la calle de Atocha, frente al domicilio de los Bécquer. Éstos se habrían mudado aquí al dejar el piso de la calle de las Huertas en que les había sustituido Eusebio Blasco. Pienso que esta carta conservada por la familia Segovia es de septiembre de 1866 más bien que de agosto de 1867 porque las expresiones «el chiquitín» y «niño llorón» se aplican mejor a un niño de un año a quien su padre empieza a descubrir calificándolo de «animado y bueno». La indicación «El dinero es el que viene estiradillo» corresponde también mejor a la situación de un funcionario que sólo acababa de recobrar su empleo. Creo, pues, con Rica Brown y don Rafael Montesinos que esta carta fue escrita a finales del mes de septiembre de 1866.

Esta carta iba acompañada según toda probabilidad por un boceto que representa el mar, con rocas y veleros, al poeta en una actitud de desaliento, al niño que enjuga sus lágrimas y a la musa que huye por los aires con la lira en las manos. Reproducido en el libro de don Rafael Montesinos *Bécquer. Biografía e imagen* (pág. 258), este croquis ligero no es muy expresivo.

En sus recuerdos refiere Julia Bécquer que Gustavo Adolfo, siempre apasionado por la música, especialmente de ópera, se acompañaba con un clavicordio de que Marcelino Sagastizabal era propietario; el instrumento fue confiado al poeta cuando, después de la muerte de Marcelino, Ramón mudó de casa.

Se sabe muy poca cosa acerca de la vida del matrimonio Bécquer en 1867.

En cuanto a Valeriano, hay indicios de que siguió trabajando en Soria, con visitas a El Burgo de Osma y Almazán durante el primer semestre. Los dibujos que publicó en *El Museo Universal* con comentarios de Gustavo Adolfo se relacionan todos con aquella región. Otro dibujo titulado «Vista de Soria» lleva la fecha «1867».

Valeriano se trasladó luego a la provincia de Ávila que, a pesar de su proximidad a Madrid, había conservado antiguos y pintorescos trajes de fiesta en el campo. Los tres cuadros que remite al Museo Nacional de Pintura al final del invierno 1867-1868 —«La fuente de la ermita», «El escuadra» y «La huevera»— llevan las indicaciones «Ávila. 1867». Las dos últimas obras representan a habitantes del valle de Ambles. Dando cuenta de la entrega de estos tres lienzos escribió José Caveda: «Todas estas obras son dignas de los mayores elogios y esta Dirección tiene un verdadero placer en consignarlo.» La estancia en la provincia de Ávila inspiró también algunos dibujos publicados en *El Museo Universal*. Esta época parece feliz para Valeriano.

Probablemente acompañado de su mujer y de sus hijos, Gustavo Adolfo se fue a los baños de mar en 1867, pero nada se sabe sobre este viaje.

Gustavo Adolfo, Nombela y Rodríguez Correa tuvieron la triste oportunidad de volver a reunirse a la cabecera de García Luna, fallecido el 25 de diciembre de 1867, y en sus exequias. Sus empresas editoriales habían tenido sin duda un fin desgraciado pues Nombela y Rodríguez Correa indican, cada uno por su lado, que García Luna dejó a una viuda en la miseria. Se abrió una suscripción. Parece que los casos de García Luna y de Federico Ruiz, ejemplares entre otros, motivaron o aceleraron la primera tentativa para constituir la Asociación de Escritores y Artistas Españoles. Rodríguez Correa parece sin embargo olvidarse de Nombela y de su acción cuando, en 1873, en el tomo XXXI de la *Revista de España,* evoca la vida de García Luna al publicar la leyenda de su amigo, «El monasterio de Piedra». Rodríguez Correa presenta a García Luna como uno de aquellos «escritores que llenos de fe, de vida y de entusiasmo compartieron un día con nosotros las penalidades, esfuerzos, triunfos y nunca realizados planes que forman la accidentada malla entre la que se agita impotente la precaria existencia del escritor en España». Apunta después que Gustavo Adolfo y García Luna, sevillanos ambos, permanecieron siempre unidos.

Murió el 4 de febrero de 1868 el dibujante Federico Ruiz, con quien Bécquer había trabajado para ilustrar *El Museo Universal* en 1865-1866. Creo que Gustavo Adolfo fue quien tuvo la idea de reproducir en *El Museo Uni-*

versal el dibujo no terminado, grabado en madera, que dejó el artista en su mesa de trabajo. Esta obra conmovedora, que representa el interior, sin ninguna animación, de la nueva iglesia del Buen Suceso, salió a luz en el número 7 de 15 de febrero, acompañada de un texto firmado «G. A. B.», que pertenece a lo mejor de la prosa poética de Bécquer sobre el tema de la muerte y del arte. Raras veces se ha sugerido de manera tan sutil y directa el choque psicológico que produce entre sus familiares la repentina desaparición de un creador. He aquí este cuadro: «¡Allí estaban su mesa de trabajo, llena la tabla de esos extravagantes arabescos que traza la mano distraída, mientras la imaginación se preocupa en perseguir una idea o en vencer una dificultad; allí los lápices cuya punta rompió el día anterior y los que acaso dejó afilados para continuar su tarea el siguiente, y la silla que desvió al levantarse, y los revueltos papeles llenos de croquis ligeros, de figuras geométricas o de apuntes confusos que él solo entendía: allí, por último, cuidadosamente cubierta con un papel transparente, la madera en que trabajaba cuando la muerte vino a helar su mano y apagar la luz de su inteligencia!»

Con la misma sensibilidad se describe a Ruiz en sus actitudes familiares al entrar en el estudio de *El Museo Universal* y al empezar su tarea. La última parte recuerda otra obra maestra de Gustavo Adolfo, *Maese Pérez el organista;* como fundamento de ambos textos se encuentra la idea de que la muerte del artista significa la desaparición de un genio único e insustituible: «Tal cual la dejó (su obra) la ofrecemos hoy como un triste pero cariñoso recuerdo a los suscriptores de *El Museo,* cuyas páginas guardan las más espontáneas producciones de su corta vida de artista. Concluirla, hubiera sido en cierto modo profanarla. ¿Quién, aun sintiéndose capaz, no hubiera temido por algún punto sentir algo invisible que le detenía la mano para decirle: "No: no es eso lo que yo quería hacer"?»

El dolor y la admiración de que da testimonio este texto permiten imaginar lo que sintió Gustavo Adolfo cuando murió su hermano.

El artículo «Bellas Artes. Nueva iglesia del Buen Suceso, vista interior. Último dibujo de Federico Ruiz» era conocido de Franz Schneider, que lo cita en su estudio «Gustavo Adolfo Bécquer as *poeta* and his knowledge of Heine's Lieder *(Modern Philology,* febrero de 1922). También lo era de Rica Brown (pág. 313 de su *Bécquer).* No se reimprimió, sin embargo, hasta que María Dolores Cabra Loredo lo agregase a la colección de artículos, textos y grabados de *La Ilustración de Madrid* (Ediciones «El Museo Universal», Madrid, 1983).

Fue probablemente durante el mes de junio de 1868 cuando un amigo de Gustavo Adolfo, deseoso de animarle a formar una colección de sus escritos, le entregó un grueso registro de tipo mercantil. Francisco de Laiglesia nos ha dejado el testimonio siguiente, que vela un tanto la parte de humorismo que había en la iniciativa del donador: «Un amigo modesto, que oía todos los días sus disculpas, por no reunir ni coleccionar sus trabajos; que creía posible que la falta de pluma y de papel justificase sólo la pereza de que se le acusaba, se presentó una noche en la tertulia del Suizo con un tomo comercial de 600 páginas, que Bécquer aceptó con gratitud, y en el que escribió el hermoso prólogo publicado al frente de sus obras...»

Este registro de comercio, encuadernado en tela negra, con lomo de tela de fieltro verde, se ha conservado con su etiqueta que indica su procedencia: «Julio Gaisse, calle de Relatores, núm. 3, Madrid. Libros rayados, encuadernaciones.» Es del tipo que se utilizaba principalmente en esa época para llevar los libros auxiliares de contabilidad y para consignar.los actos de las colectividades. La etiqueta fue llenada por Gustavo Adolfo, quien escribió *Libro de los gorriones* con letra recta, destinada a los títulos y a los textos que presentar de modo distintivo, y «Gustavo Adolfo D. Bécquer. Junio de 1868» con letra inclinada destinada a los textos de tipografía corriente. Se guarda el registro en el departamento de manuscritos de la Biblioteca Nacional de Madrid (signatura 13.216); con el tiempo, las tintas se van borrando.

En la página 3 se halla el título del «Libro primero» de la colección. Indica que Gustavo Adolfo se proponía fijar y, al ser posible, desarrollar aquí los proyectos de obras que le vinieran a la mente. Contestaba así el poeta a los deseos de sus amigos que le rogaban a menudo consignar lo que expresaba oralmente; pero tenía conciencia de los azares que rodeaban su creación literaria, de la distancia que mediaba entre la emoción y la obra, entre la oralidad espontánea o el rápido apunte y el escrito artístico. Y esta conciencia engendraba una ironía resignada para consigo. Dice este título revelador «*Libro de los gorriones,* colección de proyectos, argumentos, ideas y planes de cosas diferentes que se concluirán o no según sople el viento. De Gustavo Adolfo Claudio D. Bécquer. 1868. Madrid 17 junio».

Esto evoca para mí la despreocupación y chanza popular. La presencia de los gorriones, pájaros vulgares y vigorosos entre todos, refuerza esta impresión y me hace pensar en Antonio de Trueba, autor del *Libro de los cantares,* como ya indiqué.

El registro, abierto el 17 de junio de 1868, encierra: 1, un texto breve, «Introducción sinfónica», escrito con letra recta (págs. 5 a 7); 2, la introducción de un relato, «La mujer de piedra» (págs. 9 a 19); 3, «Índice de las rimas» (págs. 529 a 531); 4, un dibujo pegado en la página 533 (que representa el jardín de la casa en que vivieron los hermanos Bécquer en Toledo durante el año 1869); 5, «Rimas de Gustavo Adolfo Bécquer», poemas que ocupan las páginas 535 (título) a 600.

Es lícito suponer que «Introducción sinfónica» se escribiera poco tiempo después de la apertura del registro, a finales de junio o principios de julio de 1868.

Musical por su título y su lengua, este texto contiene la cita «Morir es dormir» que representa a la vez un tópico romántico, sacado del famoso monólogo de Hamlet *(Hamlet,* III, 1, 60 - «To die, to sleep - No more...» — «Morir, dormir - Nada más...») y una referencia a aquellos versos de un cantar popular citado por Manuela Cubero Sanz *(Vida y obra de Augusto Ferrán,* pág. 57):

> Dicen que sueño es muerte,
> mas yo lo niego,
> pues cuando duermo vivo,
> cuando no, muero.

La inspiración general de «Introducción sinfónica» procede sin embargo de la dedicatoria («Zueigmung») con la que se abre el *Fausto* de Goethe. El arte literario tiene aquí una función de catarsis; el poeta expresa la necesidad de liberarse, por medio de la ficción narrativa o teatral, de las obsesiones que toman el aspecto de figuras, aventuras, imágenes y atmósferas de que debe hacerse cargo la palabra y a las que tiene que dar forma. Estas obsesiones aparecen también en la rima LXIII («Como enjambre de abejas irritadas») pero limitadas a los recuerdos.

El problema de la creación está planteado en términos poéticos cuya finura y armonía demuestran, contrariamente a lo que cree Gustavo Adolfo, que sus facultades de llamamiento y arreglo de las palabras quedan potentes cuando las circunstancias favorecen la inspiración:

«Conmigo van (los extravagantes hijos de mi fantasía), destinados a morir conmigo, sin que de ellos quede otro rastro que el que deja un sueño de la media noche que a la mañana no puede recordarse. En algunas ocasiones y ante esta idea terrible se subleva en ellos el instinto de la vida y agitándose en terrible aunque silencioso tumulto buscan en tropel por donde salir a la luz, de las tinieblas en que viven. Pero ¡Ay! que entre el mundo de la idea y el de la forma existe una abismo que sólo puede salvar la palabra y la palabra tímida y perezosa se niega a secundar sus esfuerzos. Mudos, sombríos e impotentes, después de la inútil lucha vuelven a caer en su antiguo marasmo.»

El verdadero drama es de otra índole; estriba en la precaria salud del poeta, en las frecuentes caídas de vitalidad, orígenes de la melancolía de este texto y, como consecuencia, en la dificultad, experimentada demasiadas veces, para pasar a la animación del relato (da prueba de ello «La mujer de piedra», obra dejada en el telar, cuya realización queda limitada a una larga introducción poética, estática, hermosísima aunque falte el desenvolvimiento narrativo). Más que la dificultad de vestir la idea «desnuda», palabra que vuelve varias veces en «Introducción sinfónica», la falta de dinamismo es la que puede preocupar. En muchos lugares, el vocabulario revela una frágil salud y una vida sembrada de menores pero significativos accidentes: «fiebres», «exaltaciones», «abatimientos», «insomnio», «mis noches sin sueño», «este arpa vieja y cascada ya», y, por fin, aquella previsión, anormal de parte de un hombre de treinta y dos años: «Tal vez muy pronto tendré que hacer la maleta para el gran viaje.»

Ya no se ilusionaba demasiado Gustavo Adolfo sobre sus fuerzas; esto explica la modestia que se expresa con gracejo en la página de título y en son de confesión artística en las dos páginas de introducción.

Todo esto se avenía bien con la imagen de poeta desgraciado que Rodríguez Correa, Campillo y Ferrán quisieron dar de su amigo treinta meses después. Tuvieron en mano el registro y sacaron provecho de todos los textos que contenía. «Introducción sinfónica», cuyo título se redujo a «Introducción», vino a encabezar las *Obras*. «La mujer de piedra» fue colocado en el segundo y último tomo de la edición Fortanet (1871).

Sospecho que la delicada situación de salud del poeta fue también de modo indirecto una de las causas de la separación de los esposos.

Se tienen pocas informaciones seguras sobre esta crisis conyugal. Los hechos ciertos son los siguientes:

— A finales del año 1868, después del nacimiento del tercer hijo (Emilio Eusebio Domínguez Bécquer y Esteban), sucedido en Noviercas el 15 de diciembre, viven ya separados los esposos, residiendo el marido en Toledo con Gregorio Gustavo (seis años) y Jorge (tres años).
— Sólo se reanudó la vida común después de la muerte de Valeriano (23 de septiembre de 1870).

La opinión que prevalece, fundada en el testimonio de Julia Bécquer, niña de casi ocho años y presente cuando ocurrió la crisis, es que la separación tuvo lugar en Noviercas en el curso del verano de 1868, después de haberse descubierto relaciones sospechosas entre Casta y un hombre de la comarca. Como todos los veranos, Valeriano había venido a Noviercas con sus hijos. Al estallar el escándalo, los hermanos Bécquer se refugiaron con Alfredo, Julia, Gregorio y Jorge en la casa soriana del tío Francisco.

De las declaraciones de Julia y de las investigaciones llevadas por don Heliodoro Carpintero en Noviercas resulta que la familia de Casta y la población en general manifestaron particular hostilidad contra Valeriano, al que hacían responsable de la discordia entre los esposos.

Según don Heliodoro Carpintero, quien ha examinado los hechos con mucha atención pero fundándose principalmente en la tradición oral, Casta habría caído bajo la influencia de un hombre de su edad, Hilarión Borobia, apodado «el Rubio», a quien la opinión pública atribuyó el asesinato del segundo marido de Casta, el recaudador de contribuciones Manuel Rodríguez Bernardo, muerto de un tiro el 26 de febrero de 1873. Los habitantes de Beratón mataron a Borobia el 9 de febrero 1874 cuando acababa de participar con otros diez malhechores en una agresión contra la población reunida para oír misa.

Las rimas del amor fracasado me parecen ajenas a las relaciones entre Gustavo Adolfo y Casta Esteban. El poeta guardó cierto cariño por su mujer y supo perdonarla.

66. Algunas observaciones sobre la vida poética entre 1866 y 1868. Los trabajos poéticos de Bécquer

66.1. *El ambiente poético de la época. La escuela sevillana vista por Luis Vidart en 1868*

La melancolía romántica está de moda, como lo muestra el álbum poético del *Almanaque de El Museo Universal para 1867* editado a finales de 1866. Se encuentra en él:

a) «Recuerdo de un poeta», dedicado a la memoria de Vicente Sainz Pardo, que contiene el poema «Hojas de flores marchitas», en que se leen versos próximos a los de la rima LX («Mi vida es un erial»),

> cuanto toco lo profano;
> un anatema es mi amor,

así como aquellas líneas firmadas «A» que recordarían a Gustavo Adolfo las amarguras de los años 1859-1860:

> En 1848 un joven e infortunado cuanto insigne poeta, don Vicente Sainz Pardo, natural de la provincia de Valladolid, no pudiendo soportar las contrariedades de un amor sin ventura y algunas decepciones sociales, de aquellas que conocen casi todos que han llegado a Madrid sin más capital que sus sueños de gloria literaria, puso trágico fin a su existencia con la propia mano que pocos días antes había escrito los siguientes versos.
> En ellos, se vio, después de muerto el poeta (pues los dejó inéditos) la inmensa melancolía que lo devoraba y que lo arrastró al suicidio...

b)   Tres poesías de Espronceda, «A un ruiseñor. Soneto», «A Matilde» y «Fragmento», ya publicadas en *El Pensamiento* (1841) pero ausentes de las colecciones hasta entonces impresas, que el *Almanaque* se precia de salvar del olvido y cuyo vocabulario permite evocar la deuda de Bécquer para con su predecesor (vocabulario amatorio de las rimas VI, IX, X, XVIII, entre otras):

> Y húmedos ver sus ojos de ternura
> que abren al alma enamorada un cielo,
> estáticos de amor y de dulzura
> con blando, vago y doloroso anhelo.

> («Fragmentos.»)

c)   El poema de Vicente W. Querol «En la muerte de un amigo» precedido de un texto con título prematuro, «Otro poeta malogrado» (por fortuna, Querol tuvo una carrera profesional y poética satisfactoria; sus *Rimas* se editaron, cuando vivía, en 1877 con prólogo de P. A. de Alarcón, y se reeditaron en 1889 con prólogo de Teodoro Llorente), donde pueden leerse, firmadas «A» (¿el propio Alarcón tal vez o Ruiz Aguilera?), las líneas siguientes: «El señor Querol, desalentado por la indiferencia que en estos últimos pasados años reinaba para todo lo que era bella literatura, se ha dedicado a empresas mercantiles, jurando no volver en hacer versos.»

La poesía alemana sigue gustando. El 30 de septiembre de 1866, Ruiz Aguilera admite en *El Museo Universal* tres «Lieds de Luis Uhland», «Consuelo de primavera» («Fruhlingstrost»), «Hora de la tarde» («Abendwolken») y «Palabras de un anciano» («Greisenworte»), traducidos en prosa. De 5 de mayo a 2 de junio de 1867, *El Museo Universal* publica una producción casi completa del *Intermezzo lírico* de Heine, obra de Mariano Gil Sanz. Esta traducción debe sin duda mucho a la de Nerval, salida en la *Revue des Deux Mondes* en 1857.

De información que procede de un artículo publicado en enero de 1982 por José Alberich en *Ínsula,* deduzco que la moda germanizante, juntamente con la manera de Blest Gana en «Horizonte» (1848) y «Bello es mirar» (1850), tal vez también con la de Bécquer en la rima LXVII («¡Qué hermoso es ver el día...!», que se difundiría oralmente) da pábulo al humorismo de *Gil Blas* que, el 4 de septiembre de 1867, publica un poema paródico, cómicamente sacado de las «memorias de un sabio alemán». Burlándose de la poesía etérea, el parodista empieza con la exclamación

¡Qué bello es el madrugar
y por vía de recreo
salir a dar un paseo
y hacer ganas de almorzar!,

y concluye con este contraste muy en el estilo de Manuel del Palacio:

bello y poético es
y de ese prisma al través
todo al Criador aclama...
pero... ¿y estarse en la cama
hasta las dos o las tres?

En mayo de 1868, el crítico Luis Vidart procede ante la Real Academia de Bellas Letras de Sevilla al examen de las obras de la moderna escuela sevillana de poesía. Elogia la forma (afán de corrección y musicalidad) y también la tendencia mística de numerosos poetas, entre los que figuran Gertrudis Gómez de Avellaneda, Justiniano, De Gabriel, Fernández Espino, Rodríguez Zapata, Campillo y *Bécquer.* Vidart opina, sin embargo, que esta poesía ya no se ajusta al espíritu contemporáneo, y eso por dos causas principales: primero, el pensamiento no se cultiva bastante en ella, y segundo, mira demasiado hacia el pasado y descuida las aspiraciones al progreso que caracterizan la época actual. Difunde el estudio de Vidart la muy joven *Revista de España* que, el 13 de octubre de 1868, lo publica con el título «La escuela poética sevillana». En este momento se conocen las tendencias progresistas de Campillo, y Vidart puede advertir: «Por algunas tendencias que ya apuntan en sus poesías, el Sr. Campillo puede ser considerado casi como disidente de la escuela sevillana» (pág. 354). Ni Rodríguez Correa ni Campillo, los principales promotores de las *Obras* de Bécquer, estarán en situación favorable, después de 1870, para reconciliar al poeta difunto con los académicos sevillanos.

66.2. *Los trabajos poéticos de Bécquer*

Como se ve en la carta dirigida desde Bilbao a Ramón Sagastizabal, Gustavo Adolfo pensaba dedicarse a la poesía después de haber recobrado, con el empleo de fiscal de novelas, su libertad. Los dos años que corrieron entre el verano de 1866 y el de 1868 fueron aprovechados para elaborar el primer manuscrito de las *Rimas,* el que fue entregado a González Bravo. Lo atestigua Campillo quien, en 1869, pudo recibir las declaraciones de su amigo de la niñez sobre la vida reciente de éste: «Durante el tiempo de su empleo escribió un breve tomo de poesías, titulado *Rimas.*»

En esta primera colección de las *Rimas* eligió Gustavo Adolfo el poema «Besa el aura que gime blandamente» (futura rima IX) para el álbum poético del *Almanaque de El Museo Universal para 1868,* editado a finales de 1867. Este poema, una octava real, no es una rima sino por su concisa elegancia. Se trata en realidad de un cuadro primaveral que es una obra maestra de la escuela sevillana clásica. Su primera redacción pudiera ser anterior al año 1854.

Al consignar de nuevo sus poemas en el «Libro de los gorriones» en 1869, Gustavo Adolfo suavizó y simplificó los dos primeros versos

> Besa el aura, que gime en son doliente,
> las crespas ondas que en su vuelo riza;

que vinieron a ser

> Besa el aura que gime blandamente
> las leves ondas que jugando riza,

lo que demuestra una vigilancia poética enteramente preservada.

El *Almanaque para 1868* contenía también «Si copia tu frente», poema firmado con tres asteriscos, mientras «Besa el aura que gime blandamente» lleva la clara firma «Gustavo Adolfo Bécquer». Resultaba, pues, atrevida la atribución a Bécquer que hizo Iglesias Figueroa; este poema no hace más que pertenecer al movimiento becqueriano.

Noto que, a principios de 1868, los críticos que, como Luis Vidart, no tienen trato personal con Bécquer, sólo lo conocen por las rimas publicadas en *El Museo Universal* durante el año 1866 y por este poema del *Almanaque*. Ninguna de estas obras presentaba rasgos contrarios al gusto de los poetas sevillanos. Creo que esta consideración influyó en la elección de los poemas que el autor ofreció entonces al público.

La misma observación se aplica al hermoso poema-oración que Gustavo Adolfo entregó a finales de 1867 o principios de 1868 a Francisco Javier Sarmiento, editor de *Cantos del Cristianismo. Devocionario de la infancia y álbum religioso,* libro que salió a la luz en Madrid a finales de marzo de 1868, como lo revela un texto publicitario insertado en el diario *La Época* el 27 de dicho mes. «A todos los santos, letanía para los vivos y los muertos», no se incluyó en la colección que el poeta volvió a constituir en 1869; resultaba sin duda difícil agregar este poema, recientemente publicado en un libro de índole religiosa, a una colección donde dominaba una poesía profana centrada en el arte y en el amor. Se escapó a la atención de los editores de 1871. El público no conoció «A todos los santos» antes de su inclusión en la edición Fernando Fe de 1898.

Bécquer ha insertado en la Letanía de los santos, parte integrante del ritual de la misa, una estrofa dedicada a los Santos Inocentes. Esto se armonizaba a la vez con el carácter del *Devocionario de la infancia* a que se destinaba la obra y con su personal cariño a los niños.

67. Los dibujos de Valeriano en *El Museo Universal* y los textos que los acompañan

Entre agosto de 1866 y octubre de 1868 publica *El Museo Universal* doce dibujos de Valeriano que representan escenås de costumbres provinciales o retratos populares típicos. La revista utiliza también su talento de dibujante cómico encargándole algunas escenas de costumbres madrileñas.

A)   *Tipos regionales, escenas de costumbres, edificios.*

Creo que los dibujos de Valeriano eran remitidos a *El Museo Universal* por Gustavo Adolfo, que los acompañaba de un comentario redactado por él. Estos textos figuran hoy en las *Obras completas* de las ediciones Aguilar. Sin embargo, todos ellos son anónimos, de manera que doña Elena Páez Ríos pudo legítimamente en su índice de *El Museo Universal* atribuirlos a Ventura Ruiz Aguilera, director literario de la revista en aquella época.

Cuatro dibujos relativos a la provincia de Soria se publicaron entre el 6 de junio y el 7 de julio de 1867. Aparecen luego algunos dibujos sobre la provincia de Ávila.

He aquí la lista comentada de estos doce dibujos y de los textos de presentación correspondientes:

1.   «La fiesta de los ciegos en las provincias vascongadas» (dibujo grabado por José Severini, 23 de septiembre de 1866).

De tamaño grande, este noble dibujo pone fin a la serie vascongada de Valeriano en *El Museo Universal*. Lleno de vida y sensibilidad, alude el texto a los antiguos orígenes de la costumbre ilustrada.

2.   «Monasterio de Veruela. Enterramientos del fundador y sus hijos» (grabador no indicado, 9 de diciembre de 1866).

El autor, probablemente Gustavo Adolfo, indica al final de este artículo histórico que los sepulcros han sido violados varias veces durante el siglo XIX. El grabado representa a dos profanadores que obran de noche a la luz de una rústica lámpara.

Otro dibujo, «Santa María de Veruela, vista general del monasterio», totalmente anónimo, se había publicado en *El Museo Universal* el 2 de septiembre anterior. El texto de acompañamiento, también anónimo, es puramente arqueológico e histórico. Se halla al lado del único artículo que Juan de la Puerta Vizcaíno publicara jamás en *El Museo Universal,* «Las peticiones y los pedigüeños».

3.   «Costumbres castellanas. Tipos de Soria. Pastor y pastora de Villaciervos» (se han compartido la tarea los grabadores París y Rico, 17 de marzo de 1867).

Se trata de la primera ilustración relativa a las cercanías de Soria. La provincia está presentada como sigue: «Apartada en cierto modo de la actividad y el movimiento de adelanto que caracterizaba a otras de España, la provincia de Soria, tan poco frecuentada por los artistas que tratan de estudiar las costumbres, los tipos y los monumentos notables de nuestro país, es, sin embargo, una de las que más ancho campo ofrecen al estudio.»

El movimiento de la pastora, que doma un macho cabrío asido por un cuerno, está particularmente logrado.

4.   «El cuento del abuelo. Estudio de tipos sorianos» (grabado de Rico, 24 de marzo de 1867).

Los trajes y la presencia de los pinos en este texto hacen pensar en Villaciervos, pero las mujeres y los niños pudieron ser bosquejados en Noviercas. El retrato del viejo narrador es de especial viveza.

El texto es encantador, si bien sus dos cortos párrafos (una atmósfera exterior, con nieve; una atmósfera interior, con ruidos de lluvia y viento) no concuerdan exactamente, ya que parecen mezclar invierno y otoño. He aquí el primero de estos cuadros: «En las eternas noches que siguen a los breves y nebulosos días del invierno, cuando la nieve dibuja como un perfil de plata los desiguales tejados de la aldea y el viento zumba agitando las oscuras capas de los pinos, la vida se encuentra en el hogar, que nunca mejor que entonces puede llamarse el verdadero templo de la familia.»

5.   «Las segadoras. Estudio de costumbres sorianas» (grabado de Rico, 2 de junio de 1867).

Se subrayan las «varoniles costumbres» de las mujeres de la comarca que se van a los campos montadas dos o tres juntas en una mula o un burro. Estas aldeanas de Soria son hermanas de la leñadora de Añón y de la sardinera de Algorta.

El texto hace mención a las recientes excursiones artísticas de Valeriano por la provincia de Soria.

6. «Soria. Aldeano de Fuentetoba» (grabado de París, 16 de junio de 1867).

Deja una honda impresión el retrato de este anciano vigoroso y de apariencia huraña. Es uno de los mejores frutos de colaboración entre Valeriano Bécquer y París hijo.

7. «Tipo soriano. Campesino del Burgo de Osma» (grabado de París, 30 de junio de 1867).

El personaje, junto a un caballo de que tiene la rienda cogida, está vestido de una suerte de dalmática con capucha.

Sugiere el narrador que esa región, donde se hallaba la antigua Numancia, conserva los más puros vestigios de la raza celtibérica. Se refiere a un célebre literato alemán a quien no nombra.

8. «Tipos de Soria. Panadera de Almazán» (grabador no indicado, 7 de julio de 1867).

Este dibujo representa a una imponente mercadera de aspecto voluntarioso, probablemente venida de un lugar cercano, apoyada en su mula con mucha naturalidad. El pórtico del fondo indica que nos hallamos en la plaza del mercado. La pesa de la balanza está colocada sobre un enorme pan redondo que se vende entre algunos otros.

Con exactitud señala el narrador en este personaje «algo de varonil, que le hace simpático, e indica la armonía de la belleza unida a la fuerza», unión que siempre cautivó a Gustavo Adolfo.

9. «La ermita de San Saturio, patrón de Soria» (grabado de Rico, 31 de agosto de 1867).

La obra gráfica es de una decepcionante sequedad. ¿Acaso se trate del ensayo de un nuevo estilo?

El comentario da idea de la hermosura del sitio, la cual compensa la mediocridad del edificio.

10. «El santero. Tipos sorianos» (grabado de París, 28 de septiembre de 1868).

Esta escena de mercado, que muestra al santero de San Saturio vestido de negro con gorra puntiaguda y que hace la colecta presentando la imagen del santo, no está entre las mejores de Valeriano, porque queda a medio camino entre la escena de costumbres y la caricatura; pero el asunto, bien explicado por el texto, interesa.

11. «Escenas populares. Los quintos de Ávila» (grabado de Rico, 16 de noviembre de 1867).

Este dibujo marca el principio del ciclo de Ávila.

El comentario da testimonio de una sensibilidad particular a los dramas que podían suscitar el alejamiento de los jóvenes en las familias menesterosas. Se subraya la discordancia que existía a menudo entre esta realidad y la alegría externa que acompañaba al alistamiento por sorteo.

12. «La corrida de toros en Aragón» (grabado de Arturo Carretero, 14 de marzo de 1868).

El dibujo de Valeriano representa una corrida de pueblo.

La estructura del comentario es la de los mejores textos de Gustavo Adolfo en este género. I. Expresión de una idea: aquí, apoyada en una anécdota con diálogo, la idea de la importancia de la tauromaquia en las fiestas populares, y la del sentido tradicional del valor del toro. II. Cuadro compuesto de movimientos. III. Vuelta al dibujo y al dibujante.

He aquí un fragmento en que resalta la animación de la segunda parte: «Cuando las campanas de la vetusta torre y el ruido de los cohetes anuncian que ha terminado la fiesta religiosa, es de ver cómo los fieles dejan la iglesia y se agolpan, y se codean, y se empujan en los extremos de la plaza, cerrada de antemano con carros, piedras y maderas. Las mujeres agitan los pañuelos, los hombres se preparan a torear, despojándose de la chaqueta, y cada uno de los chiquillos empuña su vara para tener el gusto de darle siquiera un palo al toro cuando se aproxima a la valla.»

Se vuelve a encontrar aquí el vivo interés que Gustavo Adolfo manifestaba por la corrida, aunque le apenaba la suerte de los caballos.

Un último hermoso dibujo de Valeriano salió en *El Museo Universal* el 4 de abril de 1868, pero el brevísimo comentario no parece obra de Gustavo Adolfo. Lleva la firma «S» y ofrece poco interés. Se trata de «Visita de los monumentos de la Semana Santa en Ávila. Pórtico de la basílica de San Vicente». Delante del pórtico esperan familias de pobres y lisiados; vestida de negro llega una dama.

B) *Dibujos humorísticos.*

Desde el 27 de julio hasta el 14 de septiembre de 1867, Valeriano da a *El Museo Universal* la serie satírica «Episodios del verano», relativa a la vida madrileña.

Es también autor de «Los cafés cantantes» de la serie «Madrid de noche» (26 de octubre de 1867) así como de «Ventajas de los que salen a veranear» (31 de mayo de 1868). Su estilo se sitúa a medio camino entre los de Gavarni y Daumier.

Se trata de dibujos de pequeño tamaño que amenizan la última página del *Museo;* los grabadores son Rico, París, Severini. Los textos (diálogos o monólogos) son cuartetos asonantados en 2 y 4. Nada permite afirmar que se deben a Gustavo Adolfo. Ofrecen poquísimo interés artístico.

8

exilio toledano

YA sabemos por qué motivos los hermanos Bécquer estimaron prudente alejarse de Madrid. En Toledo fue donde se refugiaron, según expresión de Francisco de Laiglesia, quien fue uno de sus comunicantes madrileños en esa época. Sin empleo, apartado de la prensa madrileña, Gustavo Adolfo tuvo que hacer frente otra vez a grandes dificultades económicas. Valeriano, también privado de su pensión, fue quien, con la pintura y el dibujo, atendió a la subsistencia de la familia; los cuatro niños vivían con ambos hermanos. Gustavo Adolfo aprovechó este tiempo de descanso involuntario para dar, en *El Museo Universal,* excelentes ejemplos de lo que podía producir la asociación de su trabajo literario con el trabajo gráfico de su hermano y para reconstituir la colección de las *Rimas.*

68. Nuevas orientaciones

Al final de 1868, la prensa periódica ilustrada de Madrid tuvo que modificar su estructura por razones principalmente financieras y técnicas. Ya desde el principio del año, *El Museo Universal* había sido adquirido por el grupo financiero al que pertenecía Abelardo de Carlos y que editaba *La Moda Elegante Ilustrada.* Algunos meses más tarde, los nuevos propietarios decidieron realizar una modernización que tuvo como efecto el reemplazo de *El Museo Universal,* publicación relativamente artesanal y por consiguiente lujosa, por *La Ilustración Española y Americana;* los hermanos Bécquer escogieron contribuir a la defensa de la antigua fórmula trayendo su colaboración para la fundación de otra revista, *La Ilustración de Madrid.*

69. Angustias y cansancios, alegrías y esperanzas. Reinserción ideológica

Gustavo Adolfo se resignó bastante bien a la pérdida de su empleo de fiscal de novelas en Madrid, que dependía del aleatorio juego político. Le amargó, en cambio, la supresión de la pensión anual de 10.000 reales que había sido otorgada a su hermano a cargo de conservar por la pintura el recuerdo de las costumbres y de los trajes provincianos. Poco después de la muerte de Valeriano, a principios del otoño de 1870, escribió en una nota que utilizó Rodríguez Correa para redactar el artículo necrológico destinado a *La Ilustración de Madrid:* «Al llegar la revolución suprimieron en Fomento su pensión. Era tan poca cosa, y la devolvía en tres o cuatro cuadros anuales con tanta usura, que yo creo que hicieron mal, pues la colección hubiera sido tanto más interesante cuanto más completa. La pensión no era una canonjía ni mucho menos; sin embargo, él sintió mucho perderla, porque perdió la base para seguir sus instintos, corriendo de pueblo en pueblo, pintando y dibujando al aire libre.»

Rodríguez Correa juzgó oportuno precisar y matizar: «entre otras economías suspendieron su pensión». Rectificó el número de los cuadros, en sentido conforme a la verdad: «dos o tres anuales». Dio también su visión personal de la vida de los hermanos Bécquer durante el año que siguió a la revolución, y esta visión resulta tanto más interesante cuanto que Gustavo Adolfo tuvo en mano el texto: «Con esta desgracia coincidió la dimisión que hizo su hermano D. Gustavo del cargo público que desempeñaba y el rudo trabajo sin objeto, el dudoso mañana, el agitado presente, todo cuidadosamente escondido bajo el manto de la propia dignidad, volvió a ser el diario tormento de aquellas almas, y el negro velo que cubría los sueños brillantes del artista.»

A pesar de la intensa labor de Valeriano, quien trabajaba a un tiempo para *El Museo Universal* y para aficionados madrileños como Valera, la situación económica de Gustavo Adolfo se había hecho crítica durante el verano de 1869. Una enfermedad del pequeño Jorge, de casi cuatro años de edad, le obligó a pedir apresuradamente el auxilio de Francisco de Laiglesia, quien conservó la carta y la regaló al hispanista americano Olmsted hacia 1906. He aquí el texto:

> Mi querido amigo:
> Me volvía de ésa con el cuidado de los chicos y en efecto parecía anunciármelo, apenas llegué cayó en cama el más pequeño. Esto se prolonga más de lo que pensamos y he escrito a Gaspar y Valera que sólo pagó la mitad del importe del cuadro. Gaspar he sabido que salió ayer para Aguas Buenas y tardará en recibir mi carta, Valera espero

enviará ese pico, pero suele gastar una calma desesperante, en este apuro recurro una vez más a usted y aunque me duele abusar tanto de su amistad le ruego que si es posible me envíe tres o cuatro duros para esperar el envío del dinero que aguardamos, el cual es seguro, pero no sabemos qué día vendrá y aquí tenemos al médico en casa y atenciones que no esperan un momento. Adiós. Estoy aburrido de ver que esto nunca cesa. Adiós, mande usted a su amigo que le quiere, GUSTAVO BÉCQUER.

Expresiones a Pepe Marco. S/C calle de San Ildefonso, Toledo.

Si le es a usted posible enviar eso hágalo si puede en el mismo día que reciba esta carta, porque el apuro es de momento.

Notemos de paso que Pepe Marco es José Marco, con quien Gustavo Adolfo había colaborado en 1859-1860; él y su mujer, María Pilar Sinués, animaban en Madrid un elegante salón literario en 1867.

Esta carta es del 18 de julio de 1869. El mismo día, Campillo entraba en posesión de su cátedra de literatura y retórica del instituto del Noviciado en Madrid. El 22 de agosto, había de llegar a ser el director literario de *El Museo Universal,* revista en la que manifestaría sus ideas progresistas, como en aquel texto de la «Revista de la semana» del 17 de octubre de 1869 donde saluda la memoria de Sanz del Río, recientemente fallecido: «La ciencia ha perdido en don Julián un infatigable cultivador; la enseñanza uno de los más dignos maestros; la amistad y la sociedad un hombre íntegro y afectuoso; España entera uno de sus más insignes hijos.»

Durante el verano de 1869, Gustavo Adolfo dio mala impresión al matrimonio Campillo por lo descuidado de su porte y manera de vestirse. Creo que las dificultades pecuniarias agravarían en esta época sus tendencias bohemias. Al mes de julio o de agosto de 1869 se refiere de modo implícito Campillo cuando comunica a Eduardo de la Barra, hacia 1889, las informaciones siguientes: «Fue desgraciado, en lo que influyó no poco su carácter melancólico, altivo y descuidadísimo hasta en el arreglo de su persona. Baste decirle que la primera vez que vino a casa en Madrid, mi mujer le creyó un mendigo por lo sucio y mugriento.»

Todo esto deja una impresión de grandes apuros económicos. Por eso me sorprende leer en la biografía publicada por Campillo el 15 de enero de 1871: «En 1869, a su regreso de los baños en la costa del Norte, vino a vivir en las afueras de Madrid, en el barrio de la Concepción.» Sin duda había vendido Valeriano algunas obras. Queda poco refutable el testimonio de Campillo acerca de la estancia nórdica de Gustavo Adolfo ya que ambos amigos vivían entonces en el mismo ámbito y habían reanudado sus relaciones.

Otra hipótesis es que, ya desde septiembre de 1869, Eduardo Gasset y Artime haya entregado un anticipo a los hermanos Bécquer con motivo de su futura colaboración en una nueva revista ilustrada. A finales del mes de noviembre deja de publicarse *El Museo Universal* (último número: 28 de noviembre) para ser sustituido por *La Ilustración Española y Americana,* que durará hasta los años 1920. Es probable que las decisiones que condujeron a la fundación de *La Ilustración de Madrid* fuesen tomadas en septiembre.

En octubre o noviembre, los hermanos Bécquer disponían de algún dinero; pero Gustavo Adolfo, que contribuía al mantenimiento del joven Emilio y quizá también al de Casta, no podía mandar a ésta más que 140 reales como resulta de una carta no fechada que publicó Rafael de Balbín en 1944. Dato esta carta en octubre o noviembre porque se hace mención en ella al frío que está ya recio en Toledo (hay que comprar prendas de vestir que abriguen a los niños) y se encuentran en el texto las dos noticias siguientes: «... el periódico no comenzará hasta primero de año... Si puedo, hacia el mes que viene arreglo las cosas para venirme a Madrid de hecho». A mi parecer, la instalación definitiva de los hermanos Bécquer en el barrio de la Concepción se verificaría en el curso del mes de noviembre o de diciembre, pues la dirección literaria de *La Ilustración de Madrid* exigía la presencia continua de Gustavo Adolfo. Lo cierto es que los hermanos Bécquer y los niños estaban en este barrio moderno de Madrid a finales de diciembre ya que los recuerdos de Julia Bécquer mencionan que las fiestas de Navidad se pasaron allí.

En su carta a Casta, Gustavo queda silencioso tanto sobre Valeriano como sobre sus suegros, lo que trae confirmación de la existencia de cierta tirantez entre el primero y los segundos. El tono con que Gustavo Adolfo habla de Emilio no es el de un marido que se expresa acerca de un niño considerado como adulterino. «Me alegro que estés mejor y que Emilio siga tan bueno... dale un beso al Emilín...»

A pesar de las preocupaciones económicas, la estancia en Toledo tuvo sus alegrías y resultó fecunda.

Gustavo Adolfo volvió a ver la ciudad imperial con mucho agrado e hizo que su hermano la conociera mejor. Encontró una casa con jardín y arbustos situada en una vieja callejuela que desembocaba en la plaza de Santo Domingo el Antiguo. En 1869, era propiedad de Francisco Hernández. Esta casa existía aún, en el número 8 de la calle de San Ildefonso, en el año 1966. Tengo la esperanza de que, después de la publicación de don Vidal Benito Revuelta, *Bécquer y Toledo* (1971), haya sido protegida. El jardín se había estrechado y convertido en patio de taller pero, un siglo más tarde, subsistía, con un nudoso tronco ramificado, el laurel plantado por Bécquer en 1869. Este sitio gustaba mucho a Gustavo Adolfo, aficionado a la jardinería; lo dibujó con delicadeza y pegó la obra, como recuerdo, en el frontispicio de la colección de las *Rimas* en el registro del «Libro de los

Dibujo a lápiz de Gustavo Adolfo Bécquer que figura en el *Libro de los gorriones*. Representa el patio del número 8 de la calle de San Ildefonso en Toledo, donde residieron los dos hermanos gorriones». A don Vidal Benito Revuelta es a quien se debe la identificación del sitio dibujado. El campanario de la ermita de San Ildefonso surge en medio de los trazos de lápiz que simulan las frondosidades del jardín. La ligereza de este bosquejo paisajista traduce gráficamente la de los poemas.

En este jardín se hallaba un pozo con brocal de la época árabe que Valeriano representó en un bellísimo dibujo. También dibujó la antigua portada, con sus nobles herrajes, de la casa de enfrente en la calle de San Ildefonso. En 1870 se reprodujeron estos dos dibujos en *La Ilustración de Madrid*. Volveré a hablar de ellos al llegar al examen de esta publicación. Guiado por su hermano, Valeriano diseñó mucho en Toledo; este trabajo resultó utilísimo el año siguiente.

Toledo ofrecía además la posibilidad de paseos por el campo cercano, cosa necesaria para Valeriano, que se avenía mal con el estado sedentario, y también para Gustavo Adolfo, enamorado de ambientes puros y de grandes espacios; esta atmósfera provinciana favorecería igualmente la buena salud de los niños. Dos bocetos que pertenecen a la nieta de Valeriano, doña Julia Senabre Bécquer, y que figuran entre las más atractivas curiosidades del libro de Rafael Montesinos, *Bécquer. Biografía e imagen,* dan idea de lo que eran los paseos familiares extramuros; uno de ellos representa a Gustavo Adolfo de espaldas, apoyado en un paraguas, quien mira hacia la ciudad desde el circo romano; el otro muestra a los cuatro niños acompañados por dos hombres y por una mujer que lleva la cesta, con el título «La vuelta del campo». Los niños poseían cuadernitos en los que podían dibujar y que completaban padre y tío según su inspiración. Al final de 1869, Alfredo tenía once años, Julia nueve (en diciembre), Gregorio siete y Jorge cuatro.

Como ocurre muchas veces cuando los padres se ocupan de niños separados de la madre, éstos estaban particularmente mimados. Lo atestiguan los recuerdos de Julia Bécquer. La fantasía de Gustavo Adolfo hacía maravillas en la creación de decoraciones atractivas y poco costosas, siendo frutos de su personal industria: un belén (finales de 1868), o un teatro de verdura miniaturizado, por ejemplo. Poeta y madre, Rica Brown pintó admirablemente todas estas escenas en su *Bécquer.*

También había un perro que permaneció famoso mucho tiempo en los anales toledanos, puesto que Alberto de Segovia pudo leer las líneas siguientes en el artículo «Refranes y dichos toledanos» de J. Moraleda y Esteban publicado en *Toledo, Revista de Arte,* el 20 de marzo de 1920: «*Es como el perro de Bécquer, que en todas partes se mete. Se dice a todo hombre de carácter fisgón y se le compara con el perro que acompañaba en Toledo a los hermanos Bécquer.»*

La música ocupaba un lugar notable en esta vida de artistas momentáneamente retirados. Los hermanos tocaban guitarra y flauta. Muerto Valeriano, Gustavo notará: «Era gran aficionado a la música; la sentía y hacía entre los sonidos y el color unas comparaciones verdaderamente hermosas.»

Según las declaraciones hechas a principios de los años 1930 por Julia Bécquer a Alejo Hernández, abogado, Gustavo Adolfo frecuentaba en Toledo a una mujer de vida modesta, Alejandra, bonita, originaria de un pueblo de la comarca.

Desde Toledo, los hermanos Bécquer pudieron observar la evolución de la vida política española. A pesar de la consolidación del partido republicano, la idea monárquica quedaba fuertemente mayoritaria en la nación, como demostró el referéndum de mayo de 1869. Las divisiones eran numerosas por ambas partes. Se revelaba ardua la elección de un nuevo monarca abierto a las ideas liberales, aceptado tanto por los progresistas como por los hombres de la difunta Unión Liberal. El tándem Serrano, regente, y Prim, jefe del gobierno, mantenía con dificultad la autoridad del gobierno central; las sublevaciones, particularmente en el mediodía (Cádiz, Málaga, Jerez), la insurrección de Cuba y el renacimiento del carlismo alimentaban dolorosas interrogaciones sobre el porvenir de España. Creo que los hermanos Bécquer comprendieron entonces que su defensa del arte español y su amor a la vieja España eran compatibles con la acción de los monárquicos liberales deseosos de proteger la originalidad nacional al mismo tiempo que modernizar la vida del país. Sus acuerdos con Eduardo Gasset y Artime, Bernardo Rico e Isidoro Fernández Flórez con objeto de crear *La Ilustración de Madrid,* fueron el resultado tanto de esta reflexión como de las necesidades económicas.

Con el pseudónimo «Sem» ya empleado en *Gil Blas* durante el año 1865 pintaron a finales de 1868 o durante los primeros meses de 1869, ochenta y nueve acuarelas de tema «satírico-político-escandaloso». Estas acuarelas están reunidas en dos portafolios que llevan el título «Los Borbones en pelota» y están firmadas por V. SEM, V. SEMEN o SEM. Estos documentos ingresaron en 1986 en la Biblioteca Nacional de Madrid. Las alusiones a los levantamientos al sur de España y a las Cortes Constituyentes que se abrieron el 11 de febrero de 1869, permiten situarlas durante el período, no determinable con exactitud, que acabo de indicar. Muchas veces cruda, esta sátira representa a los reyes caídos, a Carlos Marfiori, al padre Claret, a González Bravo, sor Patrocinio, Prim, Narváez, Rivero, Olózaga, Cándido Nocedal, Serrano y Topete. Tales ilustraciones traducen, más aún que desengaño, una honda indiferencia con respecto a todo lo político. Dan que pensar tanto por la poca consideración que reflejan para con los gobernantes que habían ayudado, a veces jugando con la ley, a los hermanos Bécquer, como por su aspecto sexual con rasgos que recuerdan las ilustraciones de los libros del marqués de Sade. Las apremiantes necesidades del exilio toledano desempeñarían el papel más importante en este proyecto. Naturalmente, todo ello, si la atribución se confirma, según informaciones publicadas por Lee Fontanella en un reciente artículo titulado «El disparatado mundo de SEM» en *Álbum Letras-Artes,* núm. 17.

Importa subrayar que, hasta donde sepamos, las acuarelas con sus pies no se publicaron nunca.

70. Tres obras representativas publicadas en *El Museo Universal: Los dos compadres, La Semana Santa en Toledo, La feria de Sevilla*

Estas tres obras de principios de 1869 tienen en común la unión de un texto esmerado, que firmó Gustavo Adolfo, con una lámina de tamaño grande dibujada por Valeriano y grabada por Bernardo Rico. Constituyen la cumbre del costumbrismo becqueriano, es decir de la doble ilustración, por el texto y por el dibujo, de las costumbres locales, con mucha simpatía y un dejo de nostalgia. Se publicaron durante el período en que Nicolás Díaz Benjumea dirigió *El Museo Universal* (1 de enero-15 de agosto de 1869).

La primera de estas obras es *Los dos compadres,* publicada el 17 de enero. El propósito didáctico se indica claramente en el subtítulo: «Estudio de costumbres populares de España.» El dibujo de Valeriano es una obra de la imaginación, ya que reúne dos tipos de viñador que viven en regiones sin punto de contacto: la Mancha y el Alto Aragón. Esta última provincia ha proporcionado el modelo de la bodega en que van a charlar ambos bebedores. Traduce admirablemente Valeriano el carácter de sus personajes, con actitudes llenas de vida. El bodegón del primer plano refleja la exactitud de la observación. El grabado ocupa aproximadamente las tres cuartas partes de la página, en posición central. Como se lee en el texto, la obra va dedicada al vino nacional, «que presta genio y carácter propio al pueblo español». La segunda idea desarrollada afirma la existencia de una arqueología dinámica de las costumbres que completa la de las lenguas y que tiende a salvar otros vestigios del pasado. A lo largo del texto se comparan los dos bebedores ejemplares con los sacerdotes báquicos de la Antigüedad: se notan asimismo frecuentes referencias a varias civilizaciones prestigiosas y remotas (India, Egipto, Roma). Encontramos aquí uno de los más poéticos ambientes interiores de toda la obra de Gustavo Adolfo; se trata del de la bodega, con su claroscuro, sus vapores azulados, sus vasijas y artefactos de extrañas formas; la bodega se convierte en templo.

El desarrollo de la acción, que se confunde con el lento progreso de la ebriedad, se conduce según un modelo dualista querido de Gustavo Adolfo: el hombre de la Mancha, arropado en su capa, la cabeza cubierta con un sombrero amplio, ventroso, pesado, callado, hace pensar en un Sancho silencioso; el viñador aragonés, de traje algo descuidado, grande, flaco, expansivo, imaginativo, tierno, poco dueño de sus ademanes, se aproxima a un Don Quijote campesino. La poesía es el atributo de este segundo personaje porque el sentimiento, fundamento de la fantasía, da alas a su discurso.

En la charla introductiva, púdicamente calificada de «desaliñadas líneas», se encuentra una presentación de la generación de Bécquer vista por él. Este texto en que no se ha reparado mucho hasta ahora merece ser reproducido aquí:

> Entre nosotros, generación nerviosa e irritable, cuya inquieta actividad sostiene la continua exaltación del espíritu, el vino ejerce un muy diverso influjo del que debió de ejercer entre los hombres de las edades primitivas. Embriagados casi desde el nacer, ya de un deseo, de una ambición o una idea; constantemente sacudidos por emociones poderosas, el suave impulso de un licor generoso se hace apenas perceptible en el acelerado movimiento de nuestra sangre, en el estado de fiebre que constituye nuestra agitada y febril existencia.»

El texto de *Los dos compadres* llama la atención sobre la debilidad de los elementos gustativos en la sensibilidad de Gustavo Adolfo. El vino que prueban los dos viñadores no merece más que el calificativo de «viejo». Ninguna imagen, ninguna sutil onda de evocaciones viene a caracterizar el sabor de este vino del Alto Aragón, tal vez un Rioja.

La Semana Santa en Toledo se publicó el 28 de marzo. El texto pertenece a la serie de los cuadros de fiestas religiosas (Navidades, Pascuas de Resurrección, Todos los Santos) que valdrían cierta notoriedad a Gustavo Adolfo. El título del grabado de Valeriano indica claramente el asunto: «Semana Santa en Toledo. Guerreros guardianes del Santo Sepulcro en la cofradía del viernes santo». Se trata de una lámina que ocupa una página entera, hecho poco frecuente en *El Museo Universal*. Los alabarderos y los soldados, que llevan partesana, espada y estandarte, visten la armadura completa; el paso es el del descendimiento de la Cruz; constituye el marco una estrecha calle toledana con un campanario rectangular en el fondo; la calle de San Ildefonso se parecía a ésta. Valeriano ha sugerido con perfección el ambiente de la procesión.

Gustavo Adolfo traza primero un poético paralelo entre las semanas santas de Sevilla y de Toledo. A pesar de la brillantísima evocación de Sevilla, caracterizada técnicamente por un diestro acercamiento que va ampliando la visión desde el panorama de la ciudad hasta los pormenores de los trajes en la comitiva, a pesar también de la luz de la atmósfera y de la cordialidad general, se considera aquí a la capital andaluza con algún disfavor, porque representa el «espíritu moderno», que es con mayor precisión «el espíritu de especulación y de vanidad». Con su oscuridad y su silencio, Toledo permite a la fantasía desplegarse y alcanzar el pasado de la España cristiana en sus honduras. Se cierra el artículo con una memorable evocación del paso nocturno de la procesión en una callejuela toledana y con esta conclusión: «La imaginación se remonta desde aquella apariencia de realidad al ancho espacio en que campea y domina como dueña y señora, y reconstruye todo el pasado y lo siente y lo admira en lo que tenía de admirable. Considerada bajo este punto de vista, la Semana Santa en Toledo no admite parangón con ninguna otra.»

La defensa del pasado resulta delicada en aquel tiempo de revolución y liberación. Gustavo Adolfo asume esta defensa de manera razonable y circunspecta; su argumento principal consiste en la utilidad de la conciencia histórica para juzgar de manera desapasionada («de buena fe») el estado actual de la sociedad española. He aquí este texto que refleja las preocupaciones del momento:

> Hoy que tanto se habla de libertad de cultos y de iglesias nuevas, con ritos más sencillos y severos; hoy que casi todos miran adelante y casi ninguno vuelve la vista atrás de buena fe, no para retroceder por donde se ha venido sino para saber a ciencia cierta, por la comparación de lo andado, en qué punto del camino se encuentra la sociedad española, al llegar del centro en que bullen y se agitan todas las nuevas ideas, ¿cómo no ha de parecernos natural que asome a los labios una sonrisa de compasión ante el espectáculo que la vieja Toledo ofrece en estos días a la curiosidad de los viajeros empapados en el espíritu práctico y positivista de su siglo?

El texto va dirigido principalmente a los turistas y a las clases madrileñas acomodadas. Para estos lectores resume Bécquer la historia eclesiástica contenida en *Historia de los templos de España* (que no menciona). Procura seducirles con el hermosísimo cuadro final, imagen de sueño, al que pertenece el siguiente poético fragmento: «Las sombras envuelven el fondo, el resplandor de las hachas arroja sobre los muros las fantásticas siluetas de los penitentes, cuyos pasos se sienten en el silencio con un rumor semejante al del agua que cae y resbala sobre las hojas.»

Los actores que llevan las antiguas armaduras (muchas del siglo XVI) dibujadas por Valeriano, aparecen varias veces, y la sensibilidad de Gustavo Adolfo se aplica también al aspecto militar de la tradición.

Publicado el 25 de abril de 1869, sin duda en tiempos próximos de la manifestación comercial anual, el artículo *La feria de Sevilla* está acompañado de una lámina grande de Valeriano que representa un grupo animado delante de una tienda donde se lee «Buñuelos y chocolate»; entre los personajes se ven un guitarrista, unos bebedores, un consumidor de buñuelos, un turista inglés con sus quevedos y su libro-guía, unos transeúntes con la guitarra terciada o con el sombrero de copa alta colocado en la punta del bastón. Además Valeriano ha ilustrado el artículo con cuatro dibujos titulados «Tipos andaluces de la feria de Sevilla» (dos mujeres y dos hombres). Se valdría de sus numerosos apuntes de la época sevillana. Su trabajo descansa en los recuerdos, así como el de Gustavo Adolfo quien recibiera algunas noticias de lo que pasaba en Sevilla por sus amigos, especialmente por Rodríguez Correa después de la muerte de García Luna.

Animadísimo, compendio de la vida de toda una sociedad, más cercano a la realidad que al ensueño por la precisión de los detalles y del vocabulario, el texto se divide en tres partes designadas con una cifra romana y que caracterizaré como sigue:

I.   La insulsez de las nuevas costumbres. Apreciación general de la feria de Sevilla.

II.   Desde el alba hasta la hora de la siesta. La feria popular. La feria del ganado.

III.   Desde la reanimación de la tarde hasta la noche. La fiesta elegante y de buen tono. La noche popular y la noche aristocrática. El sueño en el campo de la feria.

Aquí se siente Gustavo Adolfo en casa. Restituye la vida de su ciudad natal con gran seguridad. La viveza del movimiento atestigua una excelente vitalidad en aquella primavera de 1869.

Sus simpatías van claramente a la antigua Andalucía declinante. La influencia extranjera, singularmente la francesa, lo ha alterado todo. Sin embargo, la feria resulta altamente satisfactoria y merece su renombre «como cuestión de visualidad, de animación y de alegría».

El panorama de Sevilla y del campo de la feria vista desde la puerta de San Fernando (parte II), reproducido por Valeriano en el segundo término de su dibujo grande, forma una de las más atractivas descripciones de conjunto escritas por Bécquer. Una cascada de cuadritos mantiene constante el interés hasta la evocación final del cante jondo que se alza purísimo, sin ningún acompañamiento, en el silencio nocturno.

Entre estos tres textos, *Los dos compadres* pasó a las primeras ediciones de las *Obras,* pero sólo en 1885. *La Semana Santa en Toledo* y *La feria de Sevilla* fueron localizados por Franz Schneider en los años 1910 (tesis publicada en 1914). Juan López Núñez publicó integralmente *La feria de Sevilla* en su *Bécquer. Biografía anecdótica* en 1915; e Iglesias Figueroa recogió a la vez *La feria de Sevilla* y *La Semana Santa en Toledo* en el tomo II de sus *Páginas desconocidas* (1923). El largo olvido de obras tan preciosas explica que el talento de Gustavo Adolfo como costumbrista haya quedado infravalorado hasta nuestros días. Su poca estima del espíritu moderno contribuyó sin duda al silencio inicial.

71. Otros trabajos de Valeriano para *El Museo Universal*. Examen de los textos que los acompañan

El 25 de octubre de 1868 salió a la luz «La romería de San Soles, en Ávila» que, según el comentario, es copia del cuadro «La fuente de la ermita» entregado por Valeriano al Museo Nacional de Pintura a principios de año. Severini había grabado el dibujo. Es una hermosa obra, pero es lástima que uno de los rostros quedase apenas diseñado.

El texto encierra una clara alusión al movimiento de las ideas y a la revolución reciente. Se espera un nuevo interés por las costumbres regionales. Dice aquel pasaje que forma el primer párrafo del comentario:

> El interés creciente que entre nosotros venía desde hace algún tiempo inspirando el estudio de la fisonomía característica de nuestras distintas comarcas provinciales, toma hoy nuevo incremento cuando, debilitado el espíritu suspicaz de la centralización, podemos mirar la varia diversidad de nuestras costumbres populares en cada región del territorio nacional, no como restos peligrosos que es preciso hacer desaparecer a todo trance, sino como expresión más o menos pasajera del espíritu indeleble y del género de vida de los pueblos que constituyen la familia española.

Teóricamente, este texto no firmado es de Francisco Giner de los Ríos, director literario de la revista, pero puede haber sido escrito o preparado por Gustavo Adolfo.

Es posible que esta publicación viniera en apoyo de una tentativa para salvar la pensión de Valeriano, la cual se menciona en el segundo párrafo.

Algunos días después, el 1 de noviembre de 1868, *El Museo Universal* publica otro importante dibujo de Valeriano grabado por Rico, «El día de difuntos (capilla de la catedral de León)». A pesar del apego que tenía a esta fiesta religiosa, Gustavo Adolfo no redactó el texto de acompañamiento, misteriosamente firmado «G. H.». El autor subraya que el día de difuntos es un día de penitencia. Censura a los que se imaginan que, por tan circunstancial contrición, pueden rescatar la conducta culpable de todo un año. El dibujo de Valeriano representa en primer plano un confesionario, a un penitente, a varios fieles que están orando. En el fondo domina la escena un majestuoso sepulcro de prelado.

La serie de los cuadros de costumbres aragonesas de *El Museo Universal* se completa el 21 de marzo de 1869 con la publicación de «La rondalla», dibujo de Valeriano grabado por Rico, que presenta un grupo de vigorosos jóvenes, entre los cuales hay un cantor con su guitarra, venidos a asistir a un compañero que está hablando, a través de un tragaluz, con una muchacha de quien se ve apenas una mano. La escena tiene lugar en una población rural cuyas robustas casas están construidas con piedras groseramente labradas. El texto no firmado es teóricamente de Nicolás Díaz de Benjumea, director literario; pero queda posible que este comentario brevísimo, animado, ligeramente matizado de humorismo, sea obra de Gustavo Adolfo.

Otra notable colaboración entre Valeriano y Bernardo Rico es el grabado «Procesión del Corpus en Sevilla», publicado el 30 de mayo de 1869. Se ven en él: en primer plano, un eclesiástico con vestimentas de ceremonia, los célebres «Seises», pajes con traje del siglo XVI que abren la comitiva, flores cortadas esparcidas por el suelo; en segundo término, la bandera o manga, los notables, dos coraceros que escoltan la alta custodia que encierra el Santísimo Sacramento; en tercer término, las elevadas casas de vecindad de una plaza rectangular; lejos, en el fondo, la Giralda. El corto comentario no lleva firma. Me inclino a atribuirlo a Gustavo Adolfo quien, el 25 de abril anterior, había redactado el artículo *La feria de Sevilla* y quien, el año siguiente, tratará de los «Seises» en *La Ilustración de Madrid* indicando que la fiesta de Corpus Christi le parece reflejar lo mejor de la religiosidad propiamente sevillana. No puede sin embargo excluirse la hipótesis de que este comentario sea obra de Nicolás Díaz de Benjumea, el director literario, quien era también sevillano y poeta. He aquí la evocación con la que se cierra el texto: «Las tropas tendidas en la carrera, los arrayanes y flores que sobre alfombra de arena embalsaman las calles, el poético repique de la voltaria gigante, el eco de las músicas, el sol clarísimo y la alegría de los espectadores, constituye (sic) un espectáculo que difícilmente se borra de la memoria del que haya tenido la suerte de presenciarlo.»

La última colaboración importante de Valeriano en *El Museo Universal* es el grabado «Vista interior del monasterio de Veruela en Aragón», publicado el 4 de julio de 1869. El grabador en madera es Enrique Laporta. Una pareja de jóvenes campesinos graban un signo en un pilar mientras un eclesiástico les observa desde lejos de manera inquietante. Este cuadro es probablemente imaginario dado el estado de abandono del monasterio de Veruela en aquella época. El comentario anónimo está formado por una corta noticia histórica que resume los lazos que existían entre los señores de Borja (origen de los Borgia italianos) y el monasterio. La manera particular de Gustavo Adolfo no aparece aquí.

Valeriano participa en otras dos categorías de trabajos para las ilustraciones de *El Museo Universal* en 1869: dibujos humorísticos de costumbres (grabados por Rico) y composiciones de tamaño grande sobre acontecimientos de la actualidad.

El 21 de marzo salen sus dos dibujos titulados «La política bajo el punto de vista femenino». Hubieron de divertir a su hermano e interesarle también, pues el asunto es musical. Es posible que Gustavo Adolfo escribiera los textos.

El diálogo siguiente entre una madre y su hija delante del piano del salón encierra cierta malicia contrarrevolucionaria:

> —¡Qué gentes tan poco músicas!
> —¡Sin Real! ¿Quién lo dijera?
> —Ya lo dije en el momento
> de oír el himno de Alcolea.

El segundo diálogo, entre padre e hija esta vez, mezcla también teatro lírico y preocupaciones políticas:

> —Al fin sabemos quien viene.
> —¿Quién, Fraschini o Tamberlick? *
> —¡Muchacha si hablo del rey!
> —¡Bah! ¿Qué me importa eso a mí?

Valeriano había conseguido un buen dominio del dibujo de costumbres con matices cómicos o satíricos. Entre las orbitas de este género descuellan por la verdad de las actitudes y de los tipos dos dibujos del 28 de marzo que llevan el común título «Actualidades. Los consumos». Otros dos dibujos «fiscales» publicados el 9 de mayo, «La capitación», se acercan más a la caricatura. Uno de los textos, un diálogo entre el recaudador y dos contribuyentes, tiene una vaga resonancia becqueriana:

> —¿Qué es eso?
> —una friolera
> —El *impuesto personal.*
> —Antes o después, el caso
> es que al fin hay que pagar.

Bien dotado, como su hermano, para evocar los grupos, las reuniones, las multitudes, Valeriano dibuja también para *El Museo Universal* en aquel año 1869:

— Una manifestación a favor de la libertad de cultos en Sevilla (21 de marzo), con algunas caricaturas bastantes crueles; la ceremonia de inauguración de las estatuas de Daoiz y Velarde (9 de mayo), una vista del paraninfo de la universidad durante una conferencia dominical sobre la educación de la mujer (23 de mayo), una vista de las Cortes constituyentes cuando la lectura del proyecto de Constitución dada el 1 de junio (6 de junio).

---

* Tenores famosos.

— Escenas de luchas civiles en Jerez, especialmente conmovedoras, «Horrorosa escena de un combate en las barricadas» (4 de abril), ésta llena de fuerza y exaltación, según los apuntes de un testigo ocular, y «Las autoridades recogiendo los cadáveres» (11 de abril).

— Una primera ilustración de la guerra de Cuba, «Desembarco de tropas españolas en el muelle de La Habana» (4 de abril).

— Y, por fin, un nuevo episodio de las guerras carlistas, que fue su última colaboración en *El Museo Universal* (8 de agosto) y que señala una entrada, todavía un poco rígida, en el arte del grabado de batalla militar: «Combate entre las tropas liberales y una partida carlista».

Tres enseñanzas pueden sacarse de esta revista:

1.º   Durante los siete primeros meses de 1869, Valeriano Bécquer tuvo que variar considerablemente su producción y progresó en diversos campos de su arte de dibujante y grabador.

2.º   Aunque viviendo en Toledo, los hermanos Bécquer quedaban en estrecho contacto con la actualidad política.

3.º   La ruptura con los nuevos propietarios de *El Museo Universal* aconteció al final del verano, después de dejar Nicolás Díaz de Benjumea la dirección literaria y cuando Campillo desempeñaba esta función.

72.   «Lejos y entre los árboles»

Este poema, junto con «Es un sueño la vida», fue publicado por primera vez el 16 de marzo de 1872, con la indicación «Poesías inéditas de Gustavo Adolfo Bécquer (escritas pocos días antes de su muerte)», en *La Correspondencia Literaria* dirigida por Eduardo de Lustonó. Un amigo de Ferrán, Eduardo del Palacio, era uno de los colaboradores asiduos de *La Correspondencia Literaria*.

«Lejos y entre los árboles» presenta la vida humana como una carrera en las tinieblas durante la cual la visión idealizadora de la adolescencia se cambia en visión realista dominada por las necesidades de la vida material. Tres estrofas, tres etapas, tres imágenes: la estrella, la lámpara de la ermita, la candela del mesón.

Se escribió este poema en una página de álbum que guardó Ferrán y que regaló a Guillermo Matta durante su estancia en Chile. En el verso de esta página se hallaba un dibujo firmado «G. B.» que llevaba la indicación «Toledo» y representaba un compacto grupo de seis personajes andando con ropajes y capuchos bajados hasta los ojos. Después de haber pensado en las plañideras a las que alude la tercera de las *Cartas desde*

mi celda, creo más bien hoy que se trata de una representación de los penitentes mencionados en *La Semana Santa en Toledo.*

Me inclino, pues, a fechar como de la estancia toledana de 1869 este
poema de final de recorrido; pero puede ser posterior. Existe en *La feria
de Sevilla (El Museo Universal,* 25 de abril de 1869) un detalle cercano a
«Lejos y entre los árboles»: «... entre la oscuridad brilla alguna luz solitaria y perdida como una estrella» (parte final).

Una primera redacción en la primavera de 1869 no es incompatible con
la afirmación de Eduardo de Lustonó; pudo muy bien Bécquer copiar
«Lejos y entre los árboles» y «Es un sueño la vida» en diciembre de 1870
con objeto de darlos aisladamente a la imprenta.

Otro texto, escrito a lápiz, de «Lejos y entre los árboles» figuraba, por
los años 1940, en un cuadernito conservado en el Museo de Arte Decorativo de Buenos Aires. Este cuaderno contenía también «Pensamientos» y
una lista de los grabados de Valeriano que había acompañado un texto
de su hermano; esta lista había probablemente sido establecida al final de
1870, después de la muerte del pintor. Doña María Teresa León pudo ver
ese documento del que ha sacado el texto de «Lejos y entre los árboles»
reproducido en el libro *El gran amor de Gustavo Adolfo Bécquer. Una
vida pobre y apasionada* (Buenos Aires, Losada, 1951).

Bécquer redactó «Lejos y entre los árboles» varias veces, con algunas
modificaciones, en 1869 y 1870, lo que demuestra una particular afición
a este poema.

73. La nueva recopilación de las *Rimas*. Elaboración. Examen de conjunto

Afirma Narciso Campillo que en Toledo fue donde Gustavo Adolfo
volvió a formar la colección de las *Rimas:* «Con ímprobo trabajo consiguió el poeta ir recordando y transcribiendo sus composiciones: retirado
a la imperial Toledo, se extasiaba su espíritu ante las grandiosas ruinas
de otras edades, tal vez contemplando en ellas una imagen fiel y viva de
su juventud y esperanzas, que a un tiempo iban desvaneciéndose.»

Este testimonio de un amigo de la niñez, quien tenía entonces contactos con el poeta, debe tomarse tanto más en consideración cuanto que la
nueva colección de las *Rimas* transcrita al final del registro destinado a
recibir los textos del «Libro de los gorriones» va precedida, como hemos
visto, de un dibujo pegado en la página 533 que representa el patio del
número 8 de la calle de San Ildefonso, donde vivían los Bécquer. A juzgar
por la sugerencia gráfica de un follaje ligero, me parece que este dibujo se
realizara en el otoño de 1868 o la primavera de 1869. Gustavo Adolfo no

Libro de los gorriones

—

Coleccion de proyectos, argumentos, ideas y planes
de cosas diferentes que se concluirán ó no segun
sople el viento.

de

Gustavo Adolfo Claudio D. Becquer.

1868.

Madrid 17 J.

Libro de los gorriones, de Gustavo Adolfo Bécquer (1868)

tardaría en procurar reconstruir su manuscrito después de que supiese que había de serle difícil recobrar el que había confiado a González Bravo, resultando además propicia para semejante tarea la retirada toledana.

Materialmente se presenta esta nueva colección como un trabajo esmerado que llena exactamente las páginas 529 a 600 del registro, es decir las últimas. Quiso Gustavo Adolfo que los poemas ocupasen el volumen mínimo en el registro; como sabemos ya, el «Libro de los gorriones» no se destinaba a la poesía.

¿Cómo consiguió este resultado que revela un deseo de precisión y de economía un tanto extravagante? Rica Brown escribe: «Este interesante detalle parece indicar claramente que el poeta llegó a recordar precisamente el número de cuartillas ocupadas por las poesías del manuscrito perdido.» Lo dudo, porque, primero, el tamaño del registro debió de ser diferente al de las cuartillas del primer manuscrito y era preciso conformarse con el número de líneas trazadas en cada página, y segundo, es probable que el primer manuscrito abarcase un número mayor de poesías. Creo que Gustavo Adolfo copió primero los poemas de memoria en hojas sueltas, ayudándose tal vez con lo ya publicado y con los borradores conservados en sus cartapacios, que evaluó luego la extensión del conjunto con la exactitud de un director de publicación periódica, copiando luego los textos en el registro con gran limpieza, pero tomándolos sin orden. Esta colección, puramente conservatoria, no podía servir sin transformación para la edición de un libro.

En las páginas 529-531 se halla «Índice de las rimas». Es un curioso índice ya que sólo permite conocer la cantidad de los poemas (los números atribuidos en el índice no figuran delante de los textos) y el número de versos de cada uno de ellos. No ofrece ninguna utilidad para buscar un poema en la colección. Sólo permite formar idea de la importancia del conjunto.

Cada rima está identificada por su primer verso. Dos de los primeros versos fueron modificados ulteriormente, pero no en el índice, que, sin duda, se utilizó poco. Se trata de:

3.   «En la clave del arco ruinoso» que se volvió «En la clave del arco mal seguro».
75.   «¿A qué me lo decís? Lo sé; es coqudable», esta última palabra (¿de «coco», hipócrita manifestación de cariño o combinación de coqueta y mudable?) convirtiéndose en «mudable».

El dibujo de la página 533 se destinaba claramente al adorno del libro, que, como lo advirtió sagazmente Campillo, lleva así el sello del antiguo Toledo.

La página 535 contiene el título en letras gruesas «Rimas de Gustavo

Introducción sinfónica.

Por los tenebrosos rincones de mi cerebro acurrucados y desnudos duermen los extravagantes hijos de mi fantasía esperando en silencio que el Arte los vista de la palabra para poderse presentar decentes en la escena del mundo.

Fecunda, como el lecho de amor de la miseria, y parecida á esos padres que engendran mas hijos de los que pueden alimentar, mi Musa concibe y pare en el misterioso santuario de la cabeza, poblándola de creaciones sin número, á las cuales ni mi actividad ni todos los años que me restan de vida serían suficientes á dar forma.

Y aquí dentro, desnudos y deformes, revueltos y barajados en indescriptible confusión los siento á veces agitarse y vivir con una vida oscura y estraña, semejante á la de esas miriadas de gérmenes que hierven y se estremecen en una eterna incubación dentro de las entrañas de la tierra, sin encontrar fuerzas bastantes para salir á la superficie y convertirse al beso del sol en flores y frutos.

Conmigo van, desterrados á morir conmigo, sin que de ellos quede otro rastro que el que deja un sueño de la media noche que á la mañana no puede recordarse. En algunas ocasiones y ante esta idea terrible se subleva en ellos el instinto de la vida y agitándose en terrible aunque silencioso tumulto buscan en tropel por donde salir á la luz, de las tinieblas en que viven. Pero ¡ay! que entre el mundo de la idea y el de la forma existe un abismo que solo puede salvar la palabra y la palabra tímida y perezosa se niega á secundar sus esfuerzos! Mudos, sombríos é impotentes, despues de la inútil lucha vuelven á caer en su antiguo marasmo. Tal caen inertes en los surcos de las sendas, si cesa el viento, las hojas amarillas que levantó el remolino.

Estas sediciones de los rebeldes hijos de la imaginación esplican algunas de mis fiebres: ellas son la causa desconocida

Introducción sinfónica. Manuscrito de Bécquer

Adolfo Bécquer». Es la firma usada para publicar los grandes textos del año 1869 en *El Museo Universal*. Gustavo Adolfo renuncia al nombre algo solemne con que había encabezado el «Libro de los gorriones» el 17 de junio de 1868: «Gustavo Adolfo Claudio D. Bécquer» (había nacido el día de San Claudio, cuya fiesta se celebraba el 17 de febrero en aquella época, precisa Rica Brown).

La colección empieza en la página 557 con el título «Poesías que recuerdo del libro perdido», que indica su carácter incompleto. La airosa y amplia letra inclinada revela equilibrio y armonía. En su estado primitivo, el texto presentaba una excelente nitidez, con poquísimas vacilaciones y enmiendas. La puntuación se reducía a lo imprescindible, para conservar entera libertad hasta que el libro se editase. Se trata, en mi opinión, de una copia realizada por el autor en una época de relativa felicidad —esa felicidad que se transparenta también en *Los dos compadres, La Semana Santa en Toledo, La feria de Sevilla,* y que se manifestará de nuevo en *La Ilustración de Madrid* un poco más tarde.

Me imagino mal que ciertas de las 79 rimas trasladadas al registro no salieron a la luz en vida de Bécquer. Pienso particularmente en los poemas que llevan en el índice los números:

— 13. «Del salón en el ángulo oscuro», futura rima VII, la rima del arpa.

— 26. «Tú eras el huracán», futura rima XLI, la rima del choque entre las voluntades de los amantes.

— 35. «Olas gigantes que os rompéis bramando», futura rima LII, la rima de la llamada a la muerte.

— 38. «Volverán las oscuras golondrinas», futura rima LIII, la rima de las golondrinas.

— 71. «Cerraron sus ojos», futura rima LXXIII, la balada de la joven muerta.

— 79. «Porque son, niña, tus ojos», futura rima XII, balada de los ojos verdes.

Creo que se encontrarán estos textos en varias publicaciones oscuras que hasta la fecha no han llamado la atención de los investigadores o yacen olvidadas en bibliotecas y archivos poco frecuentados.

Acaso el propio Gustavo Adolfo no tuviera clara conciencia de la variedad de las experiencias que reflejaba esta pequeña colección: variedad en la expresión del sentimiento, variedad en la técnica de la versificación y composición poética.

Pronto habían de considerarse las *Rimas* como el modelo de la poesía subjetiva en España. Es verdad que en nueve de diez poemas se expresaba

Cuando entre la sombra oscura
perdida una voz murmura
turbando su triste calma;
si en el fondo de mi alma
la oigo dulce resonar;

Dime: ¿Es que el viento en sus giros
se queja, ó que tus suspiros
me hablan de amor al pasar?

Cuando el Sol en mi ventana
rojo brilla en la mañana,
y mi amor tu sombra evoca,
si en mi boca de otra boca
sentir creo la impresion;

Dime: ¿es que ciego deliro,
ó que un beso en un suspiro
me envía tu corazon?

Y en el luminoso dia,
y en la alta noche sombria,
si en todo cuanto rodea
al alma que te desea
te creo sentir y ver;

Dime: ¿es que toco y respiro

Rima XXVIII: «Cuando entre la sombra oscura».

el poeta en forma personal o aparecía en la escena, pero los registros eran variados y se combinaban. El aspecto heineano predominaba dado el gran número de poemas en forma de interpelación dirigida a una mujer: veintiséis rimas (tipo: rimas XXXVI, XLIV, L). Otras veinte tenían la apariencia de un extracto de diario íntimo o de una confesión (tipo: rimas XLVI, LIV, LXIII). Estas categorías dominantes habían de avivar la curiosidad acerca del pasado sentimental del autor.

Sólo tres rimas eran cuadros puros: las futuras rimas VI (núm. 57 del «Libro», «Como la brisa que la sangre orea»), IX (núm. 27 del «Libro», «Besa el aura que gime blandamente») y X, esta última con introducción de un diálogo entre dos personajes (n.º 46 del «Libro», «Los invisibles átomos del aire»).

La rima III (núm. 15 del «Libro») se define como una reflexión objetiva sobre el arte.

Se notan en la colección:

— Monólogos de tema filosófico o psicológico (rimas LXVII, LXIX y LXXV).
— Un monólogo acompañado de una interpelación a la amada (I).
— Un monólogo-enigma acompañado de una reflexión objetiva sobre el arte (V).
— Cuatro relatos de tipo personal en tiempo pasado (LXV, LXX, LXXI, LXXIV) y otros dos acompañados de una reflexión personal en tiempo presente.
— Una interpelación a contradictores imaginarios seguida de una reflexión objetiva (rima IV).
— Tres cuadros seguidos de un monólogo o de una reflexión personal (VII, XVIII, LXII).
— Una serie de cuadros seguida de un monólogo (XXIV).
— Una escena con tres voces, incluida la del poeta (XI, LXXII).
— Tres interpelaciones a desconocidos o a la naturaleza (XXXIX, XL, LII).
— La combinación de un cuadro, de una escena con dos personajes y de un fragmento de tipo «diario íntimo» (XLV, «En la clave del arco ruinoso»).
— La combinación de un fragmento de tipo «diario íntimo» con una interpelación al lector (LXVI, «¿De dónde vengo? —El más horrible y áspero»).

Lo más nuevo de la colección me parece residir en las rimas de la comunicación fracasada o frustrada, en la poesía de lo no comunicado, de lo callado, en la reflexión sobre las reacciones secretas del otro. La rima LI

(«De lo poco de vida que me resta») es particularmente típica a este respecto: su extrema austeridad estilística —nada más que el ritmo y la asonancia— da relieve a esta poesía de la interrogación obsesiva.

Desde el punto de vista formal, las 79 rimas y los demás poemas que presentan los caracteres de las rimas (es decir: sacudimientos emotivos no discursivos-enumeraciones, paralelismos y simetrías-predominación de la asonancia), manifiestan la búsqueda de órdenes tan precisos y variados como sea posible. Si se atiende a la sola colección consignada en el «Libro de los gorriones», las identidades formales absolutas se limitan a nueve poemas, los cuales son obras de métrica culta (endecasílabos y heptasílabos), con rimas asonantes en *a-a* o *a aguda,* siendo propia ésta de los poemas de tonalidad dolorosa o melancólica.

La rima consonante sólo se emplea en siete poemas (IX, LXIX, XV, XI, XXVIII, XLVIII, LVII); en este grupo no se utiliza el octosílabo más que en la rima XXVIII («Cuando entre la sombra oscura») con una sutil diferenciación entre las tres partes por medio de las vocales acentuadas *á, ó* y *é.*

Los metros pares con asonancias se usan sólo en ocho poemas que se reparten como sigue:

— Empleo exclusivo del octosílabo: tres rimas (II, XXIII, XXIV).
— Empleo exhaustivo del hexasílabo en la rima LXXIII («Cerraron sus ojos») que es un romancillo.
— Polimetría: cuatro rimas (VII, VIII, XIX, LXI).

Se ve hasta qué punto queda limitado el empleo de las formas de la poesía popular en la colección de 1869.

El endecasílabo asonantado se emplea de modo exclusivo en diez composiciones (I, VI, X, XIV, XX, XXX, XXXV, XLI, «Dices que tienes corazón y sólo», «Una mujer me ha envenenado el alma») y el heptasílabo asonantado sólo en otras tres (III, V, XL).

La combinación más frecuente en las *Rimas* es la de los endecasílabos con los heptasílabos asonantados (38 poemas), con gran variedad en la disposición de los metros y en la elección de las asonancias. La asociación endecasílabos-pentasílabos se encuentra sólo en cuatro poemas (rimas XVI, XVII, XXXIX, XLI). La de los heptasílabos con los pentasílabos existe únicamente en la rima «Fingiendo realidades» (seguidilla). Una combinación de endecasílabos, heptasílabos y pentasílabos se observa en las tres rimas XLIII, LI y LIX; en la rima XLIII («Dejé la luz a un lado y en el borde») la variedad métrica en el verso final de cada una de las tres estrofas se une a la diversidad de la vocal final acentuada para dar su refinada originalidad formal al poema.

Quedando en el campo de los poemas con asonancias, se observa que el octosílabo se combina con el pentasílabo en dos composiciones de fuerte sabor popular, la rima XII («Porque son, niña, tus ojos», última de la colección reunida en el «Libro de los gorriones», asonancia *e-a)* y la rima XXV («Cuando en la noche te envuelven», asonancia *a-o).*

En la rima dantesca XXIX («Sobre la falda tenía», asonancia *e-o)* se ha dedicado Bécquer a un ejercicio de transformación del romance tradicional haciendo alternar un pentasílabo con un octosílabo. La repetición de la escena central del episodio de Francesca de Rímini se halla de esta manera curiosamente asociada con un ritmo binario regular. Puede verse en este ritmo el acompañamiento musical del eterno retorno.

En la rima XXVII («Despierta, tiemblo al mirarte»), por la que Bécquer tenía mucha afición, es donde se manifiesta del modo más claro la unión de la poesía popular con la poesía culta: las estrofas populares, compuestas de cuartetos de octosílabos, encuadran una escena evocada por seis estrofas 11-7-11-7 que se dividen en tres partes puntuadas por el imperativo «¡Duerme!» de que procede la asonancia *e-e.*

La rima LXXII —el poema de las tres voces y del desengaño— tiene una forma excepcional en la colección del «Libro de los gorriones». Consta de dos partes radicalmente distintas: 1.º, las tres voces se expresan por decasílabos y pentasílabos agrupados en tres estrofas de seis versos con rimas consonantes; 2.º, la aparición del poeta se caracteriza por una casi alternancia de dodecasílabos y hexasílabos (ocho versos en total) con asonancia *interna e-o.* Las vocales acentuadas *ó, é, á,* luego *ó* y *á,* estructuran el poema al modo de un eco. La parte «ilusiones» o «cantos de la vida» pertenece a la poesía clásica; la parte subjetiva, en que se formula el rechazo de las seducciones mundanas, es, por el contrario, representativa de la delicadeza secreta de la poesía nueva.

Es de notar que la rima asonante grave y la rima asonante aguda se comparten casi por mitad las nueve décimas partes de toda la obra poética. Esta proporción pone de manifiesto la predilección de Bécquer por las sonoridades agudas.

La asonancia *e-o* es la más empleada de las asonancias graves (once poemas). La marcan principalmente las palabras «cielo» (cinco empleos), «negro» (cuatro), «beso», «sueño» y «aliento» (tres empleos cada una). La asociación «cielo-beso» aparece tanto en la rima XXIII («Por una mirada, un mundo») como en la entusiástica rima VIII («Cuando miro el azul horizonte»).

La asonancia *a-a* (ocho poemas) marca de modo irresistible la palabra «alma» en cinco poemas distintos (VII, XXIV, LXVIII, LXX, LXXIV).

La asonancia *o-a* (cinco poemas) tiene por principales fuentes las palabras «hermosa», «hojas» y «memoria» (dos empleos cada una).

Las palabras «ojos» (tres empleos) y «oro» (dos casos) caracterizan la asonancia *o-o* (cuatro poemas).

La asonancia *i-o* es principal en las rimas LV, LXXVI y «Dices que tienes corazón y sólo»; es secundaria en las rimas LXV y LXVI. Se nota la repetición de la rima «oído-ombrío».

Sólo se emplea la asonancia *e-a* en tres poemas (V, XII, XIII) pero entre ellos se hallan dos composiciones largas de arte menor, las rimas V y XII. La palabra «perla» se encuentra en estos dos textos y corresponde a su índole descriptiva.

La palabra «poesía» da el tono a las tres composiciones que llevan la asonancia *i-a* (IV, XXVI, XXXIV).

El empleo de la asonancia *e-e* se limita a dos rimas (XXVII y XIX); la palabra «nieve» se halla en ambos poemas, habiendo sido especialmente trabajado el primero.

Entre las quince asonancias graves que prácticamente se usan en castellano sólo deja Bécquer tres sin empleo: *i-e, o-e, u-e* que una expresión fluida y natural admite con dificultad.

El examen de las finales agudas permite llegar a la conclusión de que Bécquer las ha empleado todas, combinándolas muchas veces.

El sonido final *ó,* que se encuentra en diecisiete poemas, domina las *Rimas* con la tríada «amor» (seis empleos terminales), «yo» (seis empleos terminales), «corazón» (cinco empleos terminales). Las palabras «dolor» y «sol» dan tres veces la asonancia.

La asonancia *á* se encuentra en catorce poemas. Los futuros de indicativo desempeñan aquí un notable papel así como los infinitivos de los verbos en *ar*. Entre los sustantivos empleados con mayor frecuencia se destaca la palabra «mar» (tres casos: rimas II, XXXVIII, LXII). El infinitivo «expirar» aparece tres veces (II, XXXVII, LXI).

La rima aguda sirve a menudo para estructurar el poema o sencillamente para crear la diversidad sonora que es un elemento importante de la estética becqueriana.

He aquí tres ejemplos de esta destreza técnica:

1.º La gama completa de las acentuaciones vocálicas finales *(á, é, í, ó, ú)* está utilizada en la rima III («Sacudimiento extraño»). A primera vista parece constituido este poema por una cadena de cuartetos de heptasílabos sin lazo entre sí y divididos en dos grupos: inspiración y razón. Una lectura más atenta revela que la acentuación aguda del último verso une estos cuartetos por pares. El cuarteto-sentencia de la conclusión tiene la acentuación aguda de las dos estrofas que lo preceden así como la de las palabras-clave «inspiración» y «razón». Un examen sinóptico muestra por fin que Bécquer ha procurado estructurar formalmente su poema por un riguroso paralelismo de las terminaciones vocálicas agudas en ambas partes. Este paralelismo existe con las vocales *é* (estrofas 1 y 2), *á* (estrofas

5 y 6), *ó* (estrofas 7 y 8); respecto de las estrofas 3 y 4 sólo existe el paralelismo si se admite que el sonido *ú* de la primera parte equivale al sonido *í* de la segunda, lo que no puede admitirse; existe, pues, una irregularidad que se explica por el deseo de utilizar la totalidad de las vocales.

2.º La rima LVI («Hoy como ayer, mañana como hoy») presenta un hermoso paralelismo fundado en el empleo de las finales vocálicas agudas *á, é, í, ó*. Las seis estrofas del poema se dividen en dos partes. La estrofa 4 se corresponde con la estrofa 1 (asonancia *á* en los versos 2 y 4); la estrofa 6, con la 3. Para esta última correspondencia, Bécquer ha admitido la equivalencia entre los sonidos *é* (versos 2 y 4 de la estrofa 3) e *í* (versos 2 y 4 de la estrofa 6); se trata de sonidos próximos. Esta ligera falta a la ley del paralelismo pudo ser deliberada; permite que la última estrofa se destaque de modo perfecto. Llama la atención la independencia de la estructura sonora respecto de la composición intelectual y de la métrica: la rima LVI se compone de un cuarteto-prólogo de esquema métrico 11-5-11-5 seguido de cuatro cuartetos que forman el desarrollo y de un cuarteto-conclusión, siendo el esquema métrico de estas cinco estrofas 11-7-11-7.

3.º La combinación cuadrivocálica *á-é-í-ó* vuelve a encontrarse, muy sencilla, en la rima XIV («Te vi un punto, y flotando ante mis ojos»), obra de arte mayor puro. Cada cuarteto de endecasílabos se individualiza por una asonancia aguda propia en los versos 2 y 4: *ó* en la estrofa 1, *é* en la 2, *í* en la 3, *é* en la 4.

Los grandes rasgos sentimentales de las rimas becquerianas quedan expresados por las palabras-piloto, que son las fuentes de las principales asonancias:

— Subjetivismo y fuerza del amor: «yo», «amor», «corazón», «beso», «aliento», «ojos».
— Potencia del sentimiento poético y religioso: «alma», «poesía», «sueños».
— Seducción ejercida por los espectáculos cósmicos y los vastos espacios luminosos: «cielo», «mar», «sol».
— Angustia: «negro», «dolor», «expirar».
— Amor a la perfección unida con el resplandor: «perla» (y en segundo término: «oro», «nieve»).

Esta comprobación objetiva concuerda con un juicio de Valera:

«(La) inspiración (de Bécquer), la llama vivísima que arde en todas sus concisas y bellas canciones, procede de un foco donde apenas hay alma que no se encienda, procede de la inextinguible hoguera del amor, alimentada y enriquecida con los esplendores de la belleza, ya natural ya artística, que el poeta ha visto y ha sentido como pocos y cuyo hechicero poder acierta casi siempre a expresar con raro laconismo» *(La poesía lírica y épica en la España del siglo XIX)*.

9

el vuelo cortado

L OS siete primeros meses de 1870 forman el último período de felicidad en la vida de Gustavo Adolfo. El lanzamiento de *La Ilustración
de Madrid* es un éxito. Los ingresos que proporciona la revista a los dos
hermanos quedan modestos y Valeriano tiene que completarlos con el producto de su pintura. Con el sustento de seis personas, el auxilio prestado
a Casta y el alquiler de un hotelito situado en el barrio de la Concepción
están elevados los gastos; sin embargo reinan el valor y el optimismo; el
huerto, la presencia de los niños, el apoyo de amigos que viven en la cercanía constituyen otros tantos factores de equilibrio mental; Gustavo Adolfo
publica algunos excelentes textos en la revista artística de la cual es el animador; el talento de Valeriano se manifiesta en numerosos grabados.

**74. Visión de conjunto sobre este período. Los últimos
retratos conocidos**

Desgraciadamente, van agotándose las fuerzas de Valeriano. Cae enfermo en el curso del verano, probablemente alrededor del 15 de agosto,
y sucumbe el 23 de septiembre.

Estanislao llega para hacerse cargo de la pequeña Julia, quien en adelante será educada en Sevilla por sus tíos. Alfredo, el hijo de Valeriano,
se queda con su tío Gustavo y con sus primos Gregorio Gustavo y Jorge.
Casta se reúne con su marido. El matrimonio vive en el tercer piso de un
reciente inmueble de renta burgués situado en el 7 de la calle Claudio Coello

(hoy número 25) que es propiedad del banquero José de Salamanca, amigo de Rodríguez Correa; éste vive aquí gratuitamente y obtiene el mismo favor para su amigo, de quien conoce el apremio económico, nacido de la enfermedad y de la muerte de Valeriano.

Gustavo Adolfo recobra ánimo y reanuda las tareas literarias pero, debilitado, cae enfermo a su vez durante la segunda quincena de diciembre, muy fría aquel año (como lo atestiguan, entre otros hechos, los padecimientos del sitio de París), y muere en la mañana del 22. Sus funerales, pagados por sus amigos, tienen lugar el 23 a las once.

El último retrato fotográfico que se conozca de Gustavo Adolfo es el que poseía el marqués de Valmar y que pasó a la colección de Antonio Rodríguez Moñino. Lo ha reproducido don Rafael Montesinos en su libro *Bécquer. Biografía e imagen* (lámina 115). El Bécquer a quien descubrimos aquí posa con tranquilidad en el estudio de M. Hebert, retratista de la corte, delante de un fondo pintado que representa un panorama montuoso; lleva chaleco, reluciente cadena de reloj, chalina, chaqueta larga; la capa y el sombrero de copa alta están colocados en la balaustrada de la decoración. Si Leopoldo Augusto de Cueto no hubiera escrito personalmente el apellido de Bécquer en el verso de la fotografía, se dudaría que este personaje plácido, ligeramente abotargado, de aspecto burgués, fuese Gustavo Adolfo. La mirada soñadora y cierta dejadez en la postura están, no obstante, conformes con la personalidad del poeta tal como la revelan las fotografías anteriores. Sobre la fecha de esta fotografía es difícil dar otra precisión que la que formula don Rafael Montesinos, para quien «pertenece sin duda a la última etapa de la vida del poeta». Si tal fuera el caso, sería este retrato el del director literario de *La Ilustración de Madrid;* no puede excluirse sin embargo la hipótesis de que date del segundo período de fiscalía, es decir, de 1867 ó 1868.

En cuanto a los dibujos, nos han dejado el rostro de Gustavo Adolfo en su lecho de muerte dos de los mejores pintores del tiempo, Palmaroli y Casado. El dibujo del primero, grabado por Severini, encabeza la edición original de las *Obras;* el del segundo, grabado por Bernardo Rico, acompaña el artículo necrológico de Campillo publicado el 15 de enero de 1871 en *La Ilustración de Madrid*. Este rostro noble es el de un hombre enérgico que ha afrontado serenamente la muerte.

75. La vida diaria hasta la muerte de Valeriano. Las amistades

Según Francisco de Laiglesia, el sueldo anual convenido para desempeñar la dirección literaria de *La Ilustración de Madrid* era de 3.000 pesetas. Valeriano cobraba una remuneración separada por los dibujos que daba

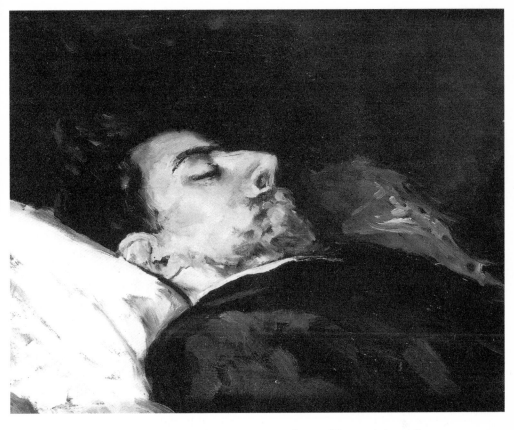

Bécquer en el lecho de muerte retratado por Vicente Palmaroli

a la revista. Se ve que este sueldo representaba la mitad del de fiscal cobrado en 1865 y 1866-1868. Es de presumir que Gustavo Adolfo estuviera al acecho de ingresos complementarios. Hasta habla Rodríguez Correa de traducciones de «novelas insulsas». Por su parte, Valeriano pintaba retratos encargados por los ricos madrileños.

Fue sin duda el joven Francisco de Laiglesia (nacido en 1850), quien dio aviso a Gustavo Adolfo de la localización de confortables hotelitos construidos cerca del arroyo Abroñigal en el barrio de la Concepción, calle de Valencia (actual calle Pedro de Heredia, Ventas). Uno de los hoteles fue alquilado por la familia de Francisco de Laiglesia, compuesta del padre, que era oficial militar retirado, de una de sus hermanas y de sus dos hermanos. Un segundo hotelito fue ocupado por los hermanos Bécquer. En un tercero vino a instalarse Augusto Ferrán, quien vivía con una joven hispanoamericana después de haber regresado a Madrid en una fecha ignorada y cobrado, según parece, un complemento de herencia.

Rafael Montesinos ha dado a conocer la fotografía de uno de estos hoteles (lámina 110 de su libro). Se trataba de edificios con piso único, con azotea o algo parecido, en el gusto clásico de Trianón. Este tipo de arquitectura no era el más susceptible de encantar a Gustavo Adolfo, sobre todo después de un año pasado en el antiguo Toledo, pero el huerto y lo que quedaba del campo (la construcción del barrio había empezado en 1863) debieron seducirle y parecerle en conformidad con los gustos y necesidades de Valeriano. Por otra parte, el lugar convenía para el sano desarrollo de cuatro niños.

Si la situación excéntrica era favorable para el trabajo de Valeriano, quien podía pintar tranquilamente dentro o fuera de la casa, no resultaba tan feliz para las actividades de Gustavo Adolfo, ya que sus tareas de director de *La Ilustración de Madrid* le llamaban casi diariamente en el centro de la ciudad.

Rodríguez Correa hacía frecuentes visitas a Gustavo Adolfo y a Ferrán. Las confidencias de Francisco de Laiglesia en *Bécquer. Sus retratos* demuestran que le unían también a Correa estrechas relaciones de amistad a pesar de la diferencia de edad.

Parece que Campillo también viniera con bastante frecuencia a charlar con su compañero de niñez. El bucolismo sevillano de la adolescencia y las reminiscencias del *Cándido* de Voltaire me parecen alterar su testimonio, pero puede sin embargo admitirse que hay buena parte de verdad en aquellas líneas escritas alrededor del primero de enero de 1871: «(Gustavo) pasaba días enteros cultivando su jardín, hablando de literatura y artes con Valeriano y los amigos que iban a visitarle, o alternando en infantiles juegos con sus pequeños hijos... En este retiro apacible escribió algunas nuevas poesías, proyectamos publicar una biblioteca de grandes autores para la cual comenzamos a traducir, él a *Dante* y yo a *Homero...*»

Nada sabemos de las poesías que pudiera escribir entonces Gustavo Adolfo. Tal vez «Es un sueño la vida» fuera una de ellas.

Nombela no frecuentaba la calle de Valencia. Explica en sus memorias que, colaborando de manera muy activa en *La Ilustración Española y Americana,* había tenido que ponerse de acuerdo con Gustavo Adolfo, director de la publicación competidora y adversa, para suspender las relaciones personales. En realidad, éstas no se habían reanudado nunca de manera estrecha después de la instalación de Nombela en Madrid el 1 de mayo de 1863. Nombela había dejado *La Época* el 2 de noviembre de 1868 acusando a la redacción de haber modificado uno de sus artículos en un sentido contrario a sus opiniones; le había sustituido como redactor literario uno de los hermanos de Ramón Rodríguez Correa, José. Según el artículo «Nombela» de la *Enciclopedia Universal Espasa-Calpe,* el novelista había fundado una efímera revista, *La Cosa Pública,* en 1869.

En la casa vecina (los Bécquer vivían en el 6 de la calle de Valencia, como indica la partida de defunción de Valeriano), Ferrán había vuelto a componer una colección de poemas. *La Pereza* saldrá a la luz en 1871.

Según todos los testimonios, la música conservaba su importancia en la vida de los hermanos Bécquer: guitarra, flauta y también una suerte de armonio (quizá el instrumento que había sido propiedad de Ramón Sagastizabal) que menciona en sus recuerdos Emilio Gutiérrez Gamero, suegro de Francisco de Laiglesia.

La vida de Gustavo Adolfo se repartía, pues, entre *La Ilustración de Madrid,* unos trabajos literarios de complemento, el intercambio artístico e intelectual con los amigos, la colaboración artística permanente con Valeriano, el cuidado de los niños, los trabajos en el jardín y en el huerto que practicaba aquí como en Toledo y las improvisaciones musicales. Conservaba la colección de las *Rimas* con intención de publicarla. Vuelto a la independencia política sin renegar de sus tendencias conservadoras, empezaba a ejercer influencia en la vida pública y cultural madrileña.

En abril de 1870, Julia Espín y Pérez Colbrandt regresó a Madrid, donde su padre llevaba una vida laboriosa después de haber perdido todas sus ventajas y funciones honoríficas a consecuencia de la revolución. Julia había cantado en diversas salas de ópera, especialmente en Italia (1867) y en Rusia (1869), desempeñando papeles secundarios.

No se conocen las amistades femeninas de Gustavo Adolfo en aquella época. Observador del medio musical madrileño, no pudo dejar de tener conocimiento del regreso de Julia, tanto más cuanto que Rodríguez Correa tenía relaciones de amistad con ella. Me imagino que, atravesando la pantalla de una bruma de cenizas, llegaron otra vez a la conciencia del poeta los recuerdos del tiempo de los grandes ardores.

76. Fundación, objetivos y luchas de *La Ilustración de Madrid*. Su rivalidad con *La Ilustración Española y Americana*

Francisco de Laiglesia presenta como sigue la fundación de la revista: «En uno de los viajes que hacía Bécquer desde Toledo, donde se refugió con su hermano después de la revolución, habló con Eduardo Gasset y Artime, fundador de *El Imparcial,* de la patriótica propaganda que se podía hacer en España de nuestras riquezas artísticas con la publicación de un diario ilustrado con esmero: Isidoro Fernández Flórez apoyó la idea, la inteligente iniciativa de Gasset la aceptó desde luego y *La Ilustración de Madrid* fue la base de una posición decorosa para los dos hermanos...»

Estas indicaciones necesitan un complemento. Bécquer y Fernández Flórez tuvieron compañeros tan fuertemente determinados como ellos; y *La Ilustración de Madrid* nació en un ambiente de lucha contra la penetración creciente de las técnicas industriales en el campo del arte de la ilustración. De esta penetración daba *La Ilustración Española y Americana* el ejemplo que hería de la manera más aguda una parte de los antiguos colaboradores de *El Museo Universal*. El debate tenía también por objeto las relaciones jurídicas y financieras entre los periodistas y artistas por una parte, los editores por otra.

Nacido en Cádiz en una modesta familia, huérfano temprano de padre, Abelardo de Carlos había tenido que trabajar con ahínco para fundar en su ciudad natal una imprenta y una casa editorial, después de varias experiencias en Málaga y en La Habana. En Cádiz creó en particular *La Revista Médica* y *La Moda Elegante Ilustrada*. Inició también allí la edición del *Almanaque Enciclopédico Español,* del que Campillo fue el director a finales de 1868 *(Almanaque Enciclopédico Español para 1869);* además, Campillo publicó varios poemas en los almanaques que siguieron.

A principios de 1869, Abelardo de Carlos compró *El Museo Universal*. Según Juan López Núñez, el número de las suscripciones al *Museo* en esta época no pasaba de un millar, y nueve de cada diez de los suscriptores, calificados de «honorarios», recibían un servicio gratuito; me es sin embargo difícil creer que la casa Gaspar y Roig se portara de modo tan desinteresado.

En el otoño de 1869, De Carlos resolvió reemplazar *El Museo Universal* por una nueva revista ilustrada, *La Ilustración Española y Americana,* colocada bajo su dirección efectiva, técnicamente caracterizada por el empleo de clisés de cinc inalterables que permitían más finura en la reproduc-

Cubierta de *La Ilustración de Madrid* de Ediciones El Museo Universal

ción del dibujo. Bernardo Rico (1825-1894), grabador en madera, quien había enseñado su arte a Valeriano Bécquer, no aceptó ni la autoridad de Abelardo de Carlos ni el empleo generalizado del clisé metálico (que ofrecía la posibilidad de importar cómodos y baratos clisés extranjeros). Parece que Rico fuera el alma del grupo que se puso en relación con Eduardo Gasset y Artime.

Según López Núñez, el motivo de la disidencia fue «una enconada hostilidad contra el desconocido (¡Abelardo de Carlos!) que tenía el atrevimiento de venir a Madrid a fundar una revista de tantas pretensiones sin ser un profesional y sin militar en las filas de ningún partido político ni de ninguna secta literaria».

El primer número de *La Ilustración Española y Americana* salió el 25 de diciembre de 1869 (año XIV, pues *El Museo Universal* había tenido trece años de vida, 1857-1869). La tirada de 2.000 ejemplares era importante para la época.

Julio Nombela parece haber desempeñado un papel destacado como consejero de Abelardo de Carlos para el lanzamiento de *La Ilustración Española y Americana*. En los primeros tiempos fue el editorialista de la revista. Dirigió el *Almanaque Enciclopédico Español para 1870* (final de 1869) y *para 1871* (final de 1870). Indica en sus *Impresiones y recuerdos* (tomo 3, págs. 442-443) que puso a José de Castro y Serrano en contacto con Abelardo de Carlos, elogiando los méritos del primero; Castro y Serrano llegó a ser, según precisa, una manera de censor de *La Ilustración Española y Americana* y le apartó de la revista porque juzgó poco decoroso que un redactor fuese a un tiempo el autor de novelas por entregas que se vendían en las esquinas de las calles.

Es probable que Eduardo Gasset y Artime (nacido en Pontevedra en 1832 y muerto en Madrid en 1884, abuelo materno del filósofo Ortega y Gasset) dejara una gran libertad a los artistas agrupados en torno a los hermanos Rico (Bernardo y Martín, siendo éste último un pintor apreciado), los hermanos Bécquer e Isidoro Fernández Flórez. Buen conocedor de los problemas financieros y contables a la par que poeta, Gasset y Artime había dirigido *El Semanario Pintoresco Español* durante algunos meses (1856), y varios periódicos. Convertido al liberalismo de la Unión, había fundado en 1867 el diario *El Imparcial* que se había transformado pronto en órgano de la democracia.

La Ilustración de Madrid tendió a experimentar una fórmula cercana a la de la moderna autogestión que uniera periodistas y artistas, y a proteger a los artistas españoles, especialmente a los que se expresaban por el grabado en madera (boj).

Con ocasión de una controversia que estalló cuando *La Ilustración Española y Americana* solicitó beneficiarse del mismo número de suscripciones que *La Ilustración de Madrid* de parte del Ministerio de Fomento, los redactores del segundo de dichos periódicos pudieron escribir el 27 de mayo de 1870: «*La Ilustración de Madrid* pertenece a una sociedad de literatos, dibujantes y grabadores que, reuniendo sus fuerzas, aspiran a encontrar la justa retribución de su trabajo sin someterse a las exigencias del capital representado por el editor, que hasta aquí les ha servido de intermediario para con el público. Y sólo obrando con esta independencia ha podido fundarse un periódico ilustrado, único en su género: un periódico *exclusivamente español,* en el que no encuentran cabida más que artículos y dibujos inéditos y originales de escritores y artistas, nuestros compatriotas.»

La Ilustración Española y Americana consiguió finalmente lo que deseaba. Las suscripciones del ministerio fueron repartidas entre las dos revistas. El 27 de octubre, *La Ilustración de Madrid* anunció que renunciaba a las suyas y deploraba la ceguedad del ministerio, más todavía la del ministro Echegaray, hombre muy bien informado en materia de artes, que la de Merelo, director de Instrucción Pública, acusados ambos del «crimen de lesa cultura».

En este texto, que traduce una fuerte amargura, se comparan los métodos de ilustración de ambas publicaciones. Se acusa a *La Ilustración Española y Americana* de haber utilizado a montones los clisés extranjeros, y hasta comprado numerosos clisés de desecho vendidos al peso en París y reproducidos en las páginas de la revista por medios mecánicos; se la acusa además de haber mandado copiar en madera grabados de *La Ilustración* inglesa después que la invasión de Francia por las tropas prusianas pusiera fin al tráfico con el mercado parisiense. *La Ilustración de Madrid* expone su propia acción como sigue: «*La Ilustración de Madrid,* en tanto, no podía realizar grandes cosas, pero constante en su línea de conducta, aun teniendo que vencer obstáculos inevitables y que deplorar sensibles desgracias, seguía llenando sus columnas de grabados españoles y originales, poniendo unas veces a contribución el lápiz de reputados pintores, y buscando y revelando al público, otras, artistas nacientes que algún día serán gloria de la patria.»

El primer número de *La Ilustración de Madrid* había salido de la imprenta de *El Imparcial* el 12 de enero de 1870, dieciocho días después de la publicación del número inaugural de *La Ilustración Española y Americana.* En su número del 16 de enero *La Época* lo había elogiado del modo siguiente: «Tanto en la parte literaria como en la artística y tipográfica anuncia una publicación superior en su género de cuanto hasta ahora ha visto la luz en España. Autores que en ella intervienen: "Ecos", por don Isidoro Fernández Flórez; "Memorias de Gil Álvarez de Albornoz, Cardenal Arzobispo de Toledo", por don Antonio Cánovas del Castillo; "El Pordiosero", por G. A. Bécquer, "Antigüedades prehistóricas de España", por G. A. Bécquer, etc.» Esta primera lista de colaboraciones ilustra aquella reflexión ulterior de la redacción («Advertencia», texto citado en *La Ilustración de Madrid,* colección de artículos reunidos por doña María Dolores Cabra Loredo, pág. 236): «dentro (de un periódico de la índole de *La Ilustración de Madrid)* caben todas las opiniones y todas las firmas».

La muerte de los hermanos Bécquer representó un severo golpe para *La Ilustración de Madrid.* Isidoro Fernández Flórez, su redactor jefe, la mantuvo tan largo tiempo como pudo. La revista se benefició en 1871 de la colaboración de Pérez Galdós, quien estuvo encargado de la crónica quincenal. Cayó finalmente en poder de Abelardo de Carlos que la compró; su último número salió el 30 de mayo de 1872. Los dos equipos se fusionaron y es de suponer que algo del espíritu artístico y nacionalista de *La Ilustración de Madrid* pasara a las columnas de la nueva *La Ilustración Española y Americana.* Convertida en semanario durante el año 1872, ésta recurrió casi exclusivamente a trabajos de escritores españoles. Disfrutó de un gran prestigio hasta la muerte de su fundador, acaecida en abril de 1884. Le sobrevivió mucho tiempo, ya que su último número es el del 30 de diciembre de 1921.

77. Los trabajos de los hermanos Bécquer en *La Ilustración de Madrid* hasta el mes de agosto de 1870

Examinaré sucesivamente aquí:

— La primera publicación conocida del poema «¡No digáis que agotado su tesoro», futura rima IV.

— Los artículos que llevan la firma «Gustavo Adolfo Bécquer» o «G. Bécquer» que son ora textos-programas, ora obras de arte a las que el poeta deseaba asociar su nombre, ora homenajes de carácter personal.

— Los artículos firmados con la inicial «B» la cual indica una reivindicación modesta o el deseo de suprimir dudas sobre la identidad del autor.

— Los textos anónimos que mis predecesores han atribuido a Bécquer.

— Algunos textos de los amigos de los hermanos Bécquer y algunos dibujos de Valeriano no acompañados de un texto de su hermano.

77.1. «¡No digáis que agotado su tesoro...»

No publicó Gustavo Adolfo en *La Ilustración de Madrid* una serie de rimas como lo había hecho en 1866 en *El Museo Universal.* Se ha limitado a seleccionar uno de sus más hermosos poemas, expresión de su fe artística, haciéndolo preceder de la indicación nunca empleada por él hasta entonces: «De un libro inédito.» Pienso que tenía la esperanza de publicar la colección de las *Rimas* en cuanto el éxito de *La Ilustración de Madrid* estuviese consolidado. Por eso la publicación de «¡No digáis que agotado su tesoro...!» quedó aislada en el número 5 del 12 de marzo de 1870. Como en 1866, el poeta no ha querido dar a conocer su poesía intimista de tipo heineano; prefería que ésta fuese descubierta en su totalidad al publicarse el libro. El poema lleva la firma completa «Gustavo Adolfo Bécquer».

El texto publicado no es exactamente el del número 39 del «Libro de los gorriones». Las diferencias son las siguientes:

	«Libro de los gorriones»	*La Ilustración de Madrid*
vers. 9	mientras el aire...	mientras el aura...
vers. 24	a nublar la pupila	a empañar la pupila
vers. 33	mientras sentirse puedan	mientras puedan sentirse
	en un beso	con un beso

La versión de *La Ilustración de Madrid* me hace pensar en un texto más antiguo que el del registro, como si en vez de abrir éste, el poeta se hubiera valido de otro manuscrito.

La modificación que contiene el texto del registro en el verso 13, por tachadura y enmienda añadida, es probablemente posterior al 12 de marzo de 1870, pues el texto de origen es idéntico al de *La Ilustración de Madrid* («Mientras la ciencia no descubra» que se convierte en «Mientras la ciencia a descubrir no alcance»).

He mostrado en mi artículo del *Bulletin Hispanique* (enero-junio de 1968) titulado «Investigaciones sobre la rima IV», de qué modo la fuente alemana «Der letzte Dichter» («El último poeta») de Anastasius Grün (pseudónimo de Anton Alexander von Auersperg, 1806-1876), publicada en los años 1830, había sido utilizada por Milá y Fontanals en 1854, probablemente por medio de la traducción francesa de Sebastián Albin. Bécquer pudo también conocer el poema de Grün por una traducción oral que hiciera Ferrán. Sea lo que fuere, ha cumplido una síntesis y una metamorfosis artística que hacen de «¡No digáis que agotado su tesoror...!» una obra notablemente distinta de la fuente por el ritmo, y superior a ésta por la sencillez del sentimiento.

No teniendo nada que añadir al artículo citado, me limitaré a reproducir aquí el análisis de la rima IV que contiene su conclusión principal:

> Las cuatro estrofas explicativas presentan una feliz simetría. La poesía es unión o conflicto. Las dos estrofas de la unión (1 y 4), que son también las del amor y del beso, sirven de marco a las dos estrofas del conflicto (2 y 3), que se leen también como las del misterio y de la resistencia. Esta simetría no daña la sucesión de los dos órdenes que considera el poeta: el orden cósmico (1 y 2) precede al orden humano (3 y 4).

Grün cantaba el sentimiento humano positivo. Sublimando una sensualidad extraordinaria, explosiva, Bécquer evoca, con una rápida sucesión de acuerdos y de contrastes, todo el drama del universo tal como lo percibe el hombre activo pero sensible.

Acompañan el texto de «¡No digáis que agotado su tesoro...!» algunos cantares que dan prueba de la constante afición, tal vez reanimada por la presencia de Ferrán, que Gustavo Adolfo seguía manifestando por el canto popular de su Andalucía natal. Doy a continuación el segundo de estos cantares, cuyas potencia evocadora y agudeza me parecen mayores:

Mis amores y mis penas
Se parecen mucho al mar:
Mis dolores en lo grandes,
Mis amores en la sal.

77.2. *Artículos mayores y homenajes personalizados*

12 de enero de 1870 (núm. 1): «El pordiosero. Tipo toledano.»

Está asociado este artículo con la reproducción de un hermoso dibujo de Valeriano, grabado por Bernardo Rico, que representa dos personajes, un digno anciano envuelto en su capa remendada y una niña aterida con su pobre hatillo; ambos están esperando algún socorro ante una rica puerta toledana del Siglo de Oro. Bajo la emoción sencilla que suscita a primera vista este cuadro se percibe una simbolización del alma y del pasado de España.

Este dibujo inaugural señala la reanudación de la colaboración que se había instaurado en el equipo de *El Museo Universal* entre los hermanos Bécquer y Bernardo Rico.

El comentario, firmado «G. Bécquer», resume en su primera parte las ideas expresadas en la cuarta de las *Cartas desde mi celda*. El autor se declara convencido de que las costumbres locales (trajes, usos, fiestas) habrán totalmente desaparecido al terminar el siglo. Sigue combatiendo para que se conserve el recuerdo de ellas: «No nos falta la fe en el porvenir; cuando juzgamos desde el punto de vista del filósofo o del hombre político las profundas alteraciones que todo lo trastornan y cambian a nuestro alrededor, esperamos que en un término más o menos distante algo se levantará sobre tantas ruinas; pero séanos permitido guardar la memoria de un mundo que desaparece y que tan alto hablaba al espíritu del artista y del poeta; séanos permitido sacar de entre los escombros algunos de sus más preciosos fragmentos, para conservarlos como un dato para la Historia como una curiosidad o una reliquia.»

Tal será una de las tareas de *La Ilustración de Madrid.*

En la segunda parte compara Bécquer las actitudes de la España antigua y de la España moderna ante la pobreza; observa que el asistido contemporáneo, que lleva a menudo el traje del hospicio, ya no tiene la personalidad ni la dignidad del miserable de antaño, inspirador de los narradores y pintores. Ya se había expresado esta idea en *La sopa de los conventos.*

Después de describir lo que llamo el «realismo compuesto» de Valeriano, quien reunía en sus cuadros observaciones apuntadas en lugares y momentos diversos, Gustavo Adolfo se expresa como poeta en los dos párrafos finales que dedica al grabado «El pordiosero».

> En algunas de nuestras antiguas ciudades castellanas, cuando la nieve cubre el piso de las revueltas calles y sopla el cierzo haciendo rechinar las mohosas veletas de las oscuras torres, ¿quién no ha visto inmóvil, junto al timbrado arco de una vetusta casa solariega, la figura de un pordiosero que tiende al fin la descarnada mano para llamar a la puerta, cuyos tableros desunidos, grandes clavos y colosales aldabas traen a la memoria las misteriosas puertas de esos palacios deshabitados, llenos de encantos medrosos de que nos hablan en los cuentos?
>
> La multitud pasa indiferente al lado de aquella escena; el artista se detiene, herido ante el contraste de tanta miseria junto a tanto esplendor; repara en la armonía de las líneas y en los efectos del color. Se siente impresionado como ante un cuadro que pertenece a otra época diferente y ve una revelación de otro siglo y de otra manera de ser social en aquella tradición viva, que entra a hablar a su alma por el conducto de los ojos.

12 de enero de 1870 (núm. 1): «Antigüedades prehistóricas de España.»

Este texto, firmado «G. Bécquer», vale como presentación de la naciente ciencia de la prehistoria a la par que prólogo a las *Cartas prehistóricas* de Manuel de Góngora que habían de publicarse en la revista.

Góngora había publicado ya el libro *Antigüedades prehistóricas de Andalucía,* del que saca Bécquer algunos ejemplos para mostrar el interés que ofrecen las nuevas pesquisas.

No se ha revisado el texto con gran cuidado: así es como se encuentran en él las deformaciones «Boucher de Peters» en vez de «Boucher de Perthes», nombre de uno de los fundadores de la investigación prehistórica, y «Megalítico» en vez de «Paleolítico» para designar la edad de la piedra tallada.

Temprano había Bécquer establecido la relación entre poesía y prehistoria, así como entre poesía y cosmología. Se lee, en efecto, en la rima «Espíritu sin nombre» (V) este cuarteto dedicado a los estudios acerca de los tiempos primitivos:

> Yo busco de los siglos
> Las ya borradas huellas,
> Y sé de esos imperios
> De que ni el nombre queda.

Aunque no pueda contarse entre los textos más atractivos de Gustavo Adolfo, «Antigüedades prehistóricas de España» se orna de imágenes poéticas. Tomando una posición contraria a los sentimientos que suele defender, el poeta se muestra aquí favorable al retroceso de los mitos y sueños ante los conocimientos científicos. Acomete a «los mantenedores de añejas teorías, los que se complacen en poblar de sueños los últimos confines de la historia». He aquí un pasaje en el que se ve el ímpetu poético puesto al servicio del elogio de la investigación racional:

> Hay en las ciencias períodos de análisis y períodos de síntesis. El que atravesamos pertenece a los primeros. Hasta aquí se ha escrito la historia de una sucesión de individualidades, dioses, reyes y héroes. Hoy se reúnen los datos para escribir la del ser colectivo que se llama humanidad. Sobre el abismo en que se habían hundido esas razas desconocidas sólo flotaban nombres: la historia, sentada al borde de ese oscuro abismo, tejía de fábulas maravillosas sus narraciones, con la proverbial seguridad del mentir de las estrellas. Pero del seno de las sombras ha comenzado a surgir la luz. Nínive y Babilonia sacan la cabeza de entre las arenas del desierto; los pueblos aborígenes salen de las cavernas, se alzan del fondo de los lagos o abandonan sus túmulos...

El sentimiento patriótico y la voluntad de proporcionar un apoyo moral a un investigador aislado constituyen el último aspecto original de este texto: «En España un hombre solo, sin otro impulso que el de su fe en la ciencia, no ha vacilado en sacrificar su modesta fortuna, primero en viajes y exploraciones, y después en la publicación de una obra que entre otros méritos tiene el de ser modelo acabado de tipografía y muestra de lo que respecto a los libros ilustrados puede hacerse con elementos puramente nacionales.» Al escribir estas líneas, el autor no pudo dejar de pensar en aquel otro sacrificio que había representado el tomo I de *Historia de los templos de España*.

Viene a cerrar el artículo en forma de cita una interpretación de las palabras de Macbeth en las que el cinismo se mezcla con el humor; se pronuncian en la escena del banquete, donde aparece el espectro de Banquo

(Macbeth, acto III, escena 4). Se trata de la última manifestación del interés apasionado de Bécquer por el teatro de Shakespeare.

27 de enero de 1870 (núm. 2): «La picota de Ocaña.»

El hermoso dibujo de la picota medieval de Ocaña había sido realizado (o bocetado) sin duda por Valeriano durante el primer semestre de 1866 al visitar la población. El grabado fue obra de Rico.

Es muy armoniosa la composición del texto de Gustavo Adolfo. Se encuentran aquí dos de los más bonitos cuadros paisajistas que escribiera, el panorama doble hacia la ciudad y hacia el campo, vistos ambos desde las eras de la trilla. Luego, la picota en el marco del paisaje. La luminosidad crepuscular de Claudio Lorena ejerce aquí una influencia secreta, pero segura, que se evidencia en el final del siguiente párrafo:

> Por una lado se descubre la hilera de casas, cercas y bardales de los barrios extremos de la población, entre cuyos rojizos tejados asoman los capiteles de las torres, las espadañas de la iglesia y, de trecho en trecho, el almenado lienzo de un muro; por otro se ve el espacio que constituyen las eras, limitada llanura formada por la meseta de una suave colina; al fondo se desenvuelve la línea azul de los montes lejanos, bañada en un luminoso y encendido vapor que vela los contornos y los colores con una tinta general dulce y armoniosa.

Después de presentar la escena vacía, el poeta introduce a los personajes, es decir, a los campesinos ocupados en las tareas de trilla al final de un caluroso día de julio. La mirada se dirige luego al «personaje» central, a la misteriosa columna esculpida, coronada por una cruz, edificada antiguamente en la entrada de la población. La aparición es maravillosa:

> En la mitad de este alegre cuadro, dominando los grupos de figuras, cortando las horizontales líneas del fondo y destacándose como perfilado de oro por los rayos del sol poniente sobre el azul del cielo, se levanta un monumento de granito, airoso y elegante, cuyo carácter no es posible definir y cuya destinación se comprende apenas.

Una vez descrita la alegre animación que rodea la antigua columna, pintorescamente presentada, el poeta traslada al lector al mismo lugar pero en una época remota, poco después de la caída de la noche. La evocación fúnebre de la picota sobrecoge tanto más cuanto que es fuerte el contraste.

Luego, sitúa rápidamente Gustavo Adolfo la institución de la picota dentro del marco de la justicia feudal, tachada de tiranía. Termina con un elogio del olvido que, en su época de disturbios revolucionarios, estima más propicio que el odio al progreso de las sociedades. Uniendo la ternura y el sentido práctico, concluye su comentario con aquella confesión que es también pregunta:

> Por eso a solas conmigo, me he preguntado más de una vez, si será o no conveniente remover lo que duerme en el fondo de la conciencia del pueblo, hablándole de cosas que sólo puede perdonar olvidándolas.

Gustavo Adolfo tuvo conciencia del valor de su texto, reflexión ilustrada con esplendor sobre las relaciones del pasado y del presente a la par que cuadro de costumbres y presentación de monumento. Por eso lo autentificó con su firma completa de poeta «Gustavo Adolfo Bécquer».

27 de enero de 1870 (núm. 2): Reseña de «Biblioteca de autores españoles. Poetas líricos del siglo XVIII. Colección formada e ilustrada por el Excmo. Sr. D. Leopoldo Augusto de Cueto.»

Este texto corto, firmado «G. A. Bécquer», está redactado con elegancia pero se nota que corresponde más a una obligación editorial y amistosa —de aquí la firma—, que al interés por una época que el autor reconoce ajena a sus preocupaciones. Como se sabe, el marqués de Valmar era uno de los protectores de los hermanos Bécquer.

Gustavo Adolfo subraya la doble aptitud de Cueto:

— En la recolección de datos exactos: «La diligencia y la tenacidad propias del erudito que persigue un dato hasta el más oscuro y empolvado rincón de una biblioteca.»
— En la inducción y la síntesis: «La elevación de miras y el criterio peculiar al que siguiendo las evoluciones de la crítica moderna sólo tiene en cuenta esos detalles para generalizar, buscando una síntesis filosófica.»

Este breve comentario no menciona a ningún poeta del siglo XVIII, lo que puede explicarse por la prisa confesada en las últimas líneas del artículo: «De (su) severa imparcialidad... sólo podríamos dar exacta idea entrando en el análisis de un libro, que ni su seriedad ni sus especiales condiciones permiten juzgar sin más sosiego y espacio del que nos es posible disponer en este momento.» La poesía del Siglo de las Luces no tiene mayor suerte que su arquitectura en la reflexión de Gustavo Adolfo.

12 de febrero de 1870 (núm. 3): «Una calle en Toledo.»

El dibujo de Valeriano grabado por Rico representa una de las vistas más reputadas del antiguo Toledo: la iglesia de San Román con su torre mudéjar mirada desde la antigua calle del Día, con una pared del convento de San Clemente a la derecha y la alta puerta de la casa señorial de Illán a la izquierda.

Tenemos aquí un nuevo complemento a *Historia de los templos de España*. Algunas páginas habían sido dedicadas a San Román en el capítulo «Parroquias latinas de Toledo»; Gustavo Adolfo había denunciado en ellas la ceguedad de los autores de las modificaciones realizadas en detrimento del arte muslímico durante los siglos XVII y XVIII.

Está comentado el grabado desde el triple punto de vista, querido de Bécquer, del artista, del historiador y del poeta. La poesía que se expresa aquí con parsimonia es la de la historia: el lugar es «la más pura fuente de melancólicas y altas inspiraciones». Una bonita imagen: el pendón de Castilla que ondea en la luz del alba desde lo alto de los ajimeces de la torre el día de la dramática proclamación de la mayoría de Alfonso VIII (siglo XII).

27 de febrero de 1870 (núm. 4): «Enterramientos de Garcilaso de la Vega y de su padre en Toledo.»

Considerado retrospectivamente aparece este hermosísimo texto firmado «Gustavo Adolfo Bécquer» como el adiós del poeta a Toledo y al realismo fantástico. Como en *Tres fechas,* el joven de los años 1856-1857 alojado en una fonda es quien descubre aquí la ciudad vagabundeando libremente por sus calles. La toledana que reza ante la imagen de la Virgen del Rosario es a la vez un ser de carne y un ser de ensueño, símbolo de la ciudad y de la tradición. Este personaje está comparado con una estatua gótica pero está más próximo a las estatuas de San Juan de los Reyes evocadas en la cuarta de las *Cartas literarias a una mujer* (1861) que al suave retrato que contiene *La mujer de piedra* (1868): «Viva y sana anda por Toledo: hermosa, alta, severa, que parece una figura bajada del pedestal de un claustro gótico.» Esta noble figura vestida de negro corresponde del todo a lo que será el ideal femenino de Azorín *(Diario de un enfermo. La voluntad).*

La evocación del sepulcro de Garcilaso prolonga y precisa el sueño funerario de la tercera de las *Cartas desde mi celda* que este monumento debió de inspirar en parte.

Sentido homenaje becqueriano a la memoria del poeta de las *Églogas,* este texto merecería servir de introducción a una antología de los poetas de la generación de 1927.

Como otros textos publicados en *La Ilustración de Madrid,* el artículo «Enterramientos de Garcilaso de la Vega y de su padre» desarrolla e ilustra poéticamente las rápidas observaciones dedicadas al convento de San Pedro Mártir en *Historia de los templos de España,* donde se califica ya a Garcilaso de «príncipe de los poetas españoles.»

La joven orante vestida de negro, quien representa en la imaginación de Gustavo Adolfo «el alma inmortal de la ciudad muerta», se ve en el dibujo de Valeriano grabado por Rico. En este caso particular parece que el texto haya precedido al dibujo.

«Enterramientos de Garcilaso de la Vega y de su padre» fue descubierto por Franz Schneider; pero el texto fue publicaco por primera vez en las *Páginas desconocidas* (1923, tomo I) debidas a una iniciativa de Fernando Iglesias Figueroa, sin indicación precisa de la fuente.

27 de abril de 1870 (núm. 8): «Solar de la casa del Cid en Burgos.»

Este artículo representa una suerte de continuación del «Roncesvalles» publicado en 1866 en *El Museo Universal*, un eslabón de la cadena que hubiera debido convertirse en una «Defensa de la tradición histórica popular.» Bécquer sostiene otra vez la idea de que los lugares de la tradición sugieren fuertemente la veracidad de ésta; traen «el convencimiento de la intuición que se siente, aunque no se razona». Los lugares de la tradición enumerados aquí son: Covadonga (sepultura de Pelayo), Roncesvalles (lugar de las hazañas de Bernardo del Carpio), Burgos (donde nació el Cid Campeador). Sin duda hubieran producido un «Covadonga» los hermanos Bécquer a no alcanzarlos tan pronto la muerte.

«Roncesvalles» y «Solar de la casa del Cid en Burgos» representan respecto de la tradición histórica lo que las cartas VI a VIII de la serie *Desde mi celda* (1864) respecto de las creencias populares: muestran el poder de los sitios y de los ambientes locales sobre la imaginación humana.

He aquí cómo el poeta establece una relación entre el héroe del romancero y la realidad histórica:

> ... A poco que se medite, esta ciega fe, este mismo lujo de detalles, hijos de la imaginación del pueblo, revelan poderosamente la vitalidad del personaje que palpita a través de sus creaciones, que son como un ropaje tejido por los romanceros, por debajo del cual se acusan las formas y se siente que hay una figura real y positiva.

El grabado de Rico, realizado según una fotografía de Laurent, representa el monumento en un sitio desnudo, austero, dominado por lejanas fortificaciones.

27 de junio de 1870 (núm. 12): «Las dos olas.»

Tenemos aquí una lindísima expresión de uno de los temas más típicos del sueño becqueriano, «La mujer y el mar», tratado en la segunda de las *Cartas literarias a una mujer* y en *Un boceto del natural*, entre varias otras obras.

Al mismo tiempo, da testimonio el texto de la amistad que ligaba a Gustavo Adolfo con el renombrado pintor José Casado del Alisal. Forma el asunto del artículo un retrato pintado por este artista, el de una niña de pocos años, que es su sobrina. Casado es el autor del dibujo que grabó Rico.

En el último término del dibujo aparecen las «cantábricas peñas» de la rima XII.

Las dos olas son la del flujo y la de la juventud, representada ésta por la chiquilla que tiene un muñeco en los brazos. Gustavo Adolfo concibe sutilmente el doble símbolo a la vista del cuadro que Casado está acabando cuando el poeta penetra en su estudio con objeto de pedirle alguna colaboración para *La Ilustración de Madrid*.

La escena, tanto como el diálogo que relata Bécquer, están llenos de verdad, fantasía y humorismo.

Aquí, sin duda, es donde se halla la más hermosa prosa becqueriana acerca del mar, claro símbolo de la vida:

> ... Allá en el fondo, junto a la arena blanca, surge una ola imperceptible, suspira apenas, como suspira la seda, y parece el ligero pliegue de una tela azul; esa ola que nace ahí se la puede seguir con la mirada al través del Océano, porque no se deshace, no; sube y baja para volverse a levantar más lejos, herida del sol, coronada de espuma y cantando un himno sonoro... Pero, es la misma; la misma que más allá aún, salta y se rompe en polvo menudo y brillante contra las rocas, por cuyos flancos trepa rabiosa como una culebra que silba y se retuerce...

En mi sentir, «Las dos olas» es la última obra maestra de Gustavo Adolfo, tanto por la vivacidad y ligereza del movimiento como por la variedad de los matices afectivos del discurso. Atestigua el excelente equilibrio del poeta en vísperas de la desgracia final.

El texto no se insertó en las *Obras* antes de la tercera edición (1881). Por ser a la vez obra estimada por el propio autor y homenaje a Casado del Alisal llevaba en *La Ilustración de Madrid* la firma completa «Gustavo Adolfo Bécquer.»

77.3.   *Los textos firmados con la inicial «B»*

12 de enero de 1870 (núm. 1): «Mayólica del siglo XVI del Museo Nacional de Escultura de Madrid.»

Se trata del comentario de un dibujo cuidadosamente ejecutado por José Vallejo y reproducido por Rico. El objeto de arte presentado es una mesa oval esculpida revestida con una mayólica de fábrica de Urbino (Italia) descubierta por el pintor José Madrazo en la botica del Palacio Real y expuesta en el Museo Nacional de Escultura.

El artículo consta de dos partes: 1.º, una historia compendiada de la cerámica de arte; 2.º, algunas líneas dedicadas a la obra reproducida, dejando éstas que desear en la medida en que la escena representada (una batalla naval en la Antigüedad, según parece) no está identificada.

12 de enero de 1870 (núm. 1): «Sepulcro de los condes de Mélito en Toledo.»

Éste es el primer artículo dedicado a las obras de arte conservadas en el convento de San Pedro Mártir en Toledo.

La mayor parte del artículo está dedicada a la defensa del dibujo y del grabado frente a la fotografía, que se compara con un «cicerone vulgar». A este propósito es de notar que, en «Enterramientos de Garcilaso de la Vega y de su padre», Gustavo Adolfo expresara luego su horror al «ignorante cicerone, especie de moscardón de las ruinas, que se os cuelga a la oreja zumbando sandeces»; aunque fue guiado en sus primeras visitas de los monumentos toledanos, expresa a menudo su gusto por los paseos solitarios.

Bécquer, quien no barrunta el porvenir del nuevo arte de la imagen, reprocha a la práctica fotográfica de su tiempo, examinada según los criterios de las artes decorativas:

— La monotonía de los puntos de vista.
— La ausencia de selectividad y de aquel «misterioso espíriru que domina en la obra del artista, la cual no siempre hace aparecer el objeto tal cual realmente es, sino como se presenta a la imaginación, con un relieve y acento particular en ciertas líneas y detalles que producen el efecto que sin duda se propuso su autor al concebirlo y trazarlo».
— La dificultad que nace de una luminosidad floja o de una distancia demasiado corta para captar los detalles que interesan al pintor, al arqueólogo y al historiador.

La sola ventaja que se reconoce a la fotografía estriba en los servicios que presta para reproducir los grandes conjuntos arquitectónicos y su ornamentación compleja.

Los dibujantes de *La Ilustración de Madrid* se esforzarán, pues —así concluye el autor—, por restituir el espíritu especial de cada obra así como los detalles encantadores que la fotografía no puede presentar de modo satisfactorio.

Bécquer trata con mucha rapidez de los sepulcros platerescos gemelos de don Diego de Mendoza, conde de Mélito, y de su mujer, doña Ana de la Cerda. Indica el papel de conservatorio de escultura que desempeña en cierta medida el convento de San Pedro Mártir, donde se halla también instalada la Casa de Beneficencia provincial y que, por eso, representa a los ojos del poeta «un doble asilo de las glorias del pasado y de la miseria presente».

Esta última idea es la que refleja el dibujo de Valeriano grabado por Rico. Delante del monumento funerario del Renacimiento edificado para el conde y su esposa se ve un grupo de huerfanitas vestidas de negro, vigiladas por una religiosa, que rezan. A estas niñas alude Gustavo Adolfo cuando hace afectuosa mención de «las infelices criaturas que viven de la caridad oficial».

27 de enero de 1870 (núm. 2): «Lápida monumental dedicada a la memoria de Miguel de Cervantes Saavedra.»

Se trata del eco de un acontecimiento de la actualidad: la inaguración, celebrada el 3 de enero de 1870, de un pequeño monumento a la memoria de Cervantes, edificado a expensas de la Academia de la Lengua en la iglesia de los Trinitarios de Madrid (esta orden había contribuido a pagar el rescate de Cervantes cautivo en el Maghreb).

El dibujo firmado «V. B.» (Valeriano Bécquer) representa la piedra monumental con sencilla elegancia, sin sequedad. Las escasas líneas que acompañan al dibujo contienen un breve recuerdo histórico, una relación de la ceremonia y la expresión de un homenaje bastante convencional a Cervantes y a la Academia.

12 de febrero de 1870 (núm. 3): «Tipos de Ávila. Labradoras del valle de Amblés.»

El dibujo de Valeriano grabado por Rico representa a dos jóvenes campesinas en traje de fiesta, notable éste por el sombrero de anchas alas adornado con penachos y cintas, por el peinado con rodetes así como por el bordado de tipo solar de los guardapiés; también se ven en este grabado un tambor, un arco de piedra cegado y una higuera. Valeriano se vale aquí de los esbozos tomados en las cercanías de Ávila a finales de 1867 o principios de 1868, especialmente con ocasión de la romería de la Virgen de Sonsoles.

El texto de Gustavo Adolfo se cierra con un retrato femenino genérico que es digno de la sensibilidad del autor de las *Rimas:*

«El tipo de las labradoras avilesas no es seguramente un dechado de perfecciones clásicas, ni nada hay más distante que su expresión y sus contornos de las formas aéreas de la mujer sílfide, producto de la civilización: su nariz ligeramente remangada; sus ojos vivos, negros y pequeños; sus labios que parecen guindas; su tez dorada como el trigo; su talle apretado y sus caderas redondas, realizan el ideal de la muchacha bonita de aldea, limpia, hacendosa y alegre que huele a tomillo y mejorana.»

27 de febrero de 1870 (núm. 4): «Pozo árabe de Toledo.»

El hermosísimo dibujo de Valeriano, grabado por Rico, representa el brocal árabe del pozo que se hallaba en el jardín del 8 de la calle de San Ildefonso, donde vivían los hermanos Bécquer en 1869. *La Ilustración de Madrid* reproduce también la inscripción árabe en caracteres cúficos ornamentales que rodeaba el brocal y que los hermanos Bécquer habían cuidadosamente dibujado, lo que no resultó inútil puesto que este brocal, regalado a final de 1869 o principio de 1870 al Museo Provincial de Toledo, se encontró, en condiciones nunca elucidadas en el Victoria and Albert Museum de South Kensington (Londres) en 1874. Como consecuencia de este misterioso traslado, Rodrigo Amador de los Ríos no tuvo otro remedio que echar mano del artículo y de las ilustraciones de los hermanos Bécquer en *La Ilustración de Madrid* para estudiar el brocal de la calle de San Ildefonso en el artículo «Brocales de pozo árabes y mudéjares» *(Museo Español de Antigüedades*, tomo III, Madrid, 1874) y en el tomo «Toledo» de los *Monumentos arquitectónicos de España* (Madrid, 1905).

Según el arabista don Manuel Ocaña, consultado por don Vidal Benito Revuelta en los años 1970, la inscripción cúfica verde sobre fondo esmaltado blanco puede significar: «Lo extraordinario, lo excelente y la salud», tres calificativos que se aplican al agua. El propio brocal era de barro cocido rojo. Por fortuna, una capa de grosera argamasa lo había protegido durante mucho tiempo.

En su texto de presentación, Gustavo Adolfo dice no tener recuerdo de otra inscripción árabe en la que la letra formara un adorno tan rico, elegante y completo sin combinarse con dibujos de otra índole. Esta observación precisa trae una nueva prueba de la atracción que la civilización árabe ejercía sobre el poeta.

En realidad, el dibujo de Valeriano es más que una ilustración arqueológica. Representa una escena muy tierna: una criadita deja que un pájaro familiar de larga cola beba en el cubo colocado en el brocal. No se podía representar con más oportunidad y sentimiento el antiguo pozo árabe del siglo XIV.

12 de abril de 1870 (núm. 7): «La Semana Santa. Una cofradía de penitentes en Palencia. La mesa de petitorio en Madrid.»

Gustavo Adolfo no sabe que conmemora por última vez la Semana Santa, que siempre hirió vivamente su sensibilidad.

En aquella primavera de 1870 tiene la idea de presentar de modo contrastado la antigua España, con sus procesiones y pasos, y la España cristiana moderna, inclinada a los actos de beneficencia más bien que a las teatrales manifestaciones de fe.

El pintor Casado del Alisal dibuja la procesión en Palencia, obra caracterizada por los contrastes de luz que crean un ambiente dramático conforme con la marcha hacia el calvario que va representando el pueblo, mientras un artista recién llegado, F. Torras, dibuja la mesa cubierta de una tapicería, con candelero y bandeja plateada, en torno a la cual las damas que se dedican a obras de beneficencia recogen en Madrid las dádivas caritativas. Por un lado, la emoción y el poder de la imaginación; por otro, el cálculo y el deseo de eficiencia de la burguesía contemporánea. Este tipo de contraste complejo y sutil, es característico del arte de Bécquer.

12 de abril de 1870 (núm. 7): «El Pendón de guerra del Gran Cardenal Mendoza y la espada de Boabdil.»

Otra vez las ilustraciones están regidas por una idea artística y tienden a expresar un contraste.

Los dos objetos representados simbolizan el final de la Reconquista y la realización de la unidad nacional. Sugiere Bécquer que la espada del rey de Granada (fotografía de Laurent, grabado de Rico) representa la fuerza mientras el pendón cristiano azul con la cruz de Santa Elena, dibujado por Valeriano, quien había podido verlo en Toledo pendiente de la reja de la capilla principal de San Pedro Mártir, figura las ideas de unidad religiosa y de redención.

La propaganda a favor del patriotismo español y de las publicaciones que lo defienden por su ilustración está marcadísimo aquí.

El aspecto ideológico de este artículo y del anterior explica que ambos textos lleven la inicial de identificación.

27 de abril de 1870 (núm. 8): «Don Antolín Monescillo, obispo de Jaén.»

El retrato del prelado ha sido grabado por Rico según una fotografía de Laurent.

El tema patriótico domina de nuevo en este texto. A los ojos de Bécquer, Monescillo, que no sólo es obispo y teólogo sino también literato, orador y político, representa el talento español en el concilio que está reunido entonces en Roma.

El valor personal forma la base de la grandeza nacional cuya restauración inspira la acción de *La Ilustración de Madrid*. Este valor debe honrarse cualesquiera que sean las opciones políticas que matizan sus manifestaciones. Esta actitud patriótica y liberal se expresa en la conclusión del artículo:

> ... (en las columnas de *La Ilustración)* tratamos de que figuren todas las notabilidades contemporáneas que, sea el que fuere el campo

en que se desenvuelve su acción o las ideas que sustentan, son una gloria para el país que les ha servido de cuna.

12 de mayo de 1870 (núm. 9): «El Dos de Mayo en Madrid.»

La fiesta nacional española exaltaba en sumo grado el sentimiento patriótico unificador que cultivaba particularmente *La Ilustración de Madrid*. No es, pues, de extrañar que la haya dedicado cinco ilustraciones: «Procesión al cementerio de la Moncloa» (grabado de Rico), «Sufragios por las víctimas del Dos de Mayo, sepultadas en el cementerio de la Moncloa» (grabado de París), «Altar conmemorativo de las víctimas en el Prado» (grabado de Rico), «Casa de Daoiz en la calle de la Ternera» (grabado de Rico, el mejor del conjunto), «Misa en Monteleón, antiguo parque de artillería» (grabado de Rico, hecho también con cuidado, excelente documento sobre el Madrid de la época).

En su artículo, Bécquer alude a los debates que se han abierto sobre la oportunidad de mantener como fiesta nacional una conmemoración susceptible de perpetuar la animosidad entre dos naciones vecinas, pero advierte sobre todo que esta fiesta está en conformidad con los sentimientos y tradiciones populares, lo que basta para justificarla desde el punto de vista moral y artístico:

> Para que un acontecimitento o una figura vivan con la vida de la gloria que prolonga su existencia a través de las generaciones, no basta un decreto de la *Gaceta* o el acuerdo de una Cámara; es preciso que hieran la fibra del corazón del pueblo, que se graben en la memoria de las masas y que éstas se los transmitan de padres a hijos, vistiéndolos, a medida que pasan los años, de esas galas de la imaginación que constituyen su aureola, y son, por decirlo así, el origen de la leyenda.

12 de mayo de 1870 (núm. 9): «La Cruz de Mayo.»

Encontramos aquí un texto lleno de cariño. Es lástima que no lo haya ilustrado Valeriano, siempre tan próximo a los niños. El grabado de Rico representa un grupo de chiquillas y adolescentes que hacen la colecta cerca de mesas adornadas en las que se ve la cruz rodeada de floreros y de macetas de plantas ornamentales. Una pareja burguesa deja unas monedas en los platillos que se le presentan.

La sucesión de dos antítesis estructura el artículo: 1.°, la oposición entre el Madrid de la aristocracia y de la burguesía, indiferente a las manifestaciones cíclicas que van ritmando el año, por una parte, y el Madrid popular, aficionado a las fiestas y diversiones tradicionales que dan socialmente su carácter distintivo a cada estación; 2.º, el contraste que resulta de la rápida sucesión de dos ambientes contrarios, el de la austera conmemoración del 2 de Mayo y el de la alegre inaguración del mes de María. Gustavo Adolfo, a quien gusta poner en escena paseantes distraídos, enseña en esta segunda parte, con una gracia encantadora, la metamorfosis que experimentan los lugares y altares en una noche.

La conclusión mezcla humorismo y ternura:

> La Cruz de Mayo es en la corte una contribución que no nos atrevemos a llamar voluntaria; con tal imperio la exigen sus lindas comisionadas de apremio.
>
> A las más pequeñas cobradoras, se las suele dar dos cuartos y un beso; a las mayores, se las da los dos cuartos solos, aunque no siempre por falta de ganas de darles las dos cosas juntas.

12 de junio de 1870 (núm. 11): «Circo de Madrid. Decoración y escena del primer acto de *Mignon.*»

Se debe la ilustración a un joven pintor y dibujante de veintidós años, Francisco Pradilla y Ortiz, que había de llegar más tarde hasta el primer rango de la pintura académica española. Rico grabó el dibujo que representa la plaza de una ciudad medieval alemana, con la característica catedral en segundo término. Seduce mucho esta decoración teatral.

Al mismo tiempo que reconoce que el desenvolvimiento de la decoración y de la indumentaria teatrales está ligado con la necesidad de compensar la caída de la inspiración de los autores, Bécquer subraya, según una concepción idealista, la importancia de un hermoso acompañamiento pictórico en materia escénica:

> El espectáculo de lo bello, en cualquier forma que se presente, levanta la mente a nobles aspiraciones. Yo, que profeso esta teoría, creo de todas veras que una mujer hermosa civiliza tanto como un libro. Sin querer, al contemplarla, se buscan sus afinidades, y se encuentra al cabo que la virtud es en el orden moral lo que en el físico la hermosura. Justo es por lo tanto que procuremos animar a las empresas que comienzan a considerar las especulaciones teatrales bajo este punto de vista.

Conforme con esta voluntad de animar a los artistas, el artículo contiene algunas halagadoras palabras para José Vallejo y Gabazo, decorador de la sala del teatro y colaborador de *La Ilustración de Madrid*, y más aún para el pintor escenógrafo italiano Augusto Ferri, principal autor de las decoraciones.

Se encuentra en este artículo un homenaje a Larra («Al inimitable Fígaro») considerado como observador de la vida teatral de los años 1830.

27 de junio de 1870 (núm. 12): «Octava del Corpus en Sevilla. Los Seises de la Iglesia Catedral.»

El dibujo de Valeriano grabado por Rico representa un ensayo de los adolescentes que forman el cuerpo de los «Seises», cantores y bailadores autorizados para ejecutar determinados bailes, en trajes de paje del siglo XVI, la cabeza cubierta con un sombrerillo, delante del Santísimo Sacramento expuesto en la catedral de Sevilla durante las ceremonias del Corpus Christi.

El texto de Gustavo Adolfo contiene un breve compendio histórico de la curiosa institución de los «Seises» o «niños cantorcicos» como los llamaba antaño el pueblo de Sevilla.

27 de junio de 1870 (núm. 12): «Madrid moderno. Techo pintado por el señor Vallejo con ornamentación de los Sres. Ferri y Busato en el nuevo café de Fornos.»

Reaparece aquí la unión de los nombres de Francisco Pradilla, autor del dibujo reproducido, del pintor Vallejo, de los decoradores Ferri y Busato, ya presentes en «Circo de Madrid». El hermoso dibujo copia el cuadro efectista de la alegoría del té, inspirado en los techos clásicos. La sala del nuevo café de Fornos contenía otras cuatro pinturas alegóricas: el café, el chocolate, los licores y los helados.

En el texto de acompañamiento, Bécquer alude al proceso de desacralización y de vulgarización del arte, trazando luego las grandes líneas de la historia de las botillerías y de los cafés en Madrid. Por fin, presenta la obra de Vallejo, un artista que no ha vacilado en «salirse del camino trillado», expresión querida de Bécquer desde las *Cartas desde mi celda*. Se trataba en cierto modo de una presentación anticipada pues los salones del nuevo café no debían abrirse al público antes del mes siguiente. Este favor se explica por ser Vallejo un colaborador de *La Ilustración de Madrid* (y también un amigo de los hermanos Bécquer) como lo subraya el artículo.

12 de julio de 1870 (núm. 13): «La Plaza Mayor de Madrid.»

En algunas líneas evoca Bécquer el pasado de la antigua plaza transformada desde hacía poco tiempo en jardín público cuyos principales concurrentes eran en su época los soldados, las nodrizas y las niñeras, siendo ahora la Puerta del Sol el nuevo punto de animación de la capital.

El grabado de Rico, realizado a la vista de una fotografía de Laurent, tiene por objeto agregar un eslabón a la cadena de las representaciones del célebre sitio.

El texto rinde homenaje a la municipalidad.

27 de julio de 1870 (núm. 14): «Don Segismundo Moret y Prendergast, actual ministro de Ultramar.»

Este texto ofrece un triple interés:

— Bécquer se adhiere con fervor a la abolición de la esclavitud y ve en este acto la realización más importante de los gobiernos salidos de la revolución de septiembre.

— Pensando como poeta, pero también como persona familiarizada con los problemas políticos cuya mirada se eleva por encima de las luchas del momento, distingue «la historia al pormenor de las palpitaciones políticas, crónicas de menudencias y personalidades, llena de interés hoy, olvidada mañana», de «la grande historia en que sólo se consignan los hechos que determinan nuevas fases del espíritu humano», concebido éste, como se ve, como un movimiento.

— Expresa su confianza en la nueva generación política, la suya, a la que pertenece Moret (nacido en 1838), sin distinción de partidos.

Esta simpatía se expresa también en la sensibilidad y rectitud que dimanan del retrato grabado por Rico, que se valió de una fotografía de Laurent.

Este texto me conduce a pensar que, en el verano de 1870, Gustavo Adolfo evolucionaba hacia un liberalismo sereno que hubiese favorecido su éxito social si la enfermedad no le hubiera pronto derribado.

77.4.   *Examen de los otros textos atribuidos a Bécquer*

12 de enero de 1870 (núm. 1): «Iluminaciones de códices» (atribución de Rica Brown y de María Dolores Cabra).

Las ilustraciones (reproducción de frisos, iniciales ornadas y frontispicio) quedan anónimas.

La sencillez del estilo, la sección de cuatro ilustraciones extraídas de manuscritos conservados en la biblioteca del cabildo de la catedral de Toledo y el anuncio de una serie de artículos destinados a dar a conocer las riquezas de los archivos y bibliotecas de las catedrales españolas permiten validar la atribución a Bécquer.

27 de febrero de 1870 (núm. 4): «Tipos de Soria. Aldeanos de Fuente Toba, pastor de Villaciervos y leñador de los Pinares (atribución inicial de Fernando Iglesias Figueroa, 1923).

El texto acompaña dos dibujos de Valeriano grabados por Rico. Cada dibujo reúne artificialmente dos personajes típicos, semejantes a los que habían sido ya presentados en *El Museo Univesal* en el primer semestre de 1867.

La introducción del artículo, relativa a la provincia de Soria, se parece mucho a la del artículo del 17 de marzo de 1867 en *El Museo Universal,* «Costumbres castellanas. Tipos de Soria». La conclusión anuncia una serie de artículos sobre los monumentos antiguos y las costumbres tradicionales de las ciudades de provincia.

Comentando el retrato del leñador, el autor invita a los pintores de historia (el género más noble en esa época) a renovar su inspiración interesándose por los tipos populares: «El pintor de historia que, dejando a un lado los modelos académicos y vulgares, se empapase en el carácter de estos tipos, ganaría mucho bajo el punto de vista de la verdad y la belleza en sus cuadros.»

Esta opinión es perfectamente becqueriana; es poco dudoso que Gustavo Adolfo sea el autor de este texto que repite lo ya escrito en las *Cartas desde mi celda* y en *El Museo Universal* (en «La pastora» el 19 de octubre de 1865 particularmente).

12 de marzo de 1870 (núm. 5): «Aldeanos del valle de Loyola» (atribución inicial de Juan López Núñez, 1915).

El dibujo de Valeriano, grabado por Rico, representa una joven pareja. Valeriano había podido realizarlo con ocasión de una estancia en Deva (donde se hallaba, entre otras residencias de verano, la del marqués de Valmar), localidad poco distante de Azpeitia y de Loyola.

En este brevísimo texto de acompañamiento, anuncia *La Ilustración de Madrid* que ha resuelto extender su acción a favor de la conservación de las costumbres y tipos populares a dos de las provincias vascongadas y que proyecta asociar a los grabados textos de Antonio de Trueba, «popular escritor, hoy cronista del Señorío de Vizcaya, y uno de sus hijos más ilustres».

No es dudoso que el director literario de *La Ilustración de Madrid* sea el autor de este anuncio. Se trata de la última mención de Trueba en los escritos de Bécquer. Es de suponer que los dos poetas tuvieron relaciones personales, por lo menos cuando se formó este proyecto de colaboración.

12 de marzo de 1870 (núm. 5): «Orlas de un códice del siglo XIV al XV de la Catedral de Toledo» (atribución de María Dolores Cabra, 1983).

Se trata de un complemento del artículo del 12 de enero. Los dibujos llevan las iniciales «V. B.» (Valeriano Bécquer).

La fantasía burlesca, a veces enigmática, que se despliega en estas orlas ha seducido al comentarista, el hermano del dibujante sin duda.

12 de marzo de 1870 (núm. 5): «Obras de restauración del Palacio de Alcañices en Madrid» (atribución de María Dolores Cabra, 1983).

Tres finos dibujos de Alfredo Perea representan un friso y dos decoraciones de pasamanos destinados a embellecer la casa-palacio ocupada por el duque de Sesto en Madrid.

Todos los artistas empleados para la restauración son españoles, lo que motiva el especial interés que manifiesta *La Ilustración de Madrid* por las obras.

Redactado con simplicidad, el texto de acompañamiento puede ser de Bécquer pero no tiene clara caracterización.

27 de marzo de 1870 (núm. 6): «Estatua de Santa Teresa de Jesús ejecutada en mármol por D. Elías Martín» (atribución inicial de Fernando Iglesias Figueroa, 1923).

El dibujo de la estatua es obra del propio escultor. Rico lo ha grabado.

El texto, elegante y fluido, puede atribuirse razonablemente a Bécquer. He aquí el ejemplo de un movimiento de pluma y de una formulación de idea que cuadran con su personalidad:

> Ya no se alza en cada calle una iglesia y un convento; en cada esquina un Cristo esculpido o una imagen alumbrada por mal lucientes faroles; ya no encontramos a cada paso un fraile de aspecto triste y enfermizo, que parece vivir a su pesar en el mundo, y que cruza por él ajeno a los dolores y alegrías de los otros mortales. El arte se ha hecho menos dramático y espontáneo, bajo el punto de vista religioso; pero está más conforme con las manifestaciones de nuestra propia naturaleza, y a veces sin dejar de ser humano es tan conmovedor y no menos grandioso.

27 de marzo de 1870 (núm. 6): «La ventana de Boabdil en la Alhambra» (atribución de María Dolores Cabra, 1983).

El dibujo, de luminosidad muy estudiada, es obra de Pablo Gonzalvo, pintor de monumentos estimadísimo en Madrid. Se debe el grabado a Severini.

Se tributa homenaje al pintor que conservaba en su estudio un cuadrito idéntico al grabado. El texto parece ser obra del director de *La Ilustración de Madrid*. Es becqueriano el «sentimiento inexplicable de tristeza» atribuido a Boabdil cuando se evade de la sala donde había sido encerrado por orden de su padre.

12 de mayo de 1870 (núm. 9): «Convento de las Salesas Reales en Madrid» (atribución de María Dolores Cabra, 1983).

La fachada del convento (estilo rococó moderado) ha sido grabada por Rico según una fotografía de Laurent.

Aunque construido en el siglo XVIII y conforme al gusto de aquella época, un monumento que abrigaba los sepulcros del rey don Fernando VI y de su esposa, fundadores, no podía quedar ignorado de *La Ilustración de Madrid*. El autor maneja hábilmente el elogio pero no manifiesta un amor inmoderado al arte clásico cuando alude a «la sencillez quizás algo afectada y fría de una escuela que debió exagerar sus preceptos para combatir con fruto las desenfrenadas exageraciones de los sectarios de Churriguera». Tales juicios entraban en la manera de sentir de Bécquer.

12 de mayo de 1870 (núm. 9): «Madrid moderno. Palacio del duque de Uceda» (atribución inicial de Rica Brown, 1963).

El grabado de Rico (¿según fotografía de Laurent?) representa el palacio de estilo neorrenacentista cuya fachada se alza al borde de un paseo de Recoletos muy animado.

Me parece fundada la atribución a Bécquer del texto de acompañamiento. Volvemos a encontrar aquí el convencimiento, ya expresado en «El pordiosero», de que la antigua España habrá desaparecido antes de que se acabe el siglo y que la uniformización reinará entonces: «Al dejar el siglo XIX su herencia al que ha de sucederle, sólo se conocerán las principales poblaciones de Europa por el punto topográfico que ocupan en el mapa.»

En la primera parte de su texto indica cabalmente Bécquer la emulación que suscitó en Europa la transformación de París por el prefecto Haussmann. Se hace el intérprete del sentimiento unánime de la burguesía española de su tiempo cuando escribe: «Por fortuna, y para consuelo de sus habitantes, lo que las poblaciones pierden en carácter, originalidad, y recuerdos, lo ganan con creces en salubridad, amplitud y esa especial belleza que resulta de la idea de lo útil combinado con lo agradable.» Un análisis atento de sus textos de defensa del patrimonio nacional revela que Gustavo Adolfo siempre peleó más para la conservación del recuerdo por medio del texto, del dibujo, del grabado y de la pintura que para la preservación misma de los sitios en su aspecto antiguo o para el mantenimiento de los trajes y costumbres; sentía intuitivamente que el movimiento de transformación y de uniformización no admitía resistencia. El deseo de conservar el recuerdo es lo que alaba en la obra de Mesonero Romanos: «Ha hecho bien el *Curioso Parlante* en dejarnos retratados en un libro, merced a su pluma, que así consigna ideas como pinta cuadros completos de color y forma, la fisonomía del antiguo Madrid, que tan rápidamente desaparece de nuestros ojos. A no ser ahí (¿así?), pronto perderíamos hasta su recuerdo. De tal modo se transforma y muda.»

En la segunda parte, el comentarista refiere con viveza y precisión los cambios del conglomerado inestético, convertido en paseo, en el que se hallaba la antigua puerta de Recoletos. De paso se saluda la acción de la municipalidad.

El artículo se cierra con un breve párrafo sobre el palacio representado. Sólo se mencionan ventajosamente sus proporciones y su lujo.

27 de mayo de 1870 (núm. 10): «Fray Luis de León, escultura del señor Sevilla» (atribución inicial de Fernando Iglesias Figueroa, 1923).

La estatua del célebre poeta agustino, encargada por la ciudad de Salamanca, ha sido dibujada por Pradilla. Rico ha realizado el grabado.

Este homenaje a Salamanca y al escultor Nicasio Sevilla queda poco caracterizado. La sencillez de la expresión está conforme con el estilo de Bécquer en *La Ilustración*. Los adjetivos «famoso» e «inimitable» aplicados a fray Luis de León son, sin embargo, comodines periodísticos.

El autor nota que el culto de los grandes hombres de la nación no es el punto fuerte de España, donde prevalece el interés por las celebridades locales, idea que recibe confirmación con el caso de la estatua presentada.

27 de mayo de 1870 (núm. 10): «Madrid moderno. Palacio del marqués de Portugalete» (atribución inicial de Rica Brown, 1963).

Se reproduce el edificio usando de una fotografía de Laurent.

Esta continuación de la serie «Madrid moderno» es probablemente, en cuanto al texto, obra de Bécquer, quien había presentado ya el palacio del duque de Uceda.

Diversos estilos que se escalonan desde el siglo XVI al XVIII se hallan combinados en el hotel representado, que acababa de edificarse a proximidad de la puerta de Alcalá bajo la dirección de Adolfo Ombrecht, arquitecto francés instalado en España.

Interesa el texto porque se percibe en él mejor que en otras partes el parecer de Bécquer sobre «la arquitectura del siglo XIX», es decir lo que se llama hoy en Francia el «estilo compuesto Napoleón III». He aquí esta opinión equilibrada pero más bien desfavorable considerada en conjunto:

«Aunque este nuevo género de arquitectura carece de verdadera originalidad ofreciendo sus más características producciones ancho campo a la crítica, si se le juzga con arreglo a las eternas y elevadas leyes de la estética del arte, no dejó de producir a veces obras cuyo aspecto seduce, ya por la elegancia de su traza, ya por la gentileza de sus proporciones o por el gusto de su rico y profuso ornato.»

12 de julio de 1870 (núm. 13): «Escenas de Madrid. La horchatería» (atribución inicial de Fernando Iglesias Figueroa, 1923).

El dibujo, notable por los trajes y los tipos físicos femeninos bien caracterizados, es obra de Perea. Rico lo ha grabado.

El texto de acompañamiento es uno de los más graciosos y animados de todos cuantos se pueden leer en *La Ilustración de Madrid* por aquel tiempo (a excepción de «Las dos olas»). Es atribuible a Bécquer con una fuerte probabilidad.

El cambio de decoración o de actores en un mismo lugar —aquí la espartería que se convierte en horchatería durante la primavera—, pertenece al aspecto teatral del arte becqueriano, como se puede comprobar leyendo, por ejemplo, la tercera parte de *La feria de Sevilla* («la decoración es la misma, pero los actores han cambiado de traje y de aspecto»).

En cuanto a las «tres o cuatro lindísimas valencianas pálidas, morenas y de grandes ojos negros, que templan y previenen el excesivo enfriamiento que pudiera producir el abuso de la horchata», evocan a mis ojos la rima XI, combinando el ideal mediterráneo.

> Yo soy ardiente, yo soy morena,
> Yo soy el símbolo de la pasión;

y un elemento del ideal nórdico:

> Mi frente es pálida;
> . . . .

Me extraña que Bécquer no haya firmado este delicioso y breve comentario que así hubiera asociado claramente su nombre con la elegancia de Levante (región hasta entonces ausente de su obra) y la gracia de las valencianas.

12 de julio de 1870 (núm. 13): «Las segadoras. Estudio de costumbres aragonesas» (atribución inicial de Fernando Iglesias Figueroa, 1923).

Este hermoso dibujo de Valeriano, grabado por Rico, representa un grupo de aldeanas que están segando con la hoz. El cura, en visita de campos, está charlando con un robusto anciano y una de las trabajadoras. En segundo término se divisa el lugar. Esta obra prolonga la serie aragonesa de *El Museo Universal*.

El breve comentario, que no hay motivo de atribuir a otro redactor que Gustavo Adolfo, está centrado en la apreciación de la costumbre, ya bien establecida en España, que han adoptado los habitantes acomodados de las grandes ciudades de pasar cada año una temporada cerca de la naturaleza. Gustavo Adolfo juzga muy favorablemente esta nueva costumbre: «Cambiar de horizonte, cambiar de método de vida y de atmósfera, es provechoso a la salud y a la inteligencia.» Distingue, sin embargo, dos categorías de veraneantes; por una parte, los que no hacen sino frecuentar los lugares de descanso adoptados por su mundo, quedando prisioneros de éste y de sus agitaciones en el casino, en la playa o en los jardines de los establecimientos de baño; por otra, los que se benefician de su simpatía y toman contacto con la vida rural, cambiando sus hábitos de verdad y aficionándose a «la contemplación de escenas y paisajes completamente nuevos», «la serenidad que los rodea», «lo extraño de los tipos» y «la sencillez de las costumbres».

27 de julio de 1870 (núm. 14): «Inaguración de los trabajos del canal de Cinco Villas en Aragón» (atribución de María Dolores Cabra, 1983).

Un dibujo de Valeriano, que figura la llegada de los invitados, está lleno de malicia. Existe un contraste intencional entre los vestidos tradicionales y la rudeza de los campesinos por una parte, la elegancia internacional y el porte estudiado de la gente urbana y de los oficiales por otra. Se reconoce en esta vista de grupo al inglés típico del gran dibujo de *La feria de Sevilla*.

Un segundo dibujo, obra de Pradilla grabado por Rico, titulado «Acto de colocar la primera piedra», representa la contribución seria, inevitable, de *La Ilustración de Madrid* a una festividad a la que se la había lisonjeramente convidado. Se ve en este dibujo un arco de triunfo empavesado que se había instalado cerca de Tauste en una llanura árida dominada por una colina alta y desnuda. El ambiente se parece un poco al de una feria con muchedumbre, coches, animales.

El artículo tiene esencialmente valor de homenaje tributado a la empresa encargada de los trabajos y al autor del proyecto, Antonio Lesarry, científico que enseñaba en la Universidad de Zaragoza. Dado su carácter oficial, este texto es probablemete obra de Gustavo Adolfo.

Puede pensarse que los hermanos Bécquer y Pradilla habían asistido a la inauguración. En todo caso no se menciona ninguna fotografía como modelo de los dibujos. Tauste dista sólo de Veruela unos treinta kilómetros, lo que, de asistir Gustavo Adolfo y Valeriano a la ceremonia, suscitaría muchos recuerdos.

77.5. *Los amigos de los hermanos Bécquer en «La Ilustración de Madrid» hasta el verano de 1870.*
Dibujos de Valeriano

Rodríguez Correa colaboró en *La Ilustración de Madrid*. Su firma (R. C.) y su estilo ameno se notan en el comentario del dibujo panorámico de Valeriano «El lago de los patinadores en el Buen Retiro, hoy Parque de Madrid» de febrero de 1870. Albareda, amigo de Correa, era quien había creado este sitio de diversiones. El artículo contiene el anuncio de una colaboración asidua de parte de Correa.

Se encuentra la firma de Francisco de Laiglesia bajo el artículo «Los voluntarios de Cuba» (mayo de 1870), que elogia las milicias constituidas para la defensa de la soberanía española en la isla. Está ilustrado el texto con dos grabados debidos a Valeriano y a Rico que representan grupos de voluntarios en uniforme y con armas.

Los amigos pertenecientes al grupo *Gil Blas* se manifiestan con, por lo menos, un texto de Roberto Robert que da cuenta, a finales de junio de 1870, del congreso de operarios españoles que se había reunido en Barcelona a partir de 18 del mismo mes («El congreso de operarios de la región española»). La vista de la sala es de Valeriano. En este texto subraya Robert la disciplina y calidad del congreso pero lamenta el predominio entre los congresistas del espíritu anárquico, es decir libertario, que juzga contrario a una participación política que exigiría organización centralizada y orden.

Se ve cuán diversas eran las curiosidades y preocupaciones que podían expresarse en *La Ilustración de Madrid*.

Resulta un poco extraño que no aparezca en la revista el nombre de Ferrán. Algunos poemas del futuro libro *La pereza* hubieran podido figurar en ella.

Valeriano Bécquer es el autor de numerosas otras ilustraciones que se caracterizan más y más por el esmero con que están tratados los detalles a pesar de la frecuente extensión de las escenas dibujadas y, a veces, como se ha notado al examinar la ilustración de «Inaguración del canal de Cinco Villas en Aragón», por un humorismo frío que era uno de los rasgos de su personalidad. Valeriano dibujó en particular:

1. A finales de enero, la bellísima fachada de la casa de los señores de Castril en Granada, obra acompañada de un comentario de Manuel de Góngora (dibujo copiado de una fotografía especialmente hecha para la revista, grabado de Rico).

2. Las ilustraciones de «El Carnaval de Madrid» (27 de febrero de 1870), comentadas por Isidoro Fernández Flórez y que forman un díptico contrastado: la fiesta burguesa («El prado de San Fermín») y la fiesta popular («La pradera del Canal»).

3. Con intención francamente satírica, el díptico de «La romería de San Isidro», «Cómo van » y «Cómo vuelven», inspirado del «romance» festivo de Emilio Álvarez que es el texto que se ilustra.

4. Una estatua y un busto de la Antigüedad que ornan el artículo de José Amador de los Ríos «Revista monumental y arqueológica» (12 de junio de 1870).

5. Copiadas de varias fotografías, cinco obras para la serie «Marruecos» de Antonio de San Martín (la kutobia, el aguador ambulante, un arrabal de la ciudad de Marruecos, hebrea en traje de fiesta, este último dibujo publicado el 27 de agosto).

6. Cuatro excelentes escenas de guerra, panorámicas, grabadas por Rico, para la crónica «Campaña franco-prusiana» redactada por Eduardo de Mariategui, en la que se expresa cierta simpatía por Francia (principios de agosto de 1870); uno de los más hermosos dibujos de Valeriano, publicado ya desde el 12 de agosto (núm. 15) ilustra la toma de la meseta de Spickeren cerca de Forbach (5 de agosto); en esta última obra queda el movimiento tan impetuosamente evocado como en los combates de calle de Jerez *(El Museo Universal,* 1869); en otras partes pueden admirarse las aptitudes de Valeriano para pintar la caballería.

La actividad de Valeriano en *La Ilustración de Madrid* resultó importante: 37 obras firmadas entre el 12 de enero y el 27 de agosto, necesitando la mayor parte de ellas un notable esfuerzo de concepción y de realización. Fue considerable la diversidad, desde el detalle de arquitectura o decoración minuciosamente reproducido hasta el amplio cuadro de historia o de costumbres, pasando por el retrato de cuerpo entero. Cuando le alcanza la enfermedad, hacia mediados de agosto de 1870, llega Valeriano Bécquer a la plenitud de su talento.

78. La muerte de Valeriano. La desesperación de su hermano. Homenajes y proyectos

El 27 de agosto de 1870, sólo una de las cuatro ilustraciones de «Campaña franco-prusiana» es, en *La Ilustración,* obra de Valeriano. Las demás se deben a Pradilla. El dibujo de Valeriano ilustra el paso del Mosela por el ejército francés que se retira, acción que tuvo lugar el 14 de agosto. Este dibujo se realizaría, pues, alrededor del 20 de agosto, época en que puede ser fijado el principio de la enfermedad del artista.

Según los recuerdos de Julia Bécquer duró bastante tiempo la enfermedad. Era la primera vez que la niña veía a su padre obligado a quedarse en cama. Hubo una mejora que permitió al enfermo levantarse, pero se produjo una recaída. Después de algunos días de delirio sobrevino la muerte en la mañana del domingo 23 de septiembre. El certificado médico establecido con ocasión del fallecimiento hizo mención de una hepatitis aguda.

Se ha conservado de esa época una esquela patética que Gustavo Adolfo mandó a casa de Rodríguez Correa. Está escrita sobre papel que lleva las iniciales G. B. impresas con tinta azul. No lleva fecha. Su texto se lee como sigue (pero Gustavo Adolfo había omitido las dos comas): «Querido Ramón. Encinas estuvo aquí, me dio esperanzas pero no ha vuelto. Valeriano sigue muy mal, yo no puedo separarme de aquí porque en yo no estando no hace caso de nadie ni toma las cosas.»

Este aviso se refiere al renombrado médico Santiago Encinas, quien era amigo del hombre político Antonio Romero Ortiz y debía de serlo también de varios liberales entre los cuales figuraría Rodríguez Correa.

Este mensaje debió de redactarse algunos días antes del fallecimiento, en una época en que Valeriano conservaba cierta lucidez aunque estuviera agitado. La letra queda armoniosa a pesar de la angustia del que escribe.

¿A propósito de qué enfermedad de Valeriano mandó Gustavo Adolfo a Casta la carta siguiente, sin fecha, que Jorge Bécquer regaló a un desconocido en Zamora el 13 de agosto de 1891 y que descubrió Philip H. Cummings en una librería madrileña?:

> Querida Casta: he recibido tu tarjeta y siento que ni tú ni el chiquitín estéis perfectamente buenos.
>
> Aquí hemos tenido un gran trastorno con una grave enfermedad de mi hermano que ha tenido el tifus, y después de veinte y siete días aún está en la cama. Como la enfermedad nos ha ocasionado muchos gastos y la convalecencia parece que será muy larga volvemos a encontrarnos envueltos en el gran atraso de que con mil trabajos íbamos saliendo. No obstante, yo procuraré este mes que entra enviarte alguna cosa, pero en este momento ni de los 36 reales de la suscripción de que me hablas, puedo disponer. Los niños están buenos y me alegraré que lo estés tú también y el Emilio. Dale un beso y manda lo que gustes a (firma) Gustavo.

Esta carta contiene tambien la palabra «Mamá» con la firma «Gustavín», vacilante, que es la del primer hijo, Gregorio Gustavo, nacido el 9 de mayo de 1862. Está adornada con un dibujo que representa a un jinete. El papel, que lleva las iniciales G. B. es el mismo que el del billete dirigido a Correa.

La larga enfermedad, la alusión a una suscripción que pudiera referirse al nuevo periódico *El Entreacto,* el hecho de que Julia Bécquer asegura que su padre no había guardado cama en los años inmediatamente anteriores a la enfermedad fatal, son indicios favorables a la hipótesis de una carta enviada en septiembre de 1870, alrededor del 15.

Recuerdo a Valeriano Bécquer de Martín Rico. Publicado en *La Ilustración de Madrid*

Gustavo Adolfo hubiera podido tanto mejor contestar de tal modo a Casta que, como consecuencia de los gastos originados por la enfermedad, era verdadera la carencia de dinero de los hermanos Bécquer al morir Valeriano. Si el poeta se reunió luego con Casta fue sin duda porque le conservaba su cariño, pero también porque las dificultades económicas y los cuidados que necesitaban los niños exigían la reanudación de la vida común.

El apoyo de sus amigos hizo posible que Gustavo Adolfo superase su violenta pena en los momentos que siguieron a la muerte de su hermano. Las memorias de Julia nos lo presentan afectuosamente conducido a la casa vecina, la de Ferrán, donde se ocuparon también de Jorge y de Gustavín. La familia de Francisco de Laiglesia cuidó de Alfredo y Julia, los dos hijos de Valeriano. Francisco de Laiglesia fue quien cumplió las diligencias de estado civil y funerarias.

El funeral tuvo lugar el 24 de septiembre, el día que siguió a la muerte, a las diez de la mañana. Se colocó el féretro en el nicho 423 del Patio del Cristo en el cementerio de la cofradía de San Lorenzo. Los restos de Valeriano descansaron allí hasta el 9 de abril de 1913. Los acompañaron al cementerio todo el equipo de *La Ilustración de Madrid* y numerosos artistas y literatos conducidos por Casado del Alisal, Rodríguez Correa y Campillo; estaba también entre ellos uno de los guías poéticos de Gustavo Adolfo, Eulogio Florentino Sanz, lo que demuestra la existencia de contactos personales entre los hermanos Bécquer y él al final de la vida de éstos.

Cuando, algunos días después, Gustavo Adolfo reanudó sus actividades en la oficina de *La Ilustración de Madrid* le ayudaron lo más posible sus amigos del mundo de las letras y de las artes. En su libro *Cuadros contemporáneos* (Fortanet, 1871). José de Castro y Serrano ha consignado el recuerdo de un grupo de amigos que habían encontrado al poeta muy pálido, con traje desordenado, en la calle de la Montera, y le habían hecho entrar en el Ateneo para permitirle desahogarse. «Entonces —precisa Castro y Serrano— le metimos en el Ateneo, decididos a dejarle hablar, para que desahogara su pena. Cuando Gustavo Bécquer hablaba, no sabía que existiera en el mundo más que su conversación. Era de los que hablaban con el cuerpo y con el alma» (pág. 256). El poeta prometió a sus amigos enseñarles los estudios dejados por su hermano en sus cartapacios en cuanto se hubiera mudado para ocupar un piso más próximo al centro. En este texto es donde figura la información dada por el propio Bécquer a Castro y Serrano que había compuesto la rima VI («Como la brisa que la sangre orea») para ayudar a Valeriano, algunos años antes, a pintar una «Ofelia» destinada a representar el teatro inglés entre otras seis alegorías semejantes encargadas por Leopoldo Augusto de Cueto, marqués de Valmar.

Winnefred Coghan, la viuda separada de Valeriano, vino a la quinta de la calle de Valencia; se posesionó de tres álbumes que contenían dibujos de su marido; el álbum llamado «de Veruela» ha sido descubierto en la biblioteca de la facultad de Arquitectura de Columbia University (Nueva Yok); otro de estos álbumes fue comprado en París por Lázaro Galdiano a principios del siglo XX y figura en la colección del museo madrileño fundado por este bienhechor de las artes; se ignora el destino del tercer álbum.

A petición de sus amigos, Gustavo Adolfo redactó una noticia sobre la vida y las obras de Valeriano. Este documento se encuentra ahora en la colección de don Mariano Sánchez de Palacio (R. Montesinos). Según Juan López Núñez, que la dio a conocer el primero en 1915, el destinatario de la noticia era Ferrán. Lo cierto es que Rodríguez Correa la tuvo en mano y se ciñó a darle el aspecto de un artículo de prensa que se publicó en *La Ilustración de Madrid,* con pocos cambios, el 12 de octubre de 1870.

El estilo de la nota se asemeja al del relato de Castro y Serrano en *Cuadros contemporáneos* pues, en ambos casos, Bécquer habla de su hermano y su expresión oral es la que se refleja fielmente en los textos. Fue, creo, por respeto a la espontaneidad oral de su amigo, que Rodríguez Correa copió ampliamente el texto que le había sido entregado. Existe en los escritos privados de Bécquer un estilo espontáneo, de un encanto distinto del de su estilo poético, del que ofrece un buen ejemplo esta nota.

Gustavo Adolfo trata con mucha rapidez de la vida de su hermano hasta la estancia en Veruela de 1863-1864. Procura luego mostrar la originalidad de Valeriano como pintor de costumbres populares. Lo que dice del equilibrio entre la percepción de la realidad total y la visión subjetiva, idealizadora, en la obra de Valeriano vale para sus propios escritos:

> La costumbre de estar siempre apuntando del natural hacía que no se amanerase nunca y que hubiese en sus composiciones un sello grande de verdad.
>
> Pero lo mismo que se ceñía al realizar sus ideas al modelo vulgar y prosaico, todas sus composiciones tienen un sabor de arte y belleza, algo de selecto y distinto que sabía encontrar y extraer aun de las cosas más vulgares y pedestres, que, al pasar por su fantasía, se depuraban y perdían algo de su natural grosero, sin dejar de ser verdad.

Gustavo señalaba más adelante que el deseo de su hermano, respecto a su carrera, era trabajar seis u ocho años por las provincias y luego estudiar detenidamente un género pictórico diferente antes de instalarse para realizar obras de alta calidad. He quí este pasaje en el que está muy marcada la espontaneidad del estilo hablado:

> Él decía que a los seis u ocho años de andar así y pasados dos luego haciendo estudios serios de otro género, se fijaría en un punto y había de echar cuadros por los dedos. Y sí los hubiera echado.

Todo esto refleja la voluntad y el sentido del orden que caracteriza a Valeriano a la vez que la admiración que le profesaba su hermano. Ambos eran artistas exigentes, conscientes de los esfuerzos prolongados que suponen la realización de obras tan satisfactorias como sea posible.

Los hermanos Bécquer habían contado 111 cuadros hechos por Valeriano. Gustavo conservaba esta lista que se encontrará sin duda algún día y que resultará útil porque Rafael Santos Torroella sólo pudo mencionar unas sesenta obras en su *Valeriano Bécquer* (1948).

Si la nota de Gustavo Adolfo alude a las numerosas historias dibujadas que habían ilustrado la correspondencia entre los dos hermanos y que, en octubre de 1870, conservaba en gran parte el poeta, queda en cambio muda sobre un aspecto importante de la personalidad de Valeriano: el humorismo y la sátira. Nada se dice, por ejemplo, de las colaboraciones de ambos hermanos en *Gil Blas*. Claro está que no le gustaba a Gustavo Adolfo evocar este ramo de su actividad y de la de su hermano; este lado cómico echa sin embargo luces sobre la imagen crítica e independiente que los dos artistas se habían formado de la sociedad de su tiempo; no eran ni contemplativos puros ni meros técnicos del dibujo. El dolor creó en el ánimo de Gustavo un efímero olvido de los numerosos momentos de alegría y risa crítica compartidos con su hermano.

Dos hermosísimas ilustraciones acompañaron el artículo que compuso Rodríguez Correa valiéndose de esta nota. Una es el retrato de Valeriano, noble, enigmático, de una frialdad bajo la que se adivinan la sensibilidad y el humor, con mucha vida a pesar de la aparente impasibilidad: este retrato es obra del dibujante Alfredo Perea y del grabador París. La segunda, dibujada por el pintor Martín Rico, representa, una cruz edificada en una ladera forestal y perdida entre las frondosidades.

Rodríguez Correa eliminó algunos pasajes de esta nota juzgados demasiado pueriles o superfluos, privando así al lector de observaciones interesantes, v. g.: «A veces el tamaño (del lienzo) le da al pintor el asunto.» Al revés, la completó con algunas informaciones de procedencia oral, precisando por ejemplo que Valeriano dejaba entre trescientos y cuatrocientos dibujos en sus cartapacios y álbumes.

En las últimas líneas del artículo, Correa dirigió unas palabras alentadoras y proféticas a Gustavo Adolfo, «El poeta vive y llora a su perdido hermano. Tenemos la confianza de que su nombre, si logra algún día verse desligado de las misteriosas necesidades del momento, figurará con gloria

Retrato de Valeriano Bécquer pintado por Alfredo Perea a la muerte de aquél.
Publicado en *La Ilustración de Madrid* el 12 de octubre de 1870

en nuestro Parnaso», y dio noticia de la particular emoción que había manifestado el dibujante y pintor José Vallejo en el funeral de Valeriano:

> El gran dibujante Vallejo, al abrirse por última vez la caja pronunció con una frase entre lágrimas la oración fúnebre y crítica del artista, murmurando:
> —¡Pobre Bécquer! ¡Cuánto genio!...
> Vallejo había visto los cuadros que no había pintado.

Con su cortesía habitual, Rodríguez Correa había saludado de paso a Joaquín Domínguez Bécquer con estas palabras: «(Valeriano) comenzó decididamente a dibujar bajo la dirección de su tío D. Joaquín, ventajosamente conocido, así en España como en el extranjero.»

Gustavo Adolfo tenía el proyecto de dar a conocer la obra de su hermano. Escribió al final de sus apuntes: «De todo esto hablaré yo algún día, cuando publique, que pienso hacerlo, un libro con los grabados suyos, a los que acompañaré con un poco de texto.»

Esbozó delante de Julia, como lo relata ésta en sus recuerdos, el frontispicio de este libro, que había de constar de un retrato de Valeriano con sus fechas y lugares de nacimiento y defunción. Este documento de pequeño tamaño estaba en posesión de Julia Sanabre Bécquer, nieta de Valeriano, por los años 1970.

Gustavo Adolfo estableció también una lista de los grabados de Valeriano publicados con un comentario suyo. Estos apuntes se encuentran, escritos a lápiz, en el cuadernito remitido por el chileno Matías Errazuriz al Museo de Arte Decorativo de Buenos Aires; este cuaderno contiene además «Lejos y entre los árboles» (lápiz), el borrador de los «Pensamientos», frases y cantares probablemente apuntados por Ferrán.

Fue realizado en parte en 1925 el proyecto del poeta cuando Alberto Ghiraldo y Fernando Iglesias Figueroa publicaron un *Álbum Bécquer* («Arte Hispánico»).

Después de la muerte de los hermanos Bécquer, *La Ilustración de Madrid* publicó varios dibujos y bocetos que había realizado Valeriano para ella. Se trata de :

— 30 de enero de 1871 (núm. 26), «El hogar de una casa, propiedad del duque de Frías, en Ocaña» (copia espléndida realizada por Pradilla, grabado de Rico), acompañado de un texto de Isidoro Fernández Flórez que contiene aquel homenaje a Valeriano: «¡Cuántos restos de las antigüedades que enriquecen nuestra patria han de quedar perdidos ya, sin un Bécquer que los descubra y los muestre!»

— 30 de mayo de 1871 (núm. 34), «La carta de recomendación» (grabado por P. Francés) junto con «El sastre de aldea» (grabado por Rico); el primer dibujo figura a los hermanos Bécquer, quienes están esperando, muy relajados, que el alcalde del pueblo acabe la lectura de la carta oficial que llevaba Valeriano en sus peregrinaciones; Fernández Flórez, que sitúa la escena en la región de Soria, da aquella precisión que confirma la firme orientación de la actividad de los hermanos Bécquer hacia el estudio de las antiguas costumbres a partir de 1864, «Valeriano y Gustavo Bécquer, cuya muerte nunca llorarán bastante las artes españolas, habían comenzado a recorrer varias provincias de España sin otro propósito que el de estudiar gráficamente las costumbres y los tipos más característicos de cada una de ellas, y de formar un magnífico álbum dibujado por el primero, al que debían acompañar artículos y poesías del segundo»; el segundo dibujo representa la confección de una capa (corte y costura) en la casa de un pueblo soriano; el texto de Fernández Flórez sobre «la capa genealógica» es de amenísimo estilo.

— 30 de julio de 1871 (núm. 38), «Pobre mendicante», hermoso retrato de gitana (o mujer de tipo gitano) que mendiga en un pueblo con sus dos hijos, acompañado de aquel sentido y cabal comentario de Fernández Flórez: «El dibujo de la *Pobre mendicante* que hoy publicamos está copiado de un apunte original de Valeriano Bécquer. Tiempo antes de morir trazó estos breves rasgos en el papel con la mente puesta en tan sentido asunto, dejando para más adelante el dibujarlo en la madera perfeccionándolo. La muerte le sorprendió sin realizar su propósito. Nosotros, que profesamos particular respeto a todo lo que ha salido de aquel lápiz inspirado y valiente, hemos recogido el apunte y lo damos hoy a la estampa. Si no está a la altura de sus grandes concepciones, en cambio revela el sentimiento, la sencillez y la delicadeza que llenaban aquel hermoso corazón de artista.»

— 15 de septiembre de 1871 (núm. 41), «La bendición de la mesa» (reproducido por Laurent), escena campesina de la provincia de Ávila, acompañado de un comentario firmado G. (¿Galdós?) donde se expresa la veneración de *La Ilustración de Madrid* por Valeriano y que empieza con el párrafo siguiente:

«Nuestro periódico publica frecuentemente, siempre que puede hacerlo, dibujos del malogrado artista Valeriano Bécquer, y continuará honrando así sus planas con las reproducciones de aquel distinguido pintor de costumbres populares españolas, hasta que hayamos grabado el último de los apuntes que poseemos entre los que dejó, cuando le sorprendió la muerte, el fecundo e inolvidable artista.»

Con la distancia del tiempo aparece hoy Valeriano Bécquer como el primer pintor español de la vida rural considerada a través de las actividades cotidianas, las fiestas populares y los personajes típicos. Le siguieron muchos artistas; pero en el caso de la región de Soria no llegó su sucesor antes del año 1912; fue Sorolla, comisionado por una rica americana, la señora Huntington. La manera propia de Valeriano Bécquer, el realismo selectivo favorecido por su clásica formación sevillana, se inserta en la tradición de la escuela de Velázquez y queda muy estimada.

79. Último otoño (23 de septiembre-22 de diciembre de 1870)

Después de la muerte de su hermano, Gustavo Adolfo permaneció sólo algunos días en la quinta del Espíritu Santo que, creo, no era el hotelito de los hermanos Bécquer sino la casa vecina ocupada por Ferrán y su amiga, calle de Valencia en Ventas, número 4.

Vino a vivir, como ya indiqué, en un piso puesto gratuitamente a su disposición por el banquero Salamanca, amigo de Correa, en un inmueble burgués del 7 de la calle Claudio Coello (hoy 25). Ocupaba el tercero, a la derecha. Rodríguez Correa vivía en el segundo piso. Importaba, en efecto, que el poeta, ultrasensible, no quedase en el lugar de la pérdida que acababa de experimentar. El propio Correa pasó dolorosos momentos; recuerda con sencillez el ambiente de aquellos días en el prólogo a la primera edición de las *Obras* (1871):

> Cuando ya habían conseguido (los hermanos Bécquer), unificando sus esfuerzos, organizar modesta manera de vivir; cuando un porvenir artístico e independiente les sonreía; cuando el trabajo comenzaba a ser en aquella casa el sosiego del precavido y no la precipitación del destajista; cuando ya se podía retratar a un amigo por obsequio, y escribir una oda por entusiasmo, la muerte de Valeriano tiñó de luto el alma de sus amigos y contaminó con su frío el corazón de Gustavo, siéndole tanto más sensible el golpe, cuanto más refractario era aquel espíritu ideal a la seca verdad del no ser.

En el piso de la calle de Claudio Coello fue donde Casta se reunió con su marido para cuidar de Gustavín y Jorge. Faltan informaciones acerca del pequeño Emilio. En la calle de Claudio Coello también fue donde Estanislao Bécquer vino a buscar a su sobrina Julia, de cuya educación se encargó a partir de aquel momento su esposa, nacida Adelaida Cabrera, quien era la hermana de la antigua novia de Gustavo Adolfo. Parece que Alfredo se quedará con su tío Gustavo y sus primos.

Todos los ahorros de que dispusieron los hermanos Bécquer se habían agotado con la enfermedad de Valeriano. Los amigos de ambos hermanos habían pagado los gastos de sepultura perpetua (testimonio de Julia Bécquer).

Los tres últimos meses de la vida de Gustavo Adolfo permanecieron difíciles en el plano económico. Era preciso sustentar a cuatro o cinco personas con 250 pesetas al mes; podían existir deudas anteriores. Hacia 1889, Campillo declara en una de sus cartas a Eduardo de la Barra: «(Nuestro amigo Bécquer) cayó grave, y sin Rodríguez Correa y otros amigos que le queríamos, no hubiese tenido medicinas, ni alimentos, ni una sepultura decente.» Debía tener el piso el aspecto de un campamento y Casta no lo entretenía bien. En 1886, Eusebio Blasco evocará, para describir el ambiente durante la última enfermedad del poeta «la casa descuidada, el cuarto en desorden, la compañera del poeta que no sabe hablaros de nada...»

Pienso que fue poco después de la muerte de Valeriano cuando Gustavo Adolfo acudió a casa de Campillo y le confió sus versos a fin de que los corrigiese.

Campillo ha relatado el hecho como sigue hacia 1889 en una de sus cartas a Eduardo de la Barra: «Meses antes de morir me trajo sus versos para que se los corrigiese (como hice), diciéndome que estaba *preparando la maleta para el gran viaje.*» Semejante pesimismo no se concibe para la época que precedió a la enfermedad de Valeriano.

En 1901, después de la muerte de Campillo, Eduardo de Lustonó hizo mención en su artículo «Recuerdos de periodista. Bécquer», de una declaración similar que le había hecho el amigo de niñez y adolescencia de Bécquer. Reaparece la expresión «Estoy haciendo la maleta para el gran viaje», que también figura al final de «Introducción sinfónica» en el registro del «Libro de los gorriones»; era conocida de todos los lectores de Bécquer, ya que la «Introducción sinfónica» pasó a ser la «Introducción», sin más, de las *Obras.* No había precisado Campillo si los poemas que le habían entregado eran los del registro.

María Dolores Cabra atribuye a Gustavo Adolfo el texto «Madrid moderno. Modelo de los coches del tranvía que ha de cruzar la población» (dibujo y grabado de Manchón) publicado el 12 de noviembre de 1870 en el número 21 de *La Ilustración de Madrid.* Es plausible esta atribución puesto que hay en el artículo una referencia a los textos publicados en la misma serie «Madrid moderno» donde aparece la pluma de Bécquer; sin embargo, el texto es puramente informativo y no contiene ninguna imagen becqueriana. Los tranvías de que se trata, arrastrados por caballos pero puestos sobre raíles, debían de interesar a Gustavo Adolfo pues, viniendo de los barrios de Pozas y de Argüelles, terminaban en el de Salamanca donde residía.

Si en «La calle de la Montera» *(La Ilustración de Madrid,* núm. 22, 27 de noviembre de 1870, sin ilustración) se narra con una agradable sencillez la leyenda de la demasiado coqueta mujer del montero mayor del rey, no llama la atención ningún detalle francamente becqueriano. La atribución a Bécquer tiene como base inicial la apreciación de Fernando Iglesias Figueroa, quien incluyó el texto en sus *Páginas desconocidas* (1923). Rica Brown admitió esta atribución.

Estos dos artículos no llevan ninguna especie de firma. Son los únicos trabajos que se atribuyen a Bécquer en *La Ilustración de Madrid*, durante este período.

Gustavo Adolfo redactó probablemente en noviembre de 1870 su última «variedad», *Las hojas secas,* destinada al *Almanaque Literario de la Biblioteca Ilustrada de Gaspar y Roig para el año 1871,* donde el público pudo efectivamente leerla después de la muerte del autor.

Esta hermosa elegía en prosa, que es una de las mejores variaciones sobre el poema «La caída de las hojas» de Carlos Humberto Millevoye (1782-1816, Francia), fue pagada con quince pesetas por el editor Gaspar. Anécdotas contradictorias circulan sobre la actitud de Bécquer ante tal precio: unos hablan de humor (Laiglesia), otros de ira (A. López de Ayala, Ángel Avilés).

Francisco de Laiglesia cuenta como sigue la creación de la obra en *Bécquer. Sus retratos*: «... después de almorzar conmigo, cogió varios pliegos de papel con mi cifra y, *para pagar su deuda,* según me dijo, escribió *Las hojas secas* sin una corrección, sin una enmienda; al leérmelas y oír mis elogios me añadió: *No tiene nada de extraño la rapidez y la forma de la redacción, porque pensé anoche el artículo tal como está aquí y la mano no ha hecho más que trazar lo que ya estaba en mi imaginación escrito.*»

Añade Laiglesia que recuperó las hojas del manuscrito y las regaló ulteriormente a un secretario de la embajada de Rusia, Sidorowitch, gran admirador de las *Rimas* y de la prosa poética de Bécquer, la cual tradujo al ruso y al francés. Laiglesia tuvo empeño en entregar este regalo al diplomático ruso para agradecerle el hecho de haber llevado flores al nicho sepulcral de Bécquer en uno de los primeros aniversarios de su muerte. No sé lo que ocurrió con este manuscrito ni con su nuevo propietario.

El tema de *Las hojas secas* es doble: hermosura y fugacidad de la vida. La introducción me parece reflejar una manera de sentir cercana a la de Sanz del Río y de sus discípulos, con la distinción hecha entre la poesía interna (la busca de lo absoluto en la conciencia personal) y la poesía externa (la busca de lo absoluto en la comunión con la naturaleza) aunque la reflexión de Bécquer se limite al único campo del arte:

> Hay momentos en que, merced a una serie de abstracciones, el espíritu se sustrae a cuanto le rodea y, replegándose en sí mismo, analiza y comprende todos los misteriosos fenómenos de la vida interna del hombre.

Hay otros en que se desliga de la carne, pierde su personalidad
y se confunde con los elementos de la Naturaleza, se relaciona con
su modo de ser y traduce su incomprensible lenguaje.

Dos vías de exploración están asignadas así a la contemplación o a la
intuición.

El poeta está sentado en el borde de un camino que conduce a un cementerio. El pensamiento de la muerte impera en toda la obra. Sin embargo están llenos de música y color los cuadros presentados en el diálogo de
dos hojas errantes que fueron testigos de un idilio y de su desgraciado fin
por enfermedad y muerte de la mujer amada. *Las hojas secas* representa
el digno y misterioso adiós de Gustavo Adolfo a la vida. Gustó mucho esta
obra en España y en Francia por los años setenta y ochenta del siglo pasado.

Bécquer entregó también a Gaspar, con objeto de publicarlo en el *Almanaque de la Biblioteca Ilustrada de Gaspar y Roig para el año 1871,*
el texto manuscrito de «Yo sé cuál el objeto», la futura rima LIX. El manuscrito lleva la fecha «noviembre de 1870» y una mención que indica que
Gustavo Adolfo cuidaba de vigilar personalmente la publicación de cada
rima: «Pruebas al autor, calle de Claudio Coello 7, 3.º dcha., barrio de
Salamanca.»

Esta rima figuraba en el registro del «Libro de los gorriones» y no era,
pues, reciente. Gustavo Adolfo modificó el verso 19, que de «Yo penetro
en los senos misteriosos / de tu alma de mujer» vino a ser «Yo conozco
los senos misteriosos / de tu alma de mujer».

La enfermedad impidió probablemente que el poeta corrigiese las pruebas, de tal modo que la rima salió en el *Almanaque* amputada de la tercera y última estrofa.

Este poema, a la vez tierno, enigmático e inquietante, pertenece a la
poesía de salón con matices populares. La renueva por la sencillez del vocabulario y de la rima (asonancia *e* aguda) que contrasta con el rigor del
ritmo y la índole culta de la métrica (versos de once, siete y cinco sílabas).
Conforme con su costumbre, Bécquer ha escogido, para esta publicación
aislada, una rima extraña al registro de la intimidad.

No es posible dar fecha a los textos titulados «Pensamientos» consig-
nados a lápiz en el cuaderno que se conservaba en el Museo de Arte Decorativo de Buenos Aires. Utilizaron este cuaderno los primeros editores, quienes, seducidos por «Pensamientos», insertaron estos textos al final del
tomo II de las *Obras* de 1871, inmediatamente delante de las *Rimas*. Pienso que Ferrán guardó este cuaderno como recuerdo y lo dejó a su esposa
o a un amigo en Chile.

Me parece que la colección se formó en 1869 ó 1870 mientras la creación becqueriana se orientaba con determinación hacia la prosa poética, de la que *Las hojas secas* ofrece el último ejemplo, pero cada uno de los textos reunidos puede ser de una época anterior (la de *El gnomo*, 1863, entre otras). Asistimos aquí a la introducción del «pequeño poema en prosa» en España: con Bécquer, el género resulta más cercano el arte de Aloysius Bertrand que al de Baudelaire.

Sería útil, en las ediciones, reunir estos poemas en prosa con las rimas que les corresponden o que encierran elementos simbólicos a los cuales se refieren.

El primer texto («Vosotros los que esperáis con ansia la hora de una cita») es un desarrollo de la rima XI («Yo soy ardiente, yo soy morena.»)

El texto II («¿Qué viento la trajo hasta allí? No lo sé. Pero yo vi la flor de la semilla») se asemeja por su espíritu a *Las hojas secas* y a la rima LIX; pero es a la rima XVI («Si al mecer las azules campanillas / de tu balcón») a la que yo la asociaría dado el papel que desempeña en él la campanilla azul, flor que simboliza aquí a un tiempo la vida, la juventud y el amor.

El valor de las lágrimas que se sugiere en el texto III («Yo no envidio a los que ríen») recuerda la conclusión de la rima LVI («Hoy como ayer, mañana como hoy») con el verso «Padecer es vivir», y también la conclusión de la rima LXVIII («No sé lo que he soñado.»)

El texto IV («Asómate a mi alma») contiene la misma imagen literaria de la rima XLVII («Yo me he asomado a las profundas simas»), formando un poema simétrico de ella dado la oposición de la idea.

El texto V («La flor del recuerdo»), el que me seduce más, con el II, es una versión terrestre, galante, en el registro de la poesía de las ruinas, de la rima marítima LXII («Primero es un albor trémulo y vago»).

El texto VI, dedicado a los genios desconocidos, acompañaría con naturalidad a la rima LXI («Al ver mis horas de fiebre») que expresa la angustia del joven poeta ante la indiferencia de la sociedad para con su arte.

Gustavo Adolfo pasó tres días en Toledo alrededor del primero de diciembre. Se conoce este hecho por una indicación de Rodríguez Correa en el prólogo de 1871: «... Toledo donde vivió un año y en donde estuvo tres días, veinte antes de morir...» Se ignora todo de los motivos y circunstancias de esta estancia.

Parte del mes de noviembre se emplearía en lanzar una nueva revista, *El Entreacto,* «periódico cómico teatral (con agencias de teatro)», cuyo primer número salió a la luz el día siguiente o dos días después del regreso de Toledo a Madrid, es decir, el sábado 3 de diciembre de 1870. Franz Schnneider descubrió este número durante sus investigaciones de los años 1910 y pudo dar a conocer en su tesis de Leipzig (1914) el principio del relato de Bécquer titulado «Una tragedia y un ángel. Historia de una zarzuela y una mujer» que ocupaba el folletín.

Se trata de la narración del principio de un idilio, con matices de autoironía, pero sin amargura: «Era poeta y tenía fe en la poesía... Se llamaba Antonio, y como habrán comprendido mis lectores, era un niño grande; un verdadero inocente.»

Se nota también cierto despejo y juego con el lector: «... ¡Y con tan poca cosa los dos eran felices! *Dichosa edad y dichosos tiempos aquellos,* etcétera... Aquí el lector puede colocar íntegro, si le parece, el discurso que Don Quijote hizo a los cabreros ponderándoles las excelencias de la Edad de Oro.»

Este cuento ligero significaba claramente un retorno a la adolescencia sevillana del autor, como lo ha visto don Dionisio Gamallo Fierros (1948). Atestiguan el hecho la semejanza con el fragmento del diario de la adolescencia dado a conocer ulteriormente y la presencia de los balcones pintados de verde, sus macetas y sus flores.

La rapidez de la narración, la abundancia de los párrafos breves me recuerdan *¡Es raro!,* con más sequedad aún. El temperamento de Bécquer le inclinaba más a imaginar esquemas de novela ornados de notaciones poéticas que a elaborar largas narraciones enriquecidas de observaciones sobre la realidad presente o pasada; el cuadro de costumbres desempeña perfectamente esta última función en su obra.

El 10 de diciembre, *El Entreacto* tuvo que comunicar a sus lectores que el periódico no podía publicar en su folletín la continuación de la «preciosa novela» de su director, Gustavo Adolfo Bécquer, porque éste estaba enfermo y, a pesar de una mejora, debía guardar cama. Gustavo Adolfo había emprendido, pues, con cierta intrepidez, la publicación de un relato que tenía concebido pero cuyos episodios se habían de elaborar cada semana.

¿Cómo había surgido esta enfermedad y cuál era su índole? Rodríguez Correa menciona las dudas de los médicos y la variedad de los diagnósticos: neumonía, hepatitis, pericarditis. Cuarenta años más tarde, hacia 1910, Nombela refirió que, en una tarde glacial, había encontrado a Bécquer en la Puerta del Sol y que, según el deseo de éste, que se sentía demasiado cansado para andar con un amigo hasta el barrio de Salamanca, habían viajado en la imperial de un coche por estar ocupados todos los asientos del interior; Nombela había tenido que quedarse en casa los días siguientes a consecuencia de un enfriamiento; había mandado tomar noticias de Gustavo Adolfo y se había enterado de la gravedad de su estado, causado por la misma circunstancia. Nombela indica de paso que, al separarse, Gustavo y él habían convenido volver a verse; en efecto, la colaboración de Nombela a la revista adversa, *La Ilustración Española y Americana,* había cesado o estaba a punto de cesar. Nombela coloca este fatal viaje en la segunda quincena de diciembre, lo que no corresponde con la fecha del anuncio de la enfermedad por *El Entreacto*. Tenida en cuenta la fecha de la defunción es probabilísimo un ligero error en los recuerdos de Nombela, situándose el hecho referido entre los días 5 y 7 de diciembre. Sin embargo no se puede excluir una recaída consecutiva a una salida imprudente.

10

su muerte

GUSTAVO Adolfo murió el 22 de diciembre de 1870 en estrechez económica, pero de ningún modo abandonado. Estuvo calurosamente rodeado. Su mujer, sus hijos y su sobrino vivían en el piso de la calle Claudio Coello. Casta cuidaba poco del aseo y orden de su casa, según testimonios de los visitantes; pero hay que tener en cuenta su regreso al hogar en circunstancias psicológicas difíciles dado el espíritu social de la época, los problemas de la instalación de una familia desorganizada en un vasto piso, y sobre todo la bohemia, es decir, cierto desprecio del buen aspecto burgués, en la que habían vivido los hermanos Bécquer y se habían educado los muchachos. Casta tuvo disculpas.

80. **La muerte del poeta y sus exequias**
   (22-23 de diciembre de 1870).
   La primera reunión de sus amigos con objeto de publicar
   sus obras (24 de diciembre de 1870)

Los amigos de Bécquer quedaron a su lado hasta el momento final. Primero, Rodríguez Correa, quien habitaba un piso más abajo y que no había ahorrado ningún medio para sostener a su amigo cruelmente herido por la muerte de Valeriano. Luego, Ferrán, quien estaba a menudo a la cabecera del enfermo y quien, según un tardío testimonio de Florencio Moreno Godino (1886), le ayudó a quemar unos papeles de los cuales sólo se sabe que Bécquer los juzgaba de índole a dañar a su honor (declaración de Ferrán a Moreno Godino). También el joven Francisco de Laiglesia, quien, en 1906, llegado a director del Banco Hipotecario después de haber sido vicepresidente del Congreso, recordaba, delante del hispanista americano Olmsted, haber oído a Gustavo Adolfo, consciente de la gravedad de su estado, recomendar sus hijos a sus amigos. Vinieron a la cabecera del enfermo los redactores e ilustradores de *La Ilustración de Madrid,* en cuyo primer rango figuraban Isidoro Fernández Flórez y los hermanos Rico, así como todos los artistas que tenían relaciones con la revista; los dibujos que Casado del Alisal y Palmaroli hicieron de Gustavo Adolfo en su lecho de muerte no fueron actos de estima y amistad aislados.

Existe también la certidumbre de que Rodríguez Correa no dejó de llamar a los médicos más competentes para socorrer a su amigo y que todos los medios de que disponía la ciencia, aún bastante débiles en esa época, se emplearon para combatir la enfermedad.

Rodríguez Correa relata la muerte relativamente apacible de un hombre cuyo agotamiento había sido progresivo después de la desaparición de Valeriano: «... entre tanto el enfermo, con su cabeza siempre firme y con su ingénita bondad, seguía prestándose a todas las experiencias, aceptando todos los medicamentos y muriéndose poco a poco. Llegó por fin el fatal instante, y pronunciando claramente sus labios trémulos las palabras "¡Todo mortal...!", voló a su Creador aquel alma buena y pura.»

Ni una asistencia religiosa ni la administración de los sacramentos se mencionan en los testimonios relativos a la muerte de Valeriano y a la de Gustavo Adolfo, cuya adhesión a la fe católica no sufre, sin embargo, ningún género de duda.

La muerte acaeció el jueves 22 de diciembre, hacia las diez de la mañana. Aquel día, el cielo madrileño estaba encapotado y se oscureció aún más al producirse a las diez y cuarenta un eclipse de sol parcial en la capital.

En aquel mismo mes de diciembre, el pueblo de París sufría heroicamente el sitio de los ejércitos alemanes y España esperaba con cierto malestar a su nuevo rey, el duque de Aosta, quien había de reinar bajo el nombre de don Amadeo I.

Los diarios *La Integridad Nacional* (conservador), *La Correspondencia de España* y *La Época* (liberal) anunciaron el fallecimiento el mismo día. Un comunicado un poco más extenso se insertó en *El Imparcial* (liberal), el diario de Gasset y Artime, en la «Sección de noticias» a la mañana siguiente. Estos cuatro textos expresan el aprecio de los redactores para con el hombre de letras («literato», *La Época* dice «poeta») y el periodista.

El País (moderado) anunció el 23 por la mañana que el entierro tendría lugar el mismo día, saliendo el cortejo de la casa mortuoria a las once. No se preveía ningún otro aviso.

Gran número de amigos *(El Imparcial* del 24 de diciembre) acompañaron el cadáver a la Sacramental de San Lorenzo. El féretro fue colocado en el número 470 del nicho del Patio del Cristo, donde permaneció hasta abril de 1913 con motivo de su traslado a Sevilla. Los gastos de sepultura fueron pagados, en parte o en totalidad, por los amigos (testimonio de Campillo, 1871, 1889). La solicitud de admisión de Gustavo Adolfo en la Archicofradía Sacramental de San Lorenzo y San José de Madrid, esencialmente funeraria, en calidad de mayordomo, con pago de 900 reales, lleva la fecha de 4 de diciembre de 1870; firmada por procuración, envejece al impetrante en cuatro años, no indicando ni su oficio ni el nombre de su esposa; tengo la impresión de que el interesado no participó en el acto.

Relata Francisco de Laiglesia que, al final de la ceremonia, Casado del Alisal propuso que se celebrase una reunión en su estudio el día siguiente con objeto de organizar la publicación de las obras del difunto y de socorrer a su familia. Se habían concertado previamente Rodríguez Correa, Casado y Campillo, puesto que el último precisa en las informaciones enviadas en 1889 a Eduardo de la Barra: «Rodríguez Correa (que no es pariente mío, como V. se figura), el pintor Casado y yo convocamos una reunión de literatos y artistas...» El proyecto recibió calurosa acogida. *La Época* y *La Correspondencia Universal* (independiente) difundieron esta iniciativa en la misma tarde del 23. He aquí el comunicado tal como se lee en *La Época*:

> Mañana a la una de la tarde se reunirán los amigos del malogrado escritor Sr. D. Gustavo Adolfo Bécquer (q.e.p.d.) con el objeto de ocuparse del estado en que la muerte ha venido a dejar a sus tiernos hijos. La reunión se celebrará en el estudio del S. Casado, plaza del Progreso, n.º 9, lo que hacemos público para que llegue a conocimiento de aquellos que rindan culto a la memoria del finado.

El mismo día, *El Diario Español*, el antiguo órgano de la Unión Liberal, tan combatido por Gustavo Adolfo y sus amigos, dio cuenta del funeral en la tarde, calificando al difunto de «inspirado poeta y elegante publicista».

A la mañana siguiente, 24 de diciembre, otros dos diarios, *La Nación* (progresista) y *La Opinión Nacional* anunciaron a su vez el fallecimiento con algunas líneas de homenaje mientras *El Imparcial* y *El País* daban aviso de la reunión fijada a la una en el estudio de Casado.

Gran número de amigos y de simpatizantes de los hermanos Bécquer acudieron a la reunión. Nombela, quien estaba entre ellos, cuenta en *Impresiones y recuerdos* que Manuel Silvela, ministro de Estado desde el 17 de junio de 1869 en el gobierno del general Prim, causó gran sorpresa al presentarse para dar su apoyo a los amigos de Bécquer, escritor a quien conocía y admiraba aunque perteneciera al bando político opuesto (Silvela

militaba en la Unión Liberal en tiempo de Narváez. Manuel Silvela
(1830-1892), hermano del futuro caudillo del partido conservador, Francisco Silvela, manifestó siempre el carácter de un hombre independiente
que no obedecía sino a su conciencia. Era a la vez abogado de gran rectitud y buen conocedor de la literatura patria, especialmente de Moratín y
de las letras del siglo XVIII. La admiración que dedicaba a Bécquer da prueba de la calidad de su gusto y de la diversidad de sus aficiones culturales.

Un comunicado extensamente difundido por la prensa dio a conocer
el resultado de la reunión. Noté su presencia en *La Época* (26 de diciembre), *El Imparcial* (26 también), *El País* (27), *La Correspondencia de España* (27; habla de Gustavo Adolfo como «ilustre escritor»), *El Pueblo*
(28 de diciembre; era *El Pueblo* el órgano de la oposición democrática).
He aquí el texto de este comunicado:

> Gran número de amigos del malogrado escritor D. Gustavo Adol-
> fo Bécquer se reunieron el sábado último, como anunciamos, en el
> estudio del pintor D. José Casado, para ponerse de acuerdo respecto
> a la publicación de las obras literarias de aquél y de las artísticas de
> su hermano D. Valeriano que murió hace tres meses. Se decidió, en
> efecto, llevar a cabo dicha publicación en el término más breve posi-
> ble y hacer una invitación a los amantes de la literatura y el arte pa-
> trios para que contribuyan a la suscripción que con este objeto ha que-
> dado abierta en el citado estudio, plaza del Progreso núm. 9, y en la
> redacción de la *Ilustracion de Madrid*, plaza de Matute, núm. 5.

Así empezaba la campaña para la publicación de las *Obras* mientras
Campillo y Ferrán emprendían la recolección de los textos. Al mismo momento se agravaba la crisis política española. Víctima de un atentado el
día 17, el general Prim moría el 30 de diciembre. El nuevo rey, quien se
había beneficiado de su apoyo, llegaba a Madrid para, primero, inclinarse
ante el cuerpo. El país entraba en una nueva era de turbulencia pero, libe-
radas, la literatura y las artes iban a manifestar nuevo vigor.

11

epílogo

81. Homenajes y pésames

YA desde el domingo 25 de diciembre, día de Navidad, expresó el equipo de *Gil Blas,* al que pertenecía Eusebio Blasco, la tristeza que le causaba la muerte de Gustavo Adolfo. Se leen en *Gil Blas* las líneas siguientes:

> Ha muerto Gustavo Bécquer, cuando apenas hacía tres meses que dejó de existir su hermano Valeriano.
>
> La suerte ha sido despiadada con estos dos artistas, que tantas esperanzas hicieron concebir a los amantes de las letras y de las artes.
>
> Contra su costumbre, *Gil Blas* no puede hoy menos de consagrar un recuerdo a la memoria de quienes, en la primera época de esta publicación, ilustraron sus columnas con dibujos que llevaban la firma de Sem.
>
> Jóvenes los dos llenos de talento y porvenir, la muerte los ha arrebatado, dejando hijos y esposas en el mayor dolor.
>
> No basta ser joven, no basta ser honrado, no basta ser útil a sus semejantes, no basta ser pobre y dejar una familia desamparada...
>
> No basta nada de esto, Dios, ese Dios implacable, lanza su sentencia, y todo se acaba.
>
> ¡Vale la pena de creer en Dios para explicar así estas cosas!

Liberales y revolucionarios ambos, Campillo y Correa se olvidaron de esa participación de los hermanos Bécquer en las campañas llevadas por *Gil Blas* a finales de 1865 y principios de 1866 contra el gobierno de O'Donnell. No hablaron nunca de las relaciones de Bécquer con *Gil Blas*. Nombela se acordó del homenaje público de *Gil Blas* pero tampoco hizo mención de la colaboración de ambos hermanos a la revista satírica; sólo fijó su atención la exclamación del final del texto que se acaba de citar, en el que vio un «arranque de soberbia». Sobre este punto trasmitieron la verdad los hermanos Álvarez Quintero y Eduardo del Palacio, hijo de Manuel. Se debe a Rubén Benítez el estudio de los documentos, especialmente en su artículo «Los hermanos Bécquer en *Gil Blas*» *(Ínsula*, núm. 311, octubre de 1972).

El segundo número de *La Ilustración de Madrid* en diciembre de 1870 salió, como era costumbre, el día 27 con un texto breve pero lleno de sentimiento sobre la muerte de su director literario. Simplemente firmado «La Redacción», este texto fue probablemente redactado por Isidoro Fernández Flórez.

Se explicaba la desgracia como sigue: «Una enfermedad de carácter crónico, pero cuyo imprevisto y extraordinario desarrollo ha sido debido a la soledad en que se encontró su alma, y a ese oculto fuego de la tristeza que consume rápidamente el cuerpo más joven y robusto, ha dado fin a sus días.» Estas líneas nos recuerdan que la salud de Gustavo Adolfo estaba insegura desde 1858 y que la conmoción afectiva provocada por la muerte de Valeriano, atestiguada por todos los testigos, la quebrantó de modo considerable.

Después de mencionar de paso el «gran vacío» que deja en el equipo de *La Ilustración de Madrid* la desaparición de los dos hermanos, muy admirados, los redactores prometen quedar fieles al espíritu que ambos artistas habían querido dar a la publicación», el cual se resume como sigue: «Era el anhelo de ambos que esta publicación se distinguiese de todas las demás de su índole por su carácter exclusivamente español.» El nacionalismo de los hermanos Bécquer y su combate contra lo que representaba a sus ojos *La Ilustración Española y Americana* se callarán también durante muchos años. Esta parte de la realidad no concordaba con el estilo del retrato que se deseaba dar de Gustavo Adolfo; los matices de este retrato fueron cuidadosamente seleccionados para constituir la imagen de un artista soñador y desgraciado, situado al margen de las contiendas de su tiempo; el aspecto militante del romanticismo conservador o histórico se halla muy atenuado en la imagen así conseguida.

Anunciaba *La Ilustración* que la biografía y el retrato de Bécquer se publicarían en el número siguiente. A Campillo, el amigo de la niñez y

REVISTA CÓMICA, POR SEM.

Diálogo sonante.

El duro.—Qué cara se vende Vd., señora! Hace un siglo que no se la vé por ninguna parte.

La onza.—¡Qué quiere Vd.! con esto del retraimiento anda una asustada.

El duro.—Pues mire Vd., la gorda va á ser cuando se retraigan los mios.

Consulta.

Un caballero.—¿Pero será posible que no se encuentre remedio? ¡Un teatro que gozaba de tan buena salud!

Un periódico.—Yo creo que con alguna que otra novedad y un par de buenos cantantes aplicados á la boca del estómago...

La Correspondencia.—¡Quiá! No es menester tanto. Bastará ponerle un suizo mas á las puertas.

Despedida.

—¡Vamos, chiquito, vamos!.. Te has portado como un caballero... Si se ofrece, volveré á llamarte... pero... con franqueza, ya estás haciendo mala obra... se acercan las elecciones, y...

—¡Eso es, sirva Vd. á las gente s para que luego le den este pago!

La caricatura que ocupaba este hueco ha sido prohibida por el señor gobernador.

Viaje alrededor de un editor.

—Vamos, monono... atrévete. Tú que eres liberal, independiente, y que has sido miliciano, ¿te negarás á ser editor responsable de esta buena moza?

—¡Cuando le digo á Vd. que me escamo!

Un caballero particular á quien no le importa un pito de nada, y que por lo tanto está llamado á hacer gran papel en la política española.

Aria de bajo

—Pero, señor, ¿será posible? Ayer me pasaba de la cintura, y hoy apenas me llega á la rodilla... Si la Bolsa sigue bajando así, se nos vá á poner al nivel de las suelas de los zapatos.

Un incorregible.

—Y qué quiere Vd. que le diga: yo creo que tengo el cólera.

—¡Desgraciado! ¿qué blasfemia profieres? ¿pues no oyes la campana del *Te-Deum?* ¡Hay gentes capaces de morirse por hacerle la oposición al gobierno!

Epílogo.

El Sr. Alonso Martinez (estudiando).—C...U... CU. P...O... PO... CUPO...

Vea Vd. Si yo pudiera acabar de aprender á deletrearlos para reconocerlos, se remediaban todas estas cosas.

Dibujos de SEM en la revista satírico-política *Gil Blas*

de la adolescencia, fue a quien se pidió la biografía. Fue acompañada por el hermoso retrato que Casado del Alisal había dibujado del poeta en su lecho de muerte. El conjunto salió a la luz en el primer número de 1871, el número 25, fechado el 15 de enero (la periodicidad quedaba la misma que en 1870 pero variaban ligeramente los días de publicación: los 12 y 27 del mes en 1870, los 15 y 30 en 1871).

La biografía de Campillo es una fuente directa, única y fidedigna para el período sevillano (1836-1854). Descansa por lo contrario en informaciones indirectas hasta el verano de 1869 por lo que concierne las actividades de Bécquer en Madrid; se hace entonces confusa y poco segura. Campillo se niega a admitir que su amigo haya militado libremente al lado de González Bravo. Al aludir a la colaboración de Bécquer a *Los Tiempos,* que no nombra, escribe: «A su vuelta de los baños de Fitero, continuó en *El Contemporáneo* y poco después entró en un diario ministerial, arrastrando la pesada cadena de periodista político que su situación le imponía. Digo pesada cadena, porque no puede haberla mayor para caracteres como el suyo, y sólo la necesidad más imperiosa puede hacerla soportar por algún tiempo.» Campillo ignora o finge ignorar la escisión que se produjo dentro del equipo de *El Contemporáneo* en febrero de 1865. Trata con gran sequedad, sin ningún miramiento para Casta, de la vida familiar de Gustavo Adolfo: «Se me olvidaba decir que en 1861 había contraído matrimonio; verdad es que a él parecía habérsele olvidado también pues, apartado de su esposa, jamás le oí hablar de ella.» Campillo no da ninguna clase de precisiones sobre las ideas que habían constituido la base de la fundación y acción de *La Ilustración de Madrid,* ideas no obstante esenciales para comprender el dinamismo de los hermanos Bécquer. Se desliza rápidamente hacia la prosa lacrimosa, lo que le da la oportunidad de dar a conocer a los lectores de *La Ilustración* dos poemas inéditos del difunto: las rimas X («Los invisibles átomos del aire») y XLVI («Me ha herido recatándose en las sombras»)

De modo extraño, el texto de la rima X citado por Campillo no es exactamente el que se lee en el registro del «Libro de los gorriones». El verso 2 («En derredor se agitan y abrillantan») parece proceder de otro manuscrito. La rima X es probablemente contemporánea de *El caudillo de las manos rojas* (1858); Bécquer pudiera haber mandado el texto a Campillo en la época en que éste publicaba su primer volumen de poesías.

La rima XLVI está citada por Campillo en conformidad con el texto *ya corregido* que figura en el registro, lo que demuestra que esta colección fue retocada en vida de Bécquer o durante las dos semanas que siguieron a su muerte. Este poema acusador es el primero que, según mis informaciones, hizo conocer a Gustavo Adolfo como poeta del amor desgraciado. La imagen grosera y deformada de un Bécquer dramáticamente herido por la hipocresía y la ligereza femeninas tiene su origen tanto en el comentario que sigue como en el poema mismo que, a la par que ofrece una diestra realización artística (cuatro endecasílabos asonantados *ó* más tres endecasílabos y una caída con heptasílabo, el sollozo, asonantados *é)* crea la ilusión de salir de una página de diario íntimo: «Muerto se juzgaba ya —escribe Campillo— aunque no exhalaba su pesar en estériles ayes: así le veíamos siempre triste y meditabundo, como si fuera recordando en su interior continuamente una por una las páginas de su dolorosa historia.» Aquí se olvida por completo Campillo del cuadro idílico que ha trazado algunas líneas más arriba de la vida de su amigo en el barrio de la Concepción.

Los títulos *Rimas* y *Leyendas* aparecen por primera vez en la parte final de la biografía de Campillo, quien anuncia la próxima publicación de las obras de su amigo y se niega, con razón, a examinarlas anticipadamente.

En las últimas líneas insiste Campillo en «las condiciones difíciles y adversas en que se desarrolló el genio de Gustavo», lo que no resulta muy exacto ni totalmente sincero de su parte; sin duda se acerca más a los sentimientos íntimos de su amigo al indicar que las obras que van a publicarse permiten sólo columbrar las capacidades del autor. No hay que olvidarse aquí de que todas esas advertencias más o menos exactas tenían una justificación: era preciso interesar al público para que se vendiese la edición que se preparaba, fruto de la generosidad, de la amistad y de la admiración; en 1871 quedaba aleatoria la buena acogida por el público de narraciones y poemas cortos que podían sorprenderle. Rodríguez Correa tendrá la misma preocupación al escribir el prólogo.

El homenaje representado por la biografía de Campillo y el retrato de Casado fue completado por la publicación de las rimas XXX («Asomaba a sus ojos una lágrima») y XXXVII («Antes que tú me moriré; escondido...»). Las presentó del modo siguiente Isidoro Fernández Flórez (1840-1902, el futuro «Fernanflor», militante republicano y destacado periodista, quien fundará *El Liberal* en 1879 y publicará numerosos artículos en *Los Lunes de El Imparcial):* «Los que han conocido a Gustavo Adolfo Bécquer no podrán olvidar al amigo; pero los que han leído las poesías no pueden olvidar al poeta. ¿No le conocíais? Ved entonces en estas breves composiciones suyas que copio, no por ser las mejores, sino por ser las que completamente recuerda mi memoria, el reflejo de su alma y su genio.»

«Asomaba a sus ojos una lágrima» es una de las rimas más heineanas; está cercana al núm. 49 del *Lyrisches Intermezzo* y de la traducción que hizo de él Eulogio Florentino Sanz *(El Museo Universal,* 1857: «Al separarse dos que se han querido»). «Antes que tú me moriré; escondido...» se relaciona más bien con la sensibilidad popular andaluza y sus reflejos en el arte de Ferrán, más precisamente en el arte de *La Soledad.* Son excelentes obras y Fernández Flórez las sentía como tales, pero las presentó con cierta timidez porque podían desconcertar a los lectores por su brevedad, su densidad y su acento íntimo. Bécquer había dado a conocer oralmente poemas de esta índole pero no había publicado ninguno de ellos. Creo que Fernández Flórez obedece a una coquetería periodística cuando dice reproducir estos dos poemas de memoria. Se puede suponer que Ferrán o Campillo remitieran a *La Ilustración de Madrid* una copia del texto de la rima XXXVII tal como había de publicarse después de una última enmienda puesto que el verso 8, «Allí te esperará», citado por Fernández Flórez, es el de la edición Fortanet, mientras el mismo verso se lee en el registro del «Libro de los gorriones» «que llames a esperar» en la redacción inicial, y «esperándote allá» después de una corrección. Resulta probable, pues, que, ya desde el 15 de enero de 1871, no sólo estuviera corregido el manuscrito del registro sino también estuvieran redactados, después de una última revisión, algunos de los textos destinados a la imprenta.

El mismo número de *La Ilustración de Madrid* contiene el texto «*La conquista de Strasburgo* (original del poeta alemán Fastenrath)» traducido por B. Algunos han podido preguntarse si este traductor no fuera Bécquer pero la contestación es negativa: María Dolores Cabra ha descubierto que, según una indicación dada por el propio Fastenrath, se trataba de Pedro María Barrera.

El 4 de enero, el diario *El Eco de España*, nuevo órgano de los moderados con los cuales los hermanos Bécquer fueran tan ligados, les habían tributado el homenaje siguiente, bajo la pluma de Ricardo Sepúlveda (1846-1909, poeta humorista, historiador de Madrid) en la rúbrica «Ecos matritenses»: «En poco tiempo han muerto dos hermanos artistas, verdaderos genios, el uno en la pintura, el otro en la poesía. Me refiero a los distinguidos poetas (que poetas eran los dos) D. Valeriano y D. Gustavo Adolfo Bécquer.»

Según mis informaciones, *La Ilustración Española y Americana,* la competidora comercial de *La Ilustración de Madrid,* se limitó a dar un breve y exacto *curriculum vitae* de los hermanos Bécquer en su artículo «Necrología española, 1870 (Conclusión-Escritores y artistas)» del 25 de enero de 1871. Se dan sin embargo a Gustavo Adolfo las calificaciones de «poeta y periodista», lo que supone que se conocía bien su vocación poética.

82. La publicación de las *Obras*

82.1. *La suscripción. La publicidad*

Según las informaciones publicadas por don Dionisio Gamallo Fierros, la reunión del 24 de diciembre encargó a una comisión para colectar los fondos y llevar a cabo la edición de las obras de Gustavo Adolfo. Formaron esta comisión José Casado del Alisal, Narciso Campillo, Augusto Ferrán, el ingeniero militar y erudito Eduardo de Mariategui (1835-1880, autor, entre otras obras, de *Crónica de la provincia de Toledo*, 1866, y colaborador de *La Ilustración de Madrid* así como de *El Arte en España*) y el pintor Eduardo Cano.

Casado del Alisal y Cano se ocuparon más especialmente de la colecta de dinero y de la publicidad, estando Cano encargado de recoger suscripciones en Sevilla.

Hubo 99 suscripciones. Según Campillo, el total de las cantidades recibidas alcanzó unos 14.000 reales. Gamallo Fierros precisa que 10.656 reales vinieron de Madrid.

Encabezó la lista de los suscriptores Manuel Silvela con una entrega de quinientos reales. El rey don Amadeo I se suscribió con mil reales. Numerosos pintores trajeron su contribución financiera, en particular los más célebres de la época, tales como Federico de Madrazo, Carlos Haes, Vicente Palmaroli, Eduardo Rosales, Dióscoro Puebla. Próximo colaborador de los hermanos Bécquer en *La Ilustración de Madrid,* el joven dibujante y pintor Francisco Pradilla fue uno de los suscriptores.

Recordemos que, en un principio, se había previsto publicar también una selección de dibujos y grabados de Valeriano; no sé exactamente por qué motivos fue abandonado este proyecto.

Entre los escritores que suscribieron, figuran Miguel de los Santos Álvarez, Pedro de Alarcón, Juan Valera, Manuel del Palacio, Antonio Cánovas del Castillo.

La contribución más corriente fue de cien reales; la más baja, tal vez de mucho mérito, como apunta Gamallo Fierros, fue de dieciséis reales (Eduardo Bravo).

En el prólogo de las *Obras*, Rodríguez Correa se dirigirá a los donadores con aquellas palabras: «Majestades de la tierra, ingenieros, empleados, políticos, habitantes de la ciudad, de las aldeas escondidas, todos los que en esa larga lista que ante mí tengo, habéis depositado, desde la cantidad inesperada, por lo magnífica, hasta el óbolo modesto, recibid por mi conducto un voto de gracias, a que hacen coro los temblorosos labios de los hijos sin padres y de madres sin esposos; pues no sólo habéis salvado del olvido las obras de Bécquer, sino que, al borde de su tumba, habéis allegado el pan cotidiano que libertará de la miseria a seres desvalidos.»

Más adelante indica Correa que el éxito de la suscripción debe mucho a Casado y que la comisión dará sus cuentas en tiempo oportuno. Se publicaron efectivamente las cuentas en la prensa madrileña de abril de 1872 (el día 8 en *La Época*).

Los organizadores de la suscripción cuidaron de que los derechos de autor fuesen propiedad de Casta y de los huérfanos. Casta los cedió antes de 1877 a Fernando Fe pero, según informaciones reunidas por don Rafael Montesinos, Rodríguez Correa vigiló las segunda (1877), tercera (1881) y cuarta edición (1885), es decir las que se hicieron en su vida.

82.2. El trabajo de edición. La selección y corrección de los manuscritos

Indica Rodríguez Correa en el prólogo: «No menos alabanza merece el Sr. D. Augusto Ferrán, inseparable amigo del malogrado Bécquer, que no se ha dado punto de reposo en el asiduo trabajo de allegar materiales dispersos, coleccionarlos, vigilar la impresión y demás tareas propias de estos difíciles y dolorosos casos, ayudado del Sr. Campillo, tan insigne poeta como bueno y leal amigo.»

Don Rafael Montesinos ha confirmado en 1980 el papel preponderante desempeñado por Ferrán en la confección de los dos tomos de la primera edición de las Obras.

«Como todo el mundo sabe, o debe saber, las Rimas fueron corregidas por Augusto Ferrán y Narciso Campillo, pero con muchas más influencias y poderes de los que calló el primero, y menos prerrogativas de las que presumió el segundo en sus charlatanerías epistolares. Ahora bien, lo que nadie sabe es que las Rimas comenzaron a corregirse el 29 de diciembre de 1870, una semana justa después de la muerte de Gustavo, y tras haber revisado ya quince leyendas... De todos estos datos rigurosamente inéditos, y de otros que callo, tengo las pruebas autógrafas, que mostraré en su momento.»

Es verdad que en sus cartas a Eduardo de la Barra (1889-1890), Narciso Campillo no habla, de paso, más que de sus propias correcciones de las Rimas y sólo pronuncia una vez el nombre de Ferrán, para indicar a su correspondiente que el autor de La Soledad murió en un manicomio. Esto no se ajusta con la declaración pública de Correa.

Es curioso que el nombre de Correa, cuyo papel determinante reconoce Campillo sin menoscabar el de Casado del Alisal, no figure ni en la comisión para la publicación de las Obras ni en la lista de los donadores. Dadas su generosidad y su veneración por la memoria de Bécquer explico estos hechos por una gran modestia de su parte.

Nombela no participó en los trabajos de preparación de las Obras pero fue uno de los donantes. Creo que no deseaba trabajar con su primo político Ferrán; además, sus tendencias políticas y sus opciones de sociedad (conservadoras) distaban mucho de las de Rodríguez Correa y de Campillo. Hizo mención de la muerte de los hermanos Bécquer en sus «Revistas españolas» del Correo de Ultramar (París), pero no les dedicó en esa época nada que se pareciese a un estudio o a un testimonio personal. He aquí dichas informaciones:

— Revista fechada el 1 de marzo del 1871 (núm. 947): «El invierno ha sido cruel... y todas las clases de la sociedad han experimentado dolorosas pérdidas... Un escritor muy estimado, don Juan Rico Amat, falleció también, y a esta lista hay que añadir los nombres de los hermanos Bécquer, Valeriano y Gustavo, pintor aquél, escritor éste, los dos muy distinguidos y cuya muerte ha sido en extremo llorada...»

— Revista fechada el 30 de noviembre de 1871 (núm. 988): «Se ha creado en Madrid una asociación de socorros mutuos entre artistas y escritores... Buena falta hace que los escritores y artistas se socorran. Los dos hermanos Bécquer murieron hace poco: Valeriano era un gran pintor; Gustavo un gran poeta. El primero dejó dos hijos; tres el segundo; y estos pobres huérfanos viven de la caridad de amigos de sus padres.»

Ferrán pudo favorecer la elección del impresor Fortanet, excelente, para editar las *Obras*. Fortanet había impreso ya *La Soledad* (1861); realizó también *La Pereza* (1871) en cuanto las *Obras* de Bécquer hubieron salido de su taller.

Es ahora preciso examinar cómo Ferrán y Campillo escogieron y trataron los textos de Bécquer de que pudieron disponer. La distinción entre prosa y poesía se impone, porque la primera se había impreso ya durante la vida del autor, mientras que la segunda no se había publicado sino muy parcialmente.

LA PROSA

Para buscar lo publicado en *El Contemporáneo* y otros periódicos, Ferrán y Campillo fueron guiados por Rodríguez Correa, quien era la única persona que tuviese un conocimiento extenso de la producción becqueriana desde 1857. Utilizaron además dos manuscritos que contenían inéditos: el registro del «Libro de los gorriones» y el cuadernito que llamo de Buenos Aires en el que encontraron los «Pensamientos», una versión de «Lejos y entre los árboles» y la lista de los grabados de Valeriano comentados por su hermano. Tuvieron también en mano el manuscrito de la lista de los proyectos de Bécquer, anterior a mediados de julio de 1862, de que hablé a propósito de *El Cristo de la calavera*; en su prólogo, Rodríguez Correa dedica a este documento varias páginas, queriendo ver en él, de modo bastante atrevido, la prueba de las grandes promesas que había aniquilado la muerte.

El tratamiento de los manuscritos

Del registro que contenía el «Libro de los gorriones» se extrajeron los textos «Introducción sinfónica», que se colocó al principio del tomo I a manera de introducción general —esto de modo bastante engañador, pues se había escrito éste como prólogo para obras futuras que, salvo *Las hojas secas*, no salieron a la luz— y «La mujer de piedra», hermosa divagación no acabada, que se puso al final del tomo II.

Con el título de «Introducción», el texto de «Introducción sinfónica» se publicó con escasas y poco notables enmiendas. Las modificaciones que afectan a «La mujer de piedra» son más importantes: el texto del «Libro de los gorriones» lleva correcciones bastante numerosas de las que es difícil decir si son de Bécquer o de uno de sus amigos, pero el texto impreso contiene además otras modificaciones debidas a los primeros editores. Hasta nuestros días se ha reproducido el texto de la edición de Fortanet. En lo sucesivo sería conveniente reproducir el texto del manuscrito, al que se tiene fácil acceso gracias a la edición facsímil realizada en 1971 por el Ministerio de Educación y Ciencia (bibliografía, núm. 8).

Del cuadernito de Buenos Aires, los editores sacaron «Pensamientos». No sé si los modificaron. Pienso que Ferrán se llevó el documento a Chile, donde lo dejó.

No existe otra prosa inédita en las *Obras* de 1871.

La selección y el tratamiento de los textos ya publicados

Correa, Ferrán y Campillo seleccionaron en *El Contemporáneo* las variedades que contenían relatos: leyendas (once, si se incluye en ellas «La creación») y narraciones contemporáneas *(Tres fechas, El aderezo de esmeraldas, La venta de los gatos, ¡Es raro!)*. Recogieron asimismo *Un drama*. Con mayor audacia incorporaron *La pereza* y *Las perlas* así como dos de los tres trozos de *Historia de los templos de España* publicados por el diario, a saber «Recuerdos de un viaje artístico» (sobre Santa Leocadia) y «La arquitectura árabe en Toledo.»

De modo extraño, fueron olvidadas o apartadas las *Cartas literarias a una mujer*, tan ligadas sin embargo a las *Rimas*. Los hermosos textos relativos a San Juan de los Reyes desaparecieron así totalmente ya que tampoco se guardó el extracto de *Historia de los templos de España* reproducido en *El Contemporáneo*. Las *Cartas literarias* se insertaron en la segunda edición (1877).

Es probable que Correa juzgase más conveniente no llamar la atención sobre los textos becquerianos de *El Contemporáneo* que contenían alusiones al combate vigorosamente sostenido contra los gobiernos de la Unión Liberal. Asimismo descartaría los textos que revelaban en la personalidad de Bécquer sea a un crítico firme e independiente (caso de *La Exposición de Bellas Artes de 1862),* sea a un humorista con tendencias satíricas (caso de *Los Campos Elíseos*, en materia musical, por ejemplo).

Estos rasgos de carácter no concordaban con la tierna imagen del poeta desgraciado y del inocente genio ahogado que había de predominar en una edición de beneficencia.

Las *Cartas desde mi celda* se insertaron en la primera parte del tomo II. Únicamente por estos textos pudieron conocer los lectores las ideas de Bécquer acerca de la defensa del patrimonio cultural español, pues nada de lo que se había publicado en *El Museo Universal* y en *La Ilustración de Madrid* entre 1865 y la muerte del autor pasó a la primera edición (y muy poco a las ulteriores, hasta 1923). Ello puede explicarse por el deseo de reservar para una obra ilustrada con los dibujos de Valeriano los textos de Gustavo Adolfo relativos a éstos; los grabados quedan hoy como excelentes complementos del artículo y su presencia resulta muchas veces útil para la perfecta inteligencia del texto.

Se incorporaron las cuatro hermosas leyendas publicadas en *La América (El gnomo, La promesa, La corza blanca, El beso).* Correa se acordó también de *El caudillo de las manos rojas*, publicado en el diario *La Crónica*, pero que se reprodujo en las *Obras* con un involuntario corte (ver página 219), así como de la primera leyenda histórica fantástica, *La cruz del diablo* publicada en *La Crónica de Ambos Mundos.*

Por fin, tal vez sobre indicación de Francisco de Laiglesia y con el acuerdo del director del *Almanaque literario de la Biblioteca ilustrada de Gaspar y Roig para el año 1871,* se colocó al final del tomo II, precediendo al texto de *La mujer de piedra,* la última obra en prosa de Gustavo Adolfo, *Las hojas secas.*

Ferrán y Campillo introdujeron algunas correcciones de forma en todos esos textos ya publicados. Por lo general son poco numerosas y de reducidísimo alcance, como puede comprobarse al recorrer las notas que figuran en la edición de *Leyendas, apólogos y otros relatos* realizada por Rubén Benítez (bibliografía, núm. 10).

LAS RIMAS

Aunque los amigos de Bécquer dispusieron con mucha probabilidad de manuscritos como los de «Lejos y entre los árboles» y «Es un sueño la vida» que Ferrán remitió a Eduardo de Lustonó para que los publicase en *La Correspondencia Literaria* (16 de marzo de 1872), no pusieron al final del tomo II de las *Obras,* lugar conforme a los usos, más que las *rimas* del «Libro de los gorriones», suprimiendo sin embargo tres de ellas, corrigiendo la mayor parte de las demás y clasificándolas según un orden imaginado por ellos.

La primera de las rimas que los primeros editores prefirieron no publicar es la número 44 de la colección (al pie de la pág. 569 del registro); se trata del cuarteto, sencillísimo, asonantado *i-o,* que empieza con el verso «Dices que tienes corazón y sólo.» Su violencia acusadora, ultraheineana, se apartaba demasiado del lenitivo retrato que se quería dar del poeta. Además, Correa y Ferrán, dos testigos perfectamente callados, conocían bien la historia de la vida afectiva de Gustavo Adolfo; no quisieron que se ofendiese ninguna previsible lectora.

La segunda rima suprimida fue la seguidilla «Fingiendo realidades» (núm. 48, pág. 572). Ya se sabía desde Chamfort *(Máximas y pensamientos,* en las *Obras completas* publicadas en 1824-1825) que «la esperanza no es sino un embaidor que nos engaña sin cesar». Lamartine, Hugo y sobre todo Musset lo dijeron a su vez. La esperanza es, sin embargo, una de las tres virtudes teologales; acompaña a la fe y a la caridad. Los editores prefirieron excluir de la colección esta expresión demasiado cruda de la sensibilidad romántica que aparece, con más suavidad y sin referencia equívoca desde el punto de vista religioso, en la rima LXXII, «Las ondas tienen vaga armonía».

La tercera rima no publicada, «Una mujer me ha envenenado el alma / otra mujer me ha envenenado el cuerpo», muy atrevida en su melancolía, fue tachada con una cruz de San Andrés en la colección (núm. 55, página 575). Es difícil averiguar si esta cruz fue aplicada por Bécquer o por sus amigos. Se comprende en todo caso que, a pesar de su valor artístico esta rima fuera descartada de la edición caritativa de 1871 y quedara ignorada hasta 1901, cuando, poco después de la muerte de Campillo, Eduardo de Lustonó la dio a conocer. Parece que hayan circulado una o dos versiones autógrafas ligeramente diferentes de la del «Libro de los gorriones». Este texto deja suponer que, en cierta época (1858-1860 me parece lo más probable), Gustavo Adolfo padecería de una enfermedad venérea de la que se curó, pero no excluyo de que se trate de un mero ejercicio de arte.

Pasemos a examinar las modificaciones que sufrió el texto inicial de la colección de las *Rimas* copiada en el registro. Se dividen en tres categorías:

— Las que figuran en el manuscrito y son de la misma tinta que la de la redacción inicial (éstas son indudablemente de Bécquer).
— Las que figuran en el manuscrito y son de una tinta diferente, más oscura, que la de la redacción inicial.
— Las que no figuran en el manuscrito pero aparecen al comparar el texto de éste con el texto de la edición (éstas se deben seguramente a Ferrán o Campillo).

Sólo las correcciones de la segunda categoría plantean un problema de origen, que juzgo sin embargo de poca importancia porque, de modo general, ni la forma ni el sentido de los poemas se han alterado profundamente. Hasta una época reciente, el público de lengua española ha conocido las *Rimas* en una versión parcialmente aderezada pero de ningún modo infiel.

He examinado en mi estudio de las *Rimas* (C.S.I.C., 1972) cada una de las correcciones litigiosas hechas en el manuscrito del registro. Su aspecto está cercano de la letra de Bécquer, más puntiaguda y más apretada que la de los manuscritos poéticos y de las cartas, que se encuentra en la redacción de *La mujer de piedra*. Este aspecto no difiere tampoco notablemente del de la letra de Campillo. Mi conclusión fue (pág. 26): «Algunas correciones son seguramente de Bécquer y ningún hecho ni ningún razonamiento se opone a que todas ellas le sean atribuidas, excepto las que sólo aparecen en el texto de las ediciones; estas últimas son debidas, con toda seguridad, a Narciso Campillo.» Añadiré solamente hoy «o a Augusto Ferrán». He de señalar además que don Enrique de Toral, propietario de un manuscrito de la rima LXXIII («Cerraron sus ojos») que su abuelo Carlos Peñaranda había recibido de Campillo, me ha indicado hacia 1975 en la posdata de una carta: «Creo que fue Narciso Campillo el corrector de las Rimas, entre otras cosas porque lo he oído en mi casa. *Campillo no varió mucho de letra,* por raro que parezca.»

Se han más o menos criticado las correciones que hacen que el texto corriente de las *Rimas* sea en alguna medida, moderada por cierto, una obra colectiva, de igual modo que su espíritu refleja y concentra el de una época. Franz Schneider, quien reexaminó el primero el «Libro de los gorriones», opinaba que las correcciones de tinta oscura del manuscrito tenían un dejo mercantil («bussines like way», dice; *Modern Philology,* 1922) y procedían de las personas que habían tomado el trabajo de edición a su cargo. En 1929, Jesús Domínguez Bordona afirmó en la *Revista de Filología Española* su certidumbre de que dichas correcciones eran obra de Campillo como escritas de su mano. Varios críticos, fundándose en consideraciones estilísticas, han explicado que algunas de estas enmiendas les parecen reflejar de modo criticable las preocupaciones de corrección académica de Campillo; piensan así don Gerardo Diego («Bécquer restaurado», *La Nación,* Buenos Aires, 25 de abril de 1943) y don Antonio Alatorre («Clásicos castellanos», Espasa Calpe, 1963); José Pedro Díaz (1970: ver bibliografía, núm. 16). En su edición de las Rimas opina por su parte que *sólo las variantes de la edición* presentan el carácter de «correcciones académicas y exteriores».

Los textos más puros, aquellos en que debe fundarse el estudio, me parecen ser, primeros, los que publicó el propio Bécquer, y segundos, los del registro del «Libro de los gorriones» en la redacción espontánea de 1869, es decir eliminando las correcciones de tinta oscura. Pero ¿quién sabe si no se descubrirá algún día el manuscrito de 1868?

Los poemas reunidos en el registro no tenían ningún orden porque Bécquer no destinaba este manuscrito a la impresión. Sus amigos procuraron agruparlos según un orden atractivo para el lector; lograron introducir en la colección una suerte de hilo novelesco semejante al de *Intermezzo lírico* de Heine, libro en que ocupaban un importante sitio el fracaso amoroso y el sueño. Colocaron al principio del conjunto algunos de los poemas en que predominaban la reflexión sobre el arte y la poesía (rimas I a IX); se reunieron luego los que les parecieron corresponder a la exaltación del amor (rimas X a XXIX) pero incluyeron en esta parte un poema de la ruptura, la rima XXVI («Voy contra mi interés al confesarlo»); siguieron los poemas de la incomprensión, de la separación y de la desesperación amorosa (rimas XXX a LIV); colocaron al final de la colección los poemas que expresaban la melancolía, la nostalgia, el desencanto, el pensamiento de la muerte. Las *Rimas* son todas expresión de un ensueño; pero algunas obras de esta última parte resultan más características aún a este respecto, tales como las rimas LXX («¡Cuántas veces al pie de las musgosas paredes / que la guardan...!») y LXXI («No dormía; vagaba en ese limbo»), ligada ésta con la LV («Entre el discorde estruendo de la orgía »); la rima LIX («Yo sé cuál el objeto») podía colocarse en esta última parte en consideración de la melancolía que la baña, pero su tonalidad cariñosa permitía también incluirla en la segunda parte; los amigos de Bécquer hicieron una excelente elección al cerrar el libro con las hermosas imágenes sobre el arte y la muerte que dan su encanto a la rima «En la imponente nave / del templo bizantino».

Todo esto resulta tan feliz que el orden tradicional merece ser conservado; pero debe subrayarse que es artificial y que ha contribuido mucho, por el gran número de los poemas de acento íntimo, a hacer de Bécquer un héroe novelesco, víctima de la incomprensión de una mujer y de una sociedad, lo que el poeta fue muy poco en la realidad.

Cada lector queda libre de recomponer a su gusto la obra poética de Bécquer, integrando en ella las rimas suprimidas y las rimas que no figuran en la colección del «Libro de los gorriones.» Rafael de Balbín y Antonio Roldán han elegido las divisiones siguientes en su edición *Rimas y Prosas* de la casa Rialp (1968): I. «Introducción» (el hermoso texto apócrifo de Fernando Iglesias Figueroa, «Para que los leas con tus ojos grises», y la rima I, «Yo sé un himno gigante y extraño»); II. «Poética»; III. «El amor alegre»; IV. «El dolor»; V. «Amargura»; VI. «Soledad»; VII. «Melancolía»; VIII. «Amor lejano»; IX. «Amor ideal»; X. «La trascendencia.»

82.3. *La puesta a la venta*

Los dos tomos de las *Obras* se ofrecieron al público por el precio de 28 reales a finales del mes de julio de 1871. En esta circunstancia se distinguió de nuevo por su fidelidad a la memoria de los hermanos Bécquer el equipo de *Gil Blas* (Luis Rivera, Manuel del Palacio). Se lee en un comunicado incitativo del 30 de julio de 1871: «He visto ya impresos los dos tomos de las obra literarias de Gustavo Becker (sic). La edición es linda, como salida de casa de Fortanet; el texto es bello; el precio no excesivo; el producto de la venta se destina a la familia del exquisito artista. ¿Se venderá? ¿Pasaremos por la vergüenza de no agotar en breve la edición? *Gil Blas* compra desde luego un ejemplar para cada uno de sus redactores. Si toda la prensa hace otro tanto, habrá hecho un gran bien con leve esfuerzo.»

En 1890, Campillo describirá como sigue la acción del equipo editorial dirigido por Casado: «Agitamos la prensa, mandamos ejemplares a América y dimos a conocer al que pocos días antes de morir sólo conocían sus amigos.» Un testimonio de la propaganda que hizo Campillo a favor de las *Obras* nos ha sido conservado por una carta que mandó el 5 de agosto de 1871 a Gumersindo Laverde y que conocemos gracias a don Daniel Pineda Povo. He aquí la parte del texto que trata de las *Obras:* «Costeada la impresión por los amigos, hemos publicado en dos hermosos tomos las obras en verso y prosa de Gustavo Adolfo Bécquer, muerto en diciembre de 1870. Al hacerlo nos propusimos el doble objeto de que no perecieran esas joyas literarias y buscar un pedazo de pan a su viuda y tres hijos pequeños, cuya situación puedes figurarte al saber que enterramos al padre de limosna. Esto es decirte que desenvaines 14 reales, o sea 28 id, valor de los tomos, y harás una buena obra. Es de advertir que los libros valen ese dinero sobradamente, de modo que ni en lo mas mínimo te perjudicas. Si así fuera no te diría palabra.»

De la campaña de Rodríguez Correa para la difusión de la obra de Bécquer tenemos a lo menos un testimonio representado por las tres primeras estrofas de «Cerraron sus ojos» que puso en el texto de su novela *Rosas y perros,* acompañándolos con aquella nota que figura en el tomo XXIV, pág. 445, de *Revista de España* (febrero de 1872): «Los excelentes escritos de este malogrado escritor (G. A. Bécquer), impresos en buen papel y tipos claros, se venden en las principales librerías a 14 rs tomo, constando de dos toda la obra.»

Según testimonio de Eusebio Blasco, Eulogio Florentino Sanz desempeñó un notable papel en la difusión de las *Rimas* después de la publicación de las *Obras,* recitándolas en todas circunstancias en el Casino de Madrid donde se pasaba gran parte del tiempo *(Mis contemporáneos,* pág. 66).

En todo esto se percibe el ligero temor de una insuficiente venta debido al hecho de que Gustavo Adolfo había escrito mucho en el anónimo (sobre todo cuando colaboraba en *El Contemporáneo)* y no había publicado más que un corto número de poemas. Se afirmó sin embargo muy pronto la notoriedad de Bécquer. Cuando, al final de 1877, la edición que se considera hoy como segunda, aumentada de las *Cartas literarias a una mujer* y del comentario de *La Soledad,* fue realizada por Fernando Fe, Rodríguez Correa pudo escribir en su prólogo aditivo titulado «Al lector»: «La primera edición, que editó la caridad, agotóse hace años; la segunda y tercera tuvieron igual suerte; el que murió oscuro y pobre es ya gloria de su patria y admiración de otros países, pues apenas hay lengua culta donde no se hayan traducido sus poesías o su prosa.»

Se observa que tanto en el comunicado de *Gil Blas* como en la carta de Campillo ya no se alude a Valeriano Bécquer y a sus hijos. Estaba entonces abandonado el proyecto de publicar sus dibujos grabados acompañados de los comentarios de Gustavo Adolfo; Rodríguez Correa y Campillo no lo reanimaron nunca; tal vez surgiera en Sevilla alguna dificultad de parte de la familia Bécquer.

El producto de la colecta y la venta se mandaría a Casta, quien se había retirado a Noviercas desde ya el mes de enero de 1871.

83. El nacimiento del ser de ensueño. El prólogo de Rodríguez Correa y la primera acogida de las *Obras*

Las treinta y cuatro páginas de prólogo que Rodríguez Correa puso al frente de las *Obras* son importantes porque, durante cuarenta años, es decir hasta que Nombela publicó sus memorias, fueron la fuente casi única de las informaciones de los historiadores de la literatura y de los aficionados, tanto españoles como extranjeros, sobre Bécquer.

Nos falta, según mis informaciones, una monografía sobre Ramón Rodríguez Correa (27 de agosto de 1835-19 de mayo de 1894) y es lástima, porque se trata de una personalidad cautivadora. Tengo la impresión que estuvo siempre cercano al banquero José de Salamanca que favoreció la creación de *El Contemporáneo,* costeó *Las Noticias,* aseguró la situación financiera de Correa después de la revolución de 1868 y utilizó sus aptitudes para la gestión económica, atestiguadas por el papel que desempeñó en la reorganización de la Caja de Depósitos en 1874.

Cuatro rasgos dominan en el retrato moral que puede hacerse de Correa: aguda inteligencia, indolencia, suma bondad y devoción para salvar del olvido los genios o talentos víctimas de circunstancias contrarias.

Inteligencia e indolencia. He aquí lo que dice sobre estos puntos María Letizia de Rute (señora Rattazzi) en *Les matinées espagnoles,* su revista parisina (tomo I de 1886, pág. 67): «Il y a dix ans, dans un díner, j'avais á ma gauche Correa et á ma droite le regretté Esteban Collantes, un des hommes les plus sympathiques et un des plus fins causeurs que j'aie connus, que j'eus le plaisir de réunir un autre jour avec ses accusateurs au Sénát

Muy Sr. nuestro: el insigne Poeta, orgullo de Sevilla, su cuna, y de España, su patria; Gustavo Adolfo Becquer, murió en la flor de su vida y de su genio, para luto perpetuo de las musas y desolación y desvalimiento de la honrada viuda y de los hijos que dejó en el mundo sin su apoyo. Su nombre ha llegado en breve tiempo á ser una gloria nacional, y, sin embargo, pocos conocieron al hombre que tanto merece universal aplauso.

Creemos, pues, cumplir el doble deber de honrar al muerto y de auxiliar á su familia, reproduciendo fotográficamente un fiel retrato de aquel y entregando á esta los productos de la edición del mismo.

Entre las personas que rinden culto á las bellas letras, V. es una de las mas propicias, y, en tal concepto, le rogamos que se sirva aceptar el ejemplar adjunto, coadyuvando así al buen propósito que nos anima y recibiendo por ello la expresión de nuestra gratitud mas respetuosa.

Somos de V. con toda consideración, at.^{mos} y seg.^{ros} serv.^{res} Q. B. S. M.

Tomás Rod.ª Rubí   José Zorrilla

Manuel de los Santos Alvarez   Pedro Ant.º de Alarcon

Madrid   de Marzo de 1878.   Ant.º F. Grilo

José Salvador

Nota: Cada ejemplar vale 50 rs. El repartidor lleva el recibo de su importe y pasará á cobrarlo cuando V. se sirva designarlo.

Circular del 31 de marzo de 1878 en la que los amigos del poeta solicitan ayuda económica para su familia

dans mon salon de l'hotel de Paris. Esteban Collantes me dit tout bas: *"Vous avez á coté de vous un des hommes les plus intelligents de notre pays." Correa est, en effet, trés intelligent, mais sa paresse égale son intelligence. Sans elle, il serait un des premiers parmi les premiers.»*

(«Hace diez años, en una cena, tenía a mi izquierda a Correa y a mi derecha al llorado Esteban Collantes, uno de los hombres más simpáticos y uno de los más amenos conversadores que encontré en mi vida, y a quien tuve el gusto de reunir otro día con sus acusadores del Senado en mi salón del hotel de París. Esteban Collantes me dijo en voz baja: "Usted tiene a su lado uno de los hombres más inteligentes de nuestro país." En efecto, Correa es muy inteligente, pero su pereza iguala su inteligencia. Sin ella, sería uno de los primeros entre los primeros.»)

Suma bondad. Toda su obra lo demuestra, especialmente *Rosas y perros*. Era un hombre de una sensibilidad y una compasión excepcionales que le han inclinado a buscar las mismas cualidades en Bécquer, cuya personalidad era sin embargo más compleja y sin duda más varonil; no le ha gustado fijarse en el estoicismo un poco misantrópico y fatalista, en el humorismo a veces revoltoso y mordaz, en el sentido artístico del orden que forman parte de la personalidad de Gustavo Adolfo. Cierto desengaño se expresa en los escritos literarios de Correa, nunca la ironía o la agresividad (a diferencia, sin duda, de su abundante poesía satírico-política en la prensa política de los años 1860).

Indiqué más arriba que la campaña que llevó Correa para salvar la obra de Bécquer no es, de su parte, un hecho aislado. En 1873, en la *Revista de España*, quiso entretener el recuerdo de García Luna publicando el texto «El Monasterio de Piedra». Investigaciones biográficas revelarían sin duda otros actos de esta índole que le honran.

El prólogo de Rodríguez Correa a las *Obras* abarca las partes siguientes:

1. Una introducción relativa a las circunstancias de la publicación (iniciativa, suscripción, realizadores).
2. Un compendio de la vida del poeta.
3. Un examen de la originalidad de su obra.
4. Una historia de la poesía española considerada más especialmente desde el punto de vista de la expresión subjetiva.
5. Una breve presentación de la colección de las *Rimas* de las que dice «forman como el *Intermezzo* de Heine, un poema más ancho y complejo que aquél, en que se encierra la vida de un poeta» (pág. 37 del tomo I de la 8.ª edición, 1915).
6. Algunas líneas de despedida.

Rodríguez Correa da pocas precisiones sobre la vida de Gustavo Adolfo aunque la conoce perfectamente. Se lee en las últimas líneas: «Tal fue

Gustavo A. Bécquer, como hombre y como poeta, en lo que puede apreciar el público.» No entrega aquí ninguna confidencia sobre la vida sentimental de su amigo, que el público no tiene que conocer, y no lo hará nunca; fue la discreción personificada.

Correa deforma la verdad al escribir: «Pobre de fortuna y pobre de vida, ni la suerte le brindó nunca un momento de tranquilo bienestar, ni su propia materia la vigorosa energía de la salud» (pág. 9). No fue joven sin energía él que se alejó de Sevilla en 1854 y, más de una vez, su autoridad y su alegría se manifestaron en su conducta y sus escritos a pesar de frecuentes flaquezas de salud a partir de 1858. En cambio, la delicada firmeza de Bécquer y su rigor de artista quedan bien pintados en aquel conmovedor pasaje del prólogo: «Paréceme al escribir (este prólogo) que estoy hablando con algo suyo; que al estampar cada frase en su alabanza, su infantil modestia se subleva, y que a cada error de estilo o grosería de lenguaje míos, sus nervios artísticos se crispan y su voz cariñosa me riñe, como otras veces, por mis innumerables descuidos y mi prisa en entregarme a la pereza» (pág. 20).

Correa despista al lector cuando omite decirle que la ordenación de las *Rimas* no es obra de Bécquer sino de sus amigos. Aunque, según Correa, las *Rimas* narren la historia de un poeta anónimo, el lector se imagina fácilmente que se trata de la del autor, sobre todo cuando lee aquella frase final: «¡Ojalá seas eterno, libro que compendias la vida de mi pobre amigo!» (pág. 41).

Las *Rimas* ocupan en el prólogo un espacio desproporcionado con su volumen en las *Obras*. Aunque su análisis quede poco claro, Correa se ha dado cuenta de que las *Rimas* representan la confluencia de una liberación afectiva (romanticismo y corriente heineana), del arte de la escuela sevillana y de la sencillez del canto popular. Esta exacta comprensión se expresa tanto en lo que se dice de la manera propia de Gustavo Adolfo como en la historia de la poesía subjetiva que refiere el prologuista. Pasando esta historia en revista, manifiesta Rodríguez Correa su simpatía por el romanticismo, definido como «la libertad de pensamiento en artes» (pág. 34), y declara varias veces que el autoritarismo religioso ha dañado, en España, al desenvolvimiento de la imaginación y al ahondamiento psicológico. Sólo citaré aquí dos frases entre las más características:

— «Al mismo tiempo que las Américas se descubrían, la Inquisición, oponiéndose a la reforma y consiguiendo brillantemente alejarla de España, comenzó a pesar sobre todas las inteligencias, y sin su permiso, ni podía la fantasía crear, ni inquirir el alma humana» (pág. 32).
— «Imperó la teocracia, y un idiota fue su última víctima y su ejemplar producto. No llegó a España la libertad de pensamiento; pero sí, con el nieto de Luis XIV, el principio de autoridad literario, y

Moratín reglamentó de nuevo el arte, severamente conservado por la escuela sevillana» (pág. 35).

Colúmbrase en esta última observación la poca simpatía de Correa para con la academia sevillana y los primeros maestros de Bécquer. Sólo Rioja, que era también el poeta preferido de Gustavo Adolfo entre los grandes modelos sevillanos del Siglo de Oro, merece de su parte un párrafo entusiástico porque, apunta Correa, «abre su alma a la verdad».
En estos dos planos:

— Denuncia de la influencia de la religión sobre la actividad intelectual («No creo tanto en la influencia de las razas como en la de las religiones, que generando las costumbres, preparan una política, una literatura, un arte general dados, los cuales llegan a ser medios en que se desarrollan fatalmente las inteligencias»).
— Rechazo del clasicismo sevillano.

debe considerarse el prólogo de Correa como una obra militante y personal. Esta confluencia ideológica no se encuentra ni en Campillo, fiel a los gustos de sus primeros maestros literarios, ni en Bécquer, más bien tradicionalistas aunque importa subrayar aquí que éste compartía la antipatía de Correa por gran parte de las escuelas artísticas del Renacimiento, del clasicismo y del neoclasicismo: a los ojos de ambos hombres, la espontaneidad española había sufrido un eclipse entre el final del siglo XV y los años 1830.

Se comprende que el prólogo de Correa incitara a críticos más conservadores a leer las *Obras* con particular vigilancia en el plano religioso. Sin verdadero fundamento. Tuvo Bécquer sus momentos de desilusión y descorazonamiento pero no puso nunca seriamente en tela de juicio la fe que le había inculcado su madre y la sociedad sevillana que le rodeaba, hermanándose esto con la independencia de su carácter.

Emotivo y tierno, Rodríguez Correa comprendió bien el espíritu de la obra de su compañero de camino, especialmente la delicada unión en ella de lo soñado con lo percibido: «En el fondo de sus escritos hay lo que podría llamarse *realismo ideal*, único realismo posible en artes, si no han de ser mera imitación de la naturaleza o anacronismo literario y han de llevar el sello de algo creado por el artista» (pág. 25).

«Sorprende a veces su semejanza con ciertos autores alemanes, a quienes no había leído hasta hace muy poco», dice Correa a continuación, lo que extraña de parte de un comentarista que no tendría mucha familiaridad con la literatura alemana. Pienso que los pareceres de Ferrán y de Sanz influyeron mucho en tal opinión. En varios pasajes defiende

Correa la originalidad de Bécquer respecto de las influencias germánicas
que se ejercieron sobre la posía española de los años 1856-1870, pero hubiera sido mejor su defensa si señalara el papel de intermediario desempeñado por E. F. Sanz y por Ferrán; el examen de los originales y de las adap-
taciones pone de manifiesto el dominio con que estas aportaciones fueron
asimiladas por Bécquer.

Apunta con exactitud pero de manera difusa todos los caracteres que
había de hacer de las *Rimas* un libro ejemplar, revelador de nuevos aspectos de la sensibilidad española:

— Rehabilitación de la sentimentalidad común, realismo afectivo en
  poesía: «No finge nunca, dándole proporciones estéticas que al pronto la hacen parecer grande, una pasión exagerada; atento siempre
  a la verdad dentro del arte, habla según siente, y teniendo el don
  de sentir lo que impresiona a la colectividad, don tan sólo concedido al genio, apodérase de todos los corazones...» (pág. 29).
— Extensión de la franja de lo meramente sugerido: «... como los pocos
  que en las letras se distinguen por su originalidad y verdadero
  mérito, antes que escritor es artista, y por esto siente lo que dice
  mucho más de lo que expresa sabiendo hacerlo sentir a los demás»
  (pág. 37).
— Economía de los medios musicales (aunque Correa no haya tal vez
  percibido toda la sutileza, el rigor y la variedad del arte de Bécquer
  en este campo): «Las rimas de Gustavo, en que a propósito parece
  huir de la ilusión del consonante y del metro, para no herir el ánimo
  del lector más que con la importancia de la idea, son, a mi ver, de
  un valor inapreciable en nuestra literatura» (pág. 37).

Debió de participar Rodríguez Correa en la elección de la rima LXXVI
(«En la imponente nave») para cerrar la colección de las *Rimas* y de las
Obras porque declara: «... me parece esta composición una de las más perfectas en castellano, no sólo por su vaguedad, misterio y dificultad de precisar claramente, sino por lo correcto y acabado de la forma» (pág. 41).
Este sentimiento era también el de José de Castro y Serrano, quien consagró a los hermanos Bécquer, en el capítulo IV de la parte «El panteón de
las artes», seis páginas de su libro *Cuadros contemporáneos,* salido de la
imprenta de Fortanet poco después de las *Obras.* Habiendo hecho el elogio del prólogo de Correa, escribe (pág. 260): «Gustavo Bécquer murió,
como dicen que muere la palmera, cuando ha muerto la otra. Él, que no
creía en la muerte, nos engañaba a todos, pues sus obras descubren hoy que
el pensamiento del no ser, ocupaba constantemente la existencia del pensador. ¡Qué bien canta en sus Rimas la Muerta de Piedra! ¡Con qué fervor

cristiano nos dibuja el campesino muerto en El cementerio de la Aldea! ¡Con qué potente imaginación y fuerza de colorido traza Las tumbas de los guerreros en los claustros y naves de nuestras basílicas! Y, sobre todo, ¡cómo describe su propia tumba!

Busque el lector esas páginas; adquiéralas para encanto propio y consuelo indirecto de unos niños sin padres, y en ellas encontrará el digno cementerio que aquí no halla; las bellas tumbas que podían cobijar honrosamente a cuantos, como genios perdidos, lloramos y enaltecemos en esta triste visita.»

Las reacciones de la prensa cuando salieron las *Obras* decepcionaron a Rodríguez Correa. En el prólogo que escribió para la colección de cuadros de costumbres de Pedro Antonio de Alarcón titulada *Cosas que fueron* (1871) se leen las siguientes líneas: «No ha mucho se publicaron las excelentes obras del malogrado Bécquer. Leed las colecciones de los periódicos. Pocas plumas se han deslizado sobre el papel en su alabanza o censura, y aquel conjunto de sublimes creaciones o delicadísimos detalles pasa inadvertido ante la grosera mirada del vulgo. ¿Qué escritos ha acogido los admirables poemas de Campoamor? ¿Cuáles las poesías del autor de este libro? Algún saludo amigable, apoyo más bien a la especulación industrial que reflejo de atención literaria, es todo el triunfo que puede prometerse el autor del mejor libro en estos prosaicos días.» Correa me parece aquí dejarse llevar, y desviar, por su humor melancólico porque ni Campoamor (con prólogos de Ruiz Aguilera y de Laverde, el libro *Dolores y cantares* iba a alcanzar su 13.ª edición en 1875) ni Alarcón no tuvieron motivo para quejarse del público, especialmente en los salones madrileños. En cuanto a las *Obras* de Bécquer, puede estimarse que no recibieron de parte de la prensa toda la atención deseable; sin embargo, las leyeron y comentaron detenidamente algunos críticos próximos a Correa y a *La Ilustración de Madrid*.

Los comentarios que se han descubierto fueron todos publicados en noviembre de 1871.

Hallamos primero una reseña de Antonio Sánchez Pérez titulada «Gustavo A. Bécquer. Su libro» en el número del 5 de noviembre de Italvea.

Muy olvidado hoy, Sánchez Pérez es una de las figuras más simpáticas (con Castro y Serrano, y Sepúlveda) de la vida literaria española de la segunda mitad del siglo. Republicano federal, frecuentó la tertulia del Café Suizo (a la que asistía Bécquer por los años 1867-1968 y tal vez 1870, y a la que dedicó en octubre de 1894 el artículo «La hijuela del Parnasillo», publicado en *La España Moderna);* fue uno de los amigos de Manuel de la Revilla; después de 1874 vivió con su pluma y con su sueldo de catedrático de matemáticas. Estaba no sólo cercano al grupo de *Gil Blas* sino tambien a Rodríguez Correa a quien llamaba, como lo hacían todos los amigos, «Correíta».

Sánchez Pérez insiste largamente sobre el hecho de que, más que un acto de caridad, las *Obras* son el testimonio de la admiración que los íntimos y los amigos de Bécquer profesaban a su genio. Creo que Sánchez Pérez no se limita a pisar los talones de Correa sino expresa un sentimiento personal cuando escribe: «El libro de Bécquer es —así lo entiendo— un monumento de gloria para la literatura nacional.» Domina la tristeza en las estrofas de las rimas que cita; reproduce enteramente la rima del trastorno afectivo, la XLIII («Dejé la luz a un lado, y en el borde...»). Sólo se alude a las «penas» y «escasas alegrías» de Gustavo Adolfo. El proceso de reproducción del ambiente de desgracia e injusticia creado por Correa está iniciándose. Aparece otro estereotipo: Bécquer era el artista de las improvisaciones y «se cuidaba poco de la forma». Es un error; lo «natural» becqueriano es siempre fruto de una preparación mental; la forma de los poemas resulta tanto de estructuras rigorosas como de una voluntad constante de variación y experimenteción, si bien la costumbre de soñar, de buscar el efecto musical exacto y de cincelar el verso, contraída temprano, hacía que el propio artista fuera poco consciente de este trabajo.

Viene luego, el 13 de noviembre, un artículo firmado B. Pérez Galdós, «Las obras de Bécquer», en la rúbrica «Bibliografía» del diario *El Debate*. Galdós, quien colaboraba en esta época en *La Ilustración de Madrid*, escribe en la misma tonalidad que Correa, contribuyendo a difundir la imagen del poeta pobre cuyo genio quedó en la oscuridad. Como todos los lectores de esta primera época le impresiona la importancia de la muerte en sus *Obras* y propende a exagerarla. Se imagina una historia de la producción becqueriana caracterizada por una progresiva desencarnación o desmaterialización de la que cada una de las tres etapas hubiera quedado señalada por las *Leyendas*, las *Cartas desde mi celda* y las *Rimas*, según el orden adoptado por los primeros editores. Esto no corresponde a la realidad ya que las *Rimas* son obras del período 1856-1861. No obstante, tiene Galdós el mérito de hacer constar que el cambio de estilo poético coronado por las *Rimas* es el resultado de la evolución de la poesía española durante varios decenios. El artículo de Galdós refleja la creencia, general en esa época, de que la extensión (la que supone la novela, por ejemplo) es una condición del valor de una obra literaria. Estima el crítico que el genio de Bécquer era compatible con la creación de obras amplias, lo que me parece dudoso pues ciertos temperamentos sólo pueden acomodarse de la expresión discontinua y de alta densidad; creo que Gustavo Adolfo pertenecía a esta familia poética.

Fascinado como Sánchez Pérez por la «espontaneidad» becqueriana, Galdós no percibe claramente la destreza técnica ni el trabajo sobre las diversas tradiciones poéticas que cimentan las *Rimas*.

Como los editores de las *Obras*, Galdós aprecia particularmente el encanto de la rima LXXVI («En la imponente nave»): «De cualquier modo que se la considere, es una composición de rarísimo mérito, y una de las más bellas que se han escrito en lengua castellana.» Sus otras preferencias van a *Maese Pérez el organista,* relato en que ve cabalmente una «admirable música pintada» o «espectro del sonido», a *La creación* y a la tercera de las *Cartas desde mi celda,* carta de los sepulcros y de las tumbas.

El comentario de Galdós está escrito con una viveza, un encanto y unas novedades expresivas que prueban, más que todas las apreciaciones que encierra, el placer con que el crítico leyó el conjunto de las *Obras*. Dados estos méritos, la reseña publicada en *El Debate* debió de apoyar eficazmente la difusión de la primera edición de las *Obras*.

El tercer artículo importante acerca de las *Obras* es el que salió a la luz con el título «Las *Obras* de Bécquer» en la rúbrica «Noticias literarias» de la *Revista de España* (núm. 90, tomo 23, 28 de noviembre de 1871); Rodríguez Correa tenía responsabilidades en la redacción de esta revista. El artículo está firmado con la inicial «G.». No sé si esta «G.» designa a Galdós; las ideas expresadas son muy parecidas a las suyas, especialmente cuando se recalca la unión de la poesía y la muerte en la obra de Bécquer con el carácter ejemplar a este respecto de la rima LXXVI. La tendencia a la teorización es quizá más marcada en el caso de G. (y aquí puede pensarse en Giner de los Ríos); también se nota en la reseña un interés mayor por las relaciones entre las *Obras* y las artes plásticas, como lo hacen manifiesto las dos citas siguientes;

— «Como artista eminente y fascinado siempre por el plasticismo de cuanto le rodea, (Bécquer) es sensualista, y aun meditando acerca de la muerte y la eternidad, su musa no cesa de buscar con afán cierta voluptuosidad aun en el mismo reposo infinito.
— «Su estilo es principalmente colorista, y tan gráfico, que pinta siempre que narra y vivifica cuanto toca.»

Tal vez «G.» confunda aquí dibujo y pintura. La paleta de Gustavo Adolfo queda limitada y la utiliza con moderación. Los primeros comentaristas no se fijaron bastante en el aspecto luminista de su obra, que la hace más próxima al arte del dibujante-grabador que al del pintor.

El rasgo común al prólogo de Correa y a los comentarios citados que, es de reparar, proceden todos del campo pro revolucionario, tiene en parte por orígenes la selección que se había hecho de los textos y el orden en que habían sido presentados: se subraya la melancolía del artista delicado, vencido por el destino y por una sociedad ciega. Un ambiente de inocencia y de pasividad envuelve todos estos textos. Persistirá mucho tiempo y alimentará las imaginaciones. El verdadero Gustavo Adolfo Bécquer había sido mucho más complejo. Había tenido sus afectos y sus exigencias, sus dudas y sus certezas, sus resignaciones y sus voluntades, sus desórdenes y sus preocupaciones por el orden, sus perezas y sus entusiasmos creadores, sus felicidades y sus infortunios. Esta humanidad compleja es la que se aprecia hoy en su vida y en su obra.

84. La publicación de *La Pereza* (noviembre de 1871) y el recuerdo de Bécquer

Esta publicación es inseparable de la amistad que, desde 1860, unía a Augusto Ferrán con Bécquer y Rodríguez Correa.

El volumen abarcaba: 1.º, parte del comentario de Bécquer sobre *La Soledad,* publicado en *El Contemporáneo* el 20 de enero de 1861; 2.º, los cantares de *La Soledad* con diversas variantes y supresiones notadas por doña Manuela Cubero Sanz; 3.º, una nueva colección de extensión casi igual titulada *La Pereza.*

Precedían al conjunto esta dedicatoria a Ramón Rodríguez Correa: «Sin tu nombre y el de Gustavo en las primeras páginas me parecería incompleto este librito que te dedica tu compañero Augusto.» Y esta advertencia: «Hoy incluyo en esta nueva colección, bajo el título *La Pereza,* casi todos mis cantares antiguos, y al frente pongo, como introducción, una parte del juicio que, cuando apareció *La Soledad,* publicó en *El Contemporáneo* mi querido y malogrado compañero Gustavo Adolfo Bécquer.»

Difundida por esta vía, la crítica becqueriana de *La Soledad* fue utilizada por la prensa diaria cuando dio noticia de la salida de *La Pereza.* Por ejemplo, un comunicado de *La Correspondencia de España* del 9 de enero de 1872 dice: «El inspirado poeta don Augusto Ferrán ha publicado un precioso libro de cantares con el título de *La Pereza,* en el que el autor, asimilando por completo sus cantares a los del pueblo, ha logrado que en ellos haya un grito para cada dolor, una sonrisa para cada esperanza, una lágrima para cada desengaño, como del primer libro del señor Ferrán, dijo el malogrado Bécquer.»

Isidoro Fernández Flórez, que seguía redactando la rúbrica «Ecos» de *La Ilustración de Madrid,* consagró algunas líneas elogiosas a *La Pereza* en el número del 30 de noviembre. El mismo día, Nombela dio cuenta de *La Pereza* en *El Correo de Ultramar* (París). El contenido de los poemas de *La Pereza* no le gustaban mucho. Un pasaje del comentario deja adivinar la opinión desfavorable que Nombela tenía de la evolución de Ferrán entre 1860 y 1871: «... la idea materialista resalta más en la segunda parte del libro *(La Pereza)* que en la primera *(La Soledad)*... El vate ha caminado, en los diez años que median entre la publicación de uno y otro libro, de desilusión, sin duda, en desilusión, y aunque todas las bellezas que tiene la primera edición no le faltan a la segunda, resulta ésta menos de mi agrado por su esencia, por su espíritu.»

Tal tibieza está conforme con la distancia que guardó Nombela respecto del grupo que publicó las *Obras* de Bécquer.

La publicación de las *Obras* y de *La Pereza* de Ferrán marcan el verdadero fin del trío Bécquer-Ferrán-Rodríguez Correa. En ellas veo como las últimas señas que se hacen en las nieblas de los muelles y andenes de la separación.

Entonces empieza en la *Revista de España* la publicación de la novelita *Rosas y perros*. Durante algún tiempo permitirá a Rodríguez Correa, su autor, recordar los antiguos días en que había compartido con Bécquer oscuras tareas de escribiente en la Dirección de Bienes Nacionales.

II. «LA LUMINOSA ESTELA» (RIMA V)

Más aún que un maestro del arte literario había sido Gustavo Adolfo un gran artista de la oralidad. Su muerte dejó un doloroso silencio en el círculo de cuantos le oyeran. Francisco de Laiglesia seguía recordándolo cuando, en 1922, a los setenta y dos años, publicaba el álbum *Bécquer. Sus retratos*: «(Gustavo no daba) importancia a lo que había dicho, seguro de que sería igual lo que se le ocurriría mañana. Esta sucesión de fantasías infinitas, esta repetición de pensamientos pintorescos y profundos, esta perpetua variedad de acontecimientos imaginados para desenvolver una tesis interesante, estas chispas luminosas de una imaginación fecunda, constituyeron ese ser superior que conocimos unos cuantos y a que se refirió Correa al encabezar sus obras, y que dista mucho del escritor y del poeta que leemos todos.»

El arte del silencio, que forma uno de los secretos encantos de las obras de Bécquer, y la prematura muerte del poeta explican en gran parte la intensidad de lo que llamaré su vida póstuma en el mundo hispánico y en el ánimo de cuantos quieren a este mundo.

Aquella vida póstuma pudiera ser objeto de otro libro en él se mostraría cómo las *Rimas,* unidas a las *Obras* de Ferrán (1893) en la acción ejercida al final del siglo XIX, han sido una de las fuentes de las renovaciones poéticas de 1898 y de 1927, y por qué permanecen como un faro en la investigación artística. En mi sentir, son el resultado de una fuerte potencia de síntesis y de condensación de la poesía europea de tonalidad íntima, incluyendo tal intimidad la inquietud existencial, la atracción de los grandes espacios, la más vasta curiosidad por la naturaleza. Este verbo íntimo queda sometido a una nueva música interior que se acuerda con una arquitectura sencilla y precisa.

Se descubriría en aquel segundo libro que la vida y la obra de Bécquer se han convertido en receptáculos de muchos sueños, en refugios de muchas sensibilidades heridas; en este lugar se contaría la historia de los textos apócrifos y las transformaciones sufridas por el recuerdo de Gustavo Adolfo en héroe de ficción novelesca o cinematográfica.

Se presentaría después la historia de la investigación histórica y artística excelentemente iniciada por Rubén Benítez en su *Ensayo de bibliografía razonada de Gustavo Adolfo Bécquer* (Buenos Aires, 1961). Una obra depurada es la que nos entregaron los amigos de Bécquer; eliminaron de ella los aspectos políticos, satíricos, críticos (especialmente en materia pictórica y musical) y las actualidades. Una reconstitución fue necesaria. No está acabada en 1990. Un fichero central de las colecciones periodísticas españolas, incluso de las que se conservan en los servicios municipales, en las instituciones religiosas, en los círculos y casinos, en las bibliotecas de los particulares accesibles a los investigadores, ayudaría a descubrir publicaciones hoy ignoradas. No cabe duda, por otra parte, que numerosos manuscritos becquerianos subsisten en los archivos privados a pesar de las pérdidas causadas por los disturbios civiles.

Se diría, por fin, cómo, alrededor de esta vida y de esta obra, se hallaron reunidas sensibilidades e inteligencias que forman una extensa familia por encima de todas las fronteras. El nacimiento de esta comunidad representa sin duda la consecuencia más inesperada y más alentadora de esta breve vida de artista.

fuentes

(Los números y letras se refieren a la bibliografía)

Sangres de España

Santiago Montoto, «Antecedentes familiares de Bécquer», en *Estudios sobre Gustavo Adolfo Bécquer* (núm. 25-b).
Rafael Montesinos, *Bécquer. Biografía e imagen,* págs. 90, 106, 107 (núm. 48-c).

Primera época
SEVILLA (1836-1854)

1.   LA ILUSIÓN MADRILEÑA

1.   Los Bécquer. Los orígenes neerlandeses y belgas. La tradición sevillana

Johannes Baptista Rietstap, *Armorial general,* tomo I, artículos 'Bécquer' y 'Bécker', Gouda, 1884-1887.
Santiago Montoto, «Antecedentes familiares de Bécquer», en *Estudios sobre Gustavo Adolfo Bécquer* (núm. 50).
Rafael Montesinos, *Bécquer. Biografía e imagen,* págs. 102, 103, 341 (núm. 49-c).
Rafael Montesinos, «Una rima becqueriana (y otros datos inéditos)», 1980, pág. 52 (núm. 49-d).
Rubén Benítez, *Ensayo de bibliografía razonada de Gustavo Adolfo Bécquer,* núm. 84. Compendio del artículo de R. Nieto y Cortadellas «El poeta Bécquer, su ascendencia flamenca y sus parientes cubanos» (núm. 20-a).

Hipólito Ruiz y Joseph Pavon, *Flora peruviana et chilensis...,* tres tomos, fol. in 4.°, con láminas, Sancha, Madrid, 1797-1802.

Félix José Reinoso, «Historia de la Academia de Buenas Letras de Sevilla, desde su establecimiento hasta 10 de mayo de 1799», en *Archivo Hispalense,* tomo II, 1886, págs. 49, 141-143, 171, 174.

José Gestoso y Pérez, «Carta a M. Achille Fouquier», 1886 (núm. 42).

«Maese Pérez el organista» se cita según la edición *Leyendas, apólogos y otros relatos* de Rubén Benítez (núm. 20-a).

2. El ambiente de la infancia. El éxito de dos artistas

Manuel Ossorio y Bernard, *Galería biográfica de artistas españoles del siglo XIX,* Madrid 1883-1884, segunda edición, imprenta de Moreno y Rojas, artículos sobre José Domínguez Bécquer y Joaquín Domínguez Bécquer.

Rafael Montesinos (núm. 49-c), págs. 89-91, 108, 109, 341.

Santiago Montoto, «Antecedentes familiares de Bécquer», en *Estudios sobre Gustavo Adolfo Bécquer* (núm. 50), fuente principal del capítulo.

Rica Brown (núm. 24-b), págs. 8-11.

Narciso Campillo, *Cartas y poesías inéditas a D. Eduardo de la Barra* (núm. 26-b), pág. 26 para la cita.

Antonio María Fabié, «D. Joaquín Domínguez Bécquer», en *Revista de España* (núm. 38).

3. El arte de José Bécquer

Rafael Montesinos (núm. 49-c), págs. 105, 119.

Rica Brown (núm. 24-b), pág. 9.

La España artística y monumental (núm. 37).

4. La obra de José Bécquer en *La España artística y monumental* (1842)

Ver el texto, y bibliografía núm. 37.

5. De la muerte del padre a la entrada en San Telmo (febrero de 1841-1 de marzo de 1846)

Rafael Montesinos, *Bécquer. Biografía e imagen* (núm. 49-c), págs. 341-342.

Antonio María Fabié, «Don Joaquín Domínguez Bécquer», en *Revista de España* (núm. 38), pág. 57.

G. A. Bécquer, «Semblanza de Valeriano Bécquer», en *Obras completas* (núm. 1).

Narciso Campillo, «Gustavo Bécquer» (según la reproducción de Iglesias Figueroa, núm. 45), I, pág. 14.

Rodríguez Correa, «Gustavo Adolfo Bécquer», prólogo a la primera edición de las *Obras* (según la reproducción de «Clásicos Castalia», núm. 11), pág. 198.
Rica Brown, *Bécquer* (núm. 24-b), pág. 18.

6. Colegial en San Telmo

Rica Brown, *Bécquer* (núm. 24-b), pág. 18.
Dionisio Gamallo Fierros, *Páginas abandonadas* (núm. 40), págs. 424-425.
Rafael Montesinos. *Bécquer. Biografía e imagen* (núm. 49-c), pág. 342.
Manuel Ruiz Lagos, «El maestro Rodríguez Zapata en sus afinidades becquerianas», en *Estudios sobre Gustavo Adolfo Bécquer* (núm. 25-b), págs. 433, 441.
Narciso Campillo, 1) «Gustavo Bécquer» (núm. 45, reproducción Iglesias Figueroa, I, pág. 15), 2) Cartas a Eduardo de la Barra (núm. 26-b), págs. 26, 30.

7. Un niño en libertad (verano de 1847-1848)

Rafael Montesinos, *Bécquer. Biografía e imagen* (núm. 49-c), págs. 116, 342.
Narciso Campillo, 1) «Gustavo Bécquer» (núm. 45, reproducción Iglesias Figueroa), I, págs. 14, 16, 17; 2) Cartas a Eduardo de la Barra (núm. 26-b), págs. 26-28.
Russell P. Sebold, «Bécquer y la lima de Horacio», en *Ínsula,* enero de 1982, número 422.
Antonio María Fabié, «Don Joaquín Domínguez Bécquer», en *Revista de España* (núm. 38), pág. 57.
Francisco Aguilar Piñal, «Joaquín Domínguez Bécquer y el retrato de Lista», en *Estudios sobre Gustavo Adolfo Bécquer* (núm. 25-b), pág. 13.

8. Las relaciones de Joaquín Domínguez Bécquer con la Real Academia de Buenas Letras de Sevilla. Gustavo Adolfo y la muerte de Alberto Lista

Francisco Aguilar Piñal, «Joaquín Domínguez Bécquer y el retrato de Lista», en *Estudios sobre Gustavo Adolfo Bécquer* (núm. 25-b), págs. 11-13.
Manuel Ruiz Lagos, «El maestro Rodríguez Zapata en sus afinidades becquerianas», en *Estudios sobre Gustavo Adolfo Bécquer* (núm. 25-b), págs. 441, 442, 460.
Dionisio Gamallo Fierros, *Páginas abandonadas* (núm. 40), págs. 53-57. Este investigador utilizó: Santiago Montoto, «Reliquias becquerianas. Versos y dibujos inéditos», en *Blanco y Negro,* 29 de diciembre de 1929.
Rubén Benítez, *Ensayo de bibliografía razonada* (núm. 20-a), núms. 36, 37 y 39 del libro.

9. **La aparición del nombre en literatura.**
    Gustavo Adolfo Bécquer, Francisco Rodríguez Zapata
    y la escuela poética sevillana del siglo XIX

El texto fundamental es hoy:

Manuel Ruiz Lagos, «El maestro Rodríguez Zapata en sus afinidades becqueria-
    nas. Apuntes sobre su magisterio estético en G. A. Bécquer», en *Estudios sobre*
    Gustavo Adolfo Bécquer (núm. 25-b), págs. 425-476.

Las otras fuentes son:

Francisco de Paula Canalejas, «Del estado actual de la poesía lírica en España»
    (núm. 27).
Enrique de Toral, *Historia de un viejo papel* (núm. 65), págs. 37-45.
Robert Pageard, «Notes becquériennes» (núm. 57-d).
J. Frutos Gómez de las Cortinas, «La formación literaria de Bécquer» (núm. 39).
Rafael Montesinos, *Bécquer. Biografía e imagen* (núm. 49-c), pág. 342.

10. **Talleres de dibujo y pintura. Paseos poéticos y artísticos**

Narciso Campillo, «Gustavo Bécquer» (núm. 45, reproducción Iglesias Figueroa,
    I, págs. 17-19).
Rafael Montesinos, *Bécquer. Biografía e imagen* (núm. 49-c), pág. 342.
Dionisio Gamallo Fierros, *Páginas abandonadas* (núm. 40), pág. 433.

Sobre los pintores mencionados en el capítulo:

Manuel Ossorio y Bernard, *Galería biográfica de artistas españoles del siglo XIX*
    (núm. 54).
José Gestoso y Pérez, *Catálogo de las Pinturas y Esculturas del Museo Provincial*
    de Sevilla, Madrid, Imprenta de J. Lacoste, entre 1903 y 1917.
Enciclopedia Universal Ilustrada Espasa-Calpe.

11. **La unión del dibujo y de la creación literaria.**
     Revista de los dibujos conocidos

N. Campillo: 1) «Gustavo Adolfo Bécquer» (núm. 45), I, pág. 18; 2) Cartas y
    poesías inéditas a D. Eduardo de la Barra (núm. 26-b), pág. 27.
R. Rodríguez Correa, «Gustavo Adolfo Bécquer» (núm. 11, reproducción José
    Carlos de Torres), págs. 199-200.
Antonio María Fabié, «D. Joaquín Domínguez Bécquer» (núm. 38), pág. 57.
Julio Nombela, «Un libro sobre Bécquer» (núm. 52-b), pág. 5.
Rafael Montesinos, *Bécquer. Biografía e imagen,* álbum fundamental, ver las re-
    ferencias en el texto.
Vidal Benito Revuelta, *Bécquer y Toledo* (núm. 21).

C.S.I.C., *Bécquer y Soria* (núm. 25-a).
E. W. Olmsted, prefacio de *Legends, Tales and Poems* (núm. 53).

12. La transformación de un libro de cuentas en un cuaderno de ejercicios de arte y poesía

Rubén Benítez, *Ensayo de bibliografía razonada* (núm. 20-a), núms. 36, 37, 39.
Rafael Montesinos, *Bécquer. Biografía e imagen* (núm. 49-c), ilustraciones números 11, 12, 20, 21.
Estudios sobre Gustavo Adolfo Bécquer (núm. 25-b), ilustración insertada entre las páginas 208 y 209.
Dionisio Gamallo Fierros, *Páginas abandonadas* (núm. 40), págs. 73-74.
Rica Brown, *Bécquer* (núm. 24-b), págs. 39, 55.
Joaquín y Serafín Álvarez Quintero, «Semblanza de Gustavo Adolfo Bécquer», prólogo a las *Obras* de las ediciones Aguilar (págs. 21-22 de la 8.ª edición).

13. Algunos versos escritos en el libro de cuentas paterno

Dionisio Gamallo Fierros, *Páginas abandonadas* (núm. 40), págs. 71-75.

14. Dos páginas de un diario sentimental (23-26 de febrero de 1852)

Rafael Montesinos, *Bécquer. Biografía e imagen* (núm. 49-c).
Dionisio Gamallo Fierros, *Páginas abandonadas* (núm. 40), pág. 65.
Rica Brown, *Bécquer* (núm. 24-b), págs. 39-40. Esta autora analiza el artículo de Dámaso Alonso, «Un diario adolescente de Bécquer», en *ABC,* 19 de agosto de 1961.

15. *Oda a la señorita Lenona, en su partida* (17 de septiembre de 1852).

Dionisio Gamallo Fierros, *Páginas abandonadas* (núm. 40), págs. 59-69.

16. El soneto «Céfiro dulce, que vagando alado»

Dionisio Gamallo Fierros, *Páginas abandonadas* (núm. 40), págs. 80-84.

17. Formación de una nueva atmósfera poética (1846-1852)

Artículos citados de Gérarde de Nerval en la *Revue des Deux Mondes.*
Francisco de Paula Canalejas, discurso citado (núm. 27).

José María de Cossío, *Cincuenta años de poesía española,* tomo I, capítulo sobre
Selgas y Arnao (núm. 29).

Juan María Díez Taboada, «El germanismo...» (núm. 34-a) y *La mujer ideal*
(núm. 34-b), sobre los contactos entre la obra de Tomás Aguiló y la de
Bécquer.

Guillermo Blest Gana, *Poesías,* París, Laplace, 1863.

**18. Resumen de la vida y de las actividades de Gustavo Adolfo
en Sevilla entre 1853 y 1854. La evolución
de la familia Bécquer. Examen de las causas de la partida**

J. Frutos Gómez de las Cortinas, «La formación literaria de Bécquer» (núm. 39),
pág. 77 (llegada de Nombela a Sevilla).

Antonio María Fabié, «Joaquín Domínguez Bécquer» (núm. 38), pág. 58.

José Tudela, «Valeriano Bécquer y Soria», en *Bécquer y Soria* (núm. 25-a),
pág. 121. Obras citadas de Valeriano.

Rafael Montesinos, *Bécquer. Biografía e imagen* (núm. 49-c), págs. 41-45. (Julia
Cabrera y su familia, la casa de la calle Mendoza-Ríos), págs. 81, 136-137 («Los
Contrastes), 188 («La muerte de Trinidad»).

Julio Nombela, «Un libro sobre Bécquer» (núm. 52-b), pág. 3 (autorretratos).

Francisco de Laiglesia, *Bécquer. Sus retratos* (núm. 46). Retrato pintado por Valeriano en 1854.

Bécquer, *Obras completas,* «Semblanza de Valeriano Bécquer» (núm. 1).

Rica Brown, *Bécquer* (núm. 24-b), pág. 48 (relaciones con Manuela Monnehay).

Narciso Campillo, «Gustavo Adolfo Bécquer» (núm. 45), I, págs. 19 y 20.

**19. Apuntes sobre la personalidad, la carrera y las obras
de Joaquín Domínguez Bécquer. Sus relaciones
con Gustavo Adolfo a partir de 1853**

Antonio María Fabié, «D. Joaquín Domínguez Bécquer» (núm. 38).

Bécquer, *Obras completas* (núm. 1), «Semblanza de Valeriano Bécquer».

Narciso Campillo, «Gustavo Adolfo Bécquer» (núm. 45), I, pág. 18.

Rafael Montesinos, *Bécquer. Biografía e imagen* (núm. 49-c). Cita a Nombela
pág. 150. Retrato comentado de Joaquín D. Bécquer, págs. 116-117.

J. Frutos Gómez de las Cortinas, «La formación literaria de Bécquer» (núm. 39),
págs. 79-80.

Las cartas de Joaquín D. Bécquer a Antoine de Latour (nueve cartas en total)
se hallan en la Biblioteca Nacional de París, signatura: Manuscrits, fonds es-
pagnol, núm. 562; este fondo contiene notables documentos acerca de Ángela
Grassi, Gertrudis Gómez de Avellaneda, Antonio de Trueba.

20. El fortalecimiento de la cultura literaria. Publicaciones sevillanas y madrileñas (1853-1854)

Rica Brown, *Bécquer* (núm. 24-b), pág. 45; cita de *Impresiones y recuerdos* de Nombela.

Narciso Campillo, «Gustavo Adolfo Bécquer» (núm. 44), I, pág. 18.

J. Frutos Gómez de las Cortinas, «La formación literaria de Bécquer» (núm. 39), pág. 77; explotación de las *Impresiones y recuerdos* de Nombela, pág. 89: Selgas.

Rafael de Balbín: 1) «Dos poemas ignorados de Gustavo A. Bécquer» (núm. 18-d); 2) «Isabel II y Bécquer» (núm. 18-e).

La cita de *El espíritu y la materia* está sacada de G. A. Bécquer, *Rimas;* estudio y edición de Juan María Díez Taboada (núm. 6).

21. La asociación literaria entre Narciso Campillo, Gustavo Adolfo Bécquer y Julio Nombela (verano de 1853-finales de 1854)

Julio Nombela, *Impresiones y recuerdos* (núm. 52-a). Las citas están extraídas de *La Actualidad,* julio de 1913, «Un libro sobre Bécquer» (núm. 51-b): páginas 5 (óperas), 1-2 (la arquilla, la asociación), 5 (la suerte de los poemas de la arquilla, *Las dos).*

Rica Brown, *Bécquer* (núm. 24-b), pág. 45; relaciones de Nombela con Bécquer en Sevilla según *Impresiones y recuerdos.*

Dionisio Gamallo Fierros, *Páginas abandonadas* (núm. 40), pág. 79 (sobre *Elvira),* pág. 89 (sobre *Las dos).*

Rafael Montesinos. *Bécquer. Biografía e imagen* (núm. 49-c); cita de *Impresiones y recuerdos,* pág. 150 (sobre la llegada a Madrid).

J. Frutos Gómez de las Cortinas, «La formación literaria de Bécquer» (núm. 39), pág. 78 (sobre el duque de Rivas y las cartas de recomendación; otra explotación de *Impresiones y recuerdos).*

La carta de Nombela a Campillo (febrero de 1898) ha sido reproducida por José Simón Díaz en *Educación pintoresca (Madrid, 1857-1859),* Madrid, C.S.I.C., 1948. Se trata del manuscrito 20.286-21 de la Biblioteca Nacional de Madrid.

22. Fragmentos del poema *Elvira*

Dionisio Gamallo Fierros, *Páginas abandonadas* (núm. 40), págs. 77-80.

23. *Las dos (juguete romántico).* El romanticismo de Bécquer

Dionisio Gamallo Fierros, *Páginas abandonadas* (núm. 40), págs. 85-92.
Revista de América, 1913, núm. 2.

Julio Nombela, «Un libro sobre Bécquer» (núm. 52-b).

Thédore de Banville, *Poésies (1842-1854),* París, Poulet-Malassis et de Broise, 1857.

La cita del *Werther* procede de la traducción francesa de Bernard Grothuysen contenida en Goethe, *Romans,* colección «La Pléiade», edición Gallimard.

Segunda época
MADRID (1854-1870)

2. EL PAN Y EL LAUREL

Azorín, *Los clásicos redivivos. Los clásicos futuros,* 4.ª edición, colección Austral, Espasa-Calpe, 1973, pág. 158.

3. LOS ENSAYOS

24. Primeros contactos y primeras experiencias en Madrid. «La vida del pájaro, que nace para cantar y Dios le procura de comer» (otoño de 1854-final de 1855)

Rafael Montesinos, *Bécquer. Biografía e imagen* (núm. 49-c), págs. 343-345, 145-152, 155 (retrato por Castellano).

José María de Cossío, *Cincuenta años de poesía española (1850-1900)* (núm. 29), págs. 84-88 (sobre Juan José Bueno).

Fondos Morel-Fatio de la Biblioteca Municipal de Versalles, manuscritos número 180 (cartas de J. J. Bueno).

Juan Valera, *Artículos de «El Contemporáneo»* (núm. 32), págs. 296-305.

Rafael Santos Torroella, *Valeriano Bécquer* (núm. 61).

José Cascales y Muñoz, *Sevilla intelectual. Sus escritores y artistas contemporáneos,* Madrid, Victoriano Suárez, 1896 (sobre la creación de *El Mediodía).*

Rica Brown, *Bécquer* (núm. 24-b), págs. 62 (sobre Campillo), 68-69-73 (sobre la estancia de Valeriano), 18-19-67 (sobre Manuela Monnehay).

Narciso Campillo, Cartas y poesías inéditas dirigidas a Eduardo de la Barra... (núm. 26-b), págs. 26-28.

Robert Pageard, «Bécquer y *La Iberia»* (núm. 57-b).

J. Frutos Gómez de las Cortinas, «La formación literaria de Bécquer» (núm. 39), págs. 78 (recomendaciones).

Las citas de Nombela están extractadas de «Un libro sobre Bécquer» (núm. 52-b) así como del precitado libro de Rafael Montesinos.

Cita final: *Obras completas* (núm. 1), 8.ª edición, 1954, pág. 570.

Juan Antonio Tamayo, *Teatro* de Bécquer (núm. 2), pág. LVIII (manuscrito que estuvo en manos de Manuel Castellano).

**25. El grupo de *La España Musical y Literaria*. *La Corona poética*
a *Quintana*. Tentativas para crear una nueva publicación**

J. Frutos Gómez de las Cortinas, «La formación literaria de Bécquer» (núm. 39),
  págs. 82-87, 96-99.
José María de Cossío, *Cincuenta años de poesía española* (núm. 29), tomo II,
  págs. 956-959 (sobre Marco y María del Pilar Sinués); tomo I, págs. 245-248
  (sobre J. A. Viedma).
Rafael Aznar, «Álbum de Señoritas y Correo de la Moda», en *Mundo Hispánico,* núm. 272, noviembre de 1972, pág. 71.
Franz Schneider, «A Quintana. Corona de oro, 1855. Poema desconocido de Gustavo Adolfo Bécquer», en *Hispania,* tomo VIII, 4 de octubre de 1925,
  págs. 237-246; el artículo de Gamallo Fierros ha sido publicado en *El Español* el 29 de julio de 1944.
Rafael de Balbín, *Poética becqueriana* (núm. 18-g), pág. 69 (sobre las octavas,
  incluso la de la «Corona de oro» en la obra de Bécquer).
Julio Nombela, «Un libro sobre Bécquer» (núm. 52-b), págs. 4-5 *(El Mundo).*
Rica Brown, *Bécquer* (núm. 24-b), págs. 63-64 *(El Mundo, El Porvenir).*

**26. Presentación ante el público femenino: Bécquer en la revista
Álbum de Señoritas y Correo de la Moda (1855)**

J. Frutos Gómez de las Cortinas, «La formación literaria de Bécquer» (núm. 39),
  págs. 90 y sigs.
Rafael Aznar, «Álbum de Señoritas y Correo de la Moda», en *Mundo Hispánico,* núm. 272, noviembre de 1972, págs. 70-75.
José María de Cossío, *Cincuenta años de poesía española (1850-1900)* (núm. 29);
  sobre los varios poetas citados.
Dionisio Gamallo Fierros, *Páginas abandonadas* (núm. 40), págs. 93-106.

27. La hipótesis del descubrimiento de Toledo por Bécquer en 1855

Vidal Benito Revuelta, *Bécquer y Toledo* (núm. 21).
Adolfo de Sandoval, *Bécquer redivivo y el encanto de Toledo,* Editorial Camara-
  sa, Madrid, 1943.
Manuela Cubero Sanz, *Vida y obra de Augusto Ferrán* (núm. 30).

28. Una vida de bohemia laboriosa: 1856

Julio Nombela, «Un libro sobre Bécquer» (núm. 52-b), pág. 5.
Rica Brown, *Bécquer* (núm. 24-b), págs. 74, 307.
Paul Patrick Rogers, «News facts on Bécquer's *Historia de los templos de Espa-
  ña*», en *Hispanic Review,* volumen VIII, 1940, págs. 314-316.

Sobre Juan de la Puerta Vizcaíno: 1) artículo de P. P. Rogers citado; 2) Rafael de Balbín, *Poética becqueriana* (núm. 18-g), nota de la página 199; 3) Rubén Benítez, *Bécquer tradicionalista* (núm. 20-c), nota de las páginas 75-76.

Juan de la Puerta Vizcaíno, *Risas y lágrimas,* Librería de Escribano, Madrid, 1865.

R. Rodríguez Correa, prólogo a las *Obras* de 1871 (núm. 60), pág. 199 de la edición Carlos de Torres de *Rimas.*

Bécquer y Soria (núm. 25-a), pág. 14 (presencia de Curro Bécquer desde 1856).

29. Acceso a la escena. La comedia *La novia y el pantalón*

Gustavo Adolfo Bécquer, *Teatro,* edición de Juan Antonio Tamayo (núm. 2).

30. *La venta encantada,* primera zarzuela de Bécquer y de García Luna. Una historia agitada

Gustavo Adolfo Bécquer, *Teatro,* edición de Juan Antonio Tamayo (núm. 2).
Varios descubrimientos se deben a Dionisio Gamallo Fierros, como lo hace constar Tamayo.

31. La evolución del ambiente poético madrileño entre 1856 y 1860. Las *Rimas* como confluencia

Campoamor, *Doloras y cantares,* Madrid, 1875 (13.ª edición), pág. 307, XCVI, «Mis lecturas» *(Doloras).*

Juan María Díez Taboada, «El germanismo y la renovación de la lírica española en el siglo XIX (1840-1870)» (núm. 34-a); citas extractadas del libro *Baladas españolas* de Barrantes, págs. 42-43; cita sobre Campoamor, pág. 27.

F. de P. Canalejas, «Del estado actual de la poesía lírica en España» (núm. 27), pág. 808.

Claude R. Owen, *Heine im spanischen Sprachgebiet* (núm. 55), sobre las traducciones de Bonnat y de Sanz y las imitaciones de Vicens.

José María de Cossío, *Cincuenta años de literatura española* (núm. 29), sobre Bonnat y sobre Sanz.

Alejo Hernández, *Bécquer y Heine* (núm. 43); sobre las traducciones de E. F. Sanz; sobre estas traducciones, ver también R. Pageard, «Le germanisme de Bécquer» (núm. 57-a).

Franz Schneider, *Gustavo Adolfo Bécquer Leben und Schaffen...* (núm. 62-a), sobre las imitaciones de las traducciones de Sanz por Bécquer y Nombela.

J. Frutos Gómez de las Cortinas, «La formación literaria de Bécquer» (núm. 39), pág. 91.

José Pedro Díaz, *Gustavo Adolfo Bécquer. Vida y poesía* (núm. 33), págs. 157-167, sobre Dacarrete.

Geoffroy W. Ribbans, «Bécquer, Byron y Dacarrete» (núm. 59-a).

Campoamor está citado según *Doloras y cantares,* 13.ª edición aumentada, Madrid, J. M. Pérez, 1875.

Manuel de la Revilla, «Revista crítica», en *Revista Contemporánea,* octubre-noviembre de 1876, tomo VI, págs. 756 y sigs., sobre Bécquer y Campoamor.
La carta de Amador de los Ríos a Campillo está extractada del volumen *Semanario Pintoresco Español (Madrid, 1836-1857)* por José Simón Díaz, Madrid, 1946, pág. xx.
Sobre el prólogo de las *Poesías* de Campillo, véase Francisco López Estrada, *Poética para un poeta* (núm. 47), págs. 28-30.
El anuncio de *La Época* forma el núm. 3.432 del tomo I de *Veinticuatro diarios* (núm. 25-c).

32. Panorámica sobre los años de *Historia de los templos* de España (1857 y 1858)

Rica Brown, *Bécquer* (núm. 24-b), págs. 81-83, 109.
Narciso Campillo, «Gustavo A. Bécquer» (núm. 45), I, pág. 20.
Manuel Ovillo y Otero, *Manual de biografía y de bibliografía de los escritores españoles del siglo XIX,* París, Rosa y Bouret, 1859-1860 (sobre Manuel de Assas, tomo I, pág. 45).
Dionisio Gamallo Fierros, *Páginas abandonadas* (núm. 40), pág. 324, nota 7, sobre el artículo del 14 de diciembre de 1890 de Antonio Escobar en *El Fígaro* de La Habana.
Juan Antonio Tamayo, *Teatro,* de Bécquer (núm. 2), sobre *Las distracciones.*
Ramón Rodríguez Correa, «Gustavo Adolfo Bécquer» (núm. 60), pág. 199, sobre el descubrimiento del manuscrito de *El caudillo de las manos rojas* en 1858.
Robert Pageard, «Bécquer et *La Iberia*» (núm. 57-b).

33. *Historia de los templos de España*. La vida de una empresa editorial

Rica Brown, *Bécquer* (núm. 24-b), págs. 81, 83, 99.
Dionisio Gamallo Fierros, *Páginas abandonadas* (núm. 40), págs. 23, 26.
Rafael de Balbín, *Poética becqueriana* (núm. 18-g), pág. 199, nota 3.
Rafael de Balbín, «Isabel II y Bécquer» (núm. 18-e).
Paul Patrick Rogers, «News facts on Bécquer's *Historia de los templos de España*», en *Hispania Review,* volumen VIII, Filadelfia, 1940, págs. 311-320.
Rubén Benítez, *Bécquer tradicionalista* (núm. 20-c), págs. 75, 349.
Robert Pageard, «L'Inde et la culture espagnole au XIXe siécle» (núm. 57-h), págs. 17 y sigs. (sobre Manuel de Assas).
Rafael Montesinos, *Bécquer. Biografía e imagen* (núm. 49-c), pág. 345.
Vidal Benito Revuelta, *Bécquer y Toledo* (núm. 21), págs. 134-137 (sobre la visita a Santa María la Blanca).

34. Los textos de Bécquer en la *Historia de los templos de España*. Poesía, historia y arte

Los ejemplares de *Historia de los templos de España* son poco numerosos. Los textos de Bécquer figuran parcialmente en las *Obras* (Aguilar): se trata de «Introducción», «San Juan de los Reyes», «Basílica de Santa Leocadia», «El Cristo

de la Luz», «Santa María la Blanca», «Nuestra Señora del Tránsito» y del
principio de «Parroquias mozárabes». Lo demás fue reproducido por Rubén
Benítez en *Bécquer tradicionalista* (núm. 20-c). Indica este investigador que
la reproducción Aguilar es de poca fidelidad. Disponemos ahora del facsímil
editado por *El Museo Universal* (ver addenda de nuestra bibliografía).

Rubén Benítez, *Bécquer tradicionalista* (núm. 20-c): capítulo II, «El tradicionalismo artístico de Bécquer»; capítulo III, la *Historia de los templos de España.*

Guillermo Díaz Plaja, «Piferrer y Bécquer», en *Ínsula,* núm. 173, abril de 1961.

Franz Schneider, «Tablas cronológicas» (núm. 62-c), nota 32.

Azorín, «El tricentenario de ''El Greco''», en *Obras,* Aguilar, tomo I, primera
edición, págs. 1091-1094.

35. El encuentro de Bécquer con la cultura de la India (1856-1858)

Robert Pageard, «L'Inde et la culture espagnole au XIXe siècle» (núm. 57-h).

Pedro Roca y López, prólogo a José Alemany y Bolufert, *Hitopadeza o provechosa enseñanza, colección de fábulas, cuentos y apólogos, traducida del sánscrito,* Granada, 1895.

Manuel Ovillo y Otero, *Manual de biografía y de bibliografía de los escritores
españoles del siglo XIX,* París, Rosa y Bouret, 1859-1860 (sobre Assas, tomo I,
pág. 45).

J. Sanz del Río, *Documentos, diarios y epistolarios,* Madrid, Tecnos, 1969,
pág. 237.

Dionisio Gamallo Fierros, *Páginas abandonadas* (núm. 40), págs. 113-169 sobre
El caudillo de las manos rojas.

Rubén Benítez, *Bécquer tradicionalista* (núm. 20-c), capítulo V: «La elaboración
literaria de una ''tradición india'' en *El caudillo de las manos rojas»;* el texto más
seguro de *El caudillo de las manos rojas* es hoy el que ha publicado Rubén Benítez con notas en su recopilación *Leyendas, apólogos y otros relatos* (núm. 10).

Sobre la rima X y *El caudillo de las manos rojas,* véase edición R. Pageard de
Rimas (núm. 9), págs. 174-176; sobre las *Rimas* rima LXXV, pág. 350; sobre
la relación de la rima V con *La creación,* pág. 101.

36. Las relaciones de Bécquer con la sensibilidad krausista
y sus representantes. El misterio de los folletines
taurinos en *La Crónica*

Francisco de Paula Canalejas, «Del estado actual de la poesía lírica en España»
(núm. 27), pág. 807.

Alberto de Segovia, «Gustavo Adolfo Bécquer» (núm. 63), págs. 15, 32, 38
(retrato).

Vicente Cacho Viú, *La Institución Libre de Enseñanza. I. Orígenes y etapa universitaria (1860-1881),* Madrid, RIALP, 1962.

Pablo de Azcárate, *Sanz del Río (1814-1869),* Madrid, Tecnos, 1969, el fragmento de diario citado figura en las páginas 202-203.

Dionisio Gamallo Fierros, *Páginas abandonadas* (núm. 40), págs. 480-486, sobre las crónicas taurinas de «El Español Rancio».

37. Esbozo de la vida y de las actividades de Bécquer desde el final de la publicación de *Historia de los templos de España* hasta la fundación del diario *El Contemporáneo* (principios de 1859-20 de diciembre de 1860)

Rafael Montesinos, *Bécquer. Biografía e imagen* (núm. 49-c), págs. 346-347.

Rafael Montesinos, «Adiós a Elisa Guillén» (núm. 49-b).

Robert Pageard, «Bécquer y *La Iberia*» (núm. 57-b).

Puede leerse las cartas apócrifas de noviembre de 1859 y enero de 1860 en numerosas ediciones de *Obras completas* (Aguilar) desde la octava (1954) hasta la duodécima (1966) por ejemplo.

38. La representación y publicación del «juguete cómico lírico» *Las distracciones* (principios de marzo de 1859)

Juan Antonio Tamayo, edición del *Teatro* de Gustavo Adolfo Bécquer (núm. 2). He consultado personalmente *El Diario Español.*

Rica Brown proporciona algunos datos complementarios en su *Bécquer* (núm. 24-b), pág. 135.

39. Problemas afectivos (1859-1861)

Rafael Montesinos, *Bécquer. Biografía e imagen* (núm. 49-c), pág. 40 (sobre Elisa Rodríguez Palacios), págs. 21-39 (sobre Julia y Josefina Espín).

Eusebio Blasco, *Mis contemporáneos. Semblanzas varias* (núm. 22), pág. 19.

Julio Nombela, *Impresiones y recuerdos* (núm. 51-a); cito sobre los fragmentos publicados en *La Actualidad* en 1913 (núm. 51-b).

Rica Brown, *Bécquer* (núm. 24-b), págs. 114-120.

Juan López Núñez, «Gustavo Adolfo Bécquer», en *La Esfera,* año I, núm. 49, 5 de diciembre de 1914, Madrid.

Rafael de Balbín, 1) «Noticias sobre Bécquer», en *Revista de Filología Española,* tomo XLIX, 1966, págs. 321-327; 2) «El casamiento de Julia Espín, musa de Bécquer», en *Revista de la Universidad de Madrid, Homenaje a Menéndez Pidal,* I, Madrid, 1969, vol. XVIII, núm. 69, págs. 39-46.

Juan Valera, «La poesía lírica y épica en la España del siglo XIX», en *La Ilustración Española y Americana,* desde el 15 de enero hasta el 22 de septiembre de 1901, reproducido en el tomo II de las *Obras* completas (Aguilar), 2.ª edición, 1949, págs. 1236-1237 (sobre Bécquer).

40. Fuentes psicológicas, sociales y artísticas de las *Rimas*.
El elemento popular: *El libro de los cantares* de Trueba

Manuela Cubero Sanz, *Vida y obra de Augusto Ferrán* (núm. 30): capítulo III, «Revista de las colecciones de coplas populares».
J. Frutos Gómez de las Cortinas, «La formación literaria de Bécquer» (núm. 39), págs. 87-88 sobre Antonio de Trueba.
Rafael de Balbín, «Un influjo germanista en Bécquer», en *Homenaje a Johannes Vincke para el 11 de mayo de 1962*, C.S.I.C. y Goerresgesellschaft, 1962-1963 (sobre las relaciones del poema de E. F. Sanz «Tú, Él y Yo» y de la rima XV).

41. Las rimas difundidas de diciembre de 1859 a diciembre de 1860

Robert Pageard, *Rimas de Gustavo Adolfo Bécquer* (núm. 9).
Rafael Montesinos, «Josefina Espín y la rima XXVII» (núm. 49-a), noviembre de 1970.
Juan María Díez Taboada, *La mujer ideal* (núm. 34-b).Casta
Francisco López Estrada, «Comentario de la rima XV ("Cendal flotante de leve bruma"), de Bécquer», en *El comentario de textos,* Castalia, Madrid, 1973.

42. Bécquer, colaborador literario de *La Época*
(agosto-septiembre de 1859)

María Concepción de Balbín, «Dos artículos desconocidos de Bécquer», en *Revista de Literatura,* octubre-diciembre de 1960, págs. 249-256.
Robert Pageard, «Les premiers articles littéraires de Bécquer», en *Bulletin Hispanique,* tomo LXIV, núms. 3-4, julio-diciembre de 1962, págs. 260, y *Rimas de Gustavo Adolfo Bécquer* (núm. 9).
Robert Pageard, «Bécquer y el romanticismo francés» (núm. 57-e).
Veinticuatro diarios, Madrid, 1830-1900 (núm. 25-c), particularmente sobre Joaquín Espín y Guillén.

43. Las relaciones con Julio Nombela en 1859 y 1860. Un nuevo amigo:
Augusto Ferrán y Forniés. *La Soledad* y la importancia
de la poesía popular en el arte poético becqueriano

Augusto Ferrán, *Obras completas,* edición, introducción y notas de José Pedro Díaz, Espasa Calpe, Madrid, 1969.
Manuela Cubero Sanz, *Vida y obra de Augusto Ferrán* (núm. 30).

Alejo Hernández, *Bécquer y Heine* (núm. 44).

Robert Pageard, «Le germanisme de Bécquer» (núm. 57-a).

R. Pageard y G. W. Ribbans, «Heine and Byron in the *Semanario Popular*» (núm. 57-c).

R. Pageard, «*La poésie des poétes*. Reflexions de Charles Baudelaire et de Gustavo Adolfo Bécquer sur leur art et sur leur société autour de 1860», en *Bulletin de la Société Française de Littérature Générale et Comparée*, núm. 20, año 1981-1982.

44-45. *Tal para cual*, «juguete literario», y *La cruz del valle* (otoño 1860)

Edición del *Teatro* de G. A. Bécquer por Juan Antonio Tamayo (núm. 2), estudio preliminar.

Veinticuatro diarios madrileños (núm. 25-c).

He leído también Joaquín Casalduero, «El teatro de Bécquer», en *Estudios sobre Gustavo Adolfo Bécquer* (núm. 25-b).

Apuntes personales.

46. La crítica de *La cruz del valle* por Juan de la Rosa González en *La Iberia* y la contestación de Bécquer (noviembre de 1860)

Robert Pageard, «Bécquer et *La Iberia*» (núm. 57-b).

47. La primera leyenda de tema nacional publicada: *La cruz del diablo* (octubre-noviembre de 1860)

Rubén Benítez, *Bécquer tradicionalista* (núm. 20-c), págs. 183 y sigs.

Rubén Benítez, edición de *Leyendas, apólogos y otros relatos* (núm. 10).

Rica Brown, *Bécquer* (núm. 24-b), págs. 169-170.

Manuela Cubero Sanz, *Vida y obra de Augusto Ferrán* (núm. 30); el texto de *La fuente de Montal* figura en las págs. 263-274.

48. La fundación de *El Contemporáneo* (20 de diciembre de 1860). La entrada de Bécquer en el periodismo político

Bécquer, *Obras*, prólogo de Rodríguez Correa (1870) acerca de la entrada de Bécquer en *El Contemporáneo*.

José Mañabal, «Lettre de Madrid», en *Revue des Races Latines*, tomo 24, pág. 616.

Juan Valera, *Artículos de «El Contemporáneo»*, edición de Cyrus C. de Coster (pág. 10: carta a L. Ramírez de las Casas Deza) (núm. 32).

Vidal Benito Revuelta, *Bécquer y Toledo* (núm. 21), pág. 189.

Fernando Garrido, *Das heutige Spanien* (La España de hoy), traducción de A. Ruge, Leipzig, 1863, pág. 290 (acerca de los periódicos madrileños y de sus suscriptores).

4. LA ÉPOCA DE *EL CONTEMPORÁNEO*

49. Vida de familia, amistades, protecciones políticas y actividades literarias en la época de la colaboración en *El Contemporáneo*

H. Carpintero, *Bécquer de par en par* (núm. 28), págs. 47-54, 231-232, 227.

H. Carpintero, R. Montesinos y Rica Brown se han valido de los trabajos del investigador sevillano Santiago Montoto sobre los documentos de estado civil relativos a Gustavo Adolfo y Valeriano Bécquer.

Rica Brown, *Bécquer* (núm. 24-b), págs. 150-151, 205 (recuerdos de Gonzalo Reparaz), 227-229 («La crítica»).

Rica Brown, «Valeriano Bécquer. Un álbum de dibujos originales», en *Goya, Revista de Arte,* núm. 21, Madrid, 1957.

Manuela Cubero Sanz, *Vida y obra de Augusto Ferrán* (núm. 30), pág. 18 (sobre *El Puñal),* 29-37 (sobre *El Semanario Popular),* 257-258 («cantares» de Ferrán en el *Almanaque de El Museo Universal para 1863).*

Rafael Montesinos, *Bécquer. Biografía e imagen* (núm. 49-c), pág. 349 (publicación de *Apólogo* en *La Gaceta Literaria* y referencia de Díez Taboada sobre «Historia del año viejo 1862»), págs. 241 (Trasmoz), 349-350 (Cronología).

Gerardo Diego, «Casta y Gustavo. Cartas inéditas», en *La Nación,* Buenos Aires, 14 de junio de 1942.

Rafael de Balbín, «Bécquer, fiscal de novelas» (núm. 18-a).

Rubén Benítez, *Bécquer tradicionalista* (núm. 20-c), capítulo «Bécquer y la política».

Robert Pageard, «Bécquer y *Los angélicos* (núm. 57-f).

Enrique Pardo Canalis, «Valeriano Bécquer en el Museo de la Trinidad» (núm. 58).

Los retratos fotográficos Laurent y Alonso Martínez van reproducidos en Rafael Montesinos, *Bécquer. Biografía e imagen* (núm. 49-c), láminas 95 y 91 respectivamente.

50. Exigüidad en la publicación de poemas

Robert Pageard, *Rimas de G. A. Bécquer* (núm. 9).

Claude R. Owen, *Heine im spanischen Sprachgebiet* (núm. 55).

51. Bécquer en *El Contemporáneo*. Un grupo, un arte, una política. Problemas de identificación y examen de las obras

Sobre las *Cartas literarias a una mujer,* véase Francisco López Estrada, *Poética para un poeta* (núm. 47).

Sobre *La ajorca de oro:*
1.º   Vidal Benito Revuelta, *Bécquer y Toledo* (núm. 21), págs. 31 a 34.
2.º   Robert Pageard, «Notes becqueriennes» (núm. 57-d), «La cathédrale got-
        hique vue par Bécquer et par Chateaubriand».
3.º   Rubén Benítez, *Leyendas, apólogos y otros relatos* (núm. 10).

Sobre *El monte de las ánimas:*
1.º   Rubén Benítez, *Leyendas, apólogos y otros relatos* (núm. 10), así como
        Bécquer tradicionalista (núm. 20-c), pág. 164.
2.º   *Bécquer y Soria* (núm. 25-a), págs. 12, 39.

Sobre *¡Es raro!:*
1.º   Rubén Benítez, *Leyendas, apólogos y otros relatos* (núm. 10).
2.º   Rica Brown, *Bécquer* (núm. 24-b), págs. 174-177.
3.º   R. Pageard, *¡Es raro!* y el poema 50 de *Lyrisches Intermezzo,* en *Notes*
        becquériennes (núm. 57-d).

Sobre *Los ojos verdes:*
1.º   Rubén Benítez, *Leyendas, apólogos y otros relatos* (núm. 10), así como
        Bécquer tradicionalista (núm. 20-c), págs. 146 y sigs.
2.º   Rica Brown, *Bécquer* (núm. 24-b), pág. 177.

Sobre *Maese Pérez el organista:*
1.º   Rubén Benítez, *Leyendas, apólogos y otros relatos* (núm. 10).
2.º   Rica Brown, *Bécquer* (núm. 24-b), pág. 179.
3.º   Antonio de la Banda y Vargas, «Sevilla en la obra de Gustavo Adolfo
        Bécquer», en *Archivo Hispalense,* núm. 165, 1971, págs. 132 y 133.

Sobre *El muerto al hoyo:*
1.º   Dionisio Gamallo Fierros, *Páginas abandonadas* (núm. 39), pág. 476.
2.º   Rica Brown, *Bécquer* (núm. 24-b), pág. 128.

Sobre *El rayo de luna:*
1.º   Rubén Benítez, *Leyendas, apólogos y otros relatos* (núm. 10).
2.º   Heliodoro Carpintero, «Geografía literaria soriana de Gustavo Adolfo
        Bécquer», en *Bécquer y Soria* (núm. 25-a), págs. 39-42.

Sobre *Los maniquíes:*
Rica Brown, *Bécquer* (núm. 24-b), pág. 196.

Sobre *Creed en Dios:*
1.º   Rubén Benítez, *Leyendas, apólogos y otros relatos* (núm. 10) y *Bécquer*
        tradicionalista (núm. 20-c), págs. 167 y sigs.
2.º   Rica Brown, *Bécquer* (núm. 24-b), pág. 182.

Sobre *Un drama:*
1.º   Rica Brown, *Bécquer* (núm. 24-b), pág. 198.
2.º   J. Casalduero, «El teatro de Bécquer», en *Estudios sobre Gustavo Adolfo*
        Bécquer (núm. 25-c), pág. 398.

Sobre *El aderezo de esmeraldas:*
Apuntes personales.

Sobre *La Nena:*
1.º   Dionisio Gamallo Fierros, *Páginas abandonadas* (núm. 40), pági-
        nas 187-197, 448-450.
2.º   Rica Brown, *Bécquer* (núm. 24-b), pág. 199.

Sobre *La belleza:*
Rica Brown, *Bécquer* (núm. 24-b), pág. 199.

Sobre *El Miserere:*
1.º   Rica Brown, *Bécquer* (núm. 24-b), pág. 185.
2.º   Rubén Benítez, *Bécquer tradicionalista* (núm. 20-c), pág. 151, y *Leyendas, apólogos y otros relatos* (núm. 10).
Sobre *El Cristo de la calavera* y la lista de los proyectos anteriores a julio de 1862:
1.º   Dionisio Gamallo Fierros, *Páginas abandonadas* (núm. 40), págs. 431 y sigs.
2.º   Camille Pitollet, «Memento. Deux nouveaux volumes de *Pages inconnues* de Bécquer», en *La Renaissance d'Occident,* Bruselas, abril de 1924, págs. 166-168.
3.º   Vidal Benito Revuelta, *Bécquer y Toledo* (núm. 21), pág. 22.
4.º   Rubén Benítez, *Bécquer tradicionalista* (núm. 20-c), pág. 178, y *Leyendas, apólogos y otros relatos* (núm. 10).
Sobre *Tres fechas:*
1.º   Rica Brown, *Bécquer* (núm. 24-b), págs. 190-191.
2.º   Vidal Benito Revuelta, *Bécquer y Toledo* (núm. 21), págs. 51-76.
3.º   *Monumentos arquitectónicos de España, Toledo* (Rodrigo Amador de los Ríos y Villalta), Madrid, 1905.
Sobre *Cualquier cosa:*
1.º   Dionisio Gamallo Fierros, *Páginas abandonadas* (núm. 40), páginas 199-237.
2.º   Rica Brown, *Bécquer* (núm. 24-b), pág. 202.
Sobre *La venta de los gatos:*
1.º   Rubén Benítez, *Leyendas, apólogos y otros relatos* (núm. 10), págs. 411 a 425.
2.º   Rafael Montesinos, *Bécquer. Biografía e imagen* (núm. 24-b), págs. 95-97.
3.º   Rica Brown, *Bécquer* (núm. 24-b), pág. 192.
4.º   J. Muñoz San Román, «Lugares en que el cantor de las golondrinas inspiró sus leyendas sevillanas», en *Blanco y Negro,* 16 de febrero de 1936.
Sobre *La cueva de la mora:*
1.º   Rubén Benítez, *Bécquer tradicionalista* (núm. 20-c), pág. 157.
2.º   Rafael de Balbín, *Poética becqueriana* (núm. 18-g), pág. 219.
3.º   Rica Brown, *Bécquer* (núm. 24-b), pág. 208.
Sobre *Historia de una mariposa y de una araña:*
1.º   Gamallo Fierros, *Paginas abandonadas* (núm. 40), págs. 239-250.
2.º   Rica Brown, *Bécquer* (núm. 24-b), págs. 212-216.
Sobre *La pereza:*
Véase Rica Brown, *Bécquer* (núm. 24-b), págs. 216-219.
Sobre *La mujer a la moda:*
1.º   Dionisio Gamallo Fierros, *Páginas abandonadas* (núm. 40), páginas 251-260.
2.º   Rica Brown, *Bécquer* (núm. 24-b), pág. 224.
Sobre *Un lance pesado:*
1.º   Dionisio Gamallo Fierros, *Páginas abandonadas* (núm. 40), páginas 261-274.

2.º *Bécquer y Soria* (núm. 25-a), pág. 49, pesquisas de Heliodoro Carpintero.

3.º Rica Brown, *Bécquer* (núm. 24-b), pág. 219.

Sobre *La leyenda del judío errante,* véase:

Rubén Benítez, «Un artículo desconocido de Bécquer», en *Ínsula,* núm. 329, abril de 1974.

Sobre *Entre sueños,* véase:

Dionisio Gamallo Fierros, *Páginas abandonadas* (núm. 40), págs. 275-285.

Sobre *Un boceto del natural:*

1.º Dionisio Gamallo Fierros, *Páginas abandonadas* (núm. 40), págs. 287-311.

2.º Rica Brown, *Bécquer* (núm. 24-b), págs. 221-223.

3.º R. Pageard, *Rimas de Gustavo Adolfo Bécquer* (núm. 9), págs. 261-262.

Sobre *Teatro Real. El barbero de Sevilla. Semiramis,* véase:

Dionisio Gamallo Fierros, *Páginas abandonadas* (núm. 40), págs. 313-325.

Sobre *Bailes y bailes:*

1.º Gamallo Fierros, *Páginas abandonadas* (núm. 40), págs. 337-348.

2.º R. Pageard, «Notes becquériennes» (núm. 57-d), págs. 341-345.

Haciendo tiempo está reproducido y comentado en las *Páginas abandonadas* de Gamallo Fierros. Rica Brown dudaba del buen fundamento de la atribución.

A la claridad de la luna se reproduce igualmente en *Páginas abandonadas* de Gamallo Fierro. Rica Brown aceptaba esta atribución, pero pensaba que el texto había sido escrito en 1863 a orillas del mar Cantábrico.

Sobre *La rosa de Pasión:*

1.º Rubén Benítez, *Leyendas, apólogos y otros relatos* (núm. 10).

2.º Rubén Benítez, *Bécquer tradicionalista* (núm. 20-c), págs. 180-183.

Sobre *Cartas desde mi celda:*

1.º Azorín, *Al margen de los clásicos,* Publicaciones de la Residencia de Estudiantes, 1915, «Bécquer», págs. 226-229, *El paisaje de España visto por los Españoles,* 1917 y 1941 (Espasa Calpe).

2.º Rica Brown, *Bécquer* (núm. 24-b), págs. 259-268, y «Valeriano Bécquer. Un álbum de dibujos originales» (núm. 24-a).

3.º Rubén Benítez, *Bécquer tradicionalista* (núm. 20-c), págs. 98-103.

4.º Rafael Montesinos, *Bécquer. Biografía e imagen* (núm. 49-c), páginas 218-245.

Sobre *Los Campos Elíseos,* véase:

Gamallo Fierros, *Páginas abandonadas* (núm. 40), págs. 370-371.

Sobre *El calor* y *Caso de ablativo:*

1.º Gamallo Fierros, *Páginas abandonadas* (núm. 40), págs. 357-406.

2.º Rica Brown, *Bécquer* (núm. 24-b), págs. 262-264.

Sobre la novena *Carta desde mi celda,* véase:

Rica Brown, *Bécquer* (núm. 24-b), págs. 255-258.

52. Gustavo Adolfo y *La Gaceta Literaria*

Franz Schneider, «Tablas cronológicas de las obras de Gustavo Adolfo Bécquer» (núm. 62-c).

Obras completas (núm. 1), Ed. Aguilar, 12.ª edición, 1966, pág. 696 («La ridiculez»).

53. Las leyendas publicadas en *La América* (febrero-julio de 1863)

a) *El gnomo* (12 de enero de 1863)

Rubén Benítez:
  1.º Edición de *Leyendas, apólogos y otros relatos* (núm. 10).
  2.º *Bécquer tradicionalista* (núm. 20-c), pág. 155.
Rica Brown, *Bécquer* (núm. 24-b), pág. 206.

b) *La promesa* (12 de febrero de 1863)

Rubén Benítez, edición de *Leyendas, apólogos y otros relatos* (núm. 10).
Rica Brown, *Bécquer* (núm. 24-b), pág. 208.
Antonio de La Banda y Vargas, «Sevilla en la obra de G. A. Bécquer», en *Archivo Hispalense,* tomo LIV, núm. 165, 1971, pág. 134.

c) *La corza blanca* (27 de junio de 1863)

Rubén Benítez:
  1.º Edición de *Leyendas, apólogos y otros relatos* (núm. 10).
  2.º *Bécquer tradicionalista* (núm. 20-c), págs. 137 y sigs.
Rica Brown, *Bécquer* (núm. 24-b), pág. 210.
R. Pageard, edición de *Rimas* (núm. 9), pág. 231.

d) *El beso, leyenda toledana* (27 de julio de 1863)

Rubén Benítez:
  1.º Edición de *Leyendas, apólogos y otros relatos* (núm. 10).
  2.º *Bécquer tradicionalista* (núm. 20-c), págs. 88 y 293-294.
Vidal Benito Revuelta, *Bécquer y Toledo* (núm. 21), págs. 34-41.
Rica Brown, *Bécquer* (núm. 24-b), pág. 211.

54. Vuelta al teatro

Juan Antonio Tamayo, edición del *Teatro* de Bécquer (núm. 2).
Geoffroy W. Ribbans, «Una nota sobre el teatro de Bécquer», en *Revista de Filología Española,* tomo XXXVI, 1952, págs. 122-126.
Apuntes personales.

5. CENSOR DE NOVELAS

55. El final del primer período de fiscalía

56. El principio de la colaboración de Bécquer en *Los Tiempos*

57. Las apariciones culturales

Rafael de Balbín, «Bécquer, fiscal de novelas» (núm. 18-a).
Francisco de Laiglesia, *Bécquer. Sus retratos* (núm. 46).
Robert Pageard, «Bécquer y *Los angélicos*», en *Bulletin of Hispanic Studies* (núm. 57-f).
J. Frutos Gómez de las Cortinas, «La formación literaria de Bécquer» (núm. 39) (Primera mención de la publicación de la rima XXIII en *El Eco del País)*.
Robert Pageard, edición de *Rimas* (núm. 9), págs. 69 (rima XXIII) y 106 (rima XI).

6. VUELTA AL PERIODISMO

58. La vida familiar. Las dificultades de Valeriano

Rica Brown, *Bécquer* (núm. 24-b), págs. 281-283.
Eusebio Blasco, *Mis contemporáneos* (núm. 22), pág. 18 (sobre el cuarto de la calle de las Huertas).
Enrique Pardo Canalis, «Valeriano Bécquer en el Museo de la Trinidad» y «Un álbum de dibujos de Valeriano Bécquer» (núm. 57-a y b).
María Dolores Cabra Loredo, *La Ilustración de Madrid* (núm. 15), pág. 221, dibujo de Valeriano Bécquer en Ocaña, 28 de febrero de 1866.

59. Amigos y relaciones

Rica Brown, *Bécquer* (núm. 24-b), pág. 305 (el salón de los Reparaz).
Arístides Pongilioni, *Primera antología poética (1853-1865)* (núm. 49-e).
Manuela Cubero Sanz, *Vida y obra de Augusto Ferrán* (núm. 30); sobre *La fuente de Montal,* págs. 162-163, texto de la leyenda en las págs. 179-193.
J. L. Varela, «Cartas a Murguía», III, en *Cuadernos de Estudios Gallegos,* tomo IX, 1954, pág. 301.
Alejo Hernández, *Bécquer y Heine* (núm. 44), pág. 63.
Rimas, edición Alcalá, a cuidado de Juan María Díez Taboada, pág. 133 (Bécquer y Rosalía de Castro) (núm. 6).

60. Regreso a la oposición política. El enigma de *Doña Manuela.*
La sátira en *Gil Blas.* Bécquer y *El Español.* Bécquer
y la actualidad política en *El Museo Universal*

R. Pageard, «Bécquer y *Los angélicos*» (núm. 57-f), págs. 160-162.
Gamallo Fierros, *Páginas abandonadas* (núm. 40), pág. 45 sobre la atribución del texto de presentación de *Doña Manuela.*
Heliodoro Carpintero, *Bécquer de par en par* (núm. 28), pág. 228.
Rubén Benítez, «Los hermanos Bécquer en *Gil Blas*» (núm. 20-d).

61. El desarrollo de la actividad de los hermanos Bécquer en *El Museo Universal*

61.1. *Las revistas semanales*

Presento aquí un examen personal de esas revistas. Puede consultarse:

Philip H. Cummings, «Gustavo Adolfo Bécquer as a journalist», en *Hispania,* tomo XX, febrero de 1937, núm. 1, págs. 31-36.

Rubén Benítez, *Bécquer tradicionalista* (núm. 20-c), especialmente el capítulo «Bécquer y la política de su tiempo».

61.2. *La colaboración de Valeriano y Gustavo Adolfo: el dibujo comentado*

Rubén Benítez, «Los hermanos Bécquer en *Gil Blas*» (núm. 20-d), sobre «Las jugadoras».

61.3. *Otra colaboración entre los hermanos Bécquer: los tres grandes frescos de finales del año 1865 («La noche de difuntos», «La caridad», «Memorias de un pavo»)*

Se encuentran algunas observaciones sobre estos textos en Rica Brown, *Bécquer* (núm. 24-b), págs. 285-287.

61.4. *El carnaval de 1866*

Examen personal.

61.5. *La colaboración de Gustavo Adolfo con Federico Ruiz*

Examen personal.

61.6. *La colaboración con otros dos dibujantes: Jaime Serra y Francisco Ortego*

Sobre «Roncesvalles», ver Rica Brown, *Bécquer* (núm. 24-b), págs. 290-291.
Sobre «La sopa de los conventos», ibídem, pág. 289.

61.7. *Algunos artículos biográficos. El duque de Rivas visto por Bécquer. Bécquer y Zorrilla en 1866*

Apuntes personales.

61.8. *«Un tesoro» (Almanaque de El Museo Universal para 1866)*

Véase Gamallo Fierros, *Páginas abandonadas* (núm. 40), págs. 501-509.
Rica Brown, *Bécquer* (núm. 24-b), pág. 287.

61.9.   *Los poemas publicados. Parodias*

Rimas de Gustavo Adolfo Bécquer, edición anotada por Robert Pageard (núm. 9).
   Rima V: págs. 88-105.
   Rima XI: págs. 105-116.
   Rima XV: págs. 47-64.
   Rima XXIV: págs. 116-119.
   Rima III: págs. 119-124.
   Rima XVI: págs. 125-133.
   Rima LXIX: págs. 133-136.
   Rima XXIII: págs. 68-72.
Francisco López Estrada, «Comentarios de la Rima XV (''Cendal flotante de leve
   bruma'') de Bécquer», en *El comentario de textos,* Castalia, Madrid, 1973.
Sobre la rima XVI, véase *Libro de los gorriones,* edición de María Pilar Palomo
   (núm. 14), págs. 65; sobre la rima LXIX, el mismo libro, pág. 69.
Sobre las «gilblasianas», Rubén Benítez, «Los hermanos Bécquer en *Gil Blas*»
   (núm. 20-d).

7.   EL SEGUNDO PERÍODO DE FISCALÍA

62. **Panorámica**

Manuela Cubero Sanz, *Vida y obra de Augusto Ferrán* (núm. 30), págs. 19-20.
Rubén Benítez, «El periódico *Gil Blas* defiende a Bécquer censor de novelas»
   (núm. 20-b), pág. 40 sobre García Luna.

63. **La vida pública. La revolución de 1868**

Rafael de Balbín, «Bécquer, fiscal de novelas» (núm. 18-a).
Rubíen Benítez, «El periódico *Gil Blas* defiende a Bécquer, censor de novelas»
   (núm. 20-b).
Heliodoro Carpintero, *Bécquer de par en para* (núm. 28), págs. 86-90.
Rica Brown, *Bécquer* (núm. 24-b), págs. 311-315.
Francisco de Laiglesia, *Bécquer. Sus retratos* (núm. 46).
El cronista de la revolución española de 1868, recopilación de D. M. M. de Lara,
   1.ª División, Barcelona, Librería de Verdaguer, 1889.

64. **Jurado en la Exposición Nacional de Bellas Artes de 1866**

Sobre la exposición de Bellas Artes de 1866:
— *El Museo Universal,* 20 de enero y 24 de febrero 1867.
— *El Pabellón Nacional,* entre el 17 de enero y el 17 de febrero de 1867.
José de Castro y Serrano, *Cuadros contemporáneos,* Madrid, Fortanet, 1871,
   pág. 260.

65. La vida privada. Muerte de un artista (Federico Ruiz).
Primeros escritos en el «Libro de los gorriones». Drama conyugal

a)   Sobre los trabajos de Valeriano durante este período:

Enrique Pardo Canalis, «Valeriano Bécquer en el Museo de la Trinidad» (núm. 58).

Bécquer y Soria (núm. 25-a), artículos de José Tudela («Valeriano Bécquer y Soria), de Clemente Sáenz García («Miscelánea becqueriana»).

Bécquer y Soria (núm. 25-a). Artículos de:

— José Antonio Pérez Rioja, «Los Bécquer en Soria y Soria en la vida y la obra de los Bécquer».
— Federico Bordejé, «Gustavo Adolfo Bécquer y el Somontano del Moncayo».

b)   Sobre la carta dirigida a Ramón Sagastizábal:
Rica Brown, *Bécquer* (núm. 24-b), págs. 307-308.

c)   Sobre la muerte de Federico Ruiz:

— Rica Brown, *Bécquer* (núm. 24-b), pág. 313.
— María Dolores Cabra Loredo, *La Ilustración de Madrid* (núm. 15), pág. 270.

d)   Sobre el «Libro de los gorriones»:

— Francisco de Laiglesia, *Bécquer. Sus retratos* (núm. 46), págs. 7-8.
— Rica Brown, *Bécquer* (núm. 24-b), pág. 325.
— Edición facsímil de «Libro de los gorriones» por el Ministerio de Educación y Ciencia, 1971 (núm. 8).
— R. Pageard, edición de las *Rimas* (núm. 9), págs. 21-27, 308-311.

e)   Sobre el problema conyugal:

— Rica Brown, *Bécquer* (núm. 24-b), págs. 332-333.
— Heliodoro Carpintero, *Bécquer de par en par* (núm. 28).

66. Algunas observaciones sobre la vida poética entre 1866 y 1868.
Los trabajos poéticos de Bécquer

66.1.   *El ambiente poético de la época. La escuela sevillana*
vista por Luis Vidart en 1868

Claude R. Owen, *Heine in spanischen Sprachgebiet* (núm. 55), E, 1-c. *(Intermezzo* traducido por M. G. Sanz.)

José Alberich, «De la revista *Gil Blas* a la rima LXVII de Bécquer», en *Ínsula*, núm. 422, enero de 1982.

Manuel Ruiz Lagos, «Rodríguez Zapata en sus afinidades becquerianas» (núm. 25-a), pág. 462.

Pesquisas personales.

66.2.   *Los trabajos poéticos de Bécquer*

Campillo, «Gustavo Adolfo Bécquer» (núm. 26-a).

Rafael de Balbín, «La publicación de las rimas IX y LIX de G. A. Bécquer», en *Revista de Literatura,* Madrid, 1955, VII, núm. 13, págs. 19-20; recogido en *Poética becqueriana* (núm. 18-g).

Rafael de Balbín, «El poema becqueriano *A todos los santos*», en *Revista de Filología Española,* tomo XLVIII, 1965, págs. 383-391; recogido en *Poética becqueriana* (núm. 18-g).

Robert Pageard, edición de *Rimas* (núm. 9), págs. 136-140 (rima IX) y 140-144 («A todos los santos»).

67.   Los dibujos de Valeriano en *El Museo Universal* y los textos que los acompañan

Elena Páez Ríos, *El Museo Universal* (núm. 56).

Bécquer y Soria (núm. 25-a), especialmente el texto de Clemente Sáenz García «Miscelánea becqueriana».

Rica Brown, *Bécquer* (núm. 24-b), págs. 310-311.

8.   EXILIO TOLEDANO

68.   Nuevas orientaciones

69.   Angustias y cansancios, alegrías y esperanzas. Reinserción ideológica

Cito «Semblanza de Valeriano Bécquer» por Gustavo Adolfo según la duodécima edición de las *Obras completas* (1966) de Aguilar. El texto ha sido publicado por primera vez por Juan López Núñez en un artículo titulado «Los olvidados. Victoriano Bécquer» (sic) aparecido en *La Esfera* de Madrid, el 28 de agosto de 1915.

Cito el artículo «Don Valeriano Domínguez Bécquer» de Rodríguez Correa según la recopilación de María Dolores Cabra, *La Ilustración de Madrid* (núm. 15), págs. 202-206.

Rica Brown, *Bécquer* (núm. 24-b), págs. 335-339.

N. Campillo, Cartas inéditas de Eduardo de la Barra (núm. 26-b).

N. Campillo, «Gustavo Adolfo Bécquer», 15 de enero de 1871. *La Ilustración de Madrid;* cito según María Dolores Cabra (núm. 15).

Rafael Montesinos, *Bécquer. Biografía e imagen* (núm. 49c), (269-276).

Alberto de Segovia, «Gustavo Adolfo Bécquer» (núm. 63).

Vidal Benito Revuelta, *Bécquer y Toledo* (núm. 21), especialmente págs. 90-115.

Alejo Hernández, *Bécquer y Heine* (núm. 44), págs. 83-84.

**70. Tres obras representativas publicadas en *El Museo Universal:*
Los dos compadres, La Semana Santa en Toledo,
*La feria de Sevilla***

Apuntes personales.
Rica Brown trata estos tres textos en su *Bécquer* (núm. 24-b), págs. 342-345.

**71. Otros trabajos de Valeriano para *El Museo Universal.*
Examen de los textos que los acompañan**

Examen personal.
Elena Páez Ríos, *El Museo Universal* (núm. 56).

72. «Lejos y entre los árboles»

Robert Pageard, edición de las *Rimas* (núm. 9), págs. 361-365.

**73. La nueva recopilación de las *Rimas.* Elaboración
Examen de conjunto**

N. Campillo, «Gustavo Adolfo Bécquer» (núm. 26-a).
Gustavo Adolfo Bécquer, *Libro de los gorriones,* edición facsímil, Ministerio de
Educación y Ciencia (núm. 8).
R. Pageard, *Notes becquériennes* (núm. 57-d), texto «Sentimiento y forma en las
Rimas».

9. EL VUELO CORTADO

74. Visión de conjunto sobre este período. Los últimos retratos conocidos

Rafael Montesinos, *Bécquer. Biografía e imagen* (núm. 49-c).
Rica Brown, *Bécquer* (núm. 24-b), págs. 346-383.

75. La vida diaria hasta la muerte de Valeriano. Las amistades

Francisco de Laiglesia, *Bécquer. Sus retratos* (núm. 46).
R. Rodríguez Correa, «Gustavo Adolfo Bécquer» (núm. 60).
Rica Brown, *Bécquer* (núm. 24-b), reproduce los testimonios de Julia Bécquer
y de Nombela.
Rafael Montesinos, *Bécquer. Biografía e imagen* (núm. 49-c), reproducción de
varios testimonios; ilustraciones.

Narciso Campillo, «Gustavo Adolfo Bécquer» (núm. 26-a).

Alberto de Segovia, *Gustavo Adolfo Bécquer* (núm. 63); cita sacada de Gutiérrez Gamero, *Mis primeros ochenta años.*

Veinticuatro diarios (núm. 25-c), tomo IV, Ramón Rodríguez Correa, acerca de la ruptura de Nombela con *La Época* en 1868.

76. Fundación, objetivos y luchas de *La Ilustración de Madrid.* Su rivalidad con *La Ilustración Española y Americana*

Francisco de Laiglesia, *Bécquer. Sus retratos* (núm. 46).

Gisèle Cazottes, *La presse périodique madrilène entre 1871 et 1885,* Centre de Recherches sur les littératures ibériques et ibéro-americaines modernes, Université Paul-Valèry de Montpellier, 1982, págs. 63-66 y 76.

Juan López Núñez, *Románticos y bohemios. Biografías,* Biblioteca «Eva», C.I.A.P., Madrid, 1929, *La Ilustración Española y Americana:* «Don Abelardo de Carlos y su obra».

María Dolores Cabra, *La Ilustración de Madrid* (núm. 15).

R. Pageard, «La mort de G. A. Bécquer dans la presse du temps (1870-1871)» (núm. 57-i).

77. Los trabajos de los hermanos Bécquer en *La Ilustración de Madrid* hasta el mes de agosto de 1870

77.1. «*¡No digáis que agotado su tesoro...!*»

Robert Pageard:
1.º «Recherches sur la rima IV», en *Bulletin Hispanique,* tomo LXX, números 1-2, enero-junio de 1968, págs. 89-101.
2.º Edición anotada de *Rimas* (núm. 9), págs. 144 y sigs.

Notas de la edición de las *Rimas* de José Carlos de Torres (núm. 11) y de la del *Libro de los gorriones* de María del Pilar Palomo (núm. 14).

77.2. *Artículos mayores y homenajes personalizados*

Sobre «El pordiosero»:
1.º Vidal Benito Revuelta, *Bécquer y Toledo* (núm. 21), págs. 121-129.
2.º Robert Pageard, «Les particularismes régionaux dans l'oeuvre de G. A. Bécquer», en *Nationalisme et littèrature en Espagne et en Amérique latine au XIXe siècle*, Université de Lille III. Travaux et recherches. Diffusión P.U.L., 1982.

Pueden leerse los textos de *Historia de los templos de España* sobre San Román y San Pedro Mártir en Rubén Benítez, *Bécquer tradicionalista* (núm. 20-c), en *Templos de Toledo,* edición de María Dolores Cabra Loredo (véase addenda a la bibliografía).

77.3. *Los textos firmados con la inicial «B»*

a)   Sobre «Pozo árabe de Toledo», véase:
— Vidal Benito Revuelta, «El *Pozo árabe de Toledo* de Gustavo Adolfo Bécquer», en *Estudios sobre Gustavo Adolfo Bécquer* (núm. 25-a), págs. 415-424.
— Rodrigo Amador de los Ríos y Villalta, *Monumentos arquitectónicos de España,* cuaderno 1.º, *Toledo,* Martín y Gamoneda, editores, Madrid, 1905, pág. 444.

b)   Sobre «Octava del Corpus en Sevilla. Los Seises de la Iglesia Catedral», véase el estudio de:
— E. Sánchez Pedrote, «Bécquer y la música», en *Archivo Hispalense,* tomo LIV, núm. 165, Sevilla, 1971, págs. 95-96.

77.4. *Examen de los otros textos atribuidos a Bécquer*

María Dolores Cabra Loredo, *La Ilustración de Madrid* (núm. 15), pág. 22.
Rica Brown, *Bécquer* (núm. 24-b), págs. 348-355.

77.5. *Los amigos de los hermanos Bécquer en «La Ilustración de Madrid» hasta el verano de 1870. Dibujos de Valeriano*

María Dolores Cabra Loredo, *La Ilustración de Madrid* (núm. 15).

78.   La muerte de Valeriano. La desesperación de su hermano. Homenajes y proyectos

Rafael de Balbín y Vidal Benito, «Una carta autógrafa desconocida de G. A. Bécquer (Documentos becquerianos)», en *Revista de Literatura,* fascículos 73 y 74, enero-junio de 1970, págs. 1-8; se trata del billete dirigido a Rodríguez Correa durante la enfermedad de Valeriano.
Homero Seris, «Estado actual de los estudios sobre Bécquer y una nueva carta inédita del poeta», en *Mélanges á la mémoire de Jean Sarrailh,* tomo II, págs. 384-385 (núm. 64); carta a Casta.
Rica Brown, *Bécquer* (núm. 24-b), págs. 362-365.
Rafael Santos Torroella, *Valeriano Bécquer* (núm. 61), pág. 46.
Rafael Montesinos, *Bécquer. Biografía e imagen* (núm. 49-c), págs. 282-289.
José Tudela, «Valeriano Bécquer y Soria», en *Bécquer y Soria* (núm. 25-a); numerosos datos sobre la vida, la obra, el arte de Valeriano Bécquer.
Sobre la nota de G. A. Bécquer relativa a su hermano, véase:
   1.º   Juan López Núñez, *Bécquer. Biografía anecdótica,* Ed. Mundo Latino, Madrid, 1915.
   2.º   Rafael Montesinos, *Bécquer. Biografía e imagen* (núm. 49-c), págs. 284 y 364.
El texto de la nota está reproducido en las *Obras completas* de la editorial Aguilar bajo el título «Semblanzas de Valeriano Bécquer».

Sobre el artículo de Rodríguez Correa de 12 de octubre de 1870, véase:
Rafael de Balbín, «Sobre una colaboración desconocida de Bécquer y Rodríguez Correa», en *Revista de Literatura,* fascículos 11-12, julio-diciembre de 1954, págs. 211-220.
Sobre los últimos dibujos de Valeriano Bécquer publicados en *La Ilustración de Madrid,* véase María Dolores Cabra (núm. 15).

79. Último otoño (23 de septiembre-22 de diciembre de 1870)

Rodríguez Correa, «Gustavo Adolfo Bécquer» (núm. 60).
Rafael Montesinos, *Bécquer. Biografía e imagen* (núm. 49-c), pág. 285 para el testimonio de Julia Bécquer.
Narciso Campillo, Cartas y poesías inéditas a don Eduardo de la Barra (núm. 26-b), pág. 26.
Eusebio Blasco, *Mis contemporáneos* (núm. 22), pág. 20.
Eduardo de Lustonó, «Recuerdos de periodistas. Bécquer», en *Alrededor del mundo,* Madrid, 4 y 11 de julio de 1901; R. Montesinos reproduce el pasaje relativo a la entrega de los manuscritos poéticos a Campillo en su libro *Bécquer. Biografía e imagen* (núm. 49-c), pág. 289.
Francisco de Laiglesia, *Bécquer. Sus retratos* (núm. 46), sobre *las hojas secas.*
Alberto de Segovia, «Gustavo Adolfo Bécquer» (núm. 63), sobre *Las hojas secas.*
Sobre la rima «Yo sé cuál el objeto» (LIX), véase mi edición de *Rimas* (núm. 9), págs. 165 y sigs., que hace mención, entre otros, de los trabajos de Rafael de Balbín.
Sobre *El Entreacto* y «Una tragedia y un ángel»:
  1.º Dionisio Gamallo Fierros, *Páginas abandonadas* (núm. 40), páginas 439-443.
  2.º Rica Brown, *Bécquer* (núm. 24-b), pág. 369.

10. SU MUERTE

80. La muerte del poeta y sus exequias (22-23 de diciembre de 1870). La primera reunión de sus amigos con objeto de publicar sus obras (24 de diciembre de 1870)

El artículo que publicó Moreno Godino en *La Ilustración de Madrid* a finales de 1886 está reproducido por María Dolores Cabra en el álbum *La Ilustración de Madrid* (núm. 15); también se encuentra en él la necrología de Campillo.
Francisco de Laiglesia, *Bécquer. Sus retratos* (núm. 46), pág. 6.
R. Pageard, «La mort de Bécquer dans la presse du temps (1870-1871)» (núm. 57-i).
Rica Brown, *Bécquer* (núm. 24-b), págs. 373-377.
N. Campillo, Cartas y poesías inéditas a Eduardo de la Barra (núm. 26-b), pág. 26.

11. Epílogo

I. Los homenajes. La publicación de las Obras
(Verano de 1871). El nacimiento del ser de ensueño

81. Homenajes y pésames

Artículo de Rubén Benítez citado en el texto.

Rafael Montesinos, *Bécquer. Biografía e imagen* (núm. 49-c), pág. 310.

Sobre los textos publicados en *La Ilustración de Madrid,* véase María Dolores Cabra, *La Ilustración de Madrid* (núm. 15); sobre «La conquista de Strasburgo», véase pág. 23 de dicho álbum.

82. La publicación de las *Obras*

Cito el prólogo de Rodríguez Correa según la octava edición de las *Obras* (1915) en la casa de Fernando Fe.

Dionisio Gamallo Fierros, «Abanico de novedades» («quinta varilla»), en *Mundo Hispánico,* núm. 272, noviembre de 1970, pág. 62 (núm. 51).

Narciso Campillo, Cartas y poesías inéditas a Eduardo de la Barra (núm. 26-b), carta del 20 de enero de 1890.

Robert Pageard, «La publication des *Obras* de Bécquer (juillet 1871)» (núm. 57-g). «La mort de Bécquer dans la presse du temps» (núm. 57-i).

Rafael Montesinos, «Una rima becqueriana (y otros datos inéditos)» (núm. 49-d), pág. 55.

Sobre las correcciones del manuscrito de *Rimas* de 1869 (registro llamado «Libro de los gorriones»), véase, además de las referencias citadas en el texto:

— Franz Schneider, «Gustavo Adolfo Bécquer as *Poeta* and his knowlegde of Heine's Lieder» (núm. 62-b).

— Jesús Domínguez Bordona, «El autógrafo de las *Rimas*» (núm. 35).

— *Libro de los gorriones,* edición de María del Pilar Palomo (núm. 14).

Sobre la carta de Campillo a Gumersindo Laverde (5 de agosto de 1871), véase Daniel Pineda Povo, «Notas para la rima XXIII de Bécquer», en *Archivo Hispalense,* Sevilla, 1971, tomo LIV, núm. 165, pág. 138.

83. El nacimiento del ser de ensueño. El prólogo de Rodríguez Correa y la primera acogida de las *Obras*

La nota de Antonio Sánchez Pérez se cita íntegramente en el artículo de Rubén Benítez «Los hermanos Bécquer en *Gil Blas*» (núm. 20-d).

Sobre el artículo de Galdós en *El Debate,* véase:

1.º Gisèle Cazottes, «Un jugement de Galdós sur Bécquer», en *Bulletin Hispanique,* tomo LXXVII, enero-junio de 1975, págs. 140-153.

2.º   William H. Schoemaker, *La crítica literaria de Galdós,* Madrid, edición
      Ínsula, 1979, págs. 221-222.

**84. La publicación de *La Pereza* (noviembre de 1871)
       y el recuerdo de Bécquer**

Sobre la publicación de *La Pereza,* véase:
   1.º   Manuela Cubero Sanz, *Vida y obra de Augusto Ferrán* (núm. 30), pág. 85
         especialmente.
   2.º   Rica Brown, *Bécquer* (núm. 24-b), pág. 217.

II.   «LA LUMINOSA ESTELA» (RIMA V)

Francisco de Laiglesia, *Bécquer. Sus retratos* (núm. 46), pág. 14.
Rafael Montesinos, «Una rima inédita (y otros datos inéditos)» (núm. 49-d).

bibliografía

I. ALGUNAS EDICIONES RECIENTES DE OBRAS DE BÉCQUER
(orden cronológico)

1. *Obras completas,* Ed. Aguilar, S. A., Madrid. Constantemente reeditadas desde 1934 con correcciones.
2. *Teatro,* edición, estudio preliminar, notas y apéndices de Juan Antonio Tamayo, C.S.I.C., Instituto «Miguel de Cervantes», Madrid, 1949.
3. *Rimas,* ed. de Ivonne Bordelois y María Silva Delpy, Ed. Kapelusz, Buenos Aires, 1956-1971.
4. *Rimas,* ed. de José Pedro Díaz, Ed. Espasa-Calpe, col. «Clásicos castellanos». Madrid, 1963.
5. *Rimas,* ed. de José Luis Cano, Ed. Anaya, col. «Biblioteca Anaya. Textos españoles», Salamanca, Madrid, Barcelona, 1965.
6. *Rimas,* ed. de Juan María Díez Taboada, Ed. Alcalá, col. «Aula Magna», Madrid, 1965.
7. *Rimas y prosas,* ed. de Rafael de Balbín y Antonio Roldán, Ed. Rialp, S. A., col. «Maestros de la lengua castellana», Madrid, México, Buenos Aires, Pamplona, 1968.
8. *Libro de los gorriones,* ed. de Guillermo Guastavino Gallent, Rafael de Balbín y Antonio Roldán, Ed. Ministerio de Educación y Ciencia (Dirección General de Archivos y Bibliotecas), Madrid, 1971.
   La mejor reproducción facsímil del «Libro de los gorriones» se halla en esta edición.
9. *Rimas,* ed. anotada de Robert Pageard, Ed. C.S.I.C. y Centre de Recherches et d'Editions Hispaniques de l'Université de Paris, col. «Clásicos Hispánicos», Madrid, 1972.

10. *Leyendas, apólogos y otros relatos,* ed., prólogo y notas de Rubén Benítez, ed. Labor, S. A., col. «Textos hispánicos modernos», Barcelona, 1974.

11. *Rimas,* ed. de José Carlos de Torres, Ed. Castalia, col. «Clásicos Castalia», Madrid, 1976.

12. *Rimas y leyendas,* ed. de Carmen Ruiz Barrionuevo, Ed. Almar, S. A., col. «Patio de Escuelas», Salamanca, 1977.

13. *Rimas y declaraciones poéticas,* ed. de Francisco López Estrada, Ed. Espasa-Calpe, S. A., Madrid, 1977.

14. *Libro de los gorriones,* ed. de María del Pilar Palomo, Ed. Cupsa, col. «Hispánicos Planeta», Madrid, 1977.

15. *Textos de Gustavo Adolfo Bécquer acompañados de dibujos de Valeriano Bécquer, publicados durante los años 1870 y 1871 en «La Ilustración de Madrid»,* ed. e introducción de María Dolores Cabra Loredo, Ed. «El Museo Universal», Madrid, 1983.

II. Principales obras y colecciones de artículos citadas
(clasificadas según el orden alfabético de nombres de autor o de editor)

16. Alatorre (Antonio): «Sobre el texto original de las *Rimas* de Bécquer (a propósito de la edición de J. P. Díaz)», en *Nueva Revista de Filología Hispánica,* tomo XIX, 1970, núm. 2, Ed. «Centro de Estudios lingüísticos y literarios. El Colegio de México.»

17. Archivo Hispalense, número dedicado a G. A. Bécquer en el centenario de su muerte, enero-abril de 1971, núm. 165, Sevilla.

18. Balbín (Rafael de):
a) «Bécquer, fiscal de novelas», en *Revista de Bibliografía Nacional,* tomo III, fascículos 3 y 4, págs. 133-165, Madrid, 1942.
b) «Sobre influencia de Augusto Ferrán en la rima XLVII de Bécquer», en *Revista de Filología Española,* tomo XXVI, págs. 319-334, Madrid, 1942.
c) «Sobre un poema becqueriano desconocido», en *Revista de Literatura,* tomo XXVI, julio-diciembre de 1964, págs. 91-96, Madrid (se trata del cuarteto «Solitario, triste y mudo»).
d) «Dos poemas ignorados de Gustavo A. Bécquer», en *Revista de Literatura,* tomo XXX, julio-diciembre de 1966, págs. 39-47, Madrid (poemas publicados en el tomo 1853-54 de la revista madrileña *El Trono y la Nobleza).*
e) «Isabel II y Bécquer», en *ABC,* 5 de marzo de 1967, Madrid.
f) «Notas sobre la rima XLII de Gustavo Adolfo Bécquer», en *Litterae hispaniae et lusitaniae,* págs. 59-68, 1968, Ed. Max Hueber Verlag, Munich (colección de estudios publicada en el cincuentenario de la creación del Instituto de Investigación Iberoamericano de la Universidad de Hamburgo).
g) *Poética becqueriana,* Ed. «Prensa española», col. «El Soto», Madrid, 1969 (colección de 13 estudios).

19. Bécquer (Julia): «La verdad sobre los hermanos Bécquer. Memorias de Julia Bécquer», en *Revista de la Biblioteca, Archivo y Museo del Ayuntamiento de Madrid,* año IX, núm. XXXIII, enero de 1932, págs. 76-91.

20. BENÍTEZ (Rubén):
a) *Ensayo de bibliografía razonada de Gustavo Adolfo Bécquer,* ed. Universidad de Buenos Aires, Facultad de Filosofía y Letras, 1961.
b) «El periódico *Gil Blas* defiende a Bécquer, censor de novelas», en *Hispanic Review,* XXXVI, enero de 1968, págs. 35-43.
c) *Bécquer tradicionalista,* ed. Gredos, S. A., col. «Biblioteca románica hispánica», Madrid, 1970 (contiene los textos de *Historia de los templos de España* no incluidos en las *Obras completas* de Aguilar).
d) «Los hermanos Bécquer en *Gil Blas*», en *Ínsula,* núm. 311, octubre de 1972, Madrid.

21. BENITO REVUELTA (Vidal): *Bécquer y Toledo,* ed. Publicaciones del Instituto Provincial de Investigaciones y Estudios Toledanos, Patronato José María Quadrado del Consejo Superior de Investigaciones Científicas, Madrid, 1971.

22. BLASCO (Eusebio): *Mis contemporáneos. Semblanzas varias,* Imp. Francisco Álvarez, Madrid, 1886.

23. BOUSOÑO (Carlos): *Seis calas en la expresión literaria española,* Ed. Gredos, S. A., Madrid, 1963 (contiene «Los conjuntos paralelísticos de Bécquer»).

24. BROWN (Rica):
a) «Valeriano Bécquer. Un álbum de dibujos originales», en *Goya,* núm. 21, 1957, Madrid.
b) *Bécquer,* con un prólogo de Vicente Aleixandre, «Gustavo Adolfo Bécquer en dos tiempos», Ed. Aedos, Barcelona, 1963.

25. CONSEJO SUPERIOR DE INVESTIGACIONES CIENTÍFICAS (C.S.I.C.):
a) *Bécquer y Soria. Homenaje en el primer centenario de su muerte,* ed. Patronato José María Quadrado, Centro de Estudios Sorianos, 1970 (trabajos de José Antonio Pérez Rioja, Heliodoro Carpintero, Federico Bordejé, Teófilo Aparicio —O.S.A.—, Félix Herrero, José Tudela, Clemente Sáenz García).
b) *Estudios sobre Gustavo Adolfo Bécquer,* en tomo LII de *Revista de Filología Española,* ed. Patronato «Menéndez Pelayo», Instituto «Miguel de Cervantes», 1971.
c) *Veinticuatro diarios, Madrid, 1830-1900,* subtítulo «Artículos y noticias de escritores españoles del siglo XIX por el Seminario de la bibliografía hispánica de la Facultad de Filosofía y Letras de Madrid», ed. C.S.I.C., Madrid, 1968.

26. CAMPILLO (Narciso):
a) «Gustavo Bécquer», en *La Ilustración de Madrid,* 15 de enero de 1871, Madrid (reproducido en los libros núms. 15 y 44 de esta bibliografía).
b) Cartas y poesías inéditas a D. Eduardo de la Barra. Noticias interesantes y curiosas acerca de Gustavo A. Bécquer y del verdadero e ingenioso autor de la Historia de la Corte Celestial, con documentos que resuelven definitivamente esta cuestión literaria, ed. y prólogo de L. Eliz, Imp. Roma, Valparaíso, 1923 (cartas de 1889 y 1890).

27. CANALEJAS (Francisco de Paula): «Del estado actual de la poesía lírica en España», discurso pronunciado en el Ateneo de Madrid el 16 de octubre de 1876, en *Revista Europea,* año III, núm. 148, 24 de diciembre de 1876, Madrid.

28. CARPINTERO (Heliodoro): *Bécquer de par en par,* Ed. Ínsula, Madrid, 1972 (2.ª edición corregida y aumentada, con ensayo-prólogo de Julián Marías).

29. COSSÍO (José María de): *Cincuenta años de poesía española (1850-1900),* dos tomos, ed. Espasa-Calpe, Madrid, 1960.

30. CUBERO SANZ (Manuela): *Vida y obra de Augusto Ferrán,* ed. C.S.I.C., Madrid, 1965.

31. CHAVES (Manuel): *Historia y bibliografía de la prensa sevillana,* Imp. E. Rasco, Sevilla, 1896.

32. DE COSTER (Cyrus C.), ed.: Juan Valera, *Artículos de El Contemporáneo,* Ed. Castalia, Madrid, 1966.

33. DÍAZ (José Pedro): *Gustavo Adolfo Bécquer. Vida y poesía,* Ed. Gredos, S. A., col. «Biblioteca románica hispánica», Madrid, 1958 (1.ª edición).

34. DÍEZ TABOADA (Juan María):
a)   «El germanismo y la renovación de la lírica española en el siglo XIX (1840-1870)», en *Filología Moderna,* octubre de 1961, ed. Universidad de Madrid, Facultad de Filosofía y Letras.
b)   *La mujer ideal. Aspectos y fuentes de las rimas de G. A. Bécquer,* ed. C.S.I.C., Madrid, 1965.

35. DOMÍNGUEZ BORDONA (Jesús). «El autógrafo de las *Rimas*», en *Revista de Filología Española,* tomo X, 1923, págs. 173-179, Madrid.

36. ENTRAMBASAGUAS (Joaquín de): *La obra poética de Bécquer en su discriminación creadora y crítica.* Ed. Vasalle de Mumbert, Madrid, 1974.

37. LA ESPAÑA ARTÍSTICA Y MONUMENTAL, obra en tres tomos en folio grande realizada por Genaro Pérez de Villaamil y Patricio de la Escosura, Madrid y París, 1842.

38. FABIÉ (Antonio María): «D. Joaquín Domínguez Bécquer», en *Revista de España,* núm. 289, págs. 54-61, 13 de marzo de 1880, Madrid.

39. FRUTOS GÓMEZ DE LAS CORTINAS (J.): «La formación literaria de Bécquer», en *Revista Bibliográfica y Documental,* IV, diciembre de 1950, págs. 77-98, Madrid.

40. GAMALLO FIERROS (Dionisio), ed. de: G. A. Bécquer, *Páginas abandonadas,* subtítulo «Del olvido en el ángulo oscuro...», con carta-prólogo de Dámaso Alonso, ensayo biocrítico, apéndices y notas, Editorial Valera, Madrid, 1948.

41. GARCÍA-VIÑO (M.): *Mundo y trasmundo de las leyendas de Bécquer,* Ed. Gredos, S. A., col. «Campo abierto», Madrid, 1970.

42. GESTOSO Y PÉREZ (José): «Carta a M. Achille Fouquier», en *La Ilustración Artística,* 27 de diciembre de 1886, Barcelona.

43. HARTZENBUSCH (Eugenio): *Apuntes para un catálogo de periódicos madrileños desde el año 1661 al 1870,* Ed. Rivadeneyra, Madrid, 1894.

44. FERNÁNDEZ (Alejo): *Bécquer y Heine,* Ed. Senara, Madrid, 1946.

45. IGLESIAS FIGUEROA (Fernando): *Páginas desconocidas de Gustavo Adolfo Bécquer recopiladas por...,* 3 tomos, Ed. Renacimiento, Madrid, 1923.

46. LAIGLESIA (Francisco de): *Bécquer. Sus retratos,* Ed. Voluntad, Madrid, 1922.

47. LÓPEZ ESTRADA (Francisco): *Poética para un poeta. Las «Cartas literarias a una mujer» de Bécquer,* Ed. Gredos, S. A., col. «Biblioteca románica hispánica», Madrid, 1972.

48. MAGIS (Carlos Horacio): *La lírica popular contemporánea. España. México. Argentina,* Ed. El Colegio de México, México, 1969.

49. MONTESINOS (Rafael):

    a) «Josefina Espín y la rima XXVII», en *Mundo Hispánico,* núm. 272, noviembre de 1970, Madrid.

    b) «Adiós a Elisa Guillén», en *Ínsula,* núm. 289, diciembre de 1970, Madrid.

    c) *Bécquer. Biografía e imagen,* Ed. R. M., Barcelona, 1978.

    d) «Una rima becqueriana (y otros datos inéditos)», en *Nueva Estafeta,* núm. 19, junio de 1980, Madrid.

    e) Selección, introducción y notas a Arístides Pongilioni, *Primera antología poética (1853-1865),* Ed. Dendrónoma, Sevilla, 1980.

50. MONTOTO (Santiago): «Antecedentes familiares de Bécquer», en *Estudios sobre Gustavo Adolfo Bécquer* (véase núm. 25-b).

51. MUNDO HISPÁNICO: número extraordinario dedicado a Bécquer, núm. 272, noviembre de 1970, Madrid.

52. NOMBELA (Julio):

    a) *Impresiones y recuerdos,* 4 volúmenes, Ed. La última moda, Madrid, 1909-1911 y Ed. Tebas, Madrid, años 1970, en un volumen único.

    b) «Un libro sobre Bécquer», en *La Actualidad, suplemento ilustrado de la Revista de América,* julio de 1913, París.

53. OLMSTED (Everett Ward): prefacio de su edición de *Legends, Tales and Poems of Gustavo Adolfo Bécquer,* International Moderns Language Series, Ed. Ginnand Company, Boston, 1907.

54. OSSORIO y BERNARD (Manuel): *Galería biográfica de Artistas Españoles del siglo XIX,* Madrid, 1883-1884 (2.ª edición).

55. OWEN (Claude R.): *Heine im spanischen Sprachgebiet,* núm. 12, segunda serie de los *Spanische Forschungen der Görresgesellschaft,* Münster, 1968.

56. PÁEZ RÍOS (Elena): *El Museo Universal (1857-1869),* ed. C.S.I.C., Instituto «Miguel de Cervantes», Colección de índices de publicaciones periódicas *(XIV),* Madrid, 1952.

57. PAGEARD (Robert):

    a) «Le germanisme de Bécquer», en *Bulletin Hispanique,* tomo LVI, núms. 1-2, pág. 84-109, Burdeos, 1954.

    b) «Bécquer y *La Iberia*», en *Bulletin Hispanique,* tomo LVI, núm. 4, páginas 408-414, Burdeos, 1954.

    c) (En colaboración con G. W. Ribbans) «Heine and Byron in the *Semanario Popular* (1862-1865)», en *Bulletin of Hispanic Studies,* volumen XXXIII, núm. 2, abril 1956, Liverpool.

    d) «Notes becquériennes», en *Bulletin Hispanique,* tomo LXXIII, núm. 3-4, julio-diciembre de 1971, Burdeos (la nota «Bécquer y la vida literaria sevillana». Ha sido traducida en español y reproducida en *Archivo Hispalense,* núm. 174, 1975, traducción de María Teresa López García-Berdoy, Sevilla).

e) «Gustavo Adolfo Bécquer et le romantisme français, *Estudios sobre Gustavo Adolfo Bécquer* (véase núm. 25-b), págs. 477-524.

f) «Bécquer et *Los angélicos*», en *Bulletin of Hispanic Studies,* volumen LI, núm. 2, abril 1974, Liverpool.

g) «La publication des *Obras* de Bécquer (juillet 1871)», en *Les Lettres Romanes,* XXVIII, 1974, págs. 156-164, Louvain (reproducido en traducción española de María Teresa López García-Berdoy en *Archivo Hispalense,* núm. 177, 1975, págs. 53-69, Sevilla).

h) «L'Inde et la culture espagnole au XIX siécle», en la obra colectiva *Nationalisme et cosmopolitisme dans les littératures ibériques au XIX siécle,* Presses Universitaires de Lille, Universidad de Lille, III, 1975.

i) «La mort de Bécquer dans la presse du temps (1870-1871)», en *Bulletin Hispanique,* octubre-diciembre de 1957, págs. 396-403, Burdeos.

58. PARDO CANALIS (Enrique):
a) «Valeriano Bécquer en el Museo de la Trinidad», en *Goya,* núm. 71, marzo-abril de 1965, Madrid.

b) «Un álbum de dibujos de Valeriano Bécquer», en *Goya,* núm. 81, noviembre-diciembre de 1967.

59. RIBBANS (G. W.):
a) «Bécquer, Byron y Dacarrete», en *Revista de Literatura,* julio-septiembre de 1953, págs. 59-72, Madrid.

b) «Heine and Byron in the *Semanario Popular* (1862-1865)», véase núm. 57-c.

60. RODRÍGUEZ CORREA (Ramón): «Gustavo Adolfo Bécquer», prólogo a la primera edición de las *Obras* y «Al lector», texto agregado al prólogo en 1877. Se encuentran en todas las ediciones Fernando Fe. Se han reproducido estos textos en la edición de las *Rimas* realizada por José Carlos de Torres en 1976 (núm. 11) y en el álbum *La Ilustración de Madrid* en 1983 (núm. 15).

61. SANTOS TORROELLA (Rafael): *Valeriano Bécquer,* Ed. Cobalto, Barcelona, 1948.

62. SCHNEIDER (Franz):
a) *La vida y la creación de Gustavo Adolfo Bécquer estudiadas con particular consideración del elemento cronológico,* Borna-Leipzig, Imp. Robert Noske, 1914 (en alemán).

b) «Gustavo A. Bécquer as *Poeta* and his knowledge of Heine's Lieder», en *Modern Philology,* volumen XIX, febrero de 1922, págs. 245-257, Chicago.

c) «Tablas cronológicas de las obras de Gustavo Adolfo Bécquer», en *Revista de Filología Española,* tomo XVI, 1929, págs. 389-399, Madrid.

63. SEGOVIA (Alberto de): «Gustavo Adolfo Bécquer», en *Revista Semanal Hispanoamericana,* serie «Figuras de la Raza», año III, núm. 5, febrero de 1927, Madrid.

64. SERIS (Homero): «Estado actual de los estudios sobre Bécquer y una nueva

carta inédita del poeta», en *Mélanges á la mémoire de Jean Sarrailh,* tomo II, págs. 377-388, Centre de recherches de l'Institut d'Etudes Hispaniques, París, 1966.

65. TORAL (Enrique de): *Historia de un viejo papel,* subtítulo *Glosas al texto becqueriano de la rima «¡Dios mío, qué solos se quedan los muertos!»,* Madrid, 1973 (3.ª edición privada).

ADDENDA

Gustavo Adolfo Bécquer, ed. de Russel P. Sebol, Taurus Ediciones, col. «El escritor y la crítica», Madrid, 1985.

Gustavo Adolfo Bécquer: *Templos de Toledo,* primero y único tomo publicado de *Historia de los templos de España* reeditado y presentado por María Dolores Cabra Loredo, Ed. «El Museo Universal», Madrid, 1985.

Gustavo Adolfo Bécquer: *Desde mi celda,* edición de Darío Villanueva, Clásicos Castalia, Madrid, 1985.

Gustavo Adolfo Bécquer: *Leyendas,* edición de Pascual Izquierdo, col. «Letras hispánicas», Ed. Cátedra, Madrid, 1987.

Gustavo Adolfo Bécquer: *Leyendas et récits,* edición bilingüe, traducción y presentación de Robert Pageard, Col. Iberiques, Ed. José Corti, París, 1989.

ANEXOS

RECONSTITUCIÓN DE LA ASCENDENCIA
DE GUSTAVO ADOLFO BÉCQUER HASTA MEDIADOS
DEL SIGLO XVIII

INFORMACIONES SOBRE LA DESCENDENCIA
DE LOS HERMANOS VALERIANO Y GUSTAVO
ADOLFO BÉCQUER

«LA SOPA DE LOS CONVENTOS», TEXTO
PUBLICADO EL 22 DE ABRIL DE 1866
EN *EL MUSEO UNIVERSAL*

RECONSTITUCIÓN DE LA ASCENDENCIA DE GUSTAVO ADOLFO BÉCQUER HASTA MEDIADOS DEL SIGLO XVIII

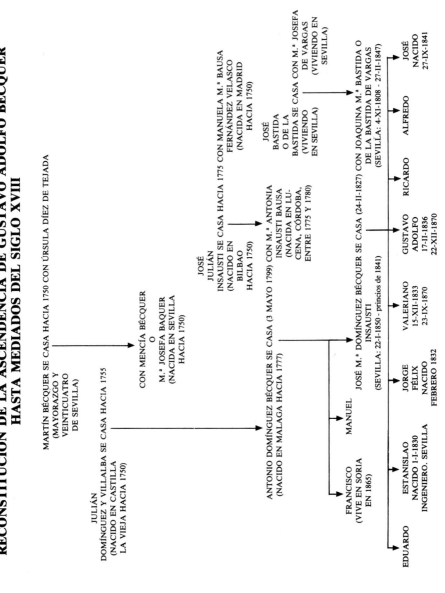

INFORMACIONES SOBRE LA DESCENDENCIA DE LOS HERMANOS VALERIANO Y GUSTAVO ADOLFO BÉCQUER

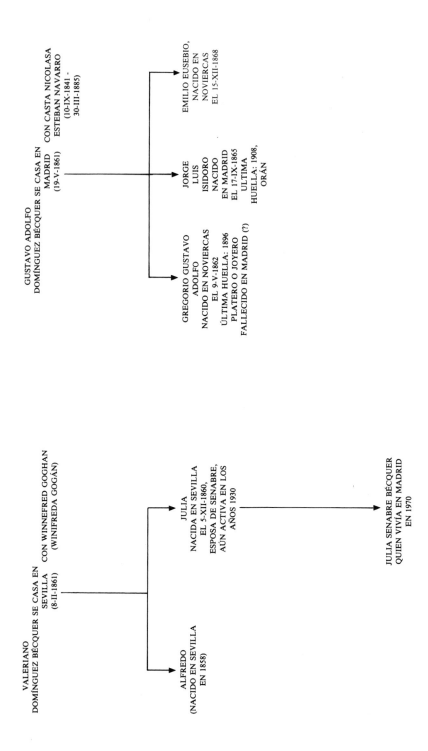

GUSTAVO ADOLFO
DOMÍNGUEZ BÉCQUER SE CASA EN
MADRID
(19-V-1861)

CON CASTA NICOLASA
ESTEBAN NAVARRO
(10-IX-1841 -
30-III-1885)

GREGORIO GUSTAVO
ADOLFO
NACIDO EN NOVIERCAS
EL 9-V-1862
ÚLTIMA HUELLA: 1896
PLATERO O JOYERO
FALLECIDO EN MADRID (?)

JORGE
LUIS
ISIDORO
NACIDO
EN MADRID
EL 17-IX-1865
ÚLTIMA
HUELLA: 1908,
ORÁN

EMILIO EUSEBIO,
NACIDO EN
NOVIERCAS
EL 15-XII-1868

VALERIANO
DOMÍNGUEZ BÉCQUER SE CASA EN
SEVILLA
(8-II-1861)

CON WINNEFRED GOGHAN
(WINIFREDA GOGÁN)

ALFREDO
(NACIDO EN SEVILLA
EN 1858)

JULIA
NACIDA EN SEVILLA
EL 5-XII-1860,
ESPOSA DE SENABRE,
AÚN ACTIVA EN LOS
AÑOS 1930

JULIA SENABRE BÉCQUER
QUIEN VIVÍA EN MADRID
EN 1970

«LA SOPA DE LOS CONVENTOS»
texto publicado el 22 de abril de 1866 en
El Museo Universal

La sopa de los conventos se ha llamado por algunos «el maná de los holgazanes». En un pais meridional é indolente por naturaleza, donde la suavidad de la temperatura y la esplendidez del sol parece que convidan al *dolce far niente,* suave y embriagadora enfermedad de la hermosa Italia, no es estraño que la perspectiva de un plato de sopa seguro abriese á la pereza anchos horizontes de esperanza, contribuyendo asi á su propagacion y desarrollo.

Bajo este punto de vista, la sopa de los conventos merece tal vez los duros anatemas que le lanzan nuestros economistas modernos.

Sin embargo, como fórmula de caridad, siempre ha debido ser una costumbre loable. En el dia, el Estado, que nos tiene en tutela como á menores, se encarga de ser benéfico por nosotros. En otras épocas, la compasión hácia el pobre se traducia en instituciones caprichosas é individuales. Estudiando el libre sistema de ejercer la caridad de nuestros mayores, desde la guiropa claustral hasta la *ronda de pan y huevo,* encontraríamos una multitud de prácticas y costumbres á cual mas originales, encaminadas todas al bien de los menesterosos. Estos esfuerzos filantrópicos, al parecer aislados, tenian, sin embargo, su unidad especialísima. La religion era el lazo que los identificaba unos con otros.

A favor de la sopa de los conventos siguieron una brillante carrera literaria muchos ingenios desheredados de la fortuna, que mas tarde dieron grandes dias de gloria á nuestra patria. Varones famosos, honra de la toga y del episcopado, se contaron en el número de los estudiantes *sopistas* de Alcalá y Salamanca.

Esta costumbre, tan característica como pintoresca, ha dado también ocasion en varias ocasiones á que nuestros escritores y artistas trazasen animados cuadros populares. Las estrañas figuras de los personajes, la variedad de los tipos y el color local del fondo de la escena ofrecen en verdad ancho campo á la imaginacion. Los novelistas del siglo XVII han sacado partido de este género de descripciones, y el ilustre duque de Rivas ha hecho de la reparticion de la sopa una de las escenas mas animadas y cómicas de su inmortal drama *Don Alvaro.*

El dibujo del señor Ortego, que hoy damos en EL MUSEO da una idea exacta de esta costumbre, y aunque mirada tambien bajo un punto de vista que tiene algo de cómico, la originalidad de los tipos y la exactitud de los detalles que fijan la época, ayudan perfectamente la imaginacion á dar vida á una de las páginas mas originales y pintorescas de las especiales costumbres de España durante el siglo pasado.

ÍNDICES

RIMAS Y OTROS POEMAS

1. LAS RIMAS DE LAS EDICIONES FORTANET Y FERNANDO FE PROCEDENTES DEL «LIBRO DE LOS GORRIONES»

(El número en cifras romanas es el de las ediciones Fortanet y Fe; el número en cifras árabes es el del manuscrito del «Libro de los gorriones».)

2. Las rimas del «Libro de los gorriones» ausentes de las ediciones Fortanet y Fernando Fe

3. Los demás poemas publicados

ODAS TEATRALES Y LÍRICAS

OBRAS EN PROSA

OBRAS EN PROSA DE HIPOTÉTICA ATRIBUCIÓN

A la claridad de la luna *(El Contemporáneo,* 10 marzo 1864): 347.

«Al siglo XIX», oda de Fernández Grilo, texto de presentación atribuible a Bécquer *(El Contemporáneo,* 19 octubre 1863): 345.

Baile de disfraces vicalvaristas que tendrá lugar en el día 8 de abril de 1863 *(El Contemporáneo,* 8 abril 1863): 341 y s.

Bailes de trajes (Los) *(El Contemporáneo,* 27 marzo 1863): 340.

Bailes y bailes *(El Contemporáneo,* 9 febrero 1864): 346, 347.

Bellas Artes. Pintura. Doña María de Molina presentando su hijo el infante D. Fernando a las Cortes de Castilla, reunidas en Valladolid (Cuadro del señor don Antonio Gisbert) *(El Contemporáneo,* 16 noviembre 1863): 345.

Belleza (La) *(El Contemporáneo,* 6 abril 1862): 322.

Calle de la Montera (La) *(La Ilustración de Madrid,* 27 noviembre 1870): 521.

Carnaval. «Pot-pourri» de pensamientos extraños (El) *(El Contemporáneo,* 5 marzo 1862): 320.

Cartas semi-políticas *(El Contemporáneo,* 12-31 enero 1862): 318.

Convento de las Salesas Reales en Madrid *(La Ilustración de Madrid,* 12 mayo 1870): 506.

Cualquier cosa *(El Contemporáneo,* 17 crónicas a partir del 2 octubre 1862): 327.

Doña Manuela (manifiesto contenido en el único número del periódico de este nombre, finales de septiembre de 1865): 318, 392 y s.

Exposición Nacional de Bellas Artes de 1862 *(El Contemporáneo,* 16 octubre-9 noviembre 1862, 7 artículos): 296, 327, 433, 540.

Fray Luis de León, escultura del señor Sevilla *(La Ilustración de Madrid,* 27 mayo 1870): 507.

Haciendo tiempo *(El Contemporáneo,* 28 febrero 1864): 347.

Historia de una mariposa y de una araña *(El Contemporáneo,* 18 enero 1863): 334.

Inauguración de los trabajos del canal de Cinco Villas en Aragón *(La Ilustración de Madrid,* 27 julio 1870): 509.

Instalación de las Cortes de Cádiz (cuadro de Casado del Alisal) *(El Contemporáneo,* 10 julio 1862): 323.

Madrid moderno. Modelo de los coches del tranvía que ha de cruzar la población *(La Ilustración de Madrid,* 12 diciembre 1870): 521.

Maniquíes (Los) *(El Contemporáneo,* 15 febrero 1862): 319.

Misa del alba (La) *(El Museo Universal,* 2 julio 1865): 400.

Muerto al hoyo (El) *(El Contemporáneo,* 9 febrero 1862): 318.

Obras de restauración del palacio de Alcañices en Madrid *(La Ilustración de Madrid,* 12 marzo 1870): 505.

Pascua de Reyes (La) *(El Contemporáneo,* 7 enero 1863): 333.

Procesión del Corpus en Sevilla *(El Museo Universal,* 30 mayo 1869): 463.

Procesión del viernes santo en León *(El Museo Universal,* 1 abril 1866): 415.

Profecía. España tal cual será el año 1866 *(El Contemporáneo,* 10 septiembre 1862): 327.

Romería de San Soles en Ávila (La) *(El Museo Universal,* 25 octubre 1868): 462.

Rondalla (La) *(El Museo Universal,* 21 marzo 1869): 462.

Teatro Real. Bellini. La Sonámbula *(El Contemporáneo,* 28 diciembre 1863): 345.

Teatro Real. El barbero de Sevilla. Semíramis *(El Contemporáneo,* 11 octubre 1863): 301, 345.

ÍNDICE ONOMÁSTICO

ÍNDICE TOPOGRÁFICO

ÍNDICE DE LAS PRINCIPALES REVISTAS
Y PERIÓDICOS CITADOS

ALGUNOS TEMAS CENTRALES

índice

Primera época
SEVILLA (1836-1854)

1. Los Bécquer. Los orígenes neerlandeses y belgas. La tradición sevillana, *pág. 25.—* 2. El ambiente de la primera infancia. El éxito de dos artistas, *pág. 32.—*3. El arte de José Bécquer, *pág. 37.—*4. La obra de José Bécquer en *La España artística y monumental* (1842), *pág. 39.—*5. De la muerte del padre a la entrada en San Telmo (febrero de 1841-1 de marzo de 1846), *pág. 41.—*6. Colegial en San Telmo, *pág. 42.—*7. Un niño en libertad (verano de 1847-1848), *pág. 45.—*8. Las relaciones de Joaquín Domínguez Bécquer con la Real Academia de Buenas Letras de Sevilla. Gustavo Adolfo y la muerte de Alberto Lista, *pág. 49.—*9. La aparición del nombre en literatura. Gustavo Adolfo Bécquer, Francisco Rodríguez Zapata y la escuela poética sevillana del siglo XIX, *pág. 52.—*10. Talleres de dibujo y pintura. Paseos poéticos y artísticos, *pág. 56.—*11. La unión del dibujo y de la creación literaria. Revista de los dibujos conocidos, *pág. 59.—*12. La transformación de un libro de cuentas en un cuaderno de arte y de poesía (1848-1852), *pág. 64.—*13. Algunos versos escritos en el libro de cuentas paterno, *pág. 68.—*14. Dos páginas de un diario sentimental (23-26 de febrero de 1852), *pág. 72.—*15. *Oda a la señorita Lenona en su partida* (17 de septiembre de 1852), *pág. 76.—*16. El soneto «Céfiro dulce, que vagando alado», *pág. 78.—*17. Formación de una nueva atmósfera poética (1846-1852), *pág. 79.—*

Segunda época
MADRID (1854-1870)